Parimal Sanskrit Series No. 4

NĀṬYAŚĀSTRA OF BHARATAMUNI

WITH THE COMMENTARY ABHINAVABHĀRATĪ OF ABHINAVAGUPTA

VOL. II
CHAPTERS 8-18

EDITED BY

R. S. NAGAR
K. L. JOSHI

PARIMAL PUBLICATIONS
DELHI

Published by

PARIMAL PUBLICATIONS

27/28, Shakti Nagar, Delhi-110007 (INDIA)

ph. : +91-11-47015168

e-mail : order@parimalpublication.com

url : http://www.parimalpublication.com

Head Office

PARIMAL PUBLICATIONS

1, Manmohan Complex, Behind Navrangpura Police Station,

Navrangpura, Ahmedabad-380009 (INDIA)

ph. : +91-79-49167674

Edition : Year 2024

ISBN : 978-81-7110-004-0 (Vol. 2)
978-81-7110-002-6 (Set)

Price : ₹ 400.00

__*Printed at*__

S.P. Kaushik Enterprises

Near G.T.B. Hospital, Delhi

परिमल संस्कृत ग्रन्थमाला संख्या-4

भरतमुनिप्रणीतं

नाट्यशास्त्रम्

श्रीमदभिनवगुप्ताचार्यविरचितया अभिनवभारती-संस्कृतव्याख्यया

समुद्भासितम्

द्वितीयो भागः

(अध्यायाः 8-18)

सम्पादक

रविशंकर नागर

के. एल. जोशी

परिमल पब्लिकेशन्स

दिल्ली

Published by
PARIMAL PUBLICATIONS
27/28, Shakti Nagar, Delhi-110007 (INDIA)
ph. : +91-11-47015168
e-mail : order@parimalpublication.com
url : http://www.parimalpublication.com

Head Office
PARIMAL PUBLICATIONS
1, Manmohan Complex, Behind Navrangpura Police Station,
Navrangpura, Ahmedabad-380009 (INDIA)
ph. : +91-79-49167674

Edition : Year 2024

ISBN : 978-81-7110-004-0 (Vol. 2)
978-81-7110-002-6 (Set)

Price : ₹ 400.00

Printed at
S.P. Kaushik Enterprises
Near G.T.B. Hospital, Delhi

विषय सूची

अष्टमेऽध्याये अङ्गाभिनयः

नवमेऽध्याये उपाङ्गाभिनयः

दशमेऽध्याये-चारीविधानम्

एकादशेऽध्याये मण्डलविकल्पनम्

द्वादशेऽध्याये गतिप्रचारः

आसनविधिः

त्रयोदशेऽध्याये कक्ष्याविभागविधानम्

पञ्चदशेऽध्याये वागभिनये-वृत्तलक्षणम्

षोडशेऽध्याये लक्षणालंकाराः

लक्षणानि

सप्तदशेऽध्याये भाषालक्षणं तन्नियमलक्षणं काकुस्वरूपञ्च

अष्टादशेऽध्यायेदशरूपलक्षणम्

॥ श्रीः ॥

नाट्यशास्त्रम्

अष्टमोऽध्यायः

ऋषय ऊचुः ।

भावानां च रसानां च समुत्थानं यथाक्रमम् ।
त्वत्प्रसादाच्छ्रुतं सर्वमिच्छामो वेदितुं पुनः ॥ १ ॥
नाट्ये कतिविधः कार्यः तज्ज्ञैरभिनयक्रमः ।
कथं वाभिनयो[1] ह्येष कतिभेदस्तु कीर्तितः ॥ २ ॥
सर्वमेतद्यथातत्त्वं कथयस्व महामुने[2] ।
यो यथाभिनयो यस्मिन् योक्तव्यः सिद्धिमिच्छता ॥ ३ ॥
तेषां तु वचनं श्रुत्वा मुनीनां भरतो मुनिः ।
प्रत्युवाच पुनर्वाक्यं चतुरोऽभिनयान् प्रति ॥ ४ ॥
अहं वः कथयिष्यामि निखिलेन तपोधनाः ।
यस्मादभिनयो ह्येष विधिवत् समुदाहृतः ॥ ५ ॥

यदुक्तं चत्वारोऽभिनया इति तान् वर्णयिष्यामः । अत्राह—अभिनय इति कस्मात्, अत्रोच्यते—अभीत्युपसर्गः णीञ् इति प्रापणार्थको धातुः । अस्याभिनीत्येवं व्यवस्थितस्य एरजित्यच्प्रत्ययान्तस्याभिनय इत्येवं रूपं सिद्धम् । एतच्च धात्वर्थानुवचनेनावधार्यं[3] भवति ।

अत्र श्लोकौ

अभिपूर्वस्तु णीञ् धातुराभिमुख्यार्थनिर्णये ।
यस्मात्पदार्थान्नयति तस्मादभिनयः स्मृतः ॥ ६ ॥
विभावयति यस्माच्च नानार्थान् हि प्रयोगतः ।
शाखाङ्गोपाङ्गसंयुक्तस्तस्मादभिनयः स्मृतः ॥ ७ ॥
चतुर्विधश्चैव भवेन्नाट्यस्याभिनयो द्विजाः ।
अनेकभेदबाहुल्यं नाट्यं ह्यस्मिन् प्रतिष्ठितम् ॥ ८ ॥
आङ्गिको वाचिकश्चैव ह्याहार्यः[4] सात्त्विकस्तथा ।
ज्ञेयस्त्वभिनयो विप्राः चतुर्धा परिकल्पितः ॥ ९ ॥

---

१. NS चाभिनेयो । GOS. KS. वाभि० ।
२. KSS. भगवन् वक्तुमर्हसि । NS., GOS., same as above.
३. GOS. धात्वर्थवचनेनावधार्यम् ।
४. KSS. आहार्यः ।

सात्त्विकः पूर्वमुक्तस्तु भावैश्च[1] सहितो मया ।
अङ्गाभिनयमेवादौ गदतो मे निबोधत ॥ १० ॥
त्रिविधस्त्वाङ्गिको ज्ञेयः[2] शारीरो मुखजस्तथा ।
तथा चेष्टाकृतश्चैव शाखाङ्गोपाङ्गसंयुतः ॥ ११ ॥
शिरोहस्तकटीवक्षः पार्श्वपादसमन्वितः ।
अङ्गप्रत्यङ्गसंयुक्तः षडङ्गो नाट्यसंग्रहः ॥ १२ ॥
तस्य शिरोहस्तोरःपार्श्वकटीपादतः षडङ्गानि ।
नेत्रभ्रूनासाधरकपोलचिबुकान्युपाङ्गानि ॥ १३ ॥
अस्य[3] शाखा च नृत्तं च तथैवाङ्कुर एव च ।
वस्तून्यभिनयस्येह विज्ञेयानि प्रयोक्तृभिः ॥ १४ ॥
आङ्गिकस्तु भवेच्छाखा ह्याङ्कुरः[4] सूचना भवेत् ।
अङ्गहारविनिष्पन्नं नृत्तं तु करणाश्रयम् ॥ १५ ॥
मुखजेऽभिनये विप्रा ! नानाभावरसाश्रये[5] ।
शिरसः प्रथमं कर्म गदतो मे निबोधत ॥ १६ ॥
आकम्पितं कम्पितं च धूतं विधुतमेव च ।
परिवाहितमाधूत[6]मवधूतं तथाञ्चितम् ॥ १७ ॥
निहञ्चितं परावृत्तमुत्क्षिप्तं चाप्यधोगतम् ।
लोलितं चैव[7] विज्ञेयं त्रयोदशविधं शिरः ॥ १८ ॥
शनैराकम्पनादूर्ध्वमधश्चाकम्पितं भवेत् ।
द्रुतं तदेव बहुशः कम्पितं कम्पितं शिरः ॥ १९ ॥
ऋजुस्थितस्य चोर्ध्वाधः क्षेपादाकम्पितं भवेत् ।
बहुशश्चलितं यच्च तत्कम्पितमिहोच्यते ॥ २० ॥
संज्ञोपदेशपृच्छासु स्वभावाभाषणे तथा ।
[8]निर्देशा वाहने चैव भवेदाकम्पितं शिरः ॥ २१ ॥

---

१. KSS. तु ।
२. KSS. दृष्टः ।
३. KSS. तस्य ।
४. KSS. अंकुरः ।
५. KSS. समाश्रये GOS. NS. रसाश्रये ।
६. KSS. हितोद्वाहितक । GOS., NS. Same as above.
७. KSS. चैव NS, GOS. नेति ।
८. KSS. निर्देशे NS., GOS. निर्देशा ।

रोषे वितर्के विज्ञाने प्रतिज्ञानेऽथ[1] तर्जने ।
[2]प्रश्नातिशयवाक्येषु शिरः कम्पितमिष्यते ॥ २२ ॥
शिरसो रेचनं यत्तु शनैस्तद् धुतमिष्यते[3] ।
द्रुतमारेचनादेतद्विधुतं तु भवेच्छिरः ॥ २३ ॥
अनीप्सिते विषादे च विस्मये प्रत्ययं तथा ।
पार्श्वावलोकने शून्ये प्रतिषेधे धुतं शिरः ॥ २४ ॥
शीतग्रस्ते भयार्त्ते च[4] त्रासिते ज्वरिते तथा ।
पीतमात्रे तथा मद्ये विधुतं तु भवेच्छिरः ॥ २५ ॥
[5]पर्यायशः पार्श्वगतं शिरः स्यात् परिवाहितम् ।
[6]आधूतमुच्यते तिर्यक् सकृदुद्वाहितं तु यत् ॥ २६ ॥
साधने विस्मये हर्षे स्मिते[7] चामर्षिते[8] तथा ।
विचारे विहृते[9] चैव लीलायां परिवाहितम् ॥ २७ ॥
[10]गर्वेच्छादर्शने चैव[11] पार्श्वस्थोर्ध्वानिरीक्षणे ।
[12]आधूतं तु शिरो ज्ञेयमात्मसम्भावनादिषु ॥ २८ ॥
यदधः सकृदाक्षिप्तमवधूतं तु तच्छिरः ।
सन्देशावाहनालापसंज्ञादिषु नदिष्यते ॥ २९ ॥
किञ्चित् [13]पार्श्वनतग्रीवं शिरो विज्ञेयमञ्चितम् ।
व्याधिते मूर्च्छिते मत्ते चिन्तायां [14]हनुधारणं ॥३० ॥

---

१. KSS. प्रतिज्ञातेऽथ NS. प्रतिज्ञाने च GOS. Same as above.
२ NS. पृच्छाति KSS. व्याध्यमर्षणयोश्चैव ।
३. NS. उच्यते ।
४. KSS. तु GOS., NS. च ।
५. KSS पर्यायतः ।
६. KSS. सकृदुद्वाहितमिति स्मृतम् । NS., GOS Same as above.
७. KSS. स्थिते । NS., GOS. स्मृते ।
८. NS. वामर्षिते KSS. GOS. चामर्षिते ।
९. NS. निह्नुते KSS, GOS. विहृते ।
१० NS. गर्वात्मदर्शने । KSS., GOS गर्वेच्छा ।
११. तथा चोर्ध्वं NS, GOS Same as above.
१२. KSS उद्वाहितं तु कर्त्तव्यं ।
१३ KSS., NS. पार्श्वा ।
१४. KSS. सचिन्ते दुःखिते भवेत् । NS, GOS. Same as above,

[1]उत्क्षिप्तांसावसक्तं यत्कुञ्चितभ्रूलतं शिरः ।
निहञ्चितं[2] तु विज्ञेयं स्त्रीणामेतत् प्रयोजयेत् ।। ३१ ।
गर्वे[3] माने विलासे च बिब्बोके किलकिञ्चिते ।
मोट्टायिते कुट्टमिते[4] स्तम्भमाने निहञ्चितम् ।। ३२ ।।
परावृत्तानुकरणात्[5] परावृत्तमिहोच्यते ।
तत् स्यान्मुखापहरणे पृष्ठतः प्रेक्षणादिषु ।। ३३ ।।
उत्क्षिप्तं चापि विज्ञेयमुन्मुखावस्थितं शिरः ।
प्रांशुदिव्यास्त्र[6]योगेषु स्यादुत्क्षिप्तं प्रयोगतः ।। ३४ ।।
[7]अधोमुखं स्थितं चापि बुधाः प्राहुरधोगतम् ।
लज्जायां च प्रणामे च दुःखे चाधोगतं [8]शिरः ।। ३५ ।।
सर्वतो[9] भ्रमणाच्चैव शिरः स्यात् परिलोलितम् ।
मूर्च्छाव्याधिमदावेश[10]ग्रहानिद्रादिषु स्मृतम् ।। ।। ३६ ।।
ऋजुस्वभावसंस्थानं प्राकृतं तु स्वभावजम् ।
मंगलाध्ययनध्यानस्वभावजयकर्मसु ।। ३७ ।।
एभ्योऽन्ये बहवो भेदा लोकाभिनयसंश्रिताः[11] ।
ते च लोकस्वभावेन प्रयोक्तव्याः प्रयोक्तृभिः ।। ३८ ।।
त्रयोदशविधं ह्येतच्छिरःकर्म मयोदितम् ।
अतः परं प्रवक्ष्यामि दृष्टीनामिह लक्षणम् ।। ३९ ।।
कान्ता भयानका हास्या करुणा चाद्भुता तथा ।
रौद्री वीरा च बीभत्सा विज्ञेया रसदृष्टयः ।। ४० ।।

---

१. KSS. उत्क्षिप्तवाहुशिरसस्तथाऽञ्चिताशिरोधरः NS. बाहुशिखर ।
२. NS. शिरो ज्ञेयं । KSS., GOS. तु विज्ञेयं ।
३. NS. नार्वे विलासे ललिते KSS., GOS., MG. Same as above.
४. NS., GOS. स्तम्भे माने ।
५. KSS , NS. परावृत्तं शिरः स्मृतम् GOS. Same as above.
६. KSS. दिव्याश्र NS., GOS. दिव्यार्थ ।
७. NS. अधोमुखस्थितं चापि शिरः प्राहुरधोमुखम KSS. अधोमुखं स्थितं रधोगतम्
GOS. Same as above,
८. KSS., NS. भवेत् GOS. शिरः ।
९. KSS., NS. सर्वतो लोलनाच्चापि शिरः स्यात्परिलोलितम् GOS. Same as above.
१०. KSS. मदावेगगृह GOS.. NS. मदावेशग्रह ।
११. संश्रिताः GOS , NSS. संश्रया ।

स्निग्धा हृष्टा च दीना च क्रुद्धा दृप्ता भयान्विता ।
जुगुप्सिता विस्मिता च स्थायिभावेषु दृष्टयः ॥ ४१ ॥

शून्या च मलिना चैव श्रान्ता लज्जान्विता तथा ।
ग्लाना च शङ्किता चैव विषण्णा मुकुला तथा ॥ ४२ ॥

कुञ्चिता चाभितप्ता च जिह्मा सललिता तथा ।
वितर्किताऽर्धमुकुला विभ्रान्ता विप्लुता तथा ॥ ४३ ॥

आकेकरा विकोशा च [1]त्रस्ता च मदिरा तथा ।
षट्त्रिंशद् दृष्टयो ह्येता तासु नाट्यं प्रतिष्ठितम् [2] ॥४४ ॥

अस्य दृष्टिविधानस्य नानाभावरसाश्रयम् [3] ।
लक्षणं सम्प्रवक्ष्यामि यथाकर्म प्रयोगतः ॥ ४५ ॥

हर्षप्रसादजनिता कान्तात्यर्थं [4]समन्यथा ।
सभ्रूक्षेपकटाक्षा च शृङ्गारे दृष्टिरिष्यते ॥ ४६ ॥

प्रोद्वृत्तनिष्टब्धपुटा [5]स्फुरदुद्वृत्ततारका ।
दृष्टिर्भयानकात्यर्थं भीता ज्ञेया भयानके ॥ ४७ ॥

क्रमावाकुञ्चितपुटा [6]विभ्रान्ताकुलतारका ।
हास्या दृष्टिस्तु कर्त्तव्या कुहकाभिनयं प्रति ॥ ४८ ॥

पतितोर्ध्वपुटा साश्रा मन्युमन्थरतारका ।
नासाग्रानुगता दृष्टिः करुणा करुणे रसे ॥ ४९ ॥

या [7]त्वाकुञ्चितपक्ष्माग्रा साश्चर्योद्वृत्ततारका ।
सौम्या विकसितान्ता च साद्भुता दृष्टिरद्भुते ॥ ५० ॥

क्रूरा [8]रूक्षारुणोद्वृत्तनिष्टब्धपुटतारका ।
भ्रुकुटीकुटिला दृष्टिः रौद्रे रौद्री रसा स्मृता ॥ ५१ ॥

---

१. KSS. त्रस्ताऽथ ।

२. KSS., NS. नामतोऽभिहिता मया ।

३. NS. रसाश्रितम् KSS. GOS. रसाश्रयम् ।

४. KSS., NS. समन्मथा GOS. समन्यथा ।

५. KSS. प्रस्फुरद्वृत्त ।

६. KSS. सविभ्रान्ता ।

७. NS. चाकुञ्चित ।

८ NS. रुणोद्धृत्त KSS. रुणावृत्ता GOS. रुणोद्वृत्ता

दीप्ता विकसिता क्षुब्धा गम्भीरा समतारका ।
उत्फुल्लमध्या दृष्टिस्तु वीरा वीररसाश्रया ॥ ५२ ॥

निकुञ्चितपुटापाङ्गा [1]घूर्णोपप्लुततारका ।
संश्लिष्टस्थिरपक्ष्मा[2] च बीभत्सा दृष्टिरिष्यते ॥ ५३ ॥

[3]नासाग्रसक्ता निमिषा तथाधोभागचारिणी ।
आकेकरपुटा शान्ते शान्ता दृष्टिर्भवेदसौ ॥ ५४ ॥

रसजा दृष्टो ह्येता विज्ञेया लक्षणान्विता ।
अतः परं प्रवक्ष्यामि स्थायिभावसमाश्रयाः ॥ ५५ ॥

व्याकोशमध्या मधुरा [4]स्थिततारामिलाषिणी ।
सानन्दाश्रुप्लुता दृष्टिः स्निग्धेयं रतिभावजा ॥ ५६ ॥

चला हसितगर्भा च [5]विशत्तारानिमेषिणी ।
किञ्चिदाकुञ्चिता दृष्टिः हृष्टा हासे प्रकीर्तिता ॥ ५७ ॥

अवस्रस्तोत्तरपुटा[6] किञ्चित्संरब्धतारका ।
मन्दसञ्चारिणी दीना सा शोके दृष्टिरिष्यते ॥ ५८ ॥

रूक्षा स्थिरोद्वृत्तपुटा निष्टब्धोद्वृत्ततारका ।
कुटिला भ्रुकुटिर्दृष्टिः क्रुद्धा क्रोधे विधीयते[7] ॥ ५९ ॥

संस्थिते तारके यस्याः स्थिता विकसिता तथा ।
सत्त्वमुद्गिरती दृप्ता दृष्टिरुत्साहसम्भवा ॥ ६० ॥

विस्फारितोभयपुटा भयकम्पिततारका ।
निष्क्रान्तमध्या दृष्टिस्तु भयभावे भयान्विता ॥ ६१ ॥

संकोचितपुटाभ्यामा[8] दृष्टिर्मीलिततारका ।
पक्ष्मोद्देशात् समुद्विग्ना जुगुप्सायां जुगुप्सिता ॥ ६२ ॥

---

१. NS, KSS. घूणोपप्लुत ।
२. KSS संश्लिष्टस्मितपक्षा NS., GOS., Same as above.
३. KSS. does not read this verse.
४. KS. स्मरारा KSS. स्मरतारा GOS. Same
५. KS. विशत्ताराभिलाषिणी KSS, GOS. Same as above.
६. KS. इषत्स्रस्तोत्तरपुरा NS. अर्धस्रस्तोत्तर GOS. अवस्रस्तोत्तर
७. GOS, KSS. Same as above. NS. क्रोधेऽभिधीयते ।
८ NS, KSS संकोचितपुटन्यासा ।

भृशमुद्वृत्ततारा च नष्टोभयपुटान्विता ।
समा विकसिता दृष्टिर्विस्मिता विस्मये स्मृता ॥ ६३ ॥

स्थायिभावाश्रया ह्येता [1]विज्ञेयाः दृष्टयो बुधैः ।
संचारिणीनां दृष्टीनां संप्रवक्ष्यामि लक्षणम् ॥ ६४ ॥

समतारा समपुटा निष्कम्पा शून्यदर्शना ।
बाह्यार्थाग्राहिणी ध्यामा[2] शून्या दृष्टिः प्रकीर्तिता ॥ ६५ ॥

[3]प्रस्पन्दमानपक्ष्माग्रा नात्यर्थमुकुलैः पुटैः ।
मलिनान्ता च मलिना दृष्टिर्विस्मिततारका[4] ॥ ६६ ॥

श्रमप्रम्लापितपुटा क्षामा कुञ्चितलोचना ।
सन्ना पतिततारा च श्रान्ता दृष्टिः प्रकीर्तिता ॥ ६७ ॥

किञ्चिदञ्चितपक्ष्माग्रा पतितोर्ध्वपुटा ह्रिया ।
अपाधोगततारा च दृष्टिर्लज्जान्विता तु सा ॥ ६८ ॥

[5]ग्लानभ्रुपुटपक्ष्मा या शिथिला मन्दचारिणी ।
[6]क्रमप्रवृष्टतारा च ग्लाना दृष्टिस्तु सा स्मृता ॥ ६९ ॥

किञ्चिच्चला स्थिरा किञ्चदुद्गता[7] तिर्यगायता[8] ।
गूढा चकिततारा च शङ्किता दृष्टिरिष्यते ॥ ७० ॥

विषादविस्तीर्णपुटा पर्यस्तान्ता निमेषिणी ।
किञ्चिन्निष्टब्धतारा च कार्या दृष्टिर्विषादिनी ॥ ७१ ॥

स्फुरदाश्लिष्टपक्ष्माग्रा[9] मुकुलोर्ध्वपुटाञ्चिता ।
[10]सुखोन्मीलिततारा च मुकुला दृष्टिरिष्यते[11] ॥ ७२ ॥

---

१. NS. दृष्टयो लक्षिता मया KSS. लक्षिता दृष्टयोमया ।
२. NS., KSS. क्षामा ।
३. NS., KSS. प्रस्यन्द ।
४. KSS. GOS. अपाधोमुखतारा ।
५. KSS. ग्लान ।
६. KSS. क्लम । NS., GOS. क्रम ।
७. KSS. किञ्चिदुत्तुङ्गा NS. किञ्चिदुन्नता ।
८. KSS. किञ्चिदायता ।
९. KSS. स्फुरिताश्लिष्टपक्ष्मार्धा ।
१०. KSS. मुखी (ख) मीलित ।
११. NS उच्यते ।

आनिकुञ्चितपक्ष्माग्रा पुटैराकुञ्चितैस्तथा ।
संनिकुञ्चिततारा च कुञ्चिता दृष्टिरिष्यते ॥ ७३ ॥
मन्दायमानतारा या पुटैः प्रचलितैस्तथा ।
सन्तापोपप्लुता दृष्टिरभितप्ता तु सव्यथा ॥ ७४ ॥
लम्बिताकुञ्चितपुटा शनैस्तिर्यङ् निरीक्षिणी ।
निगूढा गूढतारा च जिह्मा दृष्टिरुदाहृता ॥ ७५ ॥
मधुराकुञ्चितान्ता च [1]सभ्रूक्षेपा च सस्मिता ।
समन्मथविकारा च दृष्टिः सा ललिता स्मृता ॥ ७६ ॥
वितर्कोद्वर्तितपुटा तथैवोत्फुल्लतारका ।
[2]अधोगतविचारा च [3]दृष्टिरेषा वितर्किता ॥ ७७ ॥
अर्धव्याकोशपक्ष्मा[4] च ह्लादार्धमुकुलैः पुटैः ।
स्मितार्धमुकुला दृष्टिः किञ्चिल्ललिततारका ॥ ७८ ॥
अनवस्थिततारा[5] च विभ्रान्ताकुलदर्शना ।
विस्तीर्णोत्फुल्लमध्या च विभ्रान्ता दृष्टिरुच्यते ॥ ७९ ॥
पुटौ प्रस्फुरितौ यस्य[6] निष्टब्धौ पतितौ पुनः ।
विप्लुतोद्वृत्ततारा च दृष्टिरेषा तु विप्लुता ॥ ८० ॥
आकुञ्चितपुटापाङ्गा सङ्गतार्धनिमेषिणी ।
मुहुर्व्यावृत्ततारा च दृष्टिराकेकरा स्मृता ॥ ८१ ॥
विकोशितोभयपुटा प्रोत्फुल्ला चानिमेषिणी ।
अनवस्थितसंचारा[7] विकोशा दृष्टिरुच्यते ॥ ८२ ॥
त्रासोद्वृत्तपुटा या तु तथोत्कम्पिततारका ।
सन्त्रासोत्फुल्लमध्या च त्रस्ता दृष्टिरुदाहृता ॥ ८३ ॥
[8]आघूर्णमानमध्या या क्षामान्ताञ्चितलोचना ।
दृष्टिर्विकसितापाङ्गा मदिरा तरुणे मदे ॥ ८४ ॥

---

१. KSS. सभ्रूक्षेपाऽथ ।
२. GOS. अधोमुखगता ।
३. KSS. दृष्टिरिष्टा ।
४. KSS. नारा ।
५. NS. अनवस्मित ।
६. GOS., KSS. यस्य, NS. यस्या ।
७. GOS. अनवस्थिततारा च ।
८. NS., KSS. व्याघूर्ण ।

किञ्चिदाकुञ्चितपुटा ह्यनवस्थिततारका ।
तथा चलितपक्ष्मा च दृष्टिर्मध्यमदे भवेत् ॥ ८५ ॥
सनिमेषानिमेषा च किञ्चिद् दर्शिततारका ।
अधोभागचरी दृष्टिरधमे तु मदे स्मृता ॥ ८६ ॥
इत्येवं लक्षिता ह्येता षट्त्रिंशद् दृष्टयो मया ।
रसजा [1]सहजाश्चासां विनियोगं निबोधत ॥ ८७ ॥
रसजास्तु रसेष्वेव स्थायिषु स्थायिदृष्टयः ।
[2]शृणुत व्यभिचारिण्यः सञ्चारिषु यथास्थिताः[3] ॥ ८८ ॥
शून्या दृष्टिस्तु चिन्तायां स्तम्भे चापि प्रकीर्तिता ।
निर्वेदे चापि मलिना वैवर्ण्ये च विधीयते ॥ ८९ ॥
श्रान्ता श्रमार्ते[4] स्वेदे च लज्जायां ललिता[5] तथा ।
अपस्मारे तथा व्याधौ ग्लान्यां ग्लाना[6] विधीयते ॥ ९० ॥
शङ्कायां शङ्किता ज्ञेया विषादार्थे विषादिनी ।
निद्रास्वप्नसुखार्थेषु मुकला दृष्टिरिष्यते ॥ ९१ ॥
कुञ्चितासूयितानिष्टदुष्प्रेक्षाक्षिव्यथासु च ।
अभितप्ता च निर्वेदे ह्यभिघाताभितापयोः ॥ ९२ ॥
जिह्मा दृष्टिरसूयायां जडतालस्ययोस्तथा ।
धृतौ हर्षे सललिता स्मृतौ तर्के च तर्किता ॥ ९३ ॥
आह्लादिष्वर्धमुकुला गन्धस्पर्शसुखादिषु ।
विभ्रान्ता दृष्टिरावेगे सम्भ्रमे विभ्रमे तथा ॥ ९४ ॥
विप्लुता [7]चपलोन्माददुःखार्तिमरणादिषु ।
आकेकरा दुरालोके विच्छेदप्रेक्षितेषु च ॥ ९५ ॥
विबोधगर्वामर्षौ[8]ग्रधमतिषु स्याद्विकोशिता ।
त्रस्ता त्रासे भवेद दृष्टिर्मदिरा च मदेष्विति ॥ ९६ ॥

---

१. KSS. भावजा ।
२. KSS. शृणुध्वम् ।
३. KSS. यथाहिताः ।
४. KSS. श्रमार्तौ ।
५. KSS. लज्जिता ।
६. KSS., NS. ग्लाने ग्लाना ।
७. NS., KSS. चापली ।
८. KSS विबोधाभावमर्षोन्य ।

षट्त्रिंशद् दृष्टयो ह्येता यथावत् समुदाहृताः[१] ।
रसजानां तु दृष्टीनां भावजानां तथैव च ॥ ९७ ॥

तारापुटभ्रुवां कर्म गदतो मे निबोधत ।
भ्रमणं वलनं पातश्चलनं सम्प्रवेशनम् ॥ ९८ ॥

विवर्तनं समुद्वृत्तं निष्कामः प्राकृतं तथा ।
पुटान्तर्मण्डलावृत्तिस्तारयोर्भ्रमणं स्मृतम् ॥ ९९ ॥

वलनं गमनं त्र्यस्रं पातनं स्रस्तता तथा ।
चलनं कम्पनं ज्ञेयं प्रवेशोऽन्तःप्रवेशनम् ॥ १०० ॥

विवर्तनं कटाक्षस्तु समुद्वृत्तं समुन्नतिः ।
निष्कामो निर्गमः प्रोक्तः[२] प्राकृतं तु स्वभावजम् ॥ १०१ ॥

[३]अथैषां रसभावेषु विनियोगं निबोधत ।
भ्रमणं चलनोद्वृत्ते निष्कामो वीररौद्रयोः ॥ १०२ ॥

निष्क्रामणं संवलनं कर्तव्यं तु भयानके ।
हास्यबीभत्सयोश्चापि प्रवेशनमिहेष्यते ॥ १०३ ॥

पातनं करुणे कार्यं निष्क्रामणमथाद्भुते ।
प्राकृतं शेषभावेषु शृङ्गारे च विधीयतम् ॥ १०४ ॥

स्वभावसिद्धमेवैतत् कर्म लोकक्रियाश्रयम् ।
एवं रसेषु[४] भावेषु ताराकर्माणि योजयेत्[५] ॥ १०५ ॥

[६]अथाऽत्रैव प्रवक्ष्यामि प्रकारान् दर्शनस्य तु ।
समं साच्यनुवृत्ते च [७]ह्यालोकितविलोकिते ॥ १०६ ॥

प्रलोकितोल्लोकिते [८]चाप्यवलोकितमेव च ।
समतारं च सौम्यं च यद्दृष्टं तत् समं स्मृतम् ॥ १०७ ॥

---

१. KSS. प्रतिपादिताः ।
२. GOS. प्राक्तः ।
३. KSS. तथैषां ।
४. KSS. सर्वेषु ।
५. KSS. ताराकर्म नियोजयेत् ।
६. KSS. तथा तत्रैव वक्ष्यामः प्रकारं ।
७. KSS. तु आलोकित ।
८. KSS. चावलोकि NS. वाप्यलोकित ।

पक्ष्मान्तर्गततारं च त्र्यस्रं साचीकृतं[1] तु तत् ।
रूपनिर्वर्णना[2] युक्तमनुवृत्तमिति स्मृतम्[3] ॥ १०८ ॥

सहसा दर्शनं यत् स्यात्तदालोकितमुच्यते ।
विलोकितं पृष्टतस्तु पार्श्वाभ्यां तु प्रलोकितम् ॥ १०९ ॥

ऊर्ध्वमुल्लोकितं ज्ञेयमवलोकितमप्यधः ।
इत्येषु दर्शनविधिः सर्वभावरसाश्रयः ॥ ११० ॥

ताराकृतोऽस्यानुगतं पुटकर्म निबोधत ।
उन्मेषश्च निमेषश्च प्रसृतं कुञ्चितं समम् ॥ १११ ॥

विवर्तितं स स्फुरितं पिहितं सविताडितम्[4] ।
विश्लेषः पुटयोर्यस्तु स तून्मेषः प्रकीर्तितः ॥ ११२ ॥

[5]समागमो निमेषः स्यादायामः प्रसृतं भवेत्[6] ।
आकुञ्चितं कुञ्चितं स्यात् समं स्वाभाविकं स्मृतम् ॥ ११३ ॥
विवर्तितं समुद्वृत्तं स्फुरितं स्पन्दितं तथा ।
स्थगितं पिहितं प्रोक्तमाहतं तु विताडितम् ॥ ११४ ॥
अथैषां रसभावेषु विनियोगं निबोधत ।
क्रोधे [7]विवर्तितं कार्यो निमेषोन्मेषणैः सह ॥ ११५ ॥
विस्मयार्थेषु हर्षे च वीरे[8] च प्रसृतं स्मृतम् ।
अनिष्टदर्शने गन्धे रसे स्पर्शे च कुञ्चितम् ॥ ११६ ॥
शृङ्गारे च समं कार्यमीर्ष्यासु स्फुरितं तथा[9] ।
सुप्तमूर्च्छितवातोष्णधूमवर्षाञ्जनार्तिषु ॥ ११७ ॥
नेत्ररोगे च पिहितमभिघाते विताडितम् ।
इत्येवं रसभावेषु तारकापुटयोर्विधिः ॥ ११८ ॥

---

१. KSS. साचिकृतं ।

२. KSS. रूपनिर्वापणा ।

३. KSS स्फुटम् ।

४. NS., KSS. प्रस्फुरितं पिहितं सवितालितम् ।

५. KSS. समागतो ।

६. KSS. आयामस्तु प्रसारितम् ।

७. KSS. विवर्तितः कार्यः ।

८. KSS. वीर्ये ।

९. KSS. भवेत् ।

[1]कार्याऽनुगतमस्यैव भ्रुवोः कर्म निबोधत ।
[2]उत्क्षेपः पातनश्चैव भ्रुकुटी चतुरं भ्रुवोः ॥ ११९ ॥
कुञ्चितं रेचितं चैव सहजं चेति सप्तधा ।
भ्रुवोरुन्नति[3]रुत्क्षेपः सममेकैकशोऽपि वा ॥ १२० ॥
[4]अनेनैव क्रमेणैव पातनं स्यादधोमुखम् ।
भ्रुवोर्मूलसमुत्क्षेपात् भ्रुकुटी परिकीर्तिता ॥ १२१ ॥
चतुरं किञ्चिदुच्छ्वासान्मधुरायतया भ्रुवोः[5] ।
एकस्या [6]उभयोर्वापि [7]मृदुभङ्गस्तु कुञ्चितम् ॥ १२२ ॥
एकस्या एव ललितादुत्क्षेपाद्रेचितं[8] भ्रुवः ।
सहजातं तु सहजं कर्म स्वाभाविकं स्मृतम् ॥ १२३ ॥
अथैषां संप्रवक्ष्यामि रसभावप्रयोजनम् ।
कोपे वितर्के हेलायां लीलादौ सहजे तथा ॥ १२४ ॥
श्रवणे दर्शने चैव भ्रुवमेकां समुत्क्षिपेत् ।
[9]उत्क्षेपो विस्मये हर्षे रोषे चैव द्वयोरपि ॥ १२५ ॥
[10]आसूयितजुगुप्सायां हास्ये घ्राणे च पातनम् ।
क्रोधस्थानेषु दीप्तेषु योजयेत् भ्रुकुटीं बुधः ॥ १२६ ॥
शृङ्गारे ललिते सौम्ये सुखे स्पर्शे प्रबोधने ।
एवं विधेषु भावेषु चतुरं तु प्रयोजयेत् ॥ १२७ ॥
[11]स्त्रीपुंरुषयोश्च संलापे नानावस्थान्तरात्मके ।
मोट्टायिते कुट्टमिते विलासे किलकिञ्चिते ॥ १२८ ॥

---

१. KSS. कार्येऽनुगत ।
२. KSS. उत्क्षेपं ।
३. NS. भ्रुवोरुद्गतिः ।
४. NS. सममेकैकशोप्येव पातनं स्यादधोगतिः । KSS. एकस्य वा द्वयोर्वापि पातनं स्यादधोमुखम् । GOS,. Same as above.
५. NS., KSS. मधुरायतयोः ।
६. GOS. हि द्वयोर्वापि ।
७. KSS., NS. मृदुभङ्गेन ।
८. KSS. रेचिते ।
९. KSS. उत्क्षेपे ।
१०. KSS. NS. ससूयितजुगुप्सायां ।
११. KSS. NS. do not read this verse.

'[1]निकुञ्चितं तु कर्तव्यं नृत्ते योज्यं तु रेचितम् ।
अनाविद्धेषु भावेषु विद्यात् स्वाभाविकं बुधः ॥ १२९ ॥
इत्येवं तु भ्रुवः प्रोक्तं नासाकर्म निबोधत ।
नता मन्दा विकृष्टा च सोच्छ्वासा च विकूणिता[2] ॥ १३० ॥
स्वाभाविका[3] चेति बुधैः षड्विधा नासिका स्मृता ।
नता मुहुःश्लिष्टपुटा मन्दा तु निभृता स्मृता ॥१३१॥
विकृष्टोत्फुल्लितपुटा सोच्छ्वासा कृष्टमारुता ।
[4]विकूणिता संकुचिता समा स्वाभाविका स्मृता ॥१३२॥
[5]नासिकालक्षणं ह्येतत् विनियोगं निबोधत ।
मन्दोत्कम्पसमायुक्ते नारीणामनुरोधने ॥१३३॥
निःश्वासे च नता कार्या नासिका नाट्ययोक्तृभिः ।
विच्छिन्नमन्दरुदिते सोच्छ्वासे च नता स्मृता ॥१३४॥
निर्वेगौत्सुक्यचिन्तासु मन्दा शोके च योजयेत्[6] ।
[7]तीव्रगन्धे विकृष्टां तौ रौद्रे वीरे तथैव च ॥१३५॥
[8]इष्टघ्राणे तयोच्छ्वासे दीर्घोच्छ्वसां प्रयोजयेत् ॥
[9]विकूणिता च कर्तव्या जुगुप्सायामसूयतादिषु ॥१३६॥
[10]कार्या शेषु भावेषु तज्ञैः स्वाभाविका तथा ।
क्षामं फुल्लं च घूर्णं च कम्पितं कुञ्चितं समम् ॥१३७॥
षड्विधं गण्डमुद्दिष्टं तस्य[11] लक्षणमुच्यते ।
क्षामं [12]चावनतं ज्ञेयं फुल्लं विकसितं भवेत् ॥१३८॥

---

१. KSS. विकुञ्चितं ।

२. NS., KSS. विघूर्णिता ।

३. NS. स्वाभाविकी ।

४. NS., KSS. विघूर्णिता ।

५. KSS., NS. read as विच्छिन्नमन्दरुदिते सोच्छ्वासे च नता स्मृता ।

६. KSS., मन्दा शोके तु कीर्तिता NS. मन्दा शोके प्रकीर्तिताः ।

७. KSS., NS. विकृष्टा तीव्रगन्धोर्ध्वश्वासरोषभयार्तिषु ।

८. KSS., NS. सोच्छ्वासा मधुरे गन्धे दीर्घोच्छ्वासकृतेषु च ।

९. NS. विघूर्णितोक्ता हास्ये च जुगुप्सायामसूयिते ।
KSS. विघूर्णितो हास्येषु जुगुप्सायामसूयिते ।

१०. KSS., NS. स्वाभाविका शेषभावेष्वित्येवं नासिका स्मृता ।

११. NS, अस्य ।

१२. KSS., NS. त्ववनतं ।

[1]विततं घूर्णमप्रोक्तं कम्पितं स्फुरितं भवेत् ।
स्यात् कुञ्चितं संकुञ्चितं समं प्राकृतमुच्यते ॥१३९॥
गण्डयोर्लक्षणं प्रोक्तं विनियोगं निबोधत ।
क्षामं दुःखेषु कर्तव्यं प्रहर्षे [2]फुल्लमेव च ॥१४०॥
[3]पूर्णमुत्साहगर्वेषु रोषहर्षेषु कम्पितम् ।
कुञ्चितं च सरोमाञ्चं स्पर्शे[4] शीते भये ज्वरे ॥१४१॥
प्राकृतं शेषभावेषु गण्डकर्म भवेदिति ।
[5]विवर्तनं कम्पनं च विसर्गो विनिगूहनम् ॥१४२॥
सन्दष्टकं [6]समुद्गं च षट् कर्माण्यधरस्य तु ।
विकूणितं विवर्तस्तु वेपनं कम्पनं स्मृतम् ॥१४३॥
विनिष्क्रामो विसर्गस्तु प्रवेशो विनिगूहनम् ।
[7]सन्दष्टकं द्विजैर्दष्टं समुद्गः सहजोन्नति ॥१४४॥
इत्योष्ठलक्षणं प्रोक्तं विनियोगं निबोधत ।
असूयावेदना[8]वज्ञाभयादिषु विवर्तनम् ॥१४५॥
कम्पनं [9]वेपना शीतभयरोषजवादिषु हास्या ।
स्त्रीणां विलासे बिब्बोके विसर्गो रञ्जने तथा[10] ॥१४६॥
विनिगूहनमायासे सन्दष्टं [11]क्रोधकर्मसु ।
समुद्गस्त्वनुकम्पायां चुम्बने चाभिनन्दने ॥१४७॥
इत्योष्ठकर्म्माण्युक्तानि चिबुकस्य निबोधत ।
कुट्टनं खण्डनं छिन्नं [12]चुक्कितं लेहनं (ग्रहणं) समम् ॥१४८॥

---

१. NS., KSS. उन्नतं पूर्नमप्रोक्तं ।

२. KSS. फुल्लमिष्यते ।

३. KSS., NS. घूर्णमुत्साह ।

४. NS. कम्पे ।

५. KSS. निवर्तने ।

६. NS. समुद्गश्च ।

७. KSS. सन्दष्टको द्विजैर्दष्टः समुद्गः सहिता गतिः । NS. सन्दष्टको द्विजैर्दष्टः समुद्वृत्तं समूद्गकः ।

८. KSS. लज्जावस्यादिषु । NS. लज्जालस्यादिषु ।

९. NS. कोपशीतार्तिभयरोगजयादिषु KSS. वेपनं शीतज्वररोषजयादिषु ।

१०. NS. विसर्गः क्षुरते स्मृतः KSS. विसर्गे रञ्जने तथा ।

११. KSS. क्रोधकर्माणि ।

१२. NS. चिकितं KSS. चुक्षितं ।

दष्टं च दन्तक्रियया चिबुकं त्विह लक्ष्यते ।
कुट्टनं दन्तसंघर्षः [1]संस्फोटः खण्डनं मुहुः ॥१४९॥
छिन्नं तु गाढसंश्लेषश्चुक्कितं दूरविच्युतिः[2] ।
लेहनं जिह्वया लेहः किञ्चित् श्लेषः[3] समं भवेत् ॥१५०॥
दन्तैर्दष्टेऽधरे दष्टमित्येषां विनियोजनम् ।
भयशीतज्वरक्रोधग्रस्तानां कुट्टनं भवेत् ॥१५१॥
जपाध्ययनसंल्लापभक्ष्ययोगे च खण्डनम् ।
छिन्नं व्याधौ भयें शीते व्यायामे रुदिते मृते[4] ॥१५२॥
जृम्भणे [5]चुक्कितं कार्यं तथा लेह्ये च लेहनम् ।
समं स्वभावभावेषु सन्दष्टं[6] क्रोधकर्मसु ॥१५३॥
इति दन्तोष्ठजिह्वानां करणाच्चिबुकक्रिया ।
विधुतं [7]विनिवृत्तं च निर्भुग्नं भुग्नमेव च ॥१५४॥
विवृतं च तथोद्वाहि कर्माण्यत्रास्यजानि तु ।
व्यावृत्तं विनिवृत्तं स्याद्विधुतं तिर्यगायतम् ॥१५५॥
[8]अवाङ्मुखत्वं निर्भुग्नं व्याभुग्नं किञ्चिदायतम् ।
विश्लिष्टोष्ठं च विवृतमुद्वाह्युत्क्षिप्तमेव च ॥१५६॥
विनिवृत्तमसूयायां ईर्ष्याक्रोधकृतेन च ।
अवज्ञा विहृतादौ च स्त्रीणां कार्या प्रयोक्तृभिः ॥१५७॥
विधुतं वारणे चैव नैवमित्येवमादिषु ।
निर्भुग्नं चापि विज्ञेयं गम्भीरालोकनादिषु ॥१५८॥
भुग्नं लज्जान्विते योज्यं यतीनां तु स्वभावजम् ।
निर्वेदौत्सुक्यचिन्तासु नये च विनिमन्त्रणे ॥१५९॥
विवृत्तं चापि विज्ञेयं हास्यशोकभयादिषु ।
स्त्रीणामुद्वाहि लीलायां गर्वे गच्छत्यनादरे ॥१६०॥

---

१. GOS. संफोटः ।

२. NS. चिकितं दूरमुद्यतम् । KSS. चुक्षितं दूरविच्युतिः ।

३. KSS., NS. चेष्टः ।

४. NS., KSS. रुषिते क्षिते ।

५. NS. चिकितं KSS. चुक्षिते ।

६. KSS., NS. सन्दष्टः ।

७. KSS., NS. विद्युतं विनिवृत्तं च निर्भुग्नं भुग्नमेव च ।

८. KSS., NS. अर्वाङ्मुखं च ।

एवं नामेतिकार्यं च कोपवाक्य विचक्षणैः ।
समं साच्यनवृत्तादि यच्च दृष्टिविकल्पितम् ॥१६१॥
तज्ज्ञैस्तेनानुसारेण कार्यं तदनुगं मुखम् ।
अथातो [1]मुखरागस्तु चतुर्धा परिकीर्तितः ॥१६२॥
स्वाभाविकः प्रसन्नश्च रक्तः श्यामोऽर्थसंश्रयः ।
स्वाभाविकस्तु कर्तव्यः स्वभावाभिनयाश्रयः ॥१६३॥
मध्यस्थादिषु भावेषु मुखरागः प्रयोक्तृभिः ।
प्रसन्नस्त्वद्भुते कार्यो हास्यशृङ्गारयोस्तथा ॥१६४॥
वीररौद्रमदाद्येषु रक्तः स्यात् करुणे तथा ।
भयानके सबीभत्से श्यामं सञ्जायते मुखम् ॥१६५॥
एवं भावरसार्थेषु मुखरागं प्रयोजयेत् ।
शाखाङ्गोपाङ्गसंयुक्तः कृतोऽप्यभिनयः शुभः ॥१६६॥
मुखरागविहीनस्तु नैव शोभान्वितो भवेत् ।
शरीराभिनयोऽल्पोऽपि मुखरागसमन्वितः ॥१६७॥
द्विगुणां लभते शोभां रात्राविव निशाकरः ।
नयनाभिनयोऽपि स्यान्नानाभावरसास्फुटः[2] ॥१६८॥
मुखरागान्वितो यस्मान्नाट्यमत्र प्रतिष्ठितम् ।
यथा नेत्रं प्रसर्पेत मुखभूदृष्टिसंयुतम् ॥१६९॥
तथा भावरसोपेतं मुखरागं प्रयोजयेत् ।
इत्येवं मुखरागस्तु प्रोक्तो भावरसाश्रयः ॥१७०॥
अतः परं प्रवक्ष्यामि [3]ग्रीवाकर्माणि वै द्विजाः! ।
समा नतोन्नता त्र्यस्रा रेचिता कुञ्चिताञ्चिता ॥१७१॥
वलिता च निवृत्ता च ग्रीवा नवविधार्यतः ।
समा स्वाभाविकी ध्यानस्वभावजपकर्मसु ॥१७२॥
नता नतास्यालङ्कारबन्धे कण्ठावलम्बने ।
उन्नताभ्युन्नतमुखी ग्रीवा चोर्ध्वनिवेशने ॥१७३॥
त्र्यस्रा पार्श्वगता ज्ञेया[4] स्कन्धभारेऽति दुःखिते ।
रेचिता विधुतभ्रान्ता हावे मथननर्त्तयोः ॥१७४॥

---

१. KSS. मुखरागश्च चतुर्धा परिकीर्तितः ।
२. NS., KSS. नानाभावरसान्वितः ।
३. NS. ग्रीवाकर्म द्विजोत्तमाः ।
४. NS. चैव KSS. चैव स्कन्दभारेऽथ ।

कुञ्चिताकुञ्चिते मूर्ध्नि [1]धारिते गलरक्षणे ।
अञ्चितापसृतोद्बन्धकेशकर्षोर्ध्वदर्शने[2] ॥१७५॥
पार्श्वोन्मुखी स्याद्वलिता [3]ग्रीवाभेदैश्च वीक्षणे ।
निवृत्ताभिमुखीभूता स्वस्थानाभिमुखादिषु ॥१७६॥
इत्यादिलोकभावार्था ग्रीवाभङ्गैरनेकधा ।
ग्रीवाकर्माणि सर्वाणि शिरः कर्मानुगानि हि[4] ॥१७७॥
शिरसः कर्मणः कर्म ग्रीवायाः सम्प्रवर्त्तते ।
इत्येतल्लक्षणं प्रोक्तं शीर्षोपाङ्गसमाश्रयम् ॥१७८॥
अङ्गकर्माणि शेषाणि [5]गदतो मे निबोधत ॥१७९॥

इति भरतीये नाट्यशास्त्रे उपाङ्गविधानं नाम अष्टमोऽध्यायः ।

●●●

१. NS. भारिते ।
२. KSS., NS. कर्षोच्चदर्शने ।
३. KSS. NS. ग्रीवाभङ्गे ।
४. KSS. च ।
५. KSS., NS. वदतो ।

॥ श्री : ॥

नाट्यशास्त्रम्

नवमोऽध्यायः

एवमेतच्छिरोनेत्रभ्रूनासोष्ठकपोलजम् ।
कर्म लक्षणसंयुक्तमुपाङ्गानां मयोदितम् ॥१॥
हस्तोर पार्श्वजठरकटीजङ्घोरुपादतः ।
लक्षणं सम्प्रवक्ष्यामि विनियोगं च तत्त्वतः ॥२॥
'हस्तादीनां प्रवक्ष्यामि कर्म नाट्यप्रयोजकम्[2] ।
यथा येनाभिनेयं च तन्मे निगदतः शृणु[3] ॥३॥

अभिनवभारती

अलङ्क्रियन्ते गात्राणि यत्स्पर्शविवशस्थितेः ।
स्पर्शतन्मात्रवपुषं संस्तुमः परमेश्वरम् ॥

शिष्याणामनुसन्धानवृद्धये प्राक्तनार्थोपसंहारपूर्वकं वस्त्वन्तरमासूत्रयन्नाह-**एवमेतदित्यादि**। क्रियत इति कर्म अभिनेयमित्यर्थः, हस्तेति **हस्तादीनामिति** पादान्तानामनेनाध्यायेन लक्षणं वक्ष्यामि। विनियुज्यतेऽनेनेति **विनियोगः** तद्यथा—एषोऽग्नि वर्षधारानिरूपणे (९-२०)' इत्यादि। तत्रेतिकर्तव्यता—तद्यथा—'प्रविरलचलिताङ्गुलि' (९-२०) रित्यादि। **तत्त्वत** इति। अभिनयस्य द्विविधा इतिकर्तव्यता लोकधर्मी नाट्यधर्मी च। आद्या द्विविधा आन्तरा बाह्या च। तत्रान्तरा चित्तवृत्त्यर्पकत्वेनानुभावस्य, यथा—गर्वेऽप्यहमिति तज्ज्ञैर्ललाटदेशोच्छ्रितः' (९-१०) इति। केवलबाह्या अवयवरूपा वा, यथा- पद्मकोशस्य कथमपि निरूपणे। नाट्यधर्म्यपि द्विधा—नाट्योपयोगमूलभूतकैशिकीसम्पादनोचितालौकिकशोभाहेतुः यथा—आवेष्टितादिचतुर्विधकरणरूपा। काचित्त्वंशेन लोकमुपजीवति, यथा-वर्णातुरेण हस्तेन तत्र तत्र व्यवहितेन लोक उपजीव्यते। लोको ह्यनिर्देश्यताशेषं वस्तु निर्दिदिक्षुरीदृशं तादृशमित्थम्भूतमित्यवसरे कथयतीति प्रयुक्तमेव चतुरैः। एवं जनान्तिकादौ वाच्यम्। नटसमयमात्ररूपा नाट्यधर्मी, समयस्यकिञ्चित्करस्य कल्पने प्रयोजनाभावात् ।२-३।

---

१. NS. KSS. हस्तानां।
२. KSS. नाट्यप्रयोजकं।
३. GOS. गदतो मे निबोधत।

पताकस्त्रिपताकश्च तथा वै कर्तरीमुखः।
अर्धचन्द्रो ह्यरालश्च शुकतुण्डस्तथैव च ॥४॥
मुष्टिश्च शिखराख्यश्च कपित्थः [1]खटकामुखः।
सूच्यास्यः पद्मकोशश्च तथा[2] वै सर्पशीर्षकः ॥५॥
मृगशीर्षः परो ज्ञेयो हस्ताभिनययोक्तृभिः।
[3]काङ्गुलकोऽलपद्मश्च चतुरो भ्रमरस्तथा ॥६॥
हंसास्यो हंसपक्षश्च सन्दंशो मुकुलस्तथा।
ऊर्णनाभस्ताम्रचूडश्चतुर्विंशतिरीरिताः[4] ॥७॥
असंयुताः संयुतांश्च गदतो मे निबोधत।
अञ्जलिश्च कपोतश्च कर्कटः स्वस्तिकस्तथा ॥८॥
[5]खटकावर्धमानश्च ह्युत्सङ्गो निषधस्तथा।
दोलः पुष्पपुटश्चैव तथा मकर एव च ॥९॥
गजदन्तोऽवहित्थश्च वर्धमानस्तथैव च।
एते तु संयुता हस्ता मया प्रोक्तास्त्रयोदश ॥१०॥

हस्तानुपदिशति पताक इत्यादिना। तथा चशब्देन त्रिपताकः प्रकारस्तस्यैव कर्तरीमुख इति दर्शनात्तन्निष्पत्तये संहिताकार्यदृष्टाध्ययनपरशब्दगतध्यान (विषयक) शब्दवद्धस्तान्तरेऽपि दृश्यमानेन विधेयेन तद्बुद्धि दर्शयति। एवमन्येऽपि त्रिपताकादिवद् व्याख्येयाः। क्वचित्तु हस्तसदृशहस्तान्तरस्वीकाराय हंसपक्षश्च सन्दंश इति सन्दंशशब्दानन्तरं चकारेण अङ्गुष्ठमध्यमाग्रनिष्पीडिताग्रमतर्जनीलक्षणोऽपि शून्यभास्वरविद्युदाद्यभिनयविषये नृत्ताचार्यप्रवाहसिद्धः कोहललिखितोऽपि हस्तः सङ्गतो भवतीति हस्तान्तराण्युत्प्रेक्ष्याणि। ते त्वसंयुता अपि भवन्ति। संयुक्तकरणः कार्य इति (९।२०) वक्ष्यते यतः यत्राप्येतन्नास्ति तत्रापि प्रयोगयुक्त्या हस्तद्वयप्रयोगो भवत्येव, यथा परेण हारे नीयमाने भयात्पताकाद्वयस्यांसादिक्षेत्रे पराङ्मुखस्य प्रयोगः। एवं प्रतापनादावपि। एवमन्यत्रोत्प्रेक्षणीयम्। किञ्च पताकादीनामपि द्विशो युगपत् प्रयोगे युतत्वमभिनेयविशेषे। तद्यथा छेदाभिनये कपित्थस्य ऊर्ध्वाधोभावेन पताकस्य "कुणिच्छ अह, अस्तमच्छरगहिसीसहिच्छजत्तंति"। चित्राभिनये

---

१. KSS. कटकामुखः।
२. GOS., सर्पशिरा तथैव च।
३. NS. लाङ्गूलोत्पलपद्मश्च KSS. लाङ्गूलोत्पलपद्मश्च। NS., KSS. add a line in this verse. मृगशीर्षः परो ज्ञेयो हस्ताभिनययोक्तृभिः।
४. NS., KSS. चतुर्विंशदिमे कराः।
५. KSS. कटका।

नृत्तहस्तानतश्चोर्ध्वं गदतो मे निबोधत ।
चतुरस्रौ तथोद्वृत्तौ तथा तलमुखौ स्मृतौ ॥११॥
स्वस्तिकौ विप्रकीर्णौ चाप्यरालखटकामुखौ ।
आविद्धवक्रौ सूच्यास्यौ रेचितावर्धरेचितौ ॥१२॥
उत्तानावञ्चितौ चापि पल्लवौ च तथा करौ ।
नितम्बौ चापि विज्ञेयौ केशबन्धौ तथैव च ॥१३॥
सम्प्रोक्तौ करिहस्तौ च लताख्यौ च तथैव च ।
पक्षवञ्चितकौ चैव पक्षप्रद्योतकौ तथा ॥१४॥
ज्ञेयौ गरुडपक्षौ च हंसपक्षौ तथैव च ।
ऊर्ध्वमण्डलिनौ चैव पार्श्वमण्डलिनौ तथा ॥१५॥
उरोमण्डलिनौ चैव उरःपार्श्वार्धमण्डलौ ।
मुष्टिकस्वस्तिकौ चापि नलिनीपद्मकोशकौ ॥१६॥
अलपद्मावुल्वणौ च ललितौ वलितौ तथा ।
सप्तषष्टिकरा ह्येते नामतोऽभिहिता मया ॥१७॥
यथा लक्षणमेतेषां कर्माणि च निबोधत ।
प्रसारिताः समाः सर्वा यस्याङ्गुल्यो भवन्ति हि ।
कुञ्चितश्च तथाङ्गुष्ठः स पताक इति स्मृतः ॥१८॥

चेनत् । एते तु संयुता एव । नत्वेन एव, पताकादीनामपि प्रयोगे क्वचित्संयुतत्वात् । एते च त्रयोदश संयुक्ताऽव्यतिरेकेण न स्वार्थस्य गमकाः ॥८-१०॥

एतेषां त्वभिनयहस्तानामम्लानचक्रप्रतिमतां दर्शयितुं, मार्गाणां मसृणोद्धतच्छिद्रवर्तनात्मकतया मसृणतादि निवृत्तये बालुकोत्क्षेपणेन, उद्धतोत्सारणेन छिद्रच्छादनेन चैकवर्तत्वानुप्रवेशवत् एकाभिनेयार्थे विश्रान्ततां प्रथयितुं, नृत्तस्य च वस्तुभूतत्वेनोक्तस्य स्वरूपमभिधातुं, नृत्यन्त्यौ चेट्याविति नृत्तादिविषये तु सूचाङ्कुरादाद्युपयोगमपि च दर्शयितुं नृत्तशब्देन विशेष्यं निर्दिशति नृत्तहस्तानित्यादिना । संयुतासंयुतरूपोपजीविन एतइत्येकाकिनोऽपि प्रयुज्यन्ते [नाशंसन्त इति अन्येऽपि न शंसन्ति दर्शयन्ति (?)] नन्विदं यथा लक्षणं यथा च कर्मण्यभिधेयेतेति तथा निबोधतेति सूत्रबन्धः ॥१७॥

अथ यथोद्देशं पताकादीनां लक्षणमाह—प्रसारिता समा इति । समा इति प्रकृतिस्था इत्यर्थः । प्रसारिताग्रा वा इति पाठः । प्रसारिताः प्रधाना इत्यर्थः । समाः संहिता अविरलाः । कुञ्चितत्वं पादस्य वक्ष्यते तल्लक्षणोपजीवनेनाङ्गुष्ठ-

---

१. KSS. अथ ।
२. KSS., NS. प्रसारिताग्राः संहिता ।

एष प्रहारपाते प्रतापन नोदने प्रहर्षे च ।
गर्वेऽप्यहमिति तज्ज्ञैर्ललाटदेशोत्थितः[1] कार्यः ॥१९॥
एषोऽग्निवर्षधारानिरूपणे पुष्पवृष्टिपतने च ।
संयुतकरणः कार्यः प्रविरलचलिताङ्गुलिर्हस्तः ॥२०॥
स्वस्तिकविच्युतिकरणात् पल्वलपुष्पोपहारशष्पाणि ।
विरचितमुर्वीसंस्थं यद् द्रव्यं तच्च निर्देश्यम् ॥२१॥
स्वस्तिकविच्युतिकरणात् पुनरेवाधोमुखेन कर्तव्यम् ।
संवृतविवृतं पाल्यं छन्नं निबिडं च गोप्यं[2] च ॥२२॥

सन्निवेशः कार्य इत्यर्थः । पताकाकारत्वात्पताकः । अतएव पताकाप्यनेनैवाभिनेया । एवमन्येष्वपि हस्तेषु नामनिर्वचनानुसारेण विनियोगः प्रदर्शनीयः । प्रविरलचलिताङ्गुलित्वादियोगेऽपि एकदेशविकारे तत्त्वप्रत्यभिज्ञानात्पूर्वापरकोट्योश्च मूलसन्निवेशाश्रयणात्पताकात्वमेव । एवमन्यत्रापि ॥१८॥ प्रहारस्य पातने कर्तव्ये, स्वयं, परेण च क्रियमाणे । प्रतापने शीतशमनायाग्निस्पर्शग्रहणे, राज्ञां च प्रतापे शत्रुहृदयम्लानिमित्तभूतप्रसिद्धिविशेषात्मनि, तथा प्रकृष्टे च आतपे हस्तेन तस्यापहरणाय "हस्तच्छत्रनिरुद्धचन्द्रमहस" (विद्धसाल) इत्यादौ । तथा अन्यस्य प्रेरणे अन्येन वा प्रेरणे तद्वारणाय । एषु च यथा लोकप्रसिद्धिः यथा नाट्याचार्यप्रवाहश्च उर्ध्वपार्श्वगाधोमुखसम्मुखपराङ्मुखोत्तानत्र्यश्रचञ्चलाचञ्चलत्वादिविभाग उत्प्रेक्षणीयः । प्रहारे हृदयलग्नतल ईषत्कम्पमानः, प्रहर्षे च रोमाञ्चे सम्मुख उद्गते । अपिशब्दार्थसहितो (अहं) यथा अस्मदर्थो भवति अहमपि ममापि मयापि मय्यपीत्यादौ गर्वगर्भे प्रयोगे पार्श्वान्तरात्स्वपार्श्वमागच्छँल्ललाटाभिमुख उर्ध्वो हस्तः कर्तव्यः ॥१९॥ एष इति एतस्मिन्नर्थेऽभिनेता स्या (दिति चे) द्विभक्तिरतन्त्रा, एतदर्थनिरूपण इत्यर्थः । अग्नेः धारा ज्वालाः । पुष्पवृष्टिग्रहणमप्रसिद्धपांसुरवतादिवृष्टयन्तरोपलक्षणम् । संयुतकरण इति हस्तद्वयमीदृशं कर्तव्यमित्यर्थः संयुतासंयुतसम्बन्धा लोकोचिता चलनलक्षणा क्रिया यस्य तेनाग्निज्वालासूर्ध्वगमनं, जलधारासु अधोगमनमङ्गुलीनामूर्ध्वमुखहस्तस्य पुष्पवृष्टौ शिरोदेशे अधोमुखस्य स्थितस्य क्रमाञ्चलाङ्गुलेरधोगमनमिति संगृहीतम् । तेनैकाकिनोऽपि यत्प्रयोगदर्शनं तदवरुद्धम् । प्रविरलास्सत्यश्चलिताः प्रविरलं कृत्वा चलिता अङ्गुल्यो यत्रेति समासः । संयुतहस्तलक्षणात् स्वस्तिकमुपजीव्यं नृत्तस्तलक्षणाद्वा ।२०।

तेन सम्मुखौ पताकौ मणिबन्ध भुवि न्यस्तौ कृत्वा बाहुपरिभ्रमणयुक्त्या स्वपार्श्वसमं विच्युतिः तत्क्रियायाः । पल्वलं स्वल्पोदकं सरः । पुष्पप्रकरं शष्पं च हृद्यं तृणं

---

१. NS., KSS. ललाटदेशस्थितः ।

२. KSS. पिशुनि ।

अस्यैव चाङ्गुलीभिरधोमुखप्रस्थितोत्थितचलाभिः ।
वार्यूर्मिवेगवेलाक्षोभश्चौघश्च[1] कर्त्तव्यः ॥२३॥
उत्साहनं बहु तथा महाजनप्रांशुपुष्करप्रहतम्[2] ।
पक्षोत्क्षेपाभिनयं रेचककरणेन[3] प्रयुञ्जीत ॥२४॥
[4]परिघृष्टतलस्थेन तु धौतं मृदितं प्रमृष्टपिष्टे च ।
पुनरेव शैलधारणमुद्घाटनमेव[5] चाभिनयेत् ॥२५॥
एवमेव प्रयोक्तव्यः स्त्रीपुंसाभिनये करः ।
पताकाभ्यां तु हस्ताभ्यामभिनेयः प्रयोक्तृभिः ॥२६॥
[6]दशाख्यश्च शताख्यश्च सहस्राख्यस्तथैव च ।
अतः परं प्रवक्ष्यामि त्रिपताकस्य लक्षणम् ॥२७॥
पताके तु यदा वक्राऽनामिका त्वङ्गुलिर्भवेत् ।
त्रिपताकः स विज्ञेयः कर्म चास्य निबोधत ॥२८॥

यच्च भूमौ पिच्छिलं बलितण्डुलवैचित्र्यन्यायेन स्थापितं तदभिनयेदिति लोकांशोपजीविनी नाट्यधर्मी ॥२१॥ पुनरेवेति वचनात् स्वस्तिकस्तद्विच्युतिः विच्युतिपूर्वकः स्वस्तिक इति क्रमः । तत्राधोमुखेन स्वस्तिकेन तद्विच्युतया च संवृतविवृतमर्धं संवृतमर्धं च त्रिवृतम् । यथा "घटयेद्वाटकवाटघट्टित जवेन" इति । पाल्यं पतनाद्रक्षणीयं विच्युतिपूर्वकं शीघ्रं स्वस्तिककरणात्, छन्नं निबिडं स्पष्टं तथैव गोप्यं, अन्यो मा द्राक्षीदिति तज्जातं करणं स्वस्तिककरणात् । चकारेण अपाल्ये, अनाच्छन्ने, अनतिनिबिडे अगोप्ये चाभिनयः ॥२३॥ स च स्वस्तिकविच्युतिरूप इति दर्शयति । रेचयति स्वसन्निवेशाद्यापयति स्वक्षेत्राद्वा या क्रिया तद्रेचककरणम् । तथा यथायोगं तत्र परस्योत्साहनं प्रेरणं उत्साहजननं सत्पुरुषाभिनयनं च विरलाङ्गुलिक्षेपेणालपल्लवाकारवत् प्रधानं वस्तु अक्रमकरणेन निजपार्श्वगमनेन पार्श्वान्तरात् । प्रांशुन्नतमूर्ध्वंगतात् पुष्करप्रहणने अधः पातनं, पक्षं पतत्रिणां मुहुरूर्ध्वं कटिक्षेत्रे उत्साहनवत् उत्क्षेपं कृतमथोर्ध्वगमनेन । अभिनयशब्दवत्पाल्यं च । अभिनयशब्दस्य वैचित्र्यं पश्यन्तः उपाध्याया व्याचक्षते अभिशब्देनाभिमुख्यं, नशब्देन निषेधो, यशब्देन

१. NS. क्षोभाश्चौघश्च KSS. क्षोभश्चौघश्च ।
२. NS. प्रहतिम् ।
३. KSS. करणैः ।
४. KSS. परिमृष्ट ।
५. NS. मुत्पाटन ।
६. NS., KSS Omit this verse.

आवाहनमवतरणं विसर्जनं वारणं प्रवेशश्च ।
उन्नामनं प्रणामो निदर्शनं विविधवचनं च ॥२९॥

मङ्गल्यद्रव्याणां स्पर्शः शिरसोऽस्य सन्निवेशश्च ।
उष्णीषमुकुटधारणं नासास्यश्रोत्रसंवरणम् ॥३०॥

अस्यैव चाङ्गुलीभ्यामधोमुखप्रस्थितोत्थितचलाभ्याम्[1] ।
[2]लघुपवनस्रोतोभुजगभ्रमराविकान् कुर्यात् ॥३१॥

अश्रुप्रमार्जने[3] तिलकविरचनं रोचनयालम्भनकं च ।
त्रिपताकानामिकया स्पर्शनमलकस्य[4] कार्यञ्च ॥३२॥

यदर्थो लक्ष्यते, तेन स्वपार्श्वोन्मुखदेशागमनेनाभिमुख्यमभिमुखत्वं पार्श्वक्षेत्रे तु रेचनपूर्वमधोमुखोत्तानपरिवर्तनेन च यच्छब्दार्थमभिनयेदिति ।२४। परिशब्दः शैघ्र्यात्पार्श्वतोऽर्थे उभयतो वाऽर्थे समन्तादर्थे च, तेन परिघृष्टं यत्तलं तत् द्वितीयपताकहस्तेन पताकाकारेण क्षालनं मर्दनं मार्जनं पेषणं तद्विशिष्टमपि द्रव्यमभिनयेत् । यथाक्रमं च परिशब्दार्थे योज्यं पुनश्शब्दः । पर्वतोद्धारणं शैलशिलादेश्चोत्पाटनम् । चकाराद्वरदानमभयदानमित्येवमाद्यभिनयेत् । परिघृष्टेतीतिकर्तव्यतां प्रसक्तां वारयितुमेवकारः, "एनतु पुणापरिअञ्चिइर्इति कोणें जिजिआलिह" (?) इत्यादौ यथापुनः शब्द एवार्थद्योतकस्तथाङ्गिकेऽपि पताकादिस्तथेति व्यवहारदर्शनात् ॥२५॥ न चैतावानेवास्य विषय इति दर्शयितुमाह—एवमनेन प्रकारेण स्वबुद्ध्या तां तामितिकर्तव्यतामुत्प्रेक्ष्य प्रयोक्तव्यः । स्त्रीपुंसयोरुभयोरपि अभिनेत्रोरभिनेययोर्वा । अन्ये तु नपुंसकलिङ्गस्य स्त्रीपुंसाभ्यामेव स्वीकारात् समस्ते शब्दार्थेऽभिनेतव्ये विशिष्टेतिकर्तव्यतायुक्तस्यार्थस्य प्रयोग इत्याहुः ॥२६॥

अथ त्रिपताकमाह पताकेत्वित्यादि । अनामिका वक्रा कनीयसीतर्जनीमध्यमानां तिसृणां पताकवदवस्थानात् त्रिपताकः त्रित्वस्याभिनेयत्वाद्वा । कर्मेत्यभिनेयम् ।२७-२८। आवाहनं पराङ्मुखीनतर्जनीमध्यमाकुञ्चनात्, "आर्य इतस्तावत्" इत्यादौ । रथादेः अवतरणमधस्तलकृतेन पार्श्वान्तरगमनात् "अवतरत्वायुष्मान्" इत्यादौ । विसर्जनमनादरकृतं बहिरङ्गुलिद्वयक्षेपात् । वारणं "एवं मा कार्षी" रिति प्राङ्मुखेनाङ्गुलिद्वयचलनात् । प्रवेशनं पार्श्वतलेनाग्रगमनात् यावत्प्रविशामीति । यथोन्नामनं चिबुकादौ लालनेनोत्तानाङ्गुलिद्वयात् । प्रणमनं शिरोगतेन पार्श्वतः प्रणयनात् स्वसमर्पणम् । प्रदर्शनमुपमानोपमेयभावेनेर्षाद्विरलेनाङ्गुलिद्वयेन । विविधं विचित्रमिदं वा स्यादिदं वेत्यादिना अङ्गुलियुगनामोन्नामात् । वचनं भाषणं मुखक्षेत्रे उत्ताब-

---

१. KSS. प्रस्थितौ स्थितचलाभ्याम् ।

२. NS. लघुमुखपवनस्रोतो KSS. लघुचटपवनस्रोतो भुजगन ।

३. KSS., NS. अश्रुप्रमार्जनतिलक…।

४ NS. स्पर्शनमलिकस्य KSS. दर्शनमलकस्य कार्यञ्च ।

स्वस्तिको[1] त्रिपताकौ तु गुरूणां पादवन्दने[2]।
विच्युतौ च लतावस्थौ कार्यौ वृद्धाहृदर्शने ॥३३॥

परस्पराप्रसंश्लिष्टौ कर्त्तव्यौ नृपदर्शने।
तिर्यक् स्वस्तिकसम्बद्धौ स्यातां तौ ग्रहदर्शने ॥३४॥

तपस्विदर्शने कार्यावूर्ध्वौ चापि पराङ्मुखौ।
परस्पराभिमुखौ च कर्त्तव्यौ वरदर्शने ॥३५॥

उत्तानाधोमुखौ कार्यावग्रे वक्त्रस्य संस्थितौ।
वडवानलसङ्ग्राममकराणां च दर्शने ॥३६॥

स्याग्रगमनात् ।२९। मङ्गल्यद्रव्याणां पूर्णकुम्भादीनामधोमुखेनाङ्गुलिद्वयेन। स्पर्शः द्रव्यादीनां शिरसः स्पर्शः। निवेशनं निवेशः सम्बन्धोऽनामिकया शिरसो वा सन्निवेशनं तत्क्षेत्रे सम्मुखमण्डलगतेनोष्णीषधारणं, शिरस्यधोमुखेन भ्रमता मुकुटधारणं तूर्ध्वक्षेत्रे। संवरणमनिष्टे गन्धे वचने च शब्देऽपि नासादौ अङ्गुलीद्वयेनाच्छादनम् ॥३०॥ अस्यैव चेति। अतश्च मुकुटादिदर्शनेन तद्धेतोः राजादेरप्यभिनयः, तेन येन हस्तेनाभिनेयं यत्राव्यभिचारित्वेन बहुशो निर्दिष्टं तदनिर्दिष्टमपि तेनैवाभिनेयम्। यथा मुकुटधारणाभिनयेन राजांशः रेचितपताकयोगेन दर्शितः। अंगुल्यौ ये नित्य श्लिष्टे इत्येवकारः, तेन च त्रिपताकन्यस्त इत्यस्य ग्रहणम्। चकारेणान्वाचयकृत मङ्गुल्यन्तरस्य अधोमुखादिरूपत्वमनुजानाति। अधोमुखे च द्वे प्रस्थानोत्थानयो चले चेति समासः। लघून्पक्षिणश्चटकादीन्, कटिक्षेत्रे लघुचालं। लघु च स्रोतः क्रमेणोर्ध्वमधस्तिर्यग्गत्या लघुसर्पानग्रगत्याभिनयेत्। भ्रमरमक्षिकादीनां पुनरुपपादनं पक्षित्वेनाप्रसिद्धेः, तेन कटीक्षेत्रत्यागेन यथेष्टमेषां क्षेत्रमित्युक्तं भवति ॥३१॥ अश्रुणस्तत्प्रमार्जनस्य चानामिकया स्वक्षेत्रगतयाधोगच्छन्त्याभिनयः। तिलकस्याभिनयो रोचनाचन्दनादिना तद्विरचनस्य च। एतेन क्रियाफलयोस्तुल्याभिनयोऽन्यत्रापीति सूचयति। तेन पतनवत्पतितोऽपि कर्तरीमुख इत्याद्यूह्यम्। रोचनाचन्दनस्य मङ्गल्यतिलकादिना स्वीकारादिकं व्याचक्षते। रोचनया अरुणरुचिर्लक्ष्यते, तत्रानामिकाद्वयसंघट्टेनाभिनयः। यथा—

कोडहल्लणाहं तथा तथा च केन समाणिवडशक्रः।
सूकरं भर्तसुखं च दुःखं च ॥ (?)

आलम्भनं शरीरस्पर्शनं, द्रोणिकाचमनम्; तस्मात् संज्ञायामपि कन्। संज्ञेयमिति लभेरत्रासंभवात्। आङीषदर्थे उपसर्गः, न नञ् समासः, स्वल्पत्वं च। अत्रातिगौरवातिस्नेहादिना तथानामिकयैव स्पर्शनात् "गामी अवा उच्चं अभीहउ-

---

१. KSS. does not read स्वस्तिको to नृणां प्रयोक्तृभिः।
२. NS. पादवन्दनम्।

अभिनयास्त्वनेनैव वानरप्लवनोर्मयः ।
पवनश्च स्त्रियश्चैव नाट्ये नाट्यविचक्षणैः ॥३७॥

संमुखप्रसृताङ्गुष्ठः कार्यो बालेन्दुदर्शने ।
पराङ्मुखस्तु कर्त्तव्यो याने नृणां प्रयोक्तृभिः ॥३८॥

त्रिपताके यदा हस्ते भवेत् पृष्ठावलोकिनी ।
तर्जनी मध्यमायाश्च तदासौ कर्तरीमुखः ॥३९॥

[1]पथि चरणरचनरञ्जनरङ्गणकरणान्यधोमुखेनैव ।
ऊर्ध्वमुखेन तु कुर्याद् दष्टं शृङ्गं च लेख्यं च ॥४०॥

पतनमरणव्यतिक्रमपरिवृत्तवितर्कित तथा न्यस्तम् ।
भिन्नवलितेन कुर्यात् कर्तर्यास्याङ्गुलिमुखेन ॥४१

[2]संयुतकरणो वा स्यादसंयुतो वा प्रयुज्यते तज्ज्ञैः ।
रुरुचमरमहिषसुरगजवृषगोपुरशैलशिखरेषु ॥४२॥

यस्याङ्गुल्यस्तु विनताः सहाङ्गुष्ठेन चापवत् ।
सोऽर्धचन्द्रो हि विज्ञेयः करः कर्मास्य वक्ष्यते ॥४३॥

एतेन बालतरवः शशिलेखाकम्बुकलशवलयानि ।
[3]निर्घाटनमायस्तं मध्यौपम्यं च पीनं च ॥४४॥

तोरड" (?) इति स्पर्शनमलकस्य रचनार्थं स्थानान्तरनयनं; यथा रत्नावल्यामुदयनेन सुसङ्गतायाः। अलिकस्य ललाटस्य दर्शनमलकभञ्जनेनोत्तानालकसञ्जनमित्यादावित्यन्ये ॥३२॥

कर्तरीमुखं लक्षयति **त्रिपताक** इति । चकारेण परो नीयते । **अवलोकिनीति** असंश्लिष्ट इति यावत्। कर्तर्या ईदृशमेव रूपं साध्यते तथानीयते । **पथीति** पृथक्पदमित इत इत्यादौ मार्गप्रदर्शने, तेनात्राधोमुखेनेति संबध्यते । चरणस्य रचनं कस्तूरिकादिना पत्रभङ्गादिक्रिया रञ्जनमलक्तकेन । रज्यत्यस्मिन् हृदयमिति रङ्गः कुङ्कुमादिकृतश्चतुष्कोष्ठे भङ्गस्तिलकादिः तं करोति रङ्गयति । एवकारेण तर्जनीमुखलक्षणसुखस्याधोगतनानन्तरमेव पृष्ठावलोकित्वं पुनरधोगमनं पुनः पृष्ठावलोकनमिति चलनमाह । **दष्टमिति** दंशनं तत्तुल्यं च कर्तनादि नासिकाक्षेत्रात् कर्णान्तं गच्छता, शृङ्गं स्वङ्गक्षेत्रे हस्तद्वयेन, लेख्यं पत्रकाविष्टस्य वाचनम् । व्यतिक्रमोऽपराधः ॥४०॥

---

१ NS. पथिकरण KSS. पथिकचरणरचनरञ्जनगमन· ।

२. NS. does not read it.

३. KSS. निघटन·।

[1]रशनाजघनकटीनामाननतलपत्रकुण्डलादीनाम् ।
कर्त्तव्यो नारीणामभिनययोगोऽर्धचन्द्रेण ॥४५॥

आद्या धनुर्नता कार्या कुञ्चिताङ्गुष्ठकस्तथा ।
शेषा भिन्नोर्ध्ववलिता[2] ह्यरालेऽङ्गुलयः करे ॥४६॥

एतेन सत्त्व[3]शौण्डीर्यवीर्यधृतिकान्तिदिव्यगाम्भीर्यम् ।
आशीर्वादाश्च तथा भावा[4] हितसंज्ञकाः कार्याः ॥४७॥

एतेन पुनः स्त्रीणां केशानां संग्रहोत्कर्षौ[5] ।
सर्वाङ्गिकं तथैव च [6]निर्वणनमात्मनः कार्यम् ॥४८॥

कौतुकविवाहयोगं प्रदक्षिणेनैव संप्रयोगं च ।
अङ्गुल्यग्रस्वस्तिकयोगान् परिमण्डलेनैव ॥४९॥

परिवृत्तं पराङ्मुखीभूतं विपर्यस्तं च । वितर्कितमूहनम् । न्यस्तं निक्षेपणम् । भेदनं वैपरीत्यं मध्यमयोस्तर्जनीपृष्ठगत्वं, चलनं पुनः स्वरूपाप्तिस्तयोः समाहारे द्वन्द्वः । एतेन यथायोगं संघातविगृहीतविपर्यस्तप्रयोगो द्विस्त्रिश्चेत्याद्यूह्यम् । कर्तर्यास्यस्य कर्तरीमुखस्य यदङ्गुलीरूप मुखं प्रधानं तेन भेदनवलनसहितेनेति सङ्गतिः ।४१-४२।

अर्धचन्द्रमाह—सहाङ्गुष्ठेनेति । अङ्गुष्ठोऽपि विनतः चापवदिति श्लिष्टा-ह्रस्वत्वं निषेधति । ख्यात इति नाम्नैव लब्धरूपः ॥४३॥ बालतरवश्चोर्ध्वं गच्छता, उपर्युत्तानेन, अर्धेन्दुरित्यन्वर्थबलाल्लब्धम् । तेन शशिलेखेत्यनेन लेखामात्रमभिनेयं विश्लिष्टतर्जनीकेनेत्युक्तं भवति ।

कम्बुरिति शंख एवानेनाभिनेयः तद्ग्रहणं तु कर्कटे वक्ष्यते । प्रकोष्ठान्तर-संमुखेन वलयः । निर्घाटनं बलान्निष्कासनमिति । तस्यायस्तमटवीघोषणमित्यसत्, आयस्तं खेदं पराङ्मुखेन गण्डभ्रूविभ्रमात्तमभिनयेत् । मध्ये उदरादौ । उपमीयत इत्युपमा ततः ष्यञ्, तेनायमर्थो मध्यस्य यदुपमीयमानत्वं कार्श्यं तदभिनयेत् । पीनं च पीवरं, अधन्यमध्यमेव । चकारादर्धचन्द्रद्वयेनाभिनयेत् । अन्ये तु पानं चषकादि व्याचक्षते पानति पठन्तः ।४४। जघनो कटेरग्रभागः, पार्श्वभागश्च कटी । आननतले च पत्राणि भङ्गा । तलपत्रमाभरणविशेषः पत्रं दन्तपत्रं

---

१. NS. रसना ।
२. KSS. ह्यरालाङ्गुलयः ।
३. NS. शौण्डीर्यधृतिकान्तिदिव्य । KSS. शौण्डीर्यवीर्यधृतिकान्तिदिव्य ।
४. KSS. भावाभिसंज्ञकाः कार्याः ।
५ KSS. सङ्ग्रहोत्कर्षौ ।
६. KSS. निर्वहण ।

प्रादक्षिण्यं परिमण्डलं च कुर्यान् महाजनं चैव ।
यच्च[1] महीतलरचितं द्रव्यं तच्चाभिनेयं स्यात् ॥५०॥

[2]आह्वाने च निवारणनिर्माणे चाप्यनेकवचने च ।
स्वेदस्य चापनयने[3] गन्धाघ्राणे शुभः शुभे चैव ॥५१॥

त्रिपताकहस्तजानि तु पूर्वं यान्यभिहितानि कर्माणि ।
तानि [4]त्वरालयोगात् स्त्रीभिः सम्यक् प्रयोज्यानि ॥५२॥

अरालस्य यदा वक्राऽनामिकात्वङ्गुलिर्भवेत् ।
शुकतुण्डस्तु स करः कर्म चास्य निबोधत ॥५३॥

नलिनीदलं वा । आदिशब्दान्मृणालादि । एतच्च तत्तत्क्षेत्रगेन यथायोगं पार्श्वद्वययोगं पार्श्वद्वयान्ताधधोवर्त्तितलेनैकैकेनान्यसहितेन वाभिनयेत् ।४५।

अरालमाह—आद्या धनुर्नतेति । आद्यास्तर्जनीमध्यामादयः कनिष्ठान्ताः पूर्वस्याः पृष्ठेष्वदूरे तिष्ठन्तीति । अयं हस्तस्त्वरालः कुटिलत्वात् । अरालपक्ष्मण इत्यादौ वक्रार्थेऽरालशब्दः ।४६। सत्त्वं स्थैर्यम्, शौण्डीर्यं गर्वः । वीर्यमुत्साहः । कान्तिश्शोभा, दिव्यं गगनस्थं, गाम्भीर्यं—

यस्य प्रभावादाकाराः क्रोधहर्षभयादिषु ।
भावेषु नोपलक्ष्यन्ते गाम्भीर्यमिति तत्स्मृतम् ॥

आशीर्वादाः स्वस्ति भद्रं पुण्याहमित्यादयः । हितसंज्ञकाः सुखभावाः । तत्र हृदि पार्श्वेऽग्रतः स्थैर्येण चलत्वेन भ्रमणागमनं यथायोगं प्रयोगः । एतावत्यंशेऽप्यभिनेयमरालेन ॥४७॥ संग्रहो बन्धनं केशानाम् । उत्कर्षो विकीर्णतापादनम् । पुनर्ग्रहणाद्द्विस्त्रिरन्तरालस्य गमनभ्रमणादि लभ्यते । तथैव चेति यथा सर्वाङ्गनिर्वर्णनं भवति तथा कार्यमिति । तेन द्वितीयपार्श्वात्स्वपार्श्वगमनं लभ्यते ।४८। कौतुकं विवाहात्पूर्वभावी वधूवरयोराचाराः अन्तर्विवाहे प्रसिद्धः । विवाहोऽग्नौ साक्षिणि बध्वा वहनम् । अङ्गुल्यग्राणां हस्तद्वयगतानां स्वस्तिकाकारेण यद्योजनं तेनोपलक्षितेन परिमण्डलं प्रदक्षिणदिक्क्रमेव भ्राम्यता कौतुकविवाहयोगोऽभिनेयः । चशब्दस्तुशब्दस्यार्थे । एवकारो भिन्नक्रमः । सम्प्रयोगः संश्लेषमात्रस्तु अंगुल्यग्रस्वस्तिकयोगादेव केवलात् ।४९। देवताविषयं प्रदक्षिणक्रमं, परिमण्डलं वर्तुलं, महाजनं जनसमूहः । विरचितं पुष्पप्रकरादि । एतेनैव परिमण्डलेन पार्श्वान्तरात्स्वपार्श्वं गच्छताभिनयेत्

---

१. KSS. NS. महीतलनिहित ।

२. NS., KSS निवापेनिन्दाक्षेपाद्यनेकवचने च ।

३. KSS. चाभिनयने गन्धघ्राणे शुभा चैव । NS. गन्धघ्राणे शुभे चैव ।

४. KSS., NS. त्वेरानुयोगात् ।

एतेन त्वभिनेयं नाहं न त्वं न कृत्यमिति चार्थे ।
आवाहने विसर्गे धिगिति वचने च सावज्ञम् ॥५४॥

अङ्गुल्यो यस्य हस्तस्य तलमध्येप्रसंस्थिताः ।
तासामुपरि चाङ्गुष्ठः सः मुष्टिरिति संज्ञितः ॥५५॥

एष प्रहारे व्यायामे निर्गमे पीडने तथा[१] ।
संवाहनेऽसियष्टीनां कुन्तदण्डग्रहे[२] तथा ॥५६॥

अस्यैव तु यदा मुष्टेरूर्ध्वोङ्गुष्ठः प्रयुज्यते ।
हस्तः स शिखरो नाम तदा[३] ज्ञेयः प्रयोक्तृभिः ॥५७॥

।५०। आह्वाने पतदङ्गुलि । निवारणे बहिः क्षिप्ताङ्गुलि । **निर्माणं** अपूर्वं उदयः यथा उदितो भगवान् मृगलांछनः । "भगवं मिअलंछक" इत्यादौ । निश्शेषेण वा मान परिच्छेदो वर्तनं वा, यथा "जलणिहिअलं वआ" (जलनिधितलं वेगात्) इति । **निर्दानं** तृणाद्युत्पाटनमित्यन्ये । अभूता सृष्टिर्वीप्सा निर्दानमित्यन्ये । अनेकं पृथग्भूतं संबन्धाभावरूपं यत्रोच्यते तत्र पुनः बहिः क्षिप्ताङ्गुलेः प्रयोगः । यथा "कहिं ह कहिं ह" इत्यादौ । गन्धस्य सुरभित्वादाघ्राणम् । **शुभः शुभे चैष** इति पाठः । एष हस्त इत्यर्थः । चैवेत्यन्ये पठन्ति अध्याहारं कल्पयन्तः, एवकारेण तत्क्षेत्रगत्वं हस्तस्येत्याहुः ।५१। त्रिपताकस्य यान्यावाहनमवतरणमित्यादीन्यभिनेयानि तान्यरालस्य यत्प्रयोगाङ्गयुक्त्या सम्पत्तिर्भवति तत्तेनापि प्रयोज्यानि स्त्रीभिः न तु तासां त्रिपताको निषिध्यते, पुंसस्त्रिपताकस्थानेऽरालो निषिध्यते ।५२।

शुकतुण्ड**माहारालस्येति** । तुः पूर्वस्माद्विशेषमाह । द्वितीयस्तुरपिशब्दार्थे, तर्जन्या अपि वक्रिमाणमनुजानाति तदाकारत्वात् । शुकतुण्ड इति शब्देन प्रत्येकमेक एवं ह्ययं वाक्यार्थः । **नाहं न त्वं, न कृत्यमिति** । न च सर्वथा निषेधे अयमभिनयः, अपि तु अर्थे अर्थनायां सत्यामीर्ष्याप्रणयकलहादाविति यावत्, अर्थनमर्थः, "अकर्तरि" इति घञ् । **सावज्ञं** यदाह्वानं **विसर्गश्च** पञ्चभिरङ्गुलिभिः क्षेपात्स्पृश्य इतिकर्तव्यता, सकृत्, द्विस्त्रिर्वा प्रयोगयुक्त्या । धिगित्यनेन निन्दार्थेनानुपादेयं लक्ष्यते, "किन्तेन बालवधपातकदूषितेन" इत्यादावयमभिनय इत्यर्थः ॥५३-५४॥

मुष्टिमाह—अङ्गुल्यो यस्येति । तलमध्य इति अङ्गुष्ठमूलाशङ्कां शमयति । अग्रे सम्यक्स्थिता इति अग्रगोपनेन विरलतं चवं परिहरति । **उपरीति** मध्यमाङ्गुलिदेशं सम्पीडयन्नित्यर्थः । **संज्ञितः** लोके ह्यत्रैव मुष्टिशब्दः प्रसिद्ध इत्यर्थः । **व्यायाम** इति

---

१. NS., KSS. हस्तपीडने ।

२. NS., KSS. दण्डकुन्तग्रहे ।

३. NS. तथा ।

रश्मिकुशाङ्कुशधनुषां तोमरशक्तिप्रमोक्षणे[1] चैव ।
अधरोष्ठपादरञ्जनमलकस्योत्क्षेपणं चैव ॥५८॥

अस्यैव शिखराख्यस्य ह्यङ्गुष्ठकनिपीडिता[2] ।
यदा प्रदेशिनी वक्रा स कपित्थस्तदा स्मृतः ॥५७॥

असिचापचक्रतोमरकुन्तगदाशक्तिवज्रबाणानि[3] ।
शस्त्राण्यभिनेयानि तु [4]कार्यं सत्यं च पथ्यं च ॥६०॥

उत्क्षिप्तवक्रा[5] तु यदानामिका सकनीयसी ।
अस्यैव तु कपित्थस्य तदासो खटकामुखः[6] ॥६१॥
होत्रं हव्यं छत्रं प्रग्रहपरिकर्षणं व्यजनकञ्च ।
आदर्शधारणं खण्डनं तथा पेषणं चैव ॥६२॥

युद्धे प्रतिमल्लप्रकोष्ठग्रहणे खड्गयुद्धे च । निगमे आर्द्रकादिस्वरसस्य निष्कासने । पीडने स्तनपीडने गोमहिष्यादिदोहने च । संवाहने मृत्पीडने अथवा मृदुपीडने । असियष्टीनामत्र यष्टीनामिति बहुवचनग्रहणात् छुरिकायुद्धदण्डधारण इत्यादि योज्यम् । तथेति संवाहने धारणे मारणे मार्जने वा ॥५५-५६॥

शिखरमाह अस्यैव चेति । पुनर्मुष्टिग्रहणं (मुष्टिकर्तॄणामधिकारे ?) मुष्टेराकारे शिखरेणाभिनेये द्वये तत्कर्मणां च दृढपीडनादौ मुष्टिमाह—अतः एवोक्तं प्रयोक्तृभिरिति । रश्मिः प्रग्रहः किरणो वा तेषां संवाहनं ग्रहणमिति संबन्धः । अत्र च द्वयोरेकस्य वा प्रयोगः उत्तानावोमुखपार्श्वगादिभिश्च । प्रयोगानुसारेणालकस्योत्क्षेपणं गण्डतलादेरुत्पीडनं वा कुटिलीकरणार्थम् ॥५७-५८॥

कपित्थमाह अस्यैवेति; नामोच्चारणस्य पूर्ववत् प्रयोजनं, कपित्थाकारेऽस्मिन् अङ्गुष्ठतर्जन्यावङ्गुली । शस्त्राणीति शराकर्षणानीत्यर्थः । कार्यं सुकृतम्, अत्र छोटिकाप्रयोगः ॥५९-६०॥

अथ खटकामुखमाह उत्क्षिप्तवक्रेति । उत्क्षिप्ता सती वक्रा अनामिका कपित्थस्येति पुनर्नामोच्चारणात् शराकर्षणकार्यसत्यपथ्यादावस्य प्रयोगः । तुरेकः पूर्वस्माद्विशेषे, तुर्द्वितीयोऽवधारणे । विरलत्वं मनाक् अनामिकाकनिष्ठिकयोर्भवति सकनीयसी । सहशब्दात् विश्लेषाशङ्का न स्यात् । खट् काङ्क्षायामित्यस्मात् क्षुत्तृट्पिपासातीर्थेषु

---

१. KSS., NS. प्रमोक्षणं ।

२. KSS., NS. मुखेऽङ्गुष्ठनिपीडिता ।

३. GOS. वज्रवर्गाणि ।

४. KSS., NS. read as कार्यं सत्यं च पथ्यं च ।

५. KSS. चक्रा ।

६. KSS. कटकामुखः ।

आयतदण्डग्रहणं मुक्ताप्रालम्बसंग्रहं चैव ।
स्रग्दामपुष्पमाला वस्त्रान्तालम्बनं चैव ॥६३॥
मन्थनशरावकर्षणपुष्पावचयप्रतोदकार्याणि ।
अङ्कुशरज्वाकर्षणस्त्रीदर्शनमेव कार्यं च ॥६४॥
[5]खटकाख्ये यदा हस्ते तर्जनी संप्रसारिता ।
हस्तः सूचीमुखो नाम तदा ज्ञेयः प्रयोक्तृभिः ॥६५॥
[6]अस्य विविधान् योगान् वक्ष्यामि समासतः प्रदेशिन्याः ।
ऊर्ध्वनततलोलकम्पितविजृम्भितोद्वाहितचलायाः ॥६६॥

वुन् । खटको विटविभ्रमगतिधूः, तस्य आमुखे यतोऽयं वक्ष्यतेऽतः खटकामुखः ॥५१॥ होत्रं स्रुगादि उत्तानेन । हव्यमाज्याद्यामुखेन । प्रग्रहस्य वल्गादेः परिकर्षणं गतिरोधनाय । व्यजनं तालवृन्तादिकं चलता । आदर्शधारणं संमुखेन । आदर्शो ज्ञातो याभिस्ता गौरीवस्त्राकारिकामनेनाभिनयन्ति खण्डनं तालवृन्तादिव्यजनव्यापारो वा । पेषणं कुङ्कुमस्य मृगमदचन्दनचन्द्रादेः हस्तद्वयेन भागद्वये दीर्घवृत्तचक्रमणाद्यैः, "परिवृत्तपाद" इत्यादौ ॥६२॥ आयतदण्डकाष्ठादीनां ग्रहणं, मुक्ताप्रालम्बानात्मआदौबाहुद्वयमुभयान्तग्रहणसूचकम् ?) बाहुद्वयोरुभयान्ताभ्यां संग्रहणं सूच्यते । वस्त्रान्तालम्बनं च विवाहे वधूनां प्रणयकोपादौ च पथानुसरणे । आकर्षणस्य केलिवशेन केशादेरयतभिनयः । उत्तरीयालम्बनं स्वभावायोगात् स्त्रीप्रदर्शनेऽयमभिनयः, स्वक्षेत्रे चातुरश्र्यार्थं तत्कूर्परावधि द्वितीयस्य निवेशं कुर्वन्ति ॥६३-६४॥

सूचीमुखमाह खटकाख्य इति सूच्याकारमेवास्य मुखम् ।६५। नता अधोमुखी लोला पार्श्वान्तरं यान्ती, कम्पिता तत्रैव स्पन्दमाना, विजृम्भिता व्याकुलञ्चिता, प्रसारिता ऊद्वाहिता ऊर्ध्वं गच्छन्ती, चला अभिनयत्वेन व्रजन्ती ।६६। चक्रम् आयुधे कर्मोपकरणे रथाङ्गे च राष्ट्रजने च । चक्रे ऊर्ध्वमुखं पार्श्वगतं पार्श्वान्तरं भ्रमन्ती कार्या, विद्युत्युर्ध्वमुखा गतागता । एवमन्यत्रोत्प्रेक्ष्यम् । मञ्जर्यो लताः, कर्णचूलिका कर्णपूरः कुटिलगतयो मीनाद्याः, साधुवादाः भद्रं शोभनमित्याद्याः ।६७। वालसर्पाणां पृथगुपादानं गतिवैलक्षण्यान्मीनेभ्यः । बल्लीलतामञ्जरीणामवान्तरभेद उत्प्रेक्ष्यः तद्यथा - अलाबूभृतयो वल्ल्यः । द्राक्षाप्रभृतयो लताः । चूतादीनां मञ्जर्यः । शिखण्डः कुमाराणां काकपक्षः । परिपतनं पातः, वक्रं वक्रत्वं, मण्डलं वर्तुलत्वं, समाहारे द्वन्द्वः । ऊर्ध्वलोलितत्वोक्तिः प्रयोगवृत्त्या वैचित्र्येण विभजनीया ।६८। भूयो बहुतरमित्यस्मिन्नर्थे चायमभिनयः । तारा नक्षत्राणि । घोणा नासिका । एकः एकत्वसख्या । दण्डः परं प्रतितर्जनम् । यष्टिः लगुडः पृथुर्वा, नक्षत्रे तर्जन्यूर्ध्वा । दंष्ट्रिषु चकाराद्दंष्ट्रित्वेना प्रसिद्धे-

५. KSS. कटकाख्ये ।
६. KSS., NS. अस्या ।

वक्रं तडित्पताकामञ्जर्य: कर्णचूलिकाश्चैव ।
कुटिलगतयश्च सर्वे निर्देश्या: साधुवादाश्च ॥६७॥
बालोरगवल्यव[1]धूपदीपवल्ली लताशिखण्डाश्च ।
परिपतनवक्रमण्डलमभिनेया[2] न्यूर्ध्वलोलितया ॥६८॥
वदनाभ्यासे कुञ्चिततविजृम्भिता वाक्यरूपणे कार्या[3] ।
भूयश्चोर्ध्वविरचिता ताराधोर्णकवण्डयष्टिषु च ।
विनता च पुन: कार्या दंष्ट्रिषु च तथास्ययोगेन ॥६९॥
पुनरपि मण्डलगतया सर्वग्रहणं तथैव लोकस्य ।
[4]प्रणतोन्ते च कार्ये ह्यास्ये दीर्घे च दिवसे च ॥७०॥
[श्रवणाभ्यासे वक्रा विजृम्भणा वाक्यरूपणावसरे ॥]
[5]मेति वदेति च योज्या प्रसारितोत्कम्पितोत्ताना ॥७१॥

ष्वपि राक्षसादिषु । आस्ये योगो भाग: सृकिलक्षणस्तेन सम्बद्धा नता सती । तथेति तेन दंष्ट्राकारेण कार्या सम्मुखतला कार्येत्यर्थ: ।६८। पुनरपीप्युर्ध्वाधोमुखत्वप्रसूतम वधार्यते । ग्रहणमिति भावप्रधान: सर्वशब्द:, कात्स्न्येन ग्रहणमित्यर्थ: । लोकस्य प्रत्यक्षेणावलोक्यमानस्य वा स्मर्यमाणस्य वा । तथैवेति अयमिति पुरोवर्तिनिर्देशेन, स इति च कर्णक्षेत्रे परोक्षवृत्तिनिर्देशेन, ग्रहणस्य लोकत: स्मरणात्मकमभिनय: । एक-शब्देन प्रथमत्वात् आद्यो मुख्यो ह्रस्वश्च, वीप्सापेक्षया तत्र तत्र प्रणता, ऊर्ध्वा यान्ती दीर्घे तून्नता: विपरीता दिवसे एकतोऽधस्तलप्रणता अन्यत: प्रोत्तानतलोन्नता परस्पर-श्लिष्टा संयुक्तकरणत्वेन पार्श्वात्पार्श्वसञ्चरणादुदयास्तमयसूचिका ।७०। पूर्वं कुञ्चिता ततो विजृम्भिता प्रसारिता वक्रान्तिके कार्यविचारे यदा याप्युत्सारिता-भिनीयते । "श्रवणाभ्यासे वक्रा जृम्भण उन्मुक्ता वाक्यरूपणावसरे" इति वा पाठ: । मेति वारणार्थे प्रसारिता. वदेति अत्रार्थे उत्कम्पितोत्तानाकुञ्चितप्रसारितेत्यर्थ: । रोषस्य दर्शने स्वेदमार्जने च प्रसारितैव ललाटपट्टादौ स्वेदं हरन्ती ।७१। कुन्तला: केशा:, गण्डाश्रया: पत्रभङ्गादय: तद्विषयेऽभिनये कर्तव्ये गर्वे योऽहङ्कार: तत्राभिनये ललाटगता । रिपो: प्रत्यक्षस्य निर्देशे अग्रनता, परोक्षस्य रणपूर्वसंरम्भे तु विशेष: । अनुसन्धाने त्रितयात्मिका "स चायं दुष्टात्मा" इति । क्रोध इति संरम्भपूर्व: कोप:

---

१. KSS. NS. पल्लव ।

२. KSS. मभिनेयं चोर्ध्वं··· ।

३. NS. प्रणतीकृता च कार्या ध्यायेदर्थे च दिवसे च । KSS प्रणतीकृता च कार्या ध्यायेदथ (?) च ।

४. KSS वाक्यरूपणे कार्या । NS. वाक्यरूपणे मुखे ।

५. KSS., NS. सेति वादति (?) ।

कार्या प्रकम्पिता रोवदर्शन स्वेवरूपणे चैव[1] ।
कुन्तलकुण्डलाङ्गदग[2]ण्डाश्रयसंश्रयेऽभिनये ॥७२॥

गर्वेऽहमिति ललाटे रिपुनिर्देशे तथैव च क्रोधे ।
कोऽसावितिनिर्देशेऽथ कर्णकण्डूयने चैव ॥७३॥

संयुक्ता संयोगे कार्या विश्लेषिता वियोगे च ।
कलहे स्वस्तिकयुक्ता परस्परोत्पीडिता बन्धे ॥७४॥

द्वाभ्यां तु वात्मपार्श्वे[3] दक्षिणतो दिननिशावसानानि ।
अभिमुखपराङ्मुखाभ्यां[4] विश्लिष्टाभ्यां प्रयुञ्जीत ॥७५॥

पुनरपि च भ्रमिताग्ररूपा शिजावर्तयन्त्रशैलेषु ।
परिवेषणे तथैव हि कार्या चाधोमुखी नित्यम् ॥७६॥

श्लिष्टा ललाटपट्टेष्वधोमुखी शम्भुरूपणे कार्या ।
[5]शक्रस्याप्युत्ताना तजन्नं स्तिर्यक्स्थिता कार्या ॥७७॥
द्वाभ्यां सन्दर्शयेन्नित्यं सम्पूर्णं चन्द्रमण्डलम् ।
श्लिष्टा ललाटे शक्रस्य कार्या ह्युत्तानसंश्रया ॥७८॥

पूर्वकृत इति ।७२। किमर्थमिमा प्रश्नः, तत्रासाविति च दूरगतवस्तु निर्देशे। कर्णकण्डूयनं प्रसिद्धम्, कटुकवचनमपि च ।७३। **संयुक्तेति** अधस्तलयोः पार्श्वनैरन्तर्यादित्यर्थः । तद्विभागात्तु भुवि विश्लेषिताभ्यां द्वाभ्यामभिमुख पराङ्मुखाभ्यां वामपार्श्वं गच्छन्तीभ्यां दिनावसानमभिनयेत् । **वामो** हि सोमस्य दक्षिणस्तु सूर्यस्याग्रभागः दक्षिणपार्श्वं गच्छन्तीभ्यां निशावसानम्। **विश्लिष्टाभ्या-मिति** तालमात्रान्तराभ्यामिति दीर्घह्रस्वतांशत्वादौपचारिकाभ्याम् द्वाभ्यां तु इत्यङ्गुष्ठ प्रसारणे सति आकुञ्चनादित्यर्थः ॥७३।७४।७५॥ **परिमण्डलं भ्रमितया मण्डलमावर्शयेच्च चक्रस्येति**. चशब्दो विकल्पार्थः । हरस्य भगवतस्तृतीयनयने प्रदर्शिते सति यदभिनयनं तत्र कर्त्तव्ये सति ललाटे उर्ध्वा वा कार्या । एवं शक्रस्य-भिनयने ललाट एवोत्ताना तिरश्चीना च, अङ्गुल्या एवात्र प्राधान्यात् । खटकामुख मध्यमया यल्लोके महेश्वरशक्राभिनयनं दृश्यते तत्रालाक्षणिकं इति मन्तव्यम् ॥७६।७७।७८॥

---

१. NS स्वेदमार्जने ।

२. KSS. गण्डाक्षयमण्डनाभिनये ।

३. KSS. वामगमनं ।

४. NS., KS. पराङ्मुखाभ्यां ।

५. १७. KSS., NS. read it after पुनरपि इत्यादि two verses.

परिमण्डलं भ्रमितया मण्डलमवदर्शयेच्च[1] चक्रस्य ।
हृदयकमले च ललाटे शक्रस्याभ्युत्थाने[2] ॥७९॥

यस्याङ्गुल्यस्तु विरलाः सहाङ्गुष्ठेन कुञ्चिताः ।
ऊर्ध्वा ह्यसंगताग्राश्च स भवेत् पद्मकोशकः ॥८०॥

बिल्वकपित्थफलानां ग्रहणे कुचदर्शनस्य नारीणाम् ।
ग्रहणे ह्यामिषलाभे भवन्ति ताः कुञ्चिताग्रास्तु ॥८१॥

मधुजातिबीजपूरकमामिषखण्डं च निर्वर्ण्यम् ।
देवार्चनबलिहरणे समुद्गके[3] साग्रपिण्डदाने च ।
कार्यः पुष्पप्रकरश्च पद्मकोशेन[4] हस्तेन ॥८२॥

मणिबन्धनविश्लिष्टाभ्यां[5] प्रविरलचलिताङ्गुलिकराभ्याम् ।
कार्यो विवर्तिताभ्यां विकसितकमलोत्पलाभिनयः ॥८३॥

अङ्गुल्यः संहताः[6] सर्वाः सहाङ्गुष्ठेन यस्य च ।
तथा निम्नतलश्चैव स तु सर्पशिराः करः ॥८४॥

अथ पद्मकोशं लक्षयति यस्याङ्गुल्यस्तु विरला इति । उर्ध्वा चतुरस्र रचना इति यावत् । पद्मस्येव कोशोऽभ्यन्तरं विनतं यस्येति तथा ॥७९॥ ग्रहणमिति गृह्यतेऽनेनेति ग्रहणमभिनय इत्यर्थः एवं कुचौ दृश्येते अनेनेति कुचदर्शनं पद्मकोश इति पूर्वेण सम्बन्धः । बिल्वादानां तु ग्रहणे ता एवाङ्गुल्योऽग्रपर्वण्यतिकुञ्चिताश्च भवन्ति । क्रव्यादानामामिषलाभे आमिषग्रहणे च । लभिरत्र ग्रहणे । आमिषलाभे सति यद् ग्रहणं तत्रेति केचित् ॥८०॥ बलेर्हरणं दानं वैचित्र्यप्रापणं वा । अग्रपिण्डो गवादेः, भोजनाय, यत्र यत्रोत्सवादो नान्दीमुखश्राद्धादावपसव्यता न कार्या पर्यग्रं पिण्डदानम् । पुष्पप्रकरश्चेति द्विस्त्रिर्विकीर्णाग्रेण ॥८१-८२॥

सर्पशिरसमाह—अङ्गुल्यश्पसंहता इति । संहता श्लिष्टाः सहाङ्गुष्ठेनेति कुञ्चितोऽङ्गुष्ठ इत्यर्थः । निम्नं तलं मध्यस्याभिमुखस्य, सर्पशिरस्तुल्यत्वात् । वास्येदं नाम ॥८४॥ सलिलप्रदाने देवेभ्यः, सलिले च प्रतिग्रहार्थं प्रदीयमाने प्रति

---

१. KSS., NS. मण्डलयोर्दर्शयेच्च ।
२. KSS., NS. शक्रस्याभ्युत्थानात् ।
३. KSS. संगूहे चाग्र.... ।
४ NS. पद्मकोषेण ।
५ KSS., NS. मणिबन्धश्लिष्टाभ्यां ।
६. KSS., सहिताः ।

एव सलिलप्रवाहे भुजगती तोयसेचने चैव ।
आस्फोटने च योज्यः करिकुम्भास्फालनादिषु ॥८५॥

अधोमुखीनां सर्वासामङ्गुलीनां समागमः ।
कनिष्ठाङ्गुष्ठकावूर्ध्वौ स भवेत् मृगशीर्षकः ॥८६॥

इह साम्प्रतमस्त्यद्य [1]शक्तेश्चोल्लासनेऽक्षपाते च ।
स्वेदापमार्जनेषु च कुट्टमिते[2] प्रचलितस्तु भवेत् ॥८७॥

त्रेताग्निसंस्थिता मध्या तर्जन्यङ्गुष्ठका यदा[3] ।
काङ्गुलोऽनामिका वक्रा यदाश्चोर्ध्वा कनीयसी[4] ॥८८॥

एतेन तरुणफलानि नानाविधानि च लघूनि ।
कार्याणि [5]रोषजानि स्त्रीवचान्यङ्गुलिक्षेपैः ॥८९॥

मरकतवैदूर्यादिः[6] प्रदर्शनं सुमनसां च कर्तव्यम् ।
ग्राह्यं मरालपदमिति तज्ज्ञैरेवं प्रयोगेषु ॥९०॥

गृहीतुरभिनयो येन । सर्पगतावधोमुखः। तोयोपसेचन कुङ्कुमचन्दनादौ । आस्फोटनं मल्लयुद्ध ऊरुबाह्वादिषु ॥८५॥

मृगशीर्षकमाह मृगस्येव शिरस्स्थे श्रृङ्गे यस्य । शीर्षशब्दः प्रकृत्यन्तरम् ॥८६॥ इहेति प्रत्यक्षाधिकरणनिर्देशे । साम्प्रतमिति वर्तमानकालनिर्देशे । अस्तीत्यभ्युपगमाभिनये संभवाभिनये च । अद्येति वर्तमाननिर्देशेन गतार्थत्वेऽपि साभिनयेन सूचीमुखेन बाधा माभूदिति पुनरुपात्तम् । एतावत्यधोमुखोऽयम् । शक्तेरुल्लासनेऽक्षपाते चोर्ध्वमुखः । गण्डादौ स्वेदमार्जने स्वेदाभिमुखतल उर्ध्वमुखः । कुट्टमितं हर्षवशात्सहदुःखोपचारेण स्त्रीणां चेष्टालंकारः तत्राभिमुखतलो बाह्ये विस्तीर्णाङ्गुलिः ॥८७॥

काङ्गुलमाह त्रेताग्निसंस्थिता इति । त्रेतारूपा अग्नयः आहवनीयादयः तद्वत्संस्थानमासामिति । विरलयोः श्लिष्ट एवाग्रगोऽङ्गुष्ठ इत्यर्थः । कङ्गुः प्रियङ्गुः तां सातीति तस्यायमर्थः । कङ्गूच्चयने कीदृशः करो भवति । काङ्गुलो वृश्चिक इति तु केचित् ॥८८॥ एतेन तरुणानि फलानि मुक्ताफलबदराणि गत्या तेषामुद्योते,

---

१. NS, KSS. शक्यश्चेल्लानने ।
२. KSS. कुट्टिमिते ।
३. KSS. तथा ।
४. NS. चोर्ध्वकनीयसी ।
५. KSS. रोषजाति ।
६. KSS, NS वै० डूर्यादीनां ।

आवर्तिताः करतले यस्याङ्गुल्यो भवन्ति हि ।
[1]पार्श्वागतविकीर्णाश्च स भवेदलपल्लवः[2] ॥९१॥
प्रतिषेधकृते योज्यः कस्य त्वन्नास्ति शून्यवचनेषु ।
पुनरात्मोपन्यासः स्त्रीणामेतेन कर्तव्यः ॥९२॥
तिस्रः प्रसारिता यत्र तथा चोर्ध्वा कनीयसी ।
तासां मध्ये स्थितोङ्गुष्ठः स करश्चतुरस्मृतः ॥९३॥
[3]नयविनयनियमसुनितुणबालातुर[4]सत्यकैतवार्थेषु ।
वाक्ये युक्ते पथ्ये सत्ये प्रशमे च विनियोज्यः ॥९४॥
एकेन द्वाभ्यां वा किञ्चिन्मण्डलकृतेन हस्तेन ।
[5]विकृतविचारितचरितं वितर्कितं[6] लज्जितं चैव ॥९५॥
नयनौपम्यं पद्मदलरूपणं हरिणकर्णनिर्देशः[7] ।
संयुतकरणेनैव तु चरेणैतानि कुर्वीत ॥९६॥

लघूनीति परिमितानि मृत्पिण्डसदृशानीत्यर्थः । अङ्गुल्यः अङ्गुष्ठतर्जनीमध्यमे च तासां बहिःक्षेपः ॥८९-९०॥

अलपल्लवमाह—आवर्तिता इति । कनिष्ठाद्या क्रमेण वर्तना परिवर्तनं वा कुर्वन्त्यः । इयर्तीत्यरः चलः । चलपल्लवाकारत्वादलपल्लवः ! अलपद्मक इति च तन्नाम । प्रतिषेधस्य कृते अभिनयकरणाय । कस्य त्वमिति, नास्तीति च मिथ्याधिक्षेपार्थे च । शून्यवचनानि 'तच्छास्त्रमसत्प्रयुक्त' मित्यादीनि । पुनरर्थे अहमर्थ उपन्यासे च विस्मये अभिनयः स्त्रीणामुपन्यस्यते पुनः पुनरभिनीयते विस्मयापादकत्वादित्युपन्यासः ॥९१-९२॥

चतुरमाह—तिस्रः प्रसारिता यत्रेति । मध्य इति मध्यमाया मध्य एव । चतस्रोऽङ्गुलयोऽगुष्ठश्लिष्टत्वेन सन्त्यस्मिन्निति, अच्प्रत्ययाकारान्तश्चतुरशब्दः । चतसृणामभिनयनाद्वा चतुरः सत्यकैतवादिषु मुखिरागभेदाद्भेदः विवृतं प्रकारमेकेन अनावेशे, तु द्वाभ्याम् नयनयोरभिनेययोः उपमानोपमेयभावे पद्मदलादिके चैकाकितां निषेद्धुमेवकारः ॥९३-९६॥ परगतं लीलाद्यनेनाभिनीयत इति

---

१. KSS. पार्श्वगता ।
२. NS. पद्मकः ।
३. KSS. नयननिपुण ।
४. KSS. शाठ्य ।
५. KS. विधूतविचारितचरितं । NS. विवृतविवारितरचितं ।
६. KSS. विवर्जितं ।
७. KSS., NS. निर्देशम् ।

[1]लीला रती रुचि च स्मृतिबुद्धिविभावना: क्षमां पुष्टिं च ।
[2]सञ्ज्ञामात्रां प्रणयं विचारणं सङ्गतं शौचम् ॥९७॥
चातुर्यं माधुर्यं दाक्षिण्यं मार्दवं सुखं शीलम् ।
प्रश्नं वार्तायुक्ति वेषं मृदुशाद्वलं स्तोकम् ॥९८॥
विभवाविभौ सुरतं गुणागुणौ यौवनं गृहान् दारान् ।
नानावर्णाश्च तथा चतुरेणैवं प्रयुञ्जीत ॥९९॥
सितमूर्ध्वेन तु कुर्यात् रक्तं पीतं च मण्डलकृतेन[3] ।
परिमृदितेन तु नीलं वर्णाश्चतुरेण हस्तेन ॥१००॥
मध्यमाङ्गुष्ठसन्दंशो वक्रा[4] चैव प्रदेशिनी ।
ऊर्ध्वमन्ये प्रकीर्णे च द्व्यङ्गुल्यौ भ्रमरे करे ॥१०१॥
पद्मोत्पलकुमुदानामन्येषां चैव दीर्घवृन्तानाम् ।
पुष्पाणां ग्रहणविधि: कर्तव्य: कर्णपुरश्च ॥१०२॥
विच्युतश्च सशब्दश्च कार्यो निर्भत्सनादिषु ।
बालालापे च शीघ्रे च ताले विश्वासने तथा ॥१०३॥
तर्जनीमध्यमाङ्गुष्ठास्त्रेताग्निस्था निरन्तरा: ।
भवेयुर्हंसवक्त्रस्य शेषे द्वे सम्प्रसारिते ॥१०४॥

रुचिं दीप्तिम् । विभावनं ऊहापोहरूपां प्रकर्षं वा दृष्टिव्यापारे तु कर्तरीमुख एव । सङ्गतं मैत्रीमन्योन्यमग्रश्लेषात् ॥९७॥ माधुर्यं हृद्यत्वं, शकारादिवचनादिषु दाक्षिण्यमानुकूल्यं, मार्दवं मृदुत्वम् अङ्गुष्ठमध्यमादर्शनेन । शीलं स्वभाव: । वेषं नेपथ्यं वेशं वा गणिकास्थानम् ॥९८॥ विभवं पार्श्वात्पार्श्वं गच्छता, अविभवमगच्छता चाभिनयेदित्येवमन्यदुत्प्रेक्ष्यम् । दारान् संयुताभ्यां संमुखस्वस्तिकेन दर्शयेदिति । एवं वक्ष:प्रभृतिशिरोऽन्ते क्षेत्रविशेषे । संयुतासंयुतत्वे चञ्चलत्वस्थिरत्वे संमुखपराङ्मुखोत्तानाधोमुखत्वादिकं च यथायोगमुत्प्रेक्ष्य अभिनयविशेषं कुर्यात् ॥९९-१००॥

भ्रमरं दर्शयति मध्यमाङ्गुष्ठेति । सन्दंशोऽग्रसंयोग: तदाकृतित्वाद्भ्रमरो हस्त: ॥१०१-१०३॥

हंसवक्त्रमाह—तर्जनीमध्यमाङ्गुष्ठा इति । निरन्तरा इति विरलत्वं निषेधति ॥१०४॥

---

१. KSS., NS. लीलां रतिं रुचिं ।
२. NS., KSS. संज्ञामाशां ।
३. NS. मण्डलकृते च KSS मण्डलकरेण ।
४. KSS. वक्रे ।

श्लक्ष्णाल्पशिथिललाघवनिःसारार्थे[1] मृदुत्वयोगेषु ।
कार्योऽभिनयविशेषः किञ्चित्प्रस्यन्दिताग्रैश्च ॥१०५॥

समाः प्रसारितास्तिस्रस्तथा चोर्ध्वा कनीयसी ।
अङ्गुष्ठः कुञ्चितश्चैव हंसपक्ष इति स्मृतः ॥१०६॥

एष च[2] निवापसलिले दातव्ये गण्डसंश्रये[3] चैव ।
कार्यः [4]प्रतिग्रहाचमनभोजनार्थेषु विप्राणाम् ॥१०७॥

आलिङ्गने महास्तम्भवर्शने रोमहर्षणे चैव ।
स्पर्शेऽनुलेपनार्थे योज्यः संवाहने चैव ॥१०८॥

पुनरेव च नारीणां स्तनान्तरस्थेन विभ्रमविशेषाः ।
कार्या यथारसं स्युर्दुःखे हनुधारणे चैव ॥१०९॥

श्लक्ष्णादयः श्लक्ष्णत्वादौ वर्तन्ते । प्रस्पन्दनमर्दनमथनविधूननक्षेपणाभ्यावर्तनापसारणादि रूपं यथायोगं युक्त्या योज्यम् ॥१०५॥

हंसपक्षमाह—**समा प्रसारिताः** इति कनीयस्या ऊर्ध्वत्वम् । तथेति परिश्लिष्टा मूलविनताः । कार्या इति यावत् ॥१०६॥ निवापसलिले पितृभ्योदके दातव्ये धर्मार्थे चोदकदाने । पराङ्मुखाङ्गुलिपृष्ठेन च चिन्तया गण्डसंश्रयणे केचित् । तदसत्, हनुधारणं ह्येतत् कस्माद् गण्डसंश्रयं पत्रभङ्गादि ॥१०७॥ आलिङ्गने महास्तम्भे चाभिनेये संयुतकरणत्वं मन्तव्यं बाहुद्वयमण्डलीकरणेन, द्वितीयस्कन्धनात् स्कन्धान्तरगमनेन रोमहर्षणात् परोक्षे प्रियजनस्पर्शे द्वितीयहस्तेन स्वस्तिकेन । अनुलेपने अङ्गसमालम्भने । **यथारसमिति** शृङ्गारहास्याद्भुतादौ करुणादावपि व्यभिचारिविशेषयोगात् संभाव्यत एवम् । दुःखे च सति हनुधारणं यत्तदत्र रसेषु ये भावाः अनुभावा दृष्टिविशेषरोमाञ्चादयः तैरुपबृंहितः स्फुटीकृत (श्लो. १११) इति सर्वहस्तविशेषाय मन्तव्यं मध्ये परिभाषणात् ॥१०८-१०९॥

सन्दंशमाह—**तर्जन्यङ्गुष्ठसन्दंश** इति स्पष्टार्थः । पुष्पाणां सूक्ष्माणामपचये अग्रसन्दंशः शल्यानां कण्टकादीनां ग्रहणे । वृन्तमाकृष्य पुष्पस्योद्धरणे यदा कुङ्कुमपुष्पादेः । **वर्तिशलाकया** अञ्जननाडिकावर्तिकया न्यूनादीनां पूरणम् । **वेधने** मुक्तादीनां,

---

१. KSS., NS. निस्सारार्था ।

२. KSS. एष विधिः ।

३. KSS, NS. गन्धसंश्रये ।

४. KSS, NS. प्रतिग्रहाचमान ।

तत्रान्यस्य गूढसन्दंशस्त्व[1]ग्रारालस्य यथा भवेत् ।
आभग्नतलमध्यस्थ: स सन्दंश इति स्मृत: ॥११०॥

सन्दंशस्त्रिविधो ज्ञे[2]य ह्यग्रजो मुखजस्तथा ।
तथा पार्श्वगतश्चैव रसभावोपबृंहित: ॥१११॥

पुष्पापचयग्रथने ग्रहणे तृणपर्णकेशसूत्राणाम् ।
[3]शल्यावयवग्रहणापकर्षणे चाग्रसन्दंश: ॥११२॥

वृन्तात् पुष्पोद्धरणं वर्तिशलाकादिपूरणं चैव ।
धिगिति च वचनं रोषे[4] मुखसन्दंशस्य कर्माणि ॥११३॥

यज्ञोपवीतधारणवेधनगुणसूक्ष्मबाणलक्ष्येषु ।
योगे ध्याने[5] स्तोके संयुक्तकरणस्तु[6] कर्तव्य: ॥११४॥

पेशलकुत्सासूयादोषवचने च वामहस्तेन ।
किञ्चिद् विवर्तितकराग्र:[7] प्रयुज्यते पार्श्वसन्दंश: ॥११५॥

आलेख्यनेत्ररञ्जनवितर्कवन्तप्रवाल[8]रचने च ।
निष्पीडनं तथालक्तकस्य कार्यं च नारीभि: ॥११६॥

यो गुणो धनुरादेस्तत्र संयुतकरणत्वं च न संश्लेषणस्यैव, अपि तु हस्तद्वयस्याधारमात्रमेव । तच्च पार्श्वद्वयगतत्वेन उपर्युपरिभावेनोत्प्रेक्ष्यम् । पेलवमसारम् प्रलावलस्य रचनं गण्डतलबाहुशिखरादौ पत्रभङ्गकरणमित्यर्थ: । यदि वा पल्लवस्यैव पत्रच्छेद्यालङ्कृतस्य ललाटादौ निवेशितस्य तत्रापसंश्लेषणार्थमस्य हस्तस्य प्रयोग: नारीभिरिति परिमितालक्तकपीडनमनेनेति दर्शयति ॥११०—११६॥

मुकुलमाह—समागताग्रा इति । मुकुलाकारत्वान्मुकुल: । देवार्चनादिप्रारम्भे मुकुलव्यापारावेशे तु पद्मकोशवदिति पठता पिटकस्य चुम्बन इति केचित् । विटेति पाठ: । स्वाभिप्रायमाविष्कर्तुं प्रमदासन्निधौ स्वहस्तमेव मुकुलितं विटाश्चुम्बन्तीति विटचुम्ब-

---

१. KSS, NS. सन्दंशो ह्यरालस्य ।
२. KSS. ज्ञेयो अग्रजो । GOS. ज्ञेयो स्त्वग्रजो ।
३. KSS, शल्याकर्षग्रहणापकर्षणे ।
४. KSS. रोषात् NS. रोषान् ।
५. KSS. योगेऽध्ययने ।
६. NS. KSS. संयुक्तकरस्तु ।
७. KSS. विवर्तितकराग्र ।
८. KSS. रचनेषु ।

समागताग्राः सहिता यस्याङ्गुल्यो भवन्ति हि[३] ।
ऊर्ध्वा हंसमुखस्येव स भवेन्मुकुलः[२] करः ॥११७॥

देवतार्चनबलिकरणे पद्मोत्पलकुमुदरूपणे चैव ।
विटचुम्बने च कार्यो विकुत्सिते विप्रकीर्णे च ॥११८॥

भोजनहिरण्यगणनामुखसंकोचप्रदानशीघ्रेषु ।
मुकुलितकुसुमेषु च तथा तज्ज्ञैरेष प्रयोक्तव्यः ॥११९॥

पद्मकोशस्य हस्तस्य ह्यङ्गुल्यः कुञ्चिता यदा ।
ऊर्णनाभः स विज्ञेयः केशचौर्यग्रहादिषु[४] ॥१२०॥

शिरः कण्डूयने चैव कुष्ठव्याधिनिरूपणे ।
[५]सिंहव्याघ्रेष्वभिनयः प्रस्तरग्रहणे तथा ॥१२१॥

नम् । यदि वा विटैर्नारीणां कुचचिबुकादि स्थानेषु अङ्गुलिपञ्चकेन समं सशब्दं नखस्पर्शने कामसूत्रेष्वाच्छुरितकमिति तद्विटचुम्बनम् हिरण्यं कङ्कणद्वारेणाभिनीयतेऽङ्गुलीयकादीनां तु मोचने । गणना पञ्चसङ्ख्या । तज्ज्ञैरित्युचितामितिकर्तव्यतामनुसन्धापयति ॥११७-११९॥

ऊर्णनाभमाह—पद्मकोशस्येति । ऊर्णनाभिर्जालकारः क्रिमिः । तस्य यतो मक्षिकादिग्रहणे ईदृक्कारणानां सन्निवेशो भवत्यतः स तथा । मत्वर्थीयोऽत्रच्प्रत्ययः केशानां चौर्येण ग्रहणं परदर्शनशङ्कया लाघवाद्यद् ग्रहः । यत्र सिंहव्याघ्रादि स्वस्तिकेन चिबुकक्षेत्रगतेनाभिनयेत् । ते हि स्थिताः स्वस्तिकेन आसने कररुहवन्तश्च । प्रस्तरः पाषाणः, निकषपाषाण इत्यन्ये । दर्भच्छटा इत्येके ॥१२०-१२१॥

ताम्रचूडमाह—मध्यमाङ्गुष्ठसदंश इति । चूडामुक्तकुक्कुटाकारत्वात्ताम्रचूडः । तालेष्विति (ताल इति) देशमानो यथा क्वचित्तालभुवि सहिज्जु (इत्यादौ) । संज्ञितं बालादेराह्वानम् । अन्ये तु लक्षणान्तरमस्य पठन्ति, "अङ्गुल्यः संयुक्ता" इत्यादि ।

---

१. NS. KSS. समानताग्रा ।
२. KSS., NS, मुकुलकः ।
३. KSS. Omits हि ।
४. KSS. गृहादिषु ।
५. KSS. व्याघ्राद्यभिनयः ।

मध्यमाङ्गुष्ठसन्दंशो वक्रा चैव प्रदेशिनी ।
शेषे तलस्थे कर्त्तव्ये ताम्रचूलकरेऽङ्गुली[1] ॥१२२॥

विच्युतश्च सशब्दश्च कार्यो निर्भर्त्सनादिषु ।
ताले विश्वसने चैव शीघ्रार्थे संज्ञितेषु च ॥१२३॥

तथा कलासु काष्ठासु निमेषे तु क्षणे तथा ।
एष एव करः कार्यो बालालापनिमन्त्रणे ॥१२४॥

अथवा अङ्गुल्यः संहिता वक्रा उपर्युङ्गुष्ठपीडिताः ।
प्रसारिता कनिष्ठा च ताम्रचूडः करः[2] स्मृतः ॥१२५॥

शतं सहस्रं लक्षं च करेणैकेन योजयेत् ।
क्षिप्रमुक्ताङ्गुलीभिस्तु स्फुलिङ्गान् विप्रुषस्तथा ॥१२६॥

असंयुताः करा ह्येते मया प्रोक्ता द्विजोत्तमाः ।
अतश्च संयुतान् हस्तान् गदतो मे निबोधत ॥१२७॥

पताकाभ्यां तु हस्ताभ्यां संश्लेषादञ्जलिः स्मृतः ।
देवतानां गुरूणां च मित्राणां चाभिवादने ॥१२८॥

मुष्टिरेव प्रसारितकनिष्ठ इत्यर्थः । क्षिप्रं कृत्वा मुक्ताभिरङ्गुलीभिरिति ॥१२२-१२६॥

असंयुता इति । असंयुतास्तावदेते भवन्ति । नत्वेतेऽसंयुता एव । नाप्यते एव कोहलादिभिरन्येषां दर्शनात् । अतश्चेति । एभ्य एवानुसंयुतेभ्यः अन्यश्लेषाद्ये संयुता उत्पद्यन्ते तान् स्वयं निबोधत मदीयं वचनमनादृत्योत्प्रेक्षध्वम् । तथा हि कूर्पराधीतत्रिपताकेन पार्श्वे खटकामुखेन स्त्रीणामभिनयः । खटकेन वामेन कर्णान्तमागच्छता च कपित्थमुष्ट्या दक्षिणेन बाणमोक्षस्य । एतच्चित्राभिनये प्रतिजागरिष्याम इत्यास्तां तावत् । चकारादन्यानि च वक्ष्यमाणानि निबोधतेति सम्बन्धः ॥१२७॥

तेषामञ्जलिं तावल्लक्षयति पताकाभ्यां त्विति । अन्ययोः श्लेषेऽपि न नामान्तरम् । यथा सूचीमुखयोः संबन्धादभिनयन्ते । अत्र तु नामान्तरमिति तुशब्दः । स्मृत इति श्लोकेऽपि "प्राञ्जलिः" पुष्पकेतुः" (कुमार २-६३) इत्यादौ प्रसिद्ध इत्यर्थः सम्यग्ग्रहणेन संमुखं सर्वासामङ्गुलीनामयं श्लेषो लक्ष्यते । उक्तमेव विनियोगं

---

1. NS. KSS. ताम्रचूडे कराङ्गुली ।
2. GOS. ताम्रचूडकरः ।

स्थानान्यस्य तु कर्मणि ललाटे वक्त्रं शिरस्तथा।
देवतानां शिरःस्थस्तु गुरूणामास्यसंस्थितः।
वक्षःस्थश्चैव मित्राणां स्त्रीणां त्वनियतो[1] भवेत् ॥१२९॥

उभाभ्यामपि हस्ताभ्यामन्योऽन्यं पार्श्वसङ्ग्रहात्।
हस्तः कपोतको नाम कर्म चास्य निबोधत ॥१३०॥

एष विनयाभ्युपगमे प्रणामकरणे गुरोश्च सम्भाषे।
शीते भये च कार्यो वक्षःस्थः कम्पितः[2] स्त्रीभिः ॥१३१॥

अयमेवाङ्गुलिपरिघृष्यमाणमुक्तस्तु खिन्नवाक्येषु।
एतावदिति च कार्यो नेदानीं कृत्यमिति चार्थे ॥१३२॥

अङ्गुल्यो यस्य हस्तस्य[3] ह्यन्योन्यान्तरनिस्सृताः।
स कर्कट इति ज्ञेयः करः कर्म च वक्ष्यते ॥१३३॥

विभजति देवतानामिति तिस्रोऽभिवादनापेक्षया कर्मणि षष्ठ्यः, स्त्रीणामिति कर्तरि षष्ठी ॥१२८-१३०॥

कपोतमाह—उभाभ्यामिति। सङ्ख्यापदोपादानं यथारुचि आधाराधेयभावप्रतिपत्त्यर्थम्। कम्पत इति कपोतो भीरुः पक्षी तत्प्रकृतिरन्योऽपि कपोतस्तस्य यत इयं भवत्यतो नाम्नैव भीतविषयतास्य। तथा हि—रामाभ्युदये प्रथमेऽङ्के वटोः। वक्षस्स्थ इति सर्वत्र संबध्यते। भीताभिनये तु कम्पितेऽपि। स्त्रीभिरित्यधमोपलक्षणम्। कृपाभिनयेऽयमेव प्रधानः। विनयग्रहणादौ कुट्टनादावपि। अयमेव च कूर्माकारत्वात् कूर्मक इति लोके प्रसिद्धः। अङ्गुलिपरिघृष्यमाणावयवत्वात् अङ्गुलिघृष्यमाणस्संमुखः। खेदश्चिन्ता ॥१३१-१३२॥

कर्कटकमाह—अङ्गुल्यो यस्येति। अन्योन्यस्य चान्तराणि मध्यानि तैर्निस्सृताः अन्योन्यसंमुखकर्कटदंष्ट्राद्वयाकारेण अङ्गुलीनामत्रावस्थानात् कर्कटः। मदनेऽङ्गकृते अङ्गमोटने अग्रतः पार्श्वतः ऊर्ध्वं वा भुजयुगलात्पराङ्मुखाङ्गुलिः। सुप्तोत्थितपदमुपलक्षणम्। सर्वदा हि जृम्भणेऽस्य प्रयोगः बृहद्देहाभिनये तूदरक्षेत्रे सम्मुखतलोऽयं हस्तः हनुधारणेऽङ्गुलिपृष्ठप्रतिष्ठापितहनुदेशः। शङ्खग्रहणे किञ्चित्सङ्कुचितो-

---

1. KSS. NS. शेषे त्वनियमो।
2. KSS. कम्पितः।
3. KSS. omits हि।

एष मकराङ्गमर्दे सुप्तोत्थितविजृम्भणे वृहद्देहे[1]।
हनुधारणे[2] च योज्यः शङ्खग्रहणेऽर्थतत्त्वज्ञैः[3] ॥१३४॥
मणिबन्धनविन्यस्तावरालौ स्त्रीप्रयोजितौ।
उत्तानौ वामपार्श्वस्थौ स्वस्तिकः परिकीर्तितः ॥१३५॥
स्वस्तिकविच्युतिकरणाद् दिशो घनाः[4] खं वनं समुद्राश्च।
ऋतवो मही तथौघं विस्तीर्णं चाभिनेयं[5] स्यात् ॥१३६॥
खटकः खटके न्यस्तः खटकावर्धमानकः[6]।
शृङ्गारार्थेषु योक्तव्यः प्रणामकरणे तथा ॥१३७॥
अन्ये—कुमुदोतालवृन्तेषु कर्त्तव्यश्छत्रधारणे। इति ॥१३८॥

ऽन्योन्याभिमुखाङ्गुलिः। एतदेवाह—**अर्थेति**—अभिनेयस्यार्थस्य यत्तत्वं परमार्थः तद्ये जानन्त्यभिनयेऽनुसन्धातुं शक्नुवन्ति तैः ॥१३३-१३४॥

अथ स्वस्तिकमाह—**मणिबन्धनविन्यस्ताविति**। यत्र शुद्धमेव स्वस्तिकपदमुपादीयते तत्रेदृश एव सन्निवेशः प्रदेशेषु मन्तव्यः, यथा—चित्राभिनयादावर्थप्रकरणादिवशात्त्वन्यत्रापि प्रवर्त्येत। यथा—स्वस्तिकविच्युतिकरणादित्यादौ (८-१०) पताकयोगेऽपि तथापि मणिबन्धनविन्यस्तत्वं नामानुयाय्येव रूपम्। अत एव केचिदेतावतास्य लक्षणं परिशिष्टं तूदाहरणदिगर्थमिति प्रतिपन्नाः। **स्त्रीप्रयोजिताविति**। पताकस्वस्तिककर्माणि स्त्रीभिरनुनैव कार्याणीत्यर्थः। स्वस्तिकार्थलक्षणसमाकृतित्वात्स्वस्तिकः ॥१३५-१३६॥

खटकावर्धमानकमाह—**खटक** इति। लभ्यते। अन्ये त्वन्योन्याभिमुखं खटकद्वयमस्य रूपमित्याहुः खटकस्य आ समन्तात् बहिरन्तर्योगादिदं नाम। **शृङ्गारार्थेषु** शृङ्गारप्रयोजनेषु ताम्बूलग्रहणादिषु। तथा हि वक्ष्यते—

खटकावर्धमानौ तु कृत्वा विटगतिं व्रजेत् इति। (अं १२-११०) तथेति प्रयोजन एव प्रायेणेश्वरीप्रसादनादौ प्रणाम इत्यर्थः।

"कुमुदोत्पलकुन्देषु कर्तव्यः शङ्खधारणे" इति वा पाठः ॥१३७-१३८॥

---

१. KSS. विजृतम्भणे व्रहद्वेहे।
२. NS. अनुधारणे।
३. KSS. शङ्खग्रहणे च तात्त्वज्ञैः।
४. KSS. धना।
५. NS., KSS. तथान्यद् " चाभिनेयां।
६. NS., KSS. कटको वर्धमानकः

अरालौ तु विपर्यस्तावुत्तानौ वर्धमानकौ[1]।
उत्सङ्ग इति विज्ञेयः [2]स्पर्शस्य ग्रहणे करः ॥१३९॥
[3]सनिष्पेषकृते चैव रोषामर्षकृतेऽपि च।
निष्पीडितः पुनश्चैव स्त्रीणामीर्ष्याकृते भवेत् ॥१४०॥
मुकुलं तु यदा हस्तं कपित्थः परिवेष्टयेत्।
स मन्तव्यस्तदा हस्तो निषधो नाम नामतः ॥१४१॥
संग्रहपरिग्रहौ धारणं च समयश्च सत्यवचनं च।
सङ्क्षेपः संक्षिप्तं निपीडितेनाभिनेतव्यम् ॥१४२॥
शिखरस्तु यदा हस्तो मृगशीर्षेण पीडितः।
निषधो नाम विज्ञेयः स भयार्त्ते विधीयते ॥१४३॥
गृहीत्वा वामहस्तेन कूर्पराभ्यन्तरे भुजम्।
दक्षिणं चापि वामस्य कूर्पराभ्यन्तरे न्यसेत् ॥१४४॥
स चापि दक्षिणो हस्तः सम्यङ् मुष्टीकृतो भवेत्।
इत्येष निषधो हस्तः कर्म चास्य निबोधत ॥१४५॥
एतेन धैर्यमदगर्वसौष्ठवौत्सुक्यविक्रमाटोपाः।
अभिमानावष्टम्भः स्तम्भस्थैर्यादयः कार्याः ।१४६॥

उत्सङ्गमाह—अरालौ त्विति। विपर्यस्ताविति स्वस्तिकरूपौ। उत्तानाविति स्वसम्मुखौ, वर्धमानकाविति विनतौ तेन दक्षिणो वामस्कन्धक्षेत्र इति यावत् अत एव च प्रकोष्ठस्वस्तिकत्वं लक्ष्यते। स्वस्तिक एव दक्षिणपार्श्वस्थ इति विपर्यस्तत्वमिति केचित्। अधोनखत्वमित्यन्ये। स्वस्तिकाकारौ कूर्परौ कृत्वा कक्षक्षेत्रात् प्रवेशमुक्ताद्बाह्ये ऽङ्गुल्यो यदा भवन्ति पृष्ठं च हस्तयोर्बहिर्मुखं तदा विपर्यस्तत्वमिति तु युक्ततरम्। उत्सङ्गग्रहणयोग्यत्वकरणादुत्सङ्गः। स्पर्शस्य परोक्षस्य ग्रहणेऽभिनये। निष्पेषःपीडनम्, तेन सह यदा क्रियते अतिप्रयत्नेने साध्य इत्यर्थः। रोषकरणे यथा—एषोऽस्मि ते दृढनिपीडनबाहुयन्त्रे त्यादौ। अमर्षकरणे यथा—विदूषकादेरीर्ष्याकरणे प्रसादनानङ्गीकरणे पर्यायात्सकृत्प्रक्षेपात्। सिंहावलोकित इत्यन्ये पठन्ति। कर्तरि कर्मणि षष्ठीति व्याचक्षते ॥१३९-१४०॥

निषधमाह—मुकुलन्त्विति। कपित्थहस्तेन परिवेष्टयमानमुकुलं तदभ्यन्तरे निषण्णं धत्ते इत्यतोऽयं निषधः। सङ्ग्रह सम्यग्ग्रहणं शास्त्रार्थादिः, परिग्रहः

---

१. KSS. वर्धमानतौ।
२. NS. कार्यः सिंहावलोकिते।
३. NS. KSS सनिष्पेषकरः।

अथवा—

शंयो वा निषधो नाम हंसपक्षौ पराङ्मुखौ ।
आलबातायनादीनां प्रमोक्तव्योऽभिघट्टने ॥१४७॥

अंसौ प्रशिथिलौ मुक्तौ पताकौ तु प्रलम्बितौ ।
यदा भवेतां करणे स दोल इति संज्ञितः ॥१४८॥

सम्भ्रमविषादमूर्छितमदाभिघाते तथैव चाऽऽवेगे ।
व्याधिप्लुते च [1]शस्त्रक्षते च कार्योऽभिनययोगः ॥१४९॥

यस्तु सर्पशिराः प्रोक्तस्तस्याङ्गुलिनिरन्तरः ।
द्वितीयः पार्श्वसंश्लिष्टः[2] स तु पुष्पपुटः स्मृतः ॥१५०॥

[3]धान्यफलपुष्पसदृशान्यनेन नानाविधानि युक्तानि ।
ग्राह्याण्युपनेयानि च तोयानयनापनयने च ॥१५१॥

स्वीकारः धारणमत्यजनम्, समयो नियमः सत्यवचनं तथ्यमिति, सङ्क्षेपस्तात्पर्यम्, समस्तमनेनैव संक्षिप्यमाणमपि। संक्षिप्ताभिनयेन हि तद्वति द्रव्येऽभिनय इत्युक्तम् संक्षिप्तं सम्यक् क्षिप्तं क्वचित्स्थापितमित्यर्थः ॥१४१-१४७॥

दोलं लक्षयति अंशाविति। हस्तयोः प्रकर्षेण लम्बमानत्वादेव स्कन्धयोः शैथिल्यमदृढत्वं भवति। पताकाङ्गुलीनामवष्टम्भानामुद्धारणाय वा करणक्रियायामङ्गुलिशैथिल्यलक्षणायां सत्यामित्यर्थः। दोलाकारत्वेन दोला। अभिनयनव्यापारे योगो यस्य स तथाविधोऽयं हस्तः। कार्य इत्येनेन तत्र तत्राभिनेये पार्श्वात्पार्श्वान्तरगमनं निपतनं स्तब्धत्वमित्यादिकां तावदितिकर्तव्यतां सूचयति। अभितोऽन्यादिव्यसनजो दोषः अभिघातः ॥१४८-१४९॥

पुष्पपुटमाह—यस्तु सर्पशिरा इति। अङ्गुलिस्थाने निरन्तरं वाढमपि संमुखत्वं माभूदित्याह पार्श्वेत। द्वितीय इति सर्पशिरः हस्तः। हस्तपुटेनेदृशेन पुष्पग्रहणमिति पुष्पपुट इतरः ॥१५०-१५१॥

---

१. KSS. शत्रुक्षते ।

२. KSS. सुश्लिष्टः ।

३. KSS. धान्यजलपुष्पभक्ष्याण्यनेकनानाविधानि ।

पताकौ तु यदा [1]हस्तावूर्ध्वाङ्गुष्ठावधोमुखौ ।
उपर्युपरि विन्यस्तौ तदा स मकरः करः ॥१५२॥

सिंहव्यालद्विपिप्रदर्शनं[2] नक्रमकरमत्स्यानाम् ।
ये चान्ये क्रव्यादा ह्यभिनेयास्तेऽर्थयोगेन[3] ॥१५३॥

[4]कूर्परांसोचितौ हस्तौ यदास्तां सर्पशीर्षकौ ।
गजदन्तः स[5] विज्ञेयः कर्म चास्य निबोधत ॥१५४॥

एष च वधूवराणामुद्वाहे चातिभारयोगे च ।
[6]स्तम्भग्रहणे च तथा शैलशिलोत्पाटने चैव ॥१५५॥

शुकतुण्डौ करौ कृत्वा वक्षस्यभिमुखाञ्चितौ ।
शनैरधोमुखाविद्धौ सोऽवहित्थ इति स्मृतः ॥१५६॥

दौर्बल्ये निःश्वसिते गात्राणां दर्शने तनुत्वे च ।
उत्कण्ठिते च तज्ज्ञैरभिनययोगस्तु कर्तव्यः ॥१५७॥

मकरमाह—पताकौ त्विति । अङ्गुष्ठयोर्मकरकर्णद्वयवदवस्थानान्मकरः । द्वीपिनश्चित्रकाया । मत्स्ययानामिति प्रदर्शनमिति संबन्धः । अर्थयोगेनेति अग्रपार्श्वादिषु स्थितचलनादिनानार्थवशात्प्रयोज्य इत्यर्थः ॥१५२-१५३॥

गजदन्तमाह—कूर्परांसोचिताविति । कूर्परांसशब्देनोभयसामीप्यं तयोरन्तरालं गृह्यते पूर्वंदक्षिणं तु यथा तत्र कुञ्चितौ तत्स्थानसंवेष्टनपरौ । तद्यथा वामे बाहौ दक्षिणो, दक्षिणे वामो हस्तः स्तः स्तम्भाकारवेष्टितदन्ताकृतियोगाद्गजदन्तः । वधूनां वराणां च विवाहस्थाननयने शिलोत्पाटने गतागतत्वं मन्तव्यम् ॥१५४-१५५॥

अवहित्थकमाह—शुकतुण्डाविति । अभिमुखौ पूर्वाननावञ्चितौ वर्तनया अधोमुखौ सन्तावाविद्धावधोगमितौ । अवहित्थसूचकत्वादवहित्थः । एवं हि कुर्वन्नाशयमात्मीयं नो भिनत्ति ॥१५६-१५७॥

---

१. KSS. हस्ती मूर्धा ।
२. KSS. द्विपददर्शने ।
३. KSS. अभिनेयास्तेन हस्तेन ।
४. KSS, NS. कर्पूरासञ्चितौ ।
५. KSS, स विज्ञेयः ।
६. KSS. स्तम्भे ग्रहणे ।

[1]मुकुलस्तु यदा हस्तः कपित्थपरिवेष्टितः ।
वर्धमानः स विज्ञेयः कर्म चास्य निबोधत ॥१५८॥
संग्रहपरिग्रहौ धारणं च समयश्च सत्यवचनं च ।
संक्षेपतस्तु संक्षिप्तं निपीडितेनाभिनेतव्यम् ॥१५९॥
[2]ज्ञेयो वै वर्धमानस्तु हंसपक्षौ पराङ्मुखौ ।
जालवातायनादीनां प्रयोक्तव्यो विघाटने ॥१६०॥
[3]उक्ता ह्येते द्विविधा ह्यसंयुताः संयुताश्च संक्षेपात् ।
[4]अभिनयकरास्तु ये त्विह [5]तेऽन्यत्राप्यर्थतः साध्याः ॥१६१॥
आकृत्या चेष्टया चिह्नैर्जात्या विज्ञाय तत्पुनः ।
स्वयं [6]वितर्क्य कर्तव्यं हस्ताभिनयनं बुधैः ॥१६२॥
नास्ति कश्चिदहस्तस्तु [7]नाट्येऽर्थोऽभिनयं प्रति ।
यस्य यद् दृश्यते[8] रूपं बहुशस्तन्मयोषितम् ॥१६३॥

वर्धमानमाह—ज्ञेयो वै वर्धमानस्तु हंसपक्षौ पराङ्मुखाविति । अन्योन्यं स्वस्तिक वदवस्थितौ लक्ष्ये तु अन्यान्यनिकटौ दृश्येते । स्वस्तिकताहीनावेव केवलं पराङ्मुखौ परस्परवलनेन विस्तारयोगाद्वर्धमानत्वम् । आदिशब्देन वक्षःकवाटादि ॥१५८-१५९॥

उपसंहरन् सूचयति उक्ता ह्येत इति । यस्मादेते उक्ताः सङ्क्षेपमाश्रित्याभिनेयविषये निरूपिता : तुरिति तस्मादन्यत्राप्युक्तात् अभिनेयात् अर्थादर्थान्तरेऽपि अर्थतोऽभिनयतः साध्यः सावयितुं शक्याश्चार्हाश्च । (तुर्हेतौ, यस्मादाभिमुख्यतया, नार्थमने करीति त्वदृष्टार्थमर्थेऽर्थतः) ॥१६०-१६१॥

एवमभिनयमभिधायाभिनयान्तरमप्यस्तीति दर्शयति नास्ति कश्चिदिति नाट्यमिह तदुपयोगिनो विभावादयः । अत्र हेतुः यस्य यद्दृश्यत इति ॥१६२॥

एवमुक्तानामेवाभिनयानां साङ्कर्येण प्रयोगमनुज्ञायानुक्तमपि सङ्ग्रहीतुमाह अन्ये चापीति । अर्थोऽभिनयसामर्थ्यं शोभातिशयः । छन्दत इति नाट्याचार्य-

---

१. KSS., NS. विज्ञेयो ।
२. KSS, GOS does not read
३. NS उक्ताश्चैते ।
४. NS. अभिनयकरा ये ।
५. KSS. ते ह्यत्राप्यर्थतः ।
६. KSS. वितर्कात् ।
७. KSS. नाट्यार्थाभि···NS. नाट्याभिनयनं ।
८. NS. संदृश्यते ।

अन्ये [1]चाप्यर्थसंयुक्ता लौकिका ये करास्त्विह ।
छन्दतस्ते नियोक्तव्या रसभावविचेष्टितैः ॥१६४॥
देशं कालं प्रयोगं चाप्यर्थयुक्तिमवेक्ष्य च ।
हस्ता ह्येते प्रयोक्तव्याः [2]नृणां स्त्रीणां विशेषतः ॥१६५॥
सर्वेषामेव हस्तानां यानि कर्माणि सन्ति हि ।
तान्यहं संप्रवक्ष्यामि रसभावकृतानि तु ॥१६६॥
उत्कर्षणं विकर्षणं तथा चैवापकर्षणम्[3] ।
परिग्रहो निग्रहश्चाह्वानं नोदनमेव च ॥१६७॥
संश्लेषश्च वियोगश्च रक्षणं मोक्षणं तथा ।
विक्षेपधूनने चैव [4]विसर्गस्तर्जनं तथा ॥१६८॥
छेदनं भेदनं चैव स्फोटनं मोटनं[5] तथा ।
ताडनं चेति विज्ञेयं तज्ज्ञैः कर्म करान् प्रति ॥१६९॥
[6]उत्तानः पार्श्वगश्चैव तथाऽधोमुख एव च ।
हस्तप्रचारस्त्रिविधो नाट्यतत्त्वसमाश्रयः ॥१७०॥

च्छाप्रवाहानुसारीत्यर्थः । रसा स्थायिनः । भावाः सञ्चारिणः तत्सूचकानि यानि
विचित्राणि सात्त्विकोपाङ्गानि तैः सहः । एवं लोकधर्मीप्रदर्शने प्रसिद्धोदाहरणमात्रम-
भिनेयानां परिगणनमित्याख्येयम् ॥१६४॥ देशः क्षेत्रविशेषः प्रयोगः सुकुमारो-
द्धतरूपकविशेषः । अर्थस्य युक्तिरुपपत्तिः मुख्यगौणलाक्षणिकव्यङ्ग्यादिभेदेन ।
अवेक्ष्येति विचार्येत्यर्थः । प्रयोक्तव्या इति शक्यार्थे कृत्यः । विशेषत इति । पुरुषाणां
तदपेक्षया सामान्या आचारा भवन्ति । अत एवोत्तमानामतिस्वल्पप्रचारो हस्ताभि-
नयः ॥१६५॥ रसाभावकृतानीति । स्थायिसञ्चारिभेदेन तत्तद्विभावभेदवशादित्यर्थः ।
तथा हि, केशानां विदूषकं प्रत्याकर्षणं खटकामुखेन, प्रियां प्रत्यरालेन क्रीडायां कलहे
च मुष्टिनेत्याद्युत्प्रेक्ष्यम् ।१६६। ऊर्ध्वाधोदूरगमनादन्यथाकरणमुत्कर्षणादि । परिग्रहो
मण्डलेन ग्रहणम् । निग्रहो विनाशनं, नोदनं प्ररणं ताडनमोहननं विक्षेपः सावज्ञ
त्यागः धूननं कम्पनम् । विसर्गः सादरं त्यागः, स्फोटनं विकासनं, मोटनं सङ्कोचनं
इति प्रकारे । एवं प्रकारेण अन्येऽपि । रसभावकृतानीति तदुक्तं तत्स्पष्टयितुमाह

---

१. KSS. च अर्थं ।
२. KSS. स्त्रीणां नृणां ।
३. KSS. चैवापकर्षणम् ।
४. KSS. विसर्गस्तदनन्तरम् ।
५. KSS. NS. मोहनं ।
६. NS. KSS. do not read this verse.

सर्वे हस्तप्रचाराश्च प्रयोगेषु यथाविधिः ।
नेत्रभ्रूमुखरागैश्च[1] कर्तव्या व्यञ्जिता बुधैः ॥१७१॥
करणं कर्म स्थानं [2]प्रचारयुक्तिं क्रियां च संप्रेक्ष्य ।
हस्ताभिनयस्तज्ज्ञैः कार्यो[3] लोकोपचारेण ॥१७२॥
उत्तमानां कराः कार्या ललाटक्षेत्रचारिणः ।
वक्षःस्थाश्चैव मध्यानामधमानामधोगता ॥१७३॥

सर्वे नेत्रभ्रूमुखरागाद्यैर्व्यञ्जिताः कार्या इति । प्रचार उर्ध्वोद्वर्तनपार्श्वाधोमुखादिः । परोक्षाभिनयने दृष्ट्यादयो हस्तानामनुगताः । प्रत्यक्षे तु विपर्ययः ॥१६७-१७१॥

एतत्सर्वमुपसंहरति करणमिति । करणमावेष्टितादि, कर्म विधेयं, स्थानं ललाटादिक्षेत्रं उत्तानादिसन्निवेशस्थितिश्च, प्रचारः स्वल्पादिः युक्तिमुख्यगौणाद्युपपत्तिः न हि गौरयं ब्राह्मण इत्यत्र मृगार्थो हरिणाभिनयेन कर्तरीमुखमृगशीर्षकप्रायेणाभिनीयते । अपि तु मौर्ख्याभिनये, चतुरशुकतुण्डशिखरनिषधप्रायेण । युक्तिश्च विशेषणविशेष्यभावादिविचारैः । तद्यथा तद्गुणसंविज्ञाने बहुव्रीहौ वृत्तिपदार्थान्यपदार्थाः अभिनेयाः, सपुलकस्वेदोद्गमोकम्पयेति (रत्ना १-१) । उपलक्षणविमुक्ते त्वन्यपदार्थमात्रं, तत्राप्युपलक्षणताप्रपत्त्यै वृत्तिपदार्थोऽप्यभिनेयः । स त्वनावेश इति तूपाध्यायाः । क्रिया त्रिधा विधिनिषेधानुभयरूपा । गच्छ मा गच्छेत्यादौ विधौ हि प्रत्ययार्थस्यैव, निषेधे चार्थस्यैव, अनुभयरूपे प्रकृत्यर्थस्यैव । अवतरत्वायं इत्यादौ तु न विधिः, अपि तु प्रकृत्यर्थमात्रं प्रदर्शयितव्यम् । लोटा तु स्वाभिप्रायमात्रं प्रकाशयमानमप्रधानमिति प्रकृत्यर्थ एव भिनेयः । अत्र व्यापकं हेतुमाह लोकोपचारेणेति ॥१७२॥

करणं कर्मेत्यत्र स्थानमुक्तम् । तद्विभजत्युत्तमानामिति । उत्तमे सुवर्णाद्रिद्रव्ये सन्निकृष्टाः । मध्यमे मध्यमाः । अधमे विप्रकृष्टाः । ललाटादिशब्दानामुपलक्षणार्थत्वादिति केचित् । एतेषु क्षेत्रेषु वर्तनानिवेशपूर्वकमुत्तमादयोः राजामात्यविदूषकादयोऽभिनयान् यथोचित एवाभिनयस्थाने कुर्युरित्यनेनोत्तमा देवतागुरुनृपादयो यदा निर्दिश्यन्ते तदा ललाटक्षेत्रचारिभिः अञ्जल्यादिहस्तैः, मध्यमास्तु चतुरादिभिर्वक्षक्षेत्रचरैः, अधमाः शुकतुण्डाद्यैरधःक्षेत्रचरैः । तेन चन्द्रतारादिदर्शनेऽधमस्यापि ललाटक्षेत्रचरा हस्ता इत्यादि न विरुद्धमिति । इदं च युक्ततरमित्युपाध्यायाः—ये चतुरारालाद्यैः सत्यानृतगाम्भीर्यशौण्डीर्यादिविरुद्धविषया उक्तास्तेषां विभागार्थमिदं वचनम् । ये धान्यादय उत्तमा अर्थास्तेषामभिनये ललाटक्षेत्रगत्वमित्यादिक्रमेण ॥१७३॥

---

१. KSS. रागैश्च ।
२. NS., KSS. प्रकारयुक्ति ।
३. GOS. कार्यस्तज्ज्ञैः ।

ज्येष्ठे स्वल्पप्रचाराः स्युर्मध्ये मध्यविचारिणः[1]।
अधमेषु प्रकीर्णाश्च हस्ताः कार्या प्रयोक्तृभिः ॥१७४॥
लक्षणव्यञ्जिता हस्ताः कार्यास्तूत्तममध्यमैः।
लोकक्रियास्वभावेन नीचैरप्यर्थसंश्रयाः ॥१७५॥

अभिनयगतं विशेषान्तरमप्याह ज्येष्ठे स्वल्पप्रचाराः स्युरित्यादि। प्रयोगे ज्येष्ठे नाटकादौ चतुर्वर्गोपायोपदेशिनि प्रत्यक्षताप्राधान्यादल्पो हस्ताभिनयो, मध्यमे तु रञ्जनाफले भाणकादौ मध्यमः प्रत्यक्षे हि तत्राकाशभाषितप्राधान्यात्। अधमे तु नृत्तकाव्ये षिङ्गकादौ च प्रकीर्ण इति केचित्। एतत्त्वव्यवस्थितत्वादयुक्तम्। नाटकेऽपि भूयस्त्वमस्य। परस्थस्याभिनेयत्वे उत्तमपात्रेण तु प्रधान एवाभिनयः कार्यो न विशेषणम्, अस्मिन्नाट्ये गृहीतविशेषणा विशेष्यधीरिति मन्यमाना एतदमृष्यन्तोऽन्ये त्वाहुः—यत्र पदार्थसमुदायो ह्येकेनाभिनयेन शक्यप्रतिपत्तिरनेकेन वा चलत्वात्। तद्यथा "या स्रष्टुः सृष्टिराद्या" (शाकु १-१) इत्यत्र। तत्रैक एव हुताशनाभिनय उत्तमेन प्रयोज्यः। अधमेन त्वनेकश्च चलस्वभावत्वात्। मध्यमेन मध्यम इति प्रचारो वर्तना योत्तमेऽल्पेति वा। एतत्तु शोभाविच्युतिकारित्वात्, "अथ नयनसमुत्थं" (रघु २-७५) इत्यादौ प्रयत्नोपहृतस्य पदार्थे वाक्यरचनमित्यस्य प्रौढत्वस्याभिनये नानुसरणप्रसङ्गान्नाद्रियते। ये परिमितमभिनेयं गमयन्ति ते स्फुटमेवार्थस्य गमकाः। अर्थप्रकरणादेस्तत्र सुखेन सहायत्वात् अनन्तार्थजातव्यवच्छेदकत्वं हि क्लेशः। तादृशा उत्तमप्रकृतिषु हस्ताः। अधमास्तु यथावचनं श्लिष्टमाहुस्तथा प्रकीर्णभूयस्त्वमभिनेये सन्दिह्यमानस्याभिनयायत्तमुत्कर्षणं विकर्षणमित्यादि—एवं केचित्। अपरे त्वाहुः प्रचारस्त्रिधा पञ्चधा च वक्ष्यते तत्रोत्तमस्य च फलत्वादेकरस एवोत्तानादिकः प्रचारः, अधमस्य त्वतिसंकीर्ण इति। इदन्त्वत्र युक्ततमम्—ज्येष्ठेऽभिनये प्रत्यक्षवर्तमानात्मज्ञस्थविषये हस्तव्यापारोऽल्पः। "हिअअ समस्सस" (शाकु अ ७) इत्यादौ। तथा "तन्वी मेघजलार्द्रवल्कलतया" (विक्र ४२८) इत्यादौ। अत्र हि सात्त्विकभूयस्त्वात् ज्येष्ठत्वम्। अप्रत्यक्षभाविभूतपरस्थरूपे तु सात्त्विकावकाशाभावोऽनावेशादिति तत्राधमोऽभिनयः, सत्त्वहीनोऽधमः स्मृतः (२२-२) इति वचनात्। तत्र विप्रकीर्णा विक्षिप्ता बहुलतमा हस्ताः। यथा कुञ्जरकसुन्दरकादीनां परस्थवृत्तयुद्धवर्णने। एतद्व्यतिरिक्ते तु मध्यमो हस्तप्रयोगः। यथा विदूषकेण प्रत्यक्षं दृश्यमाने नानावस्थावेशकारिणि उद्यानादिवर्णने ॥१७४॥

लक्षणं सौष्ठवं लक्ष्यते। सौष्ठवं लक्षणं प्रोक्तं वर्तनाक्रमयोजितम्। (१०-१७) इति तद्धीना अधमानाम् ॥१७५॥

अथवेत्यादि। अन्येत्वाहुः—यादृग्येषां लक्षणमुक्तं ततोऽन्यथाऽपरिपूर्णश्लिष्टाकृतयोऽभिनयाद्धीनानां श्लिष्टवर्णोच्चारणवदिति। विपरीतेति भयजुगुप्सादिप्रयोगे

---

१. GOS., मध्ये कुर्वीत मध्यमैः।

अथवान्यादृशं प्राप्य प्रयोगं कालमेव च ।
विपरीताश्रया हस्ताः प्रयोक्तव्या बुधैर्न वा ॥१७६॥

विषण्णे मूर्च्छिते भीते[1] जुगुप्साशोकपीडिते ।
ग्लाने [2]स्वप्ने विहस्ते च निश्चेष्टे तन्द्रिते जडे ॥१७७॥

व्याधिग्रस्ते जरार्ते च भयार्ते शीतविप्लुते ।
मत्ते प्रमत्ते चोन्मत्ते चिन्तायां तपसि स्थिते ॥१७८॥

हिमवर्षहते बद्धे वारिणाप्लवसंश्रिते ।
स्वप्नायिते च संभ्रान्ते नतसंस्फोटने तथा ॥१७९॥

न हस्ताभिनयः कार्यः कार्यः सत्त्वस्य संग्रहः[3] ।
[4]तथाकाकुविशेषश्च [5]नानाभावरसान्वितः ॥१८०॥

[6]यत्र व्यग्रावुभौ हस्तौ तत्तद् दृष्टिविलोकनैः[7] ।
वाचिकाभिनयं कुर्याद्विरामैरर्थदर्शकैः ॥१८१॥

शीतकालादियोगे च सौष्ठवमस्फुटाकृतित्वं, अवहित्थादौ चासौष्ठवयोगेऽपि सौष्ठवमित्यादि वैपरीत्यम् ॥१७६॥ विहस्तो हस्तवैकल्याधानं, मत्तो मद्येन, प्रमत्तः प्रमादात्, उन्मत्तोऽपस्मारी ॥१७७-१७९॥ किं सर्व एवात्र हस्ताभिनय इत्याशङ्क्य प्रतिप्रसवार्थमाह **कार्य** इति । ये हस्ता आन्तरीं चित्तवृत्तिं सूचयन्ति । कपोतक इव भयं, कर्कटक इव मदनविजृम्भां, दोल इव शोकं, शुकतुण्ड इवेर्ष्या ते कार्या एव, सात्त्विकवदनुभावस्य भावत्वात्तेषां सात्विकश्च **कार्य** एवेत्यावृत्त्या । ये तु बाह्यद्रव्य-गुणादिगमकास्ते न कर्तव्या इति ॥१८०॥ यत्र तु सर्व एव न कर्तव्यास्तं विषयमाह यदा **व्यग्राविति** । यथा सारथेः प्रतोदरश्मिव्यग्रहस्ततायाम् । **विलोकनैरिति** विलोक्यते चित्तवृत्तिरनेनेति मुखरागादि, **कुर्याविति** स्फुटयेदित्यर्थः । **अर्थदर्शकैरिति** अनुवृत्तिलक्षणोपरोधकृतैरित्यर्थः ॥१८१॥

हस्तानां दिग्भेदावस्थानकृतं प्रचारमाह – **उत्तान** इत्यादि । यथा 'विरचित-मुर्वीसंस्थ' मित्यभिनये (९२२) पताकः । यथा वा जिह्वाभिनये आस्यक्षेत्रगोऽग्र-

---

१. GOS. ह्लते ।
२. KSS, NS सुप्ते ।
३. GOS. NS. सत्त्वसमाश्रयः ।
४. NS., KSS तथाकार ।
५. GOS. नानार्थरस ।
६. KSS, NS. यथा ।
७. KSS. तत्र दृष्टिविलोकितैः । NS तत्र दृष्टिविलोकनैः ।

उत्तानः पार्श्वगश्चैव तथाऽधोमुख एव च ।
प्रचारस्त्रिविधोऽङ्गानां नाट्यनृत्तसमाश्रयः ॥१८२॥
[1]उत्तानो वर्त्तुलस्त्र्यश्रः स्थितोऽधोमुख एव च ।
पञ्च प्रकारा हस्तस्य नाट्यनृत्तसमाश्रयाः ॥१८३॥
[2]एवं ज्ञेयाः करा ह्येते नानाभिनयसंश्रिताः ।
अत ऊर्ध्वं प्रवक्ष्यामि हस्तान् नृत्तसमाश्रयान् ॥१८४॥

जस्त्रिपताकः। पार्श्वगो यथा धनुरभिनये मुष्टिः। अधोमुखो यथा समुद्राभिनये ललाटक्षेत्रगः स्वस्तिकपताकः। यथा "संवृतविवृतं पाल्यमित्यत्र त्रिपताकः" उत्तानोऽधस्तलस्त्र्यश्रोऽग्रगोऽधोमुख एव च। पञ्च प्रकारा हस्तस्येति भट्टोद्भटः पठति। तत्राधस्तलेऽधोमुखोऽन्तर्भूतः। उत्तानेऽग्रजः त्र्यश्रः त्रिपार्श्वग एव। अत्रापि तु समविषमत्र्यश्रिताद्यवान्तरभेद उत्तानादेर्भवति। इत्थं त्रैविध्यमेव युक्तम् तत्र रसनिष्पादनमभिनयस्य वस्त्वित्युक्तं तत्र करणमनुभावात्मकं, तत्राङ्गहारा करण-सञ्चयाः। करणस्य च लक्षणमुक्तम् "यानि स्थानानि याश्चार्यो नृत्तहस्ताः" (४-५६) इत्यादि। तत्र स्थानकचार्यः स्वक्षेत्रे (अ-१३) लक्षयिष्यन्ते ॥१८१-१८२॥

हस्तप्रसङ्गान्नृत्तहस्ता वक्तव्याः। किञ्चाभियकृताप्येषां क्वचिद्व्याकर्तुं यथा लताहस्तौ प्रतिपद्येते नृत्ताभिनयनं प्रति (९-२००) यथा वा करिहस्तस्य हस्त्यभिनय-नम्। एवं चतुरश्रादीनामपि प्रयोगवशात् द्रष्टव्यमित्याशयेनाह—**अत उर्ध्वमिति**। वृत्तस्य करणात्मकस्याश्रयाद्धेतुता। एभ्योऽभिनयहस्तेभ्य उर्ध्वमित्येतद्गणना पृष्टेऽभि-नयनहस्तत्वेनापि गणनायोग्यादित्यर्थः। तत्र चातुरश्र्यमूलं नृत्तेऽङ्गस्य जीवितमिति तन्निमित्तभुवौ चतुरश्रौ तावदाह **वक्षस** इति। वक्षोऽतिक्रम्य योऽष्टाङ्गुलो देशः तत्रस्थौ परस्परं त्वष्टाङ्गुलान्तरत्वात् प्रत्युत चातुरश्र्यं भवतीत्युत्प्रेक्ष्येमेव। **प्राङ्मुखा**-विति यत्संमुखः प्रयोक्ता यत्संमुखावेव, न तु प्रयोक्तृसंमुखौ। कूर्परयोरंसयोश्च तुलाधारणवत्समत्वमवैषम्यम्। अङ्गचातुरश्यदानाच्चतुरश्रौ। आकर्षणविशे[illegible]-मभिनयोऽपि द्विवचनादपवादविहीनत्वे द्वयोरेव प्रयोग उपपादनीयो हेतुर्हस्त[illegible]रस्य द्वितीयप्रकारयोगेऽपि केवलस्यैव चतुरश्रतापदेश एव, तुल्यरूपत्वाच्च न चतुष्षष्टिता-व्याहतिरिति एवं सर्वत्र ॥१८३-१८४॥

अथोद्वृत्तौ हंसपक्षकृताविति। आदौ चतुरश्रौ तत उद्वेष्टितवर्तनया हंसपक्ष कृत इति कृतशब्देनाह विधिम्। एको विवर्तते उत्तानः स तु, परस्त्वधोमुखः

---

१. KSS reads it as —
उत्तालोऽधस्तलस्तिर्यगूर्ध्वाधोमुख एव च ।
हस्तप्रचारा विज्ञेयाः नाट्ये नृत्ते च पञ्चधा ॥

२. KSS does not read it

[1]वक्षसोऽष्टाङ्गुलस्थौ तु प्राङ्मुखौ खटकामुखौ[2] ।
समानकूर्परांसौ तु चतुरस्रौ प्रकीर्तितौ ॥१८५॥

हंसपक्षकृतौ हस्तौ व्यावृत्तौ तालवृन्तवत् ।
उद्वृत्ताविति विज्ञेयावथवा तालवृन्तकौ[3] ॥१८६॥

चतुरस्रस्थितौ हस्तौ हंसपक्षकृतौ तथा ।
तिर्यक्स्थितौ चाभिमुखौ ज्ञेयौ तलमुखाविति ॥१८७॥

तावेव मणिबन्धान्ते स्वस्तिकाकृतिसंस्थितौ ।
स्वस्तिकाविति विख्यातौ विच्युतौ विप्रकीर्णकौ ॥१८८॥

अलपल्लवसंस्थानावूर्ध्वास्यौ पद्मकोशकौ ।
अराल[4]खटकाख्यौ [5]चाप्यरालखटकामुखौ[6] ॥१८९॥

सन्नावर्तते वक्षस्स्थानमित्यर्थः । एतदेवाह तालवृन्तवदिति । आवर्तनकाल उर्ध्वं वर्तमानत्वादुद्वृत्तौ । नामान्तरेण तालवृन्तविषयत्वमभिनेयत्वं ब्रूते ॥ १८५॥

अथ तलमुखौ—चतुरश्रस्थिताविति । तथेति व्यावृत्तोद्वृत्तपूर्वकत्वमस्याह । तेन परिसमाप्तिकाले स्वस्वपार्श्वस्थाङ्गौ त्र्यश्रस्थितौ हंसपक्षावेव । अन्योन्यसंमुखतलत्वात्तलमुखौ । "मंडल महुरिजिम वज्जइ" (मर्दलं मधुरं वादयति) इत्यादिविषये चायमभिनयोऽपि ॥१८६॥

अथ स्वस्तिकौ विप्रकीर्णौ च तावेवेति । तलमुखावेवेत्यर्थः । अन्तस्समीपः । स्वस्तिको नाम लक्षणविशेषः । विच्युताविति विशेषेण सहसा च्युतावित्यर्थः । एवं पूर्ववृत्तनृत्तकचतुष्टयस्वरूपोपजीवित्वं स्वस्तिकविप्रकीर्णयोः ॥१८७॥

अरालखटकामुखावाह—अलपल्लवसंस्थानाविति । स्वस्तिकवत्पताकौ कृत्वा अलपल्लवोपलक्षितया व्यावर्तितकरणवर्तनया परिवर्तनान्तया तावेवोर्ध्वमुखौ पद्मकोशौ विधाय समनन्तरमेव भाविनलिनीपद्मकोशाभ्यामरालवर्तनया एकमरालं द्वितीयं खटकामुखं चातुरश्र्यसंस्थानेन कुर्यात् । स्वस्तिकेनेति त्वपरे । अरालौ ततः खटकावित्येके ॥१८८-१८९॥

अथाविद्धवक्रावाह—भुजांसकूर्पराग्रैरिति । वृत्तानुरोधादेवं पठितम् । अयं त्वर्थः अंसाभ्यां कूर्पराग्राभ्यां भुजाग्राभ्यां च क्रमेणोपलक्षितं यत्कुटिलं सविलासं

---

१. KSS वक्षस्थौ ।
२. KSS. कटकामुखौ ।
३. KSS. तालवृन्तवत् ।
४. KSS. कटका ।
५. NS. वाप्य ।
६. KSS. कटकामुखौ ।

[1]तथैव मणिबन्धान्ते ह्यरालौ[2] विच्युतावुभौ ।
ज्ञेयौ प्रयोक्तृभिर्नित्यमराल खटकाविति ॥१९०॥

भुजांसकूर्पराग्रैस्तु कुटिलावर्तितौ करौ ।
पराङ्मुखतला[3]विद्धौ ज्ञेयावाविद्धवक्रकौ ॥१९१॥

हस्तौ तु सर्पशिरसौ [4]मध्यमाङ्गुष्ठकौ यदा ।
तिर्यक्प्रसारितास्यौ च तदा सूचीमुखौ स्मृतौ ॥१९२॥

[5]सर्पशीर्षौ यदा हस्तौ भवेतां स्वस्तिकस्थितौ ।
मध्यप्रसारिताङ्गुष्ठौ ज्ञेयौ सूचीमुखौ तदा ॥१९३॥

रेचितौ चापि विज्ञेयौ हंसपक्षौ द्रुतभ्रमौ ।
प्रसारितोत्तानतलौ रेचिताविति [6]संज्ञितौ ॥१९४॥

(पताकौ) कृत्वा आवर्तनं व्यावर्तितकरणं कनिष्ठादि तद्युक्तावाविद्धौ हलधारिणौ सन्तावधोमुखतलौ तदा भवतस्तथैदं नाम ॥१९०॥

अथ सूचीमुखौ —हस्तौ तु सर्पशिरसाविति । चतुरश्रस्थानगौ सर्पशिरसौ मध्यमाङ्गुलिनिविष्टाङ्गुष्ठौ कृतौ यदा तिर्यक्प्रसारितं पार्श्वगमनेन सह विकासितं मुखं तर्जन्यग्रचरूपं द्वयोस्तादृशौ बाहू (बहिः ?) प्रसारणेन पर्यायशः क्रियेते तदा सूचीमुखौ सूचीवद्बाहू (द्बहिः ?) प्रसारणात् । तत्र तुशब्दः पर्यायं द्योतयति । सूचीमुखौ मध्यप्रसारिताङ्गुष्ठौ स्वस्तिकौ सर्पशीर्षकौ इत्येकेषां पाठः ॥१९१-१९२॥

अथ रेचितौ—अर्धरेचितौ चापीति । केचित् रेचितौ रेचिताविवित्यस्य पौनरुक्त्यपरिजिहीर्षवो द्वे लक्षणे इत्याहुः तेन द्रुतौ भ्रान्तावधिकृतावेव हंसपक्षौ रेचितौ तथा प्रसारितोत्तानतलत्वेन विकृतावपि रेचिताविति । अन्ये त्वेकमेव वाक्यमित्याहुः । रेचितौ सन्तौ यौ द्रुतभ्रमौ तौ रेचितसंज्ञाविति न पौनरुक्त्यम् । संज्ञयैवार्धरेचिते लब्धे पुनर्वचनमविशेषेण चातुरश्र्यस्य स्थितिं सूचयन् नृत्तहस्तान्तरेष्वपि अङ्गपर्यायेण प्रयोगं सूचयति ॥१९३-१९४॥

अथोत्तानादञ्चितौ—अञ्चिताविति । त्रिपताकौ हस्तावंसकपोलललाटानामन्यतमक्षेत्रे कृतौ अञ्चनक्रियया युक्तौ अन्योन्याभिमुखावर्धतिरश्चीनौ, तथांसयोः

---

१. KSS does not read it.

२. NS. ह्यराल ।

३. KSS., NS. तथा ।

४. KSS., NS. मध्यस्था ।

५. KSS. does not read this verse,

६. KSS., NS. संस्थितौ ।

चतुरस्रो भवेद्वामः सव्यहस्तश्च रेचितः ।
विज्ञेयौ नृत्ततत्त्वज्ञै[1]रर्धरेचितसंज्ञकौ ॥१९५॥
अञ्चितौ कूर्परांसौ तु त्रिपताकौ करौ कृतौ[2] ।
किञ्चित्तिर्यग्गतावेतौ स्मृतावुत्तानवञ्चितौ ॥१९६॥
मणिबन्धनमुक्तौ तु पताकौ पल्लवौ स्मृतौ ।
बाहुशीर्षाद्विनिष्क्रान्तौ[3] नितम्बाविति कीर्तितौ ॥१९७॥
केशदेशाद्विनिष्क्रान्तौ परिपार्श्वोत्थितौ[4] यदा ।
विज्ञेयौ केशबन्धौ तु करावाचार्यसम्मतौ ॥१९८॥
तिर्यक्प्रसारितौ चैव पार्श्वसंस्थौ तथैव च ।
लताख्यौ च करौ ज्ञेयौ नृत्ताभिनयनं प्रति ॥१९९॥
समुन्नतो लताहस्तः पार्श्वात्पार्श्वं विलोलितः ।
त्रिपताकोऽपरः कर्णे कारिहस्तः[5] प्रकीर्तितः ॥२००॥

कूर्परयोश्चाञ्चनं किञ्चिच्चलनं भवति । अञ्चनसम उत्तानत्वप्राप्तेः पुनरप्यञ्चने-नोद्गमनक्रियायोगान्मृदूत्तानावञ्चितौ ॥१९५॥

अथ पल्लवौ—**मणिबन्धनमुक्तौ** त्विति । ऊर्ध्वव्यावर्तितकरणेन बाहू प्रसार्य परिवर्तितक्रियया स्वस्तिकाकृती पताकौ । पल्लवाकारत्वात् यथोक्तौ । शिथिलौ पल्लवावित्यन्ये पठन्तः त्रिपताकावित्यनुवर्तयन्ति ।

अथ नितम्बौ—**बाहुशीर्षादिति** । पताकाविति अनुवर्तते । स्कन्धक्षेत्राद्विचित्र-त्वेनोत्तानत्वाधोमुखत्वपर्यायत्वेन निष्क्रान्तौ पताकौ, नाम्ना क्षेत्रस्याक्षेपात् नितम्ब-क्षेत्रे तथैव पर्यायेण वर्तमानौ नितम्बौ ॥१९६॥

अथ केशबन्धौ केशदेशादिति । आदौ पार्श्वक्षेत्रात् तत्पार्श्वपरिवर्णन-पूर्वकमुत्थितौ शिरः क्षेत्रं प्राप्तौ, अत एव केशदेशान्नितम्बहस्तोक्तवदेव विचित्र-हस्तत्वेन निष्क्रान्तौ तथा तेनैव प्रकारेण पुनः केशदेश एव पर्यायशो गतागतत्वेन प्रत्यावर्तमानौ । केशसंबन्धात्केशबन्धौ । आचार्यसंमतौ च शोभातिशय-करणात् ॥१९७॥

अथ लताहस्तौ—**तिर्यक्प्रसारितौ** चेति । पताकाविति वर्तते । अन्ये तु नितम्बादिषु त्रिपताकावित्यनुवर्तयन्ति लताहस्तान्तेषु ॥१९८॥

---

१. KSS अर्धरोचित ।
२. KSS, NS., त्रिपताकाकृतौ करौ ।
३. KSS. शीर्षादिनिष्क्रान्तौ ।
४. NSS. NS. परिपार्श्वस्थितौ ।
५. KSS. करिहस्तौ ।

कटिशीर्षनिविष्टाग्रौ[1] त्रिपताकौ यदा करौ।
पक्षवञ्चितकौ हस्तौ तदा ज्ञेयौ प्रयोक्तृभिः ॥२०१॥

तावेव तु परावृत्तौ पक्षप्रद्योतकौ स्मृतौ।
अधोमुखतलाविद्धौ ज्ञेयौ गरुडपक्षकौ ॥२०२॥

हंसपक्षकृतौ हस्तौ व्यावृत्तपरिवर्त्तितौ।
तथा प्रसारितभुजौ दण्डपक्षाविति स्मृतौ ॥२०३॥

ऊर्ध्वमण्डलिनौ हस्तावूर्ध्वदेशविवर्तनात्।
तावेव पार्श्वविन्यस्तौ पार्श्वमण्डलिनौ स्मृतौ ॥२०४॥

अथ करिहस्तः—समुन्नत इत्यादि। संश्लेषक्रमेण य उन्नतः। विलोलित इति दोलावन्नीतः। अपरग्रहणात् त्रिपताक एव ललाटाख्य इति केचित्। खटकाख्योऽपर इत्यन्ये पठन्ति। सजातीयतयानारम्भोऽस्य चतुरश्रवत्, विजातीयारम्भोऽपि नृत्ताभ्यासस्य व्यपदेशादरालखटकामुखवत्। अतो न द्विवचनम्। एकैकस्य पृथक्प्रयोगे करिहस्तत्वाभावादित्येकवचनमेव। तदाकारत्वाच्चेदं नाम ॥२०६॥

अथ पक्षवञ्चितौ पक्षप्रद्योतौ च—कटिशीर्षेति पाठः। वृतौ पक्षावञ्चितौ गतौ, तत्सम्मुखौ तु तं द्योतयतीति तथोक्तौ। एवकारेणानयोः व्यामिश्रतया प्रयोगशोभा भवतीत्याह ॥२००-२०१॥

अथ गरुडपक्षौ अधोमुखेति। अधोमुखौ नितम्बक्षेत्रे भूत्वा तलेनाविद्धौ ऊर्ध्वगमनं झटिति कुर्वाणौ तार्क्ष्यभुजाकाराक्षेपात् लिङ्गवाक्यप्रमाणत्वात्सुकरणं प्राप्तं त्रिपताकबाधेन पताकावुपलभ्येते ॥२०२॥

अथ दण्डपक्षौ—हंसपक्षकृताविति। एकस्य हंसपक्षस्य व्यावर्तने विलासेन पार्श्वाद्वक्षःक्षेत्रस्य निकटस्य वर्तनं तत्समकालमेव द्वितीयस्य स्वदेहपरिवर्तनेन वर्तनं भुजप्रसारणपर्यन्तं पुनरपरेणाङ्गेनेति द्वावपि प्रसारितभुजौ व्यावर्तितपरिवर्तितौ च भवत इति पक्षे पार्श्वतो दण्डवद्भुज इति दण्डपक्षौ। युगपदेव द्वयोरपि प्रसारनं व्यावर्तनपरिवर्तने तु क्रमेणेत्यन्ये ॥२०३॥

अथोर्ध्वमण्डलौ—उर्ध्वमण्डलिनाविति। वक्षोदेशाद् व्यावर्तितकरणेन ललाटक्षेत्रेण पार्श्वगमने विधाय ततोऽपि मण्डवद् भ्रमणेन प्रसारितावूर्ध्वमण्डलिनौ। प्रसारितभुजाविति अनुवर्तते। ललाटप्राप्तिपर्यन्तेनैवानयोर्लक्षणं शिष्टं तु पार्श्वमण्डलिनोरिति केचित्। तावेव पार्श्वविन्यस्ताविति वचनान्नृत्तप्रसिद्ध (चक्र) वर्तनात्मकावूर्ध्वमण्डलावित्यन्ये ॥२०४॥

---

१. GOS. निविष्ठौ द्वौ।

उद्वेष्टितौ भवेदेको द्वितीयश्चापवेष्टितः[१] ।
भ्रमितावुरसः स्थाने [२]ह्युरोमण्डलिनौ स्मृतौ ॥२०५॥
[३]अलपल्लवकारालावुरोर्ध्वभ्रमणक्रमात् ।
पार्श्वावर्तश्च विज्ञेयावुरः पार्श्वार्धमण्डलौ ॥२०६॥
हस्तौ तु मणिबन्धान्ते कुञ्चितावञ्चितौ यदा ।
[४]खटकाख्यौ तु तौ स्यातां मुष्टिकस्वस्तिकौ तदा ॥२०७॥
पद्मकोशौ यदा हस्तौ [५]व्यावृत्तपरिवर्तितौ ।
नलिनीपद्मकोशौ तु तदा ज्ञेयौ प्रयोक्तृभिः ॥२०८॥

अथ पार्श्वमण्डलौ—तावेवेति । ऊर्ध्वमण्डलावेव पार्श्वगतौ पताकाकृतौ परस्परसम्मुखौ । अन्ये तु निर्वचनसमर्थनाशयेन स्वपार्श्व एवाविद्धभुजभ्रमणवर्तनात्मकमनयो रूपमाहुः ।

अथोरोमण्डलिनौ—उद्वेष्टित इति । चकारसंनियोगेन यौगपद्यमाह । उरस इति पञ्चमी । तत आरभ्य पार्श्वक्षेत्रे भ्रमितावेकस्यागमनस्य परस्य गमनमिति वर्तनया । षष्ठीत्यन्ये वदन्तः तत्रैव स्थानमित्याहुः । उर्ध्वपार्श्वोरोमण्डलिषु हंसपक्षावित्यपरे वर्तयन्ति ॥२०५॥

अथोरःपार्श्वमण्डलौ—अलपल्लवाकारालाविति । वक्षोदेशत उत्तानो हस्तः संस्तम्भोऽलपल्लवसंस्थानदायिना व्यावर्तितकरणेन निष्कृष्यते । तत्समकालं च पार्श्वप्रसारितभुजौ । द्वितीयो हस्ततर्जन्याद्युद्वेष्टितसन्निवेशेनारालरूपदायिना वक्षोदेशमानीयते पुनरेवमिति । उरसि अर्धमेको हस्तः पार्श्वे च द्वितीयो मण्डलवद्गतागतंक्रमेण कुरूत इति तत्रोक्तौ ॥२०६॥

अथ मुष्टिकस्वस्तिकौ—हस्तौ तु मणिबन्धान्त इति । एकः कुञ्चितोऽरालवर्तनया अपरोऽञ्चितोऽलपल्लववर्तनया पुनरङ्गपर्याय इत्येवं वर्तनानन्तरं खटकामुखाभ्यां स्वस्तिक इति पारम्पर्येण मुष्टिप्रभवत्वात्खटकस्य मुष्टिकस्वस्तिकव्यपदेशो मुष्टिशिखरकपित्थखटकानामन्यतमप्रयोगानुज्ञानार्थमिति तद्विदः ॥२०७॥

अथ नलिनीऽपद्मकोशाविति । पद्मकोशौ सम्मुखौ श्लिष्टमणिबन्धौ । ततोऽप्येकस्य कनीयसी संमुखी अपरस्याङ्गुष्ठं संमुखं क्रियया परिवर्तनमिति केचित् ।

---

१. KSS. द्वितीयश्च विचेष्टितः ।
२. KSS. omits हि ।
३. NS. अरालपल्लवकरा ।
४. KSS. कटका ।
५. KSS. व्यावर्तं ।

करावुद्वेष्टिताग्रौ तु प्रविधायालपल्लवौ ।
ऊर्ध्वप्रसारिताविद्धौ [1]कर्त्तव्यावुल्बणाविति ॥२०९॥

पल्लवौ च शिरोदेशे संप्राप्तौ ललितौ स्मृतौ ।
कूर्परस्वस्तिकगतौ लताख्यौ बलिताविति ॥२१०॥

करणे तु प्रयोक्तव्यो नृत्तहस्तौ विशेषतः ।
तथार्थाभिनये चैव पताकायाः प्रयोक्तृभिः ॥२११॥

संकरोऽपि भवेत्तेषां प्रयोगोऽर्थवशात्पुनः ।
प्राधान्येन पुनः संज्ञा नाट्ये नृत्ते करेष्विह ॥२१२॥

इदं त्वत्र युक्तम् – व्यावृत्तेन परिवृत्तौ यदा पद्मकोशाविति सङ्गतिः । अस्मिन् मुष्टिक एव स्वस्तिकक्षेत्रे करौ कृत्वा द्वयोरपि यदा व्यावर्तितकरणेन कनिष्ठादीनां परिवर्तनमन्योन्यपराङ्मुखता तदन्तरं पद्मकोशद्वयं तदा । नलिन्यामनेककमलसंभवादिदं नाम ॥२०८॥

अथोल्वणौ । करावुद्वेष्टिताग्राविति । वक्षः क्षेत्रादुद्वेष्टितप्रधानौ हस्तौ विधायोर्ध्वस्कन्धक्षेत्रे प्रसारितावाविद्धौ च स्कन्धाभिमुखचलदङ्गुलीकावलपल्लवौ भवतस्तदोल्वणौ । हर्षपरवशां चित्तवृत्तिं सूचयतः इत्युल्वणौ ॥२०९ ॥

अथ ललितौ पल्लवौ चेति । अलपल्लवावेव तु शिरः क्षेत्रप्राप्तौ चलितौ ललितौ चातुरश्र्येणाङ्गुलालित्योपादानात् ।

अथ वलितौ—कूर्परस्वस्तिकगताविति । कूर्परस्थाने स्वस्तिकौ लताहस्तौ बाह्वोर्वलनाद्वलितौ । इति शब्द एवंप्रकारवर्तनान्तरसूचकः ॥२१०॥

करणसंश्रयान्करान् वक्ष्यामीति । करणासक्तत्वाद्विशेषणभागस्यैव संश्रियमाणस्य करणस्य प्रवचनं फलति । यथा लोहितोष्णीषा ऋत्विजः प्रचरन्तीति वचनान्तरादृत्विजां प्रचारलाभात् द्वाविति औविभक्तिरुपपदार्थविधानपरेति । करणमिति करणानि इति अर्थे पाठः । यत् क्रियते सम्पाद्यते बलादेवाभिनयविशेषो येनाङ्गुलितुलनक्रियाविशेषेण तत्करणम् । स्वसमाप्तौ निराकाङ्क्षा, परिसमाप्त्यभावे तु वर्तनायाः क्रियान्तराकाङ्क्षा । तदेवेदमङ्गतत्त्वविदस्त्रोटनमङ्गस्येति व्यवहरन्ति । तेन येषु हस्तेषु तर्जन्यादेः कुञ्चनं तेष्वरालवत् क्रिया, यथा शुकतुण्डचतुरमृगशीर्षकादिषु । एवमन्यदुत्प्रेक्ष्यम् । पताकस्य तु सर्ववर्तनासु कार्यकरणतया साधारण्यं

---

१. KSS., NS. विज्ञेयौ ।

वियुताः संयुताश्चैव नृत्तहस्ताः प्रकीर्तिताः ।
अतः परं प्रवक्ष्यामि करान् करणसंश्रयान् ॥२१३॥

सर्वेषामेव हस्तानां नाट्यहस्तनिदेशिभिः ।
विधातव्या प्रयत्नेन करणं तु चतुर्विधम् ॥२१४॥

अपवेष्टितमेकं स्यात् उद्वेष्टितमथापरम् ।
व्यावर्तितं तृतीयं तु चतुर्थं परिवर्तितम् ॥२१५॥

आवेष्ट्यन्ते यदङ्गुल्यस्तर्जन्याद्या यथाक्रमम् ।
अभ्यन्तरेण करणं तदावेष्टितमुच्यते ॥२१६॥

उद्वेष्ट्यन्ते यदङ्गुल्यः तर्जन्याद्या बहिर्मुखम्[1] ।
क्रमशः करणं विप्रास्तदुद्वेष्टितमुच्यते ॥२१७॥

[2]आवत्यन्ते कनिष्ठाद्या [3]ह्यङ्गुल्योऽभ्यन्तरेण तु ।
यथा[4] क्रमेण करणं तद् व्यावर्तितमुच्यते ॥२१८॥

सर्वप्रकृतित्वम् । तत एव प्राधान्यात् पताकव्यपदेशः । **नाटचशब्देना**भिनयनहस्ताः **नृत्तशब्देन नृत्तहस्ताः** सूचिताः । **अभ्यन्तरेण** तलसंमुखत्वेन बाह्यपार्श्वात् देहं प्रति वक्षः-क्षेत्रपर्यन्तप्राप्त्या । अतो वैपरीत्येन कनिष्ठाद्यावर्तत बहिर्मुखत्वं वक्षःक्षेत्रात्तु बहिर्निर्गमन इति तलसंमुखत्वमेवाभ्यन्तरत्वम् । एतद्विपर्यासेन बाह्यता ॥२११-२१८॥

ननु किमेतैरावेष्टिताद्यैरित्याशङ्क्य एतेषां साधनतमत्वं दर्शयति - **नृत्तेऽभिनय-योगे** चेति । नृत्ते नाट्ये च करणानि प्रकर्षेण योजयेत् । केन हेतुनेत्याह **पाणिभिरिति**, यतो वर्तना जाता जन्यजनकाश्च पूर्वपश्चाद्भावित्वेन । पाणयो नृत्तनाद्यहस्ताः । कथं प्रयोजयेदित्याह—**मुखभ्रुनेत्रयुक्तानीति** । यतो हि वर्तना धावन्ति तत एव मुखादीनीति तात्पर्यम् । नेत्रभ्रूमुखरागाः यैर्व्यञ्जिता इति त्वियमभिनयेषु पूरणार्था प्रक्रिया । इयं तु गर्तनास्वित्यपौनरुक्त्यम् ॥२१९॥

---

१. KSS. तर्जन्या बहिर्मुखाः ।

२. KSS. आवर्तन्ते ।

३. GOS. omits हि

४. KSS. यत्तु ।

उद्वर्त्यन्ते कनिष्ठाद्या बाह्यतः[1] क्रमशो यदा ।
अङ्गुल्यः करणं विप्रास्तदुक्तं परिवर्तितम् ॥२१९॥

नृत्तेऽभिनययोगे वा पाणिभिर्वर्तनाश्रये ।
मुखभ्रूनेत्रयुक्तानि करणानि प्रयोजयेत् ॥२२०॥

[2]तिर्यक्तथोर्ध्वसंस्थो ह्यधोमुखश्चाञ्चितोऽपविद्धस्तु ।
मण्डलगतिस्तथा स्वस्तिकश्च पृष्ठानुसारी च ॥२२१॥

उद्वेष्टितः प्रसारित इत्येते वै स्मृताः प्रकारास्तु ।
बाह्वोरिति करणगता विज्ञेया नित्यं नृत्तप्रयोक्तृभिः ॥२२२॥

हस्तानां करणविधिर्मया समासेन निगदितो विप्राः !
अत ऊर्ध्वं व्याख्यास्ये हृदयोदरपार्श्वकर्माणि[3] ॥२२३॥

आभुग्नमथ निर्भुग्नं तथा चैव प्रकम्पितम् ।
उद्वाहितं समं चैव उरः पञ्चविधं स्मृतम् ॥२२४॥

बाहुलग्नत्वादङ्गुलिक्रियायास्तद्भेदानाह **तिर्यक्तथोर्ध्वसंस्थ** इत्यादि । तिर्यगिति पार्श्वगतया, उर्ध्वसंस्थः शिरसोऽप्युपरि गच्छन्, अधोमुखो भुवमाश्लिष्यन्, अञ्चितो वक्षोदेशान्निष्क्रम्य शिरःक्षेत्रमेव प्रत्यागतः, अपविद्धो मण्डलगतेः सर्वतो भ्रमन् । पृष्ठं स्वकायस्यानुसरतीति पृष्ठानुसारी ॥२२०॥ उद्वेष्टितोमणिबन्धनवर्तनया निष्क्रामणम् प्रसारितस्य तु स्पष्टमेवग्रमनुधावन् । एतेषु करणेषु चतुर्षु द्रुतमध्यविलम्बितादिवैचित्र्येण बाहुपर्यायेण च समस्तानि योजनया यदा नियुज्यन्ते तदा पातवर्तनादिशतसहस्राण्यत्रैवान्तर्भूतानीति यदेके चत्वारिंशतमन्ये शतमाहुस्तन्मिथ्यैव । तदाह **करणगता** विशेषा अवश्यं ज्ञातव्या इति । **नित्यमेतद्व्यतिरिक्त**प्रयोजनाभावात् ॥२२१-२२२॥

अथोरसः कर्माण्याह—आभुग्नमित्यादि ॥२२३॥ **निम्नमिति ससङ्कोचम्** । **क्वचिदिति** मध्ये मध्ये, **श्लथं** शिथिलम् । निरवष्टम्भं कृत्वा व्याभुग्नावधः पतन्ताविवांसौ ॥२२४॥ यत्र शीतेनापि विना शीतस्पर्शे । एवमेव मार्गे भ्रमणमिति

---

१. KSS. बाह्यशः

२. KSS. तिर्यगूर्ध्वगतं चैव तथाऽधोमुख एव च ।

३. KSS. ends here 9th chapter.

निम्नमुन्नतपृष्ठं च [1]व्याभुग्नांसं श्लथं क्वचित् ।
आभुग्नं तदुरो ज्ञेयं कर्म चास्य निबोधत ॥२२५॥

संभ्रमविषादमूर्च्छाशोकभयव्याधिहृदयशल्येषु[2] ।
कार्यं [3]शीतस्पर्शे वर्षे [4]लज्जान्वितेऽर्थवशात् ॥२२६।

स्तब्धं[5] च निम्नपृष्ठं च निर्भुग्नांसं समुन्नतम् ।
उरो निर्भुग्नमेतद्धि कर्म चास्य निबोधत ॥२२७॥

स्तम्भे मानग्रहणे विस्मयदृष्टे च सत्यवचने च ।
अहमिति च दर्पवचने गर्वोत्सेके[6] तु कर्तव्यम् ॥२२८॥

[[7]दीर्घनिश्वसिते चैव जृम्भणे मोटने तथा ।
बिब्बोके च पुनः स्त्रीणां तद्विज्ञेयं प्रयोक्तृभिः] ॥२२९॥

ऊर्ध्वोत्क्षेपैरुरो [8]यत्र निरन्तरकृतैः कृतम् ।
प्रकम्पितं तु [9]विज्ञेयमुरो नाट्यप्रयोक्तृभिः ॥२३०॥

हसितरुदितादिसंभ्रमभयश्रमव्याधिपीडितार्थेषु ।
नानाभावोपगतं कार्यमुरो नाट्ययोगेषु ॥२३१॥

हसितरुदितेषु कार्ये श्रमे भये श्वासकाशयोश्चैव ।
हिक्कादुःखे च तथा नाट्यज्ञैरर्थयोगेन ॥२३२॥

वर्ष इत्युक्तम् ॥२२५॥ सम्यगुत्थितं कृत्वा निष्क्रान्तौ शुद्धौ भुग्नावंसौ यत्र ॥२२६॥
हिक्का स्पष्टम् ॥२३०॥

---

१. NS., KSS व्याभुग्नं संश्लथं ।

२. NS. शिल्पेषु ।

३. KSS. तेन स्पर्शे ।

४. KSS. लज्जायिते ।

५. NS स्वच्छं ।

६. KSS. गर्वोत्साहे तु ।

७. KSS does not read it.

८. KSS. यत्तु ।

९ KSS. विज्ञेयमुरो ।

उद्वाहित[1]मूर्ध्वगतमुरो ज्ञेयं [2]प्रयोक्तृभिः ।
दीर्घोच्छ्वसनता लोके जृम्भणाविषु चेष्यते ॥२३३॥

सर्वैः ससौष्ठवैरङ्गैश्चतुरस्त्रकृतैः कृतम् ॥
उरः समं तु विज्ञेयं स्वस्थं सौष्ठवसंयुतम् ॥२३४॥

एतदुक्तं मया सम्यगुरसस्तु विकल्पनम् ।
अत [3]ऊर्ध्वं प्रवक्ष्यामि पार्श्वयोरिह लक्षणम् ॥२३५॥

नतं समुन्नतं चैव प्रसारितविवर्तिते ।
[4]तथापसृतमेवं तु पार्श्वयोः कर्म पञ्चधा ॥२३६॥

[5]कटिर्भवेत्तु व्याभुग्ना पार्श्वमाभुग्नमेव च ।
तथैवापसृतांसं च किञ्चित्पार्श्वनतं स्मृतम् ॥२३७॥

[6]तस्यैव चापरं पार्श्वं विपरीतं तु युक्तितः ।
कटीपार्श्वभुजांसैश्चाभ्युन्नतैरुन्नतं भवेत् ॥२३८॥

आयामनावुभयतः पार्श्वयोः स्यात् प्रसारितम् ।
[7]परिवर्तात्त्रिकस्यापि विवर्तितमिहेष्यते ॥२३९॥

[8]विवर्तितापनयनाद् भवेदपसृतं पुनः ।
पार्श्वलक्षणमित्युक्तं विनियोगं निबोधत ॥२४०॥

उपसर्पे नतं कार्यमुन्नतं चापसर्पणे ।
प्रसारितं प्रहर्षादौ परिवृत्ते विवर्तितम् ॥२४१॥

[9]विनिवृत्ते त्वपसृतं पार्श्वमर्थवशाद्भवेत् ।
एतानि पार्श्वकर्माणि जठरस्य निबोधत ॥२४२॥

शिष्टकटीत्रिकस्कन्धकर्माणि पार्श्वकर्माणीति ॥२४०॥

---

१. GOS. तूर्ध्वकृत ।
२. KSS. प्रयोगतः ।
३. GOS. परं ।
४. KSS तथा पसृतमेवं ।
५. GOS. कटी ।
६. GOS. नतस्यैवापरं ।
७. KSS, NS परिवर्ति ।
८. NS. विवर्तितोपनयनात् KSS. निवर्तितापनयनात् ।
९. KSS. परिवर्त्तौ ।

क्षामं खल्वं च पूर्णं च संप्रोक्तमुदरं त्रिधा।
तनु क्षामं नतं खल्वं पूर्णमाध्मातमुच्यते ॥२४३॥

क्षामं [1]हास्येऽथ रुदिते निःश्वासे जृम्भणे भवेत्।
व्याधिते तपसि श्रान्ते क्षुधार्ते खल्वमिष्यते ॥२४४॥

पूर्णमुच्छ्वसिते स्थूले व्याधितात्यशनादिषु।
इत्येतदुदरं प्रोक्तं कट्याः कर्म निबोधत ॥२४५॥

अन्ये तु क्षाभं खल्लं समं पूर्णमुदरं स्याच्चतुर्विधम्।
छिन्ना चैव निवृत्ता च रेचिता कम्पिता तथा।
उद्वाहिता चैव कटी नाट्ये नृत्ते च पञ्चधा ॥२४६॥

कटी मध्यस्य वलनाच् छिन्ना संपरिकीर्तिता।
पराङ्मुखस्याभिमुखी निवृत्ता स्यान्निवर्त्तिता ॥२४७॥

सर्वतो भ्रमणाच्चापि विज्ञेया रेचिता कटी।
तिर्यग्गतागता क्षिप्ता[2] कटी ज्ञेया प्रकम्पिता ॥२४८॥

नितम्बपार्श्वोद्वहनात् शनैरुद्वाहिता कटी।
कटीकर्म मया प्रोक्तं विनियोगं निबोधत ॥२४९॥

छिन्ना व्यायामसंभ्रान्तव्यावृत्तप्रेक्षणादिषु।
निवृत्ता वर्तने चैव रेचिता भ्रमणादिषु[3] ॥२५०॥

कुब्जवामननीचानां गतौ कार्या प्रकम्पिता।
स्थूलेषूद्वाहिता योज्या स्त्रीणां लीलागतेषु च ॥२५१॥

कम्पनं वलनं चैव स्तम्भनोद्वर्तने तथा।
निवर्तनं च पञ्चैतान्यूरुकर्माणि कारयेत् ॥२५२॥

नमनोन्नमनात्पार्ष्णेर्मुहुः स्यादूरुकम्पनम्।
गच्छेदभ्यन्तरं जानु[4] यत्र तद्वलनं स्मृतम् ॥२५३॥

स्तम्भनं चापि विज्ञेयमपविद्धक्रियात्मकम्।
वलिताविद्धकरणादूर्वोरुद्वर्तनं स्मृतम् ॥२५४॥

गतेषु तदुक्तमपविद्धक्रियात्मकमिति निष्क्रियत्वमिति यावत् ॥२५४॥

---

१. KSS. हासे च।
२. GOS. क्षिप्तं।
३. KSS. भ्रमणेषु च।
४. KSS. NS अभ्यन्तराज्जानु।

पार्ष्णिरभ्यन्तरं गच्छेद्यत्र तत्तु निवर्तनम् ।
गतिष्वधमपात्राणां भये चापि हि कम्पनम् ॥२५५॥

वलनं चैव कर्त्तव्यं स्त्रीणां स्वैरपरिक्रमे ।
साध्वसे च विषादे च स्तम्भनं तु प्रयोजयेत्[१] ॥२५६॥

व्यायामे ताण्डवे चैव कार्यमुद्वर्तनं बुधैः ।
निवर्तनं तु कर्तव्यं संभ्रमादिपरिभ्रमे ॥२५७॥

[२]यथादर्शनमन्यच्च लोकाद् ग्राह्यं प्रयोक्तृभिः ।
इत्यूर्वोर्लक्षणं प्रोक्तं जङ्घायास्तु निबोधत ॥२५८॥

आवर्तितं नतं क्षिप्तमुद्वाहितमथापि च ।
परिवृत्तं तथा चैव जङ्घाकर्माणि पञ्चधा ॥२५९॥

वामो दक्षिणपार्श्वेन दक्षिणश्चापि वामतः ।
पादो यत्र व्रजेद्विप्राः ! तदावर्त्तितमुच्यते ॥२६०॥

जङ्घास्वस्तिकयोगेन क्रमादावर्तितं नयेत् ।
जानुनः [३]कुञ्चनाच्चैव नतं ज्ञेयं प्रयोक्तृभिः ।

[४]विक्षेपाच्चैव जङ्घायाः क्षिप्तमित्यभिधीयते ॥२६१॥
[[५]नतं स्याज्जानुनमनात् क्षिप्तं विक्षेपणाद् बहि] ।

उद्वाहितं च विज्ञेयमूर्ध्वमुद्वाहनादपि ।
प्रतीपनयनं यत्तु परिवृत्तं तदुच्यते ॥२६२॥

आवर्तितं प्रयोक्तव्यं [६]विदूषकपरिक्रमे ।
नतं चापि हि कर्तव्यं स्थानासनगतादिषु[७] ॥२६३॥

बहिः पार्ष्णिक्षेपाच्च पतनमाविद्धमूरोः वर्तन । करण इति क्रियायां सत्यामित्यनेन पुनः पुनः पार्ष्ण्योः पतनम् । पादतलाग्रात्तु स्थानं च कर्तव्यमिति

---

१. GOS. सम्प्रयोजयेत् ।
२. KSS. तथा दर्शन··· ।
३. KSS. कुञ्चनं ।
४. KSS. विक्षेपं ।
५. KSS. does not read it.
६. KSS., NS. सम्भ्रमादि ।
७. NS. गमाद्रिषु ।

क्षिप्तं व्यायामयोगेषु ताण्डवे च प्रयुज्यते ।
तथा चोद्वाहितं [1]कुर्यादाविद्धगमनादिषु ॥२६४॥

ताण्डवेषु प्रयोक्तव्यं परिवृत्तं प्रयोक्तृभिः ।
इत्येतज्जङ्घयोः कर्म पादयोस्तु निबोधत ॥२६५॥

उद्घट्टितः समश्चैव तथाग्रतलसञ्चरः ।
अञ्चितः [2]कुञ्चितश्चैव पादः पञ्चविधः स्मृतः ॥६६६॥

स्थित्वा पादतलाग्रेण पार्ष्णिर्भूमौ निपात्यते ।
यस्य पादस्य करणे भवेदुद्घट्टितस्तु सः ॥२६७॥

[3]अयमुद्वेष्टितकरणे त्वनुकरणार्थं प्रयोगमासाद्य ।
द्रुतमध्यमप्रचारः सकृदसकृद्वा प्रयोक्तव्यः ॥२६८॥

स्वभावरचिते भूमौ समस्थाने च यो भवेत् ।
[4]समः पादः स विज्ञेयः स्वभावाभिनयाश्रयः ॥२६९॥
[5]स्थिरस्वभावाभिनये नानाकरणसंश्रये ।

चलितश्च पुनः कार्यो विधिज्ञैः[6] पादरेचिते ॥२७०॥
[7]समस्यैव यदा पार्ष्णिः पादस्याभ्यन्तरे भवेत् ।
बहिः पार्श्वस्थितोऽङ्गुष्ठस्त्र्यश्रपादस्तु स स्मृतः ॥२७१॥
त्यक्त्वा (कृत्वा ?) समपदं स्थानमश्वक्रान्ते तथैव च ।
स्याद्विप्लवादिष्वर्थेषु त्र्यश्रः पादो यथाविधिः ॥२७२॥
अस्यैव समपादस्य पार्ष्णिरभ्यन्तरे भवेत् ।

दर्शयति । ऊर्ध्वंकृतस्य घट्टनादुद्घट्टितः । उद्वेष्टितरूपं यत्करणमुद्वेष्ट्यन्ते यदङ्गुल्य इत्यादि तदेव बाहुकर्मभेदादबहुधा । तत्रास्य प्रयोग इति वर्तनाश्रयो विनियोगः । केचित्तु **प्रयोगमासाद्या**नुकरणार्थमप्यस्य प्रयोग इत्यूचुः यथा **विक्रमोर्वश्यादौ पुरूरवःप्रभृतेः** । एतेन नाट्यविषयो विनियोग उक्तः । अग्रणे तलेन च सञ्चरत इति ॥२६६॥

---

१. GOS. कार्यम् ।
२. NS. कुञ्चितः सूचीपादः षोढा प्रकीर्तित ।
३. KSS., NS. अयमुद्धनु···ट्टितकरेणण्व ।
४. GOS. समपादः ।
५. KSS स्थिरः स्वभाव ।
६. KSS., NS. विक्षेपः ।
७. KSS., NS do not read verses समस्यैव to संश्रयः ।

ऽग्रपादः स विज्ञेयः स्थानकादिषु संश्रयः ॥२७३॥
उत्क्षिप्ता तु भवेत्पार्ष्णिः प्रसृतोङ्गुष्ठकस्तथा ।
अङ्गुल्यश्चाञ्चिताः सर्वा [1]पादेऽग्रतलसञ्चरः ॥२७४॥
तोदननिकुट्टने स्थितनिशुम्भने भूमिताडने भ्रमणे ।
विक्षेपविविधरेचक[2]पार्ष्णिकृतागमनमेतेन ॥२७५॥
पार्ष्णिर्यस्याञ्चिता भूमौ पादमग्रतलं तथा ।
अङ्गुल्यश्चाञ्चिताः सर्वाः स पादस्त्वञ्चितः स्मृतः[3] ॥२७६॥
[4]पादाग्रतलसञ्चारे वर्तितोद्वर्तिते तथा ।
[5]एष पादाहते कार्यो नानाभ्रमरकेषु च ॥२७७॥
उत्क्षिप्ता यस्य पार्ष्णिः स्यादङ्गुल्यः कुञ्चितास्तथा ।
तथा कुञ्चितमध्यश्च स पादः कुञ्चितः स्मृतः ॥२७८॥
उदात्तगमने चैव वर्तितोद्वर्तिते तथा ।
[6]उत्क्षिप्ता तु भवेत्पार्ष्णिरङ्गुष्ठाग्रेण संस्थितः ॥२७९॥
वामश्चैव स्वभावस्थः सूचीपादः प्रकीर्तितः ।
[7]नृत्ते नूपुरकरणे प्रयोगस्तस्य कीर्त्यते ॥२८०॥

तथा तोदनं प्रेरणम्, निकुट्टनं तदवग्रहणम्, स्थितं स्थानकादि, शुम्भनं पीडनं ताडनं हननम्, भ्रमणं मनसः, विक्षेपो भूतस्यापसारणम् । विविधरेचकः करपादरेचकः ।२७५। अञ्चिता इति प्रसृताः अञ्चितमुद्वर्तितं विदूषकादिगतौ ।२७६। भ्रमरी चारी, येषु प्रयोगेषु ते भ्रमरकाः ।२७७। सूचीं षष्ठं पादमन्ये पठन्ति । नूपुरस्य पादभूषणस्य करणे बन्धने । कट्यूरुजङ्घापादकर्माण्येव परस्यामिश्रीभूततावैचित्र्येण समुदिततया प्रयुज्यमानानि चारीत्युच्यन्ते । तत्समुदायस्य मण्डलभेदेन गतिर्निष्पद्यत इति कट्यादिपादान्तकर्मणैव चार्य उक्ताः । अत एव तासां विनियोगः पृथङ् नोक्तः ॥२८०॥

---

१. GOS. पादोऽग्रतलसञ्चरः ।
२. KSS., NS. पार्ष्णिक्षता ।
३. NS स पादोऽञ्चित उच्यते ।
४. NS. पादाग्रस्थितसंचारे ।
५. NS. अतिक्रान्तक्रमे चैव पादमेतं प्रयोजयेत् ।
६. KSS. उत्क्षिप्तं ··· संस्थिता ।
७. NS. नृत्तेऽन्तःपुरकरणे ··· कीर्तितः ।

अतिक्रान्तक्रमे चैव पादमेतं प्रयोजयेत् ।
पादजङ्घोरुकरणं कर्म कार्यं प्रयोक्तृभिः ॥२८१॥
पादस्य करणं सर्वं जङ्घोरुकृतमिष्यते ।
यथा पादः प्रवर्तेत तथैवोरुः प्रवर्तते ॥२८२॥
[1]अनयोः समानकरणात् पादचारी प्रयोजयेत् ।
इत्येतदङ्गजं प्रोक्तं लक्षणं कर्म चैव हि ॥२८३॥
अतः परं प्रवक्ष्यामि चारीव्यायामलक्षणम् ॥२८४॥

[2]इति भरतीये नाट्यशास्त्रे अङ्गाभिनयो नाम नवमोऽध्यायः ।

समनन्तरं त्वध्यायत्रयं तद्वैचित्र्योदाहरणप्रदर्शनार्थमित्येतत्सर्वं मनसि कृत्वाह पादजङ्घोरुकरणमित्यादि । सममिति सह ।२८१। अत्र हुतु पादस्येति नाभिजङ्घारुकरणमित्यादिकर्मभ्योऽन्यत् पादकर्मेत्यर्थः ।

एतदेव स्फुटयति तथा पाद इति ॥२८२॥ अनयोरिति मध्ये अङ्गापि स्वीकृता अत्रैवं सर्वमाङ्गिकमियतैवोक्तमिति दर्शयति इत्येतदिति ॥२८३॥ अनन्तरवक्तव्यमासूत्रयति ।

अतः परमिति । चारीव्यायामा लक्ष्यन्ते उदाहरणतया येनेति शिवम् ॥ २८४ ॥

शिशिरतरकिरणकलिकावङ्गारविभवितभवतभङ्गुरतापः ।
अभिनवगुप्तो नवमाध्याये सन्देहताहमपनुदतति स्म ॥

इति श्रीमहामाहेश्वराभिनवगुप्ताचार्यविरचितायां नाट्यवेद विवृतावभिनवभारत्यां आङ्गिकाध्यायो नवमः ॥

---

१. NS. तयोः ।
२. KSS. इति भरतीये नाट्यशास्त्रे शरीराभिनयो नाम दशमोऽध्यायः ।

नाट्यशास्त्रम्

अथ दशमोऽध्यायः

एवं पादस्य जङ्घाया ऊर्वोः[1] कट्यास्तथैव च ।
समानकरणे चेष्टा सा चारीत्यभिधीयते ॥१॥
[2]विधानोपगताश्चार्यो व्यायच्छन्ते परस्परम् ।
यस्मादङ्गसमायुक्तास्तस्माद्व्यायाम उच्यते ॥२॥
एकपादप्रचारो यः सा चारीत्यभिसंज्ञिता ।
द्विपादक्रमणं यत्तु करणं नाम तद्भवेत् ॥३॥

अभिनवभारती

निश्चलस्थितिमद्व्योमभूचारीसद्गतिप्रदः ।
सर्वदा ध्वनिमात्रात्मा शम्भुर्विजयतात् प्रभुः ॥

चारीव्यायामलक्षणमित्युक्तम् ॥१॥

तत्र समासे सन्देहः व्यायामशब्दार्थे च । चरेर्हि करणे भावे वा औणादिक इञ्, कृदिकारादक्तिन 'ङीष्' इति च चारीशब्दः प्रसिद्धार्थ इत्यभिप्रायेण सन्देहद्वयमपाकर्तुमाह— विधानोपगता इति । अन्योन्ययोजनापतिताश्चार्यो व्यायामशब्दस्यार्थं इति तात्पर्यम् । चार्य एव व्यायाम इति कर्मधारय इत्यर्थः । अस्यार्थस्तु अन्वर्थः व्यायच्छन्ते परस्परतया आपतन्ति इति । कुत्र नियम इत्याह—परस्परमिति । पूर्वा चारी परत्र नियता न तु पूर्वस्यामिति तेनाकर्मकत्वादात्मनेपदम् । परस्परोपपदाच्चेति कर्मव्यतिहारजमात्मनेपदं निषेधति, न तु आङो यमहन इति । ननु किं तन्नियमनमित्याह । विधानोपगता इति विधानेनैकस्या नियततेति अपरा उपगता बलादेवागता । नन्वेवमन्योन्याश्रयम् ? न, अङ्गेन प्रधानभूतेन केनचित्, सम्यगायुक्ताः प्रयुक्ताः प्रवर्तिता । यत्नायत्नापेक्षया बहुवचनम् । एतदुक्तं भवति—किंचिदङ्गं प्रधानं यत् संभवति यथा हस्तौ वा अभिनये, पादौ वा गतौ, तदा तदुपयोगिनी चारी प्रधानं, तच्चारीसंपत्त्युचिता च पूर्वा चारी आश्रीयते परया चेति परस्परनियमवत्यश्चार्यो व्यायाम इति ॥२॥

तत्र व्यायामस्य संक्षिप्तमध्यमविस्तीर्णतया भेदान्निरूपयति । एकपादप्रचारो य इति । एकाकिपादेन श्रोण्यादिप्रचारो व्याक्षिप्तः द्विपादेति । पादशब्देन तत्प्रचारः नामेति प्रसिद्धार्थम् । तुर्व्यायामप्रसिद्धादन्यदेवेदं संज्ञात्वेनाधुनैव नियम्यत इत्यर्थः । एष संक्षिप्तो व्यायामः अभिनयान्तरादौ ॥३॥

---

१. GOS. उरोः ।
२. KSS., NS. विधानोभयतः ।

करणानां समायोगः[1] खण्डमित्यभिधीयते ।
खण्डैः त्रिभिश्चतुर्भिर्वा संयुक्तं मण्डलं भवेत् ॥४॥

चारीभिः प्रसृतं नृत्तं चारीभिश्चेष्टितं तथा ।
चारीभिः शस्त्रमोक्षश्च चार्यो युद्धे च कीर्तिताः ॥५॥

यदेतत्प्रस्तुतं नाट्यं तच्चारीष्वेव संज्ञितम् ।
नहि चार्या[2] विना किञ्चिन्नाट्येऽङ्गं संप्रवर्तते ॥६॥

तस्माच्चारीविधानस्य सम्प्रवक्ष्यामि लक्षणम् ।
या यस्मिंस्तु यथा योज्या नृत्ते युद्धे गतौ तथा[3] ॥७॥

करणानामिति बहुवचनात् त्रीणि तानि, "कपिञ्जलानालभेते" ति यथा । अन्यथा बहुत्वानियमे खण्डानां मण्डलेभ्यः क्व प्रविभागः । एष उपवृत्येघमानो मध्यमो व्यायामः, **त्रिभिश्चतुर्भिरि**त्येतच्चतुरश्रतालाभिप्रायेण, वाग्रहणान्मिश्रणमपि सूचयन् सङ्ख्यातरमपि गृह्णीते । तथा हि—चतुर्थे सूचीविद्धाख्ये (११-२१) मण्डले तु याश्चारीर्वक्ष्यति । सूचीं वामपदं दद्यात् इत्यादि । सप्तमे त्वलाताभिख्ये—'भ्रान्त्वा चारीभिरेताभिः पर्यायेणाथ मण्डलम् । षट्सङ्ख्यं सप्तसङ्ख्यं वा इति (११-३०) दशमेऽद्धर्घधिका (१०-१७) इति एवमन्यत्र ॥४॥

तत्र लौकिकत्वं तावच्चारीणां दर्शयति **चारीभिरि**ति । नृत्तं वाऽङ्गहारात्मकं तच्चारीभिः प्रसृतं च व्याप्तमिति प्रत्येकं चेष्टितं गतिः **शस्त्रमोक्ष** इति । चक्रकुन्तादि-युद्धम् । युद्धे चेति, खङ्गहननादि युद्धे नियुद्धे च ॥५॥

प्रकृतेऽप्युपयोजयति—**यदेतदिति** । यच्छब्देन व्याख्यातधर्मपूर्वकं, एतच्छब्देन व्याख्यास्यमानधर्मयोगं परामृश्यत इति विस्तीर्णतां नाट्यस्याह । किंचिदङ्गमिति शिरोहस्तादि, किंचिद्धि **चार्या** सह किंचित्पूर्वापरभावेन । **संप्रवर्तत** इति; खलत्वेन संवर्तते, अनित्यत्वेन प्रवर्तते, सम्यक् प्रवर्तते वा, इति यथा क्रियया वैकल्पिकोऽप्युपसर्गयोगः तथाङ्गेऽपि स्वीकारः, तत्त्वं निरूप्यत इति **भट्टमित्राचार्यः** ॥६॥

प्रकृताधिकारिखेदावहत्वाच्च न पदवाक्यवित्परिचिततापकटनमात्रलालसात्मकमतिरिति विरम्यते । **लक्षणमिति** उदाहरणम् । **नृत्त** इति यस्मिन्निति । "नपुंसक" मित्येकशेषः **तथेति** उक्तं, वक्ष्यते चेति शेषः । करणाङ्गहारादौ । तत्र नृत्ते उक्तं, युद्धे वक्ष्यते न्यायेषूह्यमिति शेषः, गतौ च द्वादशाध्याये वक्ष्यते इत्यध्यायत्रयस्यार्थं इह सूचितः ॥७॥

---

१. KSS. समायोगात् ।

२. NS. चार्यो ।

३. NS. reads it as तथा गतौ ।

समपादा स्थितावर्ता[1] शकटास्या तथैव च ।
अध्यर्धिका चाषगतिर्विच्यवा[2] च तथापरा ॥८॥
एडकाक्रीडिता बद्धा ऊरुद्वृत्ता तथाड्डिता ।
उत्स्पन्दिता च जनिता स्यन्दिता चापस्यन्दिता ॥९॥
समोत्सरितमत्तल्ली मत्तल्ली चेति[3] षोडश ।
एता भौम्यः स्मृताश्चार्यः शृणुताकाशिकीः पुनः ॥१०॥
अतिक्रान्ता ह्यपक्रान्ता पार्श्वक्रान्ता तथैव च ।
ऊर्ध्वजानुश्च सूची च तथा नूपुरपादिका ॥११॥
डोलपादा तथाक्षिप्ता[4] आविद्धोद्वृत्तसंज्ञिते ।
विद्युद्भ्रान्ता ह्यलाता च भुजङ्गत्रासिता[5] तथा ॥१२॥
मृगप्लुता च दण्डा[6] च भ्रमरी चेति षोडश ।
आकाशिक्यः स्मृता ह्येता लक्षणं च निबोधत ॥१३॥
पादैर्निरन्तरकृतैस्तथा समनखैरपि ।
समपादा स्मृता[7] चारी विज्ञेया स्थानसंश्रया ॥१४॥

तत्रोद्देशमाह—भौम्य एता इति । भूमौ भवा भौम्यः, एवमाकाशिक्य उपरिचरताम् । स्मृता इति वेदोदाहरणेऽत्र यावत्स्मर्यते तावद्व्युत्पादनार्थं शिष्टा । तैर्वक्तव्यम् तेनैतन्नाशङ्कनीयम् । यदि नेदं परिगणनं कियता भेदेनोक्तेति न तत्र स्पष्टम् । यल्लक्षणमन्वर्थं च तद्व्याक्रियते ॥८-१३॥

अथ समपादा—ननु समपादा कथं वा चारीत्याह—स्थानसंश्रयेति यदा समपाद एव स्थानान्तरं गच्छति तदा चरणाच्चारी भवत्येव योग्यतया तथा व्यपदेशादिति भावः ॥१४॥

अथ स्थितावर्ता – भूमिघृष्टेनेति । अग्रतलसञ्चरेणाभ्यन्तरमण्डलं द्वितीयपार्श्वजानुस्वस्तिकान्तं, पुनः शब्दो विशेषं द्योतयन् सन्निवेशयोगमाह । तेन स चेत्

---

१. KSS., NS. स्थिता वार्ता ।
२. KSS., NS. विच्यवाचा ।
३. KSS., चापि ।
४. KSS., NS. व्याविद्धोद्धृतसंज्ञिते । BHU. व्याविद्धोद्वृत्तसंज्ञिते ।
५. NS. भुजङ्गनासिता ।
६. BHU. दण्डपादा ।
७. GOS. तु सा ।

भूमिघृष्टेन पादेन कृत्वाभ्यन्तरमण्डलम् ।
पुनरुत्सारयेदन्यं स्थितावर्त्ता[1] तु सा स्मृता ॥१५॥

निषण्णाङ्गस्तु चरणं प्रसार्य तलसञ्चरम् ।
उद्वाहितमुरः कृत्वा शकटास्यां[2] प्रयोजयेत् ॥१६॥

सव्यस्य पृष्ठतो वामश्चरणस्तु यदा भवेत् ।
तस्यापसर्पणं[3] चैव ज्ञेया साध्यर्धिका बुधैः ॥१७॥

पादः प्रसारितः सव्यः पुनश्चैवोपसर्पितः ।
वामः सव्यापसर्पी च चाषगत्यां विधीयते ॥१८॥
[4]विच्यवात् समपादाया विच्यवां सम्प्रयोजयेत् ।
निकुट्टयंस्तलाग्रेण[5] पादस्य धरणीतलम् ॥१९॥

स्वस्तिकत्वेन श्लिष्टस्ततो द्वितीयमुत्सारयेत् स्वपार्श्वं कर्षयेदेकस्य स्थानमपरस्यामिति तथा ॥१५॥

अथ शकटास्या—निषण्णाङ्गस्त्विति । प्रयत्नधृतपूर्वकाय इत्यर्थः । शकटमसनीयं क्षेप्यं यया । एकस्मिन् पादे समेऽङ्गुल्यञ्चितं पक्षेतरं कृत्वा जानुनः कुञ्चने जङ्घा प्रसारणे च स्वपार्श्वे च त्र्यश्रितलसञ्चरस्थापनं तु निरोधनं रेचनमिवेति केचिदेनामाहुः । एतच्च लक्षणं लक्ष्यार्थासङ्गतमेव ॥१६॥

अथाध्यर्धिका सव्यस्येति दक्षिणस्य । पृष्ठत इति पार्ष्णिदेशे । तस्येति दक्षिणस्योपसर्पणे स्वपार्श्वार्धत्र्यश्रिततया स्थितिः । अव्यतिरेकेति अध्यर्धतालान्तरत्वादयो मन्तव्याः । एकस्य पूर्णा गतिरभ्यस्य पादस्य पूर्णार्धिकेत्यन्ये । करणप्राधान्याच्चैवमुक्तं वामस्यापि पृष्ठसङ्गतमेव ॥१७॥

अथ चाषगतिः सव्य इति सव्योऽपसर्पत्येव सर्वत्र प्रसारित इति तालमात्रमग्रतः पुनः स एवापसर्पितो द्वितालमात्रं पश्चान्नीतः, वामः सव्येन सहापसर्पति । किंचिदुत्प्लुत्य सव्यवामावपसर्पतः श्लिष्यतश्चेति सत्रासमपसर्पणादौ चाषस्येव गतिः चाषगतिः । सव्योपसर्पी चेत्यन्ये पठन्ति, तत्र सव्योसपशब्दयोः श्लिष्टत्वमपसर्पणं चार्यः ॥१८॥

अथ विच्यवा—पादस्येति पादयोरित्यर्थः ॥१९॥

---

१. NS., KSS. स्थिता वार्ता ।
२. KSS., शकटास्यं ।
३. KSS., NS. तस्योपसर्पणं BHU. तस्योपसर्पणे ।
४. KSS., NS. वीच्यवाक् समपादायां विच्यवां सम्प्रयोजयेत् ।
५. KSS., NS. तथाग्रेण ।

तलसञ्चरपादाभ्यामुत्प्लुत्य पतनं तु यत्।
पर्यायशश्च[1] क्रियते एडकाक्रीडिता तु सा ॥२०॥

अन्योन्यजङ्घासंवेधात् कृत्वा तु स्वस्तिकं ततः।
उरुभ्यां वलनं यस्मात् सा बद्धा चार्युदाहृता ॥२१॥

तलसञ्चरपादस्य पार्ष्णिर्बाह्योन्मुखी यदा।
जङ्घाञ्चिता तथोद्वृत्ता ऊरुद्वृत्तेति सा स्मृता ॥२२॥

अग्रतः पृष्ठतो वापि[2] पादस्तु तलसञ्चरः।
द्वितीयपादो निर्घृष्टः यस्यां[3] स्यादड्डिता तु सा ॥२३॥

अथैलकाक्रीडिता=उत्प्लुत्य, किंचिदेकवारं, सक्थिगुल्फदेशेभ्य: पुनरुत्प्लुतिः अङ्गान्तरेणैवमिति पर्यायशः पतनं यत्र चार्या सा अजकागतितुल्यत्वादेडकाक्रीडिता ॥२०॥

अथ बद्धा—केवलयोरेवोर्वोर्वलनं स्थित एव जङ्घास्वस्तिक इति बद्धां केचिदाहुः। अन्ये तु स्वस्तिकापसरणेन पादतलाग्रयोर्मण्डलभ्रमणपूर्वकं यत् स्वस्वपार्श्वगमनं तदूरुबन्धनमाहुः। जङ्घयोः संबन्धनादनुबद्धा ॥२१॥

अथोरूद्वृत्ता—अग्रतलसञ्चरस्य पादस्य संबन्धिनी पार्ष्णिर्द्वितीयपादपृष्ठभागोन्मुखी यदा भवति जङ्घा च तथा उद्वृत्ता तदा जानुनमनादाकुञ्चिता, द्वितीयजङ्घासम्मुखं वलनात्। ऊरोरूर्ध्वविवर्तनात् लज्जेर्ष्यादिविषया उरूद्वृत्ता। अन्ये तु पार्ष्णिर्द्वितीयपादाग्रतलसञ्चरबाह्योन्मुखीत्याहुः ॥२२॥

अथाड्डिता—अग्रत इति। अपिस्समुच्चये, वा पर्याये। तेन समस्थित एकोऽग्रतलसञ्चरः पादः द्वितीयः क्रमादग्रे पृष्ठे च निर्घृष्टः श्लिष्टः कार्य इति अड्डिता, पादस्य स्वस्थानातिक्रमणात्। अड्ड अतिक्रमहिंसयोरित्यस्य इतचि रूपम् पठन्ति, सर्वत्र च ॥२३॥

अथोत्स्पन्दिता—बाह्येन कनिष्ठाङ्गुलिभागेन अभ्यन्तराङ्गुष्ठभागेन निवर्तते चेदुभाभ्यां पादाभ्यां गमागमं कुरुते। किमवधीत्याह—पादरेचितस्यापसारम्, शोभा-

---

१. KSS., NS. पर्यायतः।

२ NS. चापि।

३. KSS., यत्र।

शनैः पादो निवर्तेत[1] बाह्येनाभ्यन्तरेण च ।
यत्र रेचकानुसारेण सा चार्युत्स्यन्दिता स्मृता ॥२४॥
मुष्टिहस्तश्च वक्षःस्थः करोऽन्यश्च प्रवर्तितः ।
तलसञ्चरपादश्च जनिता चार्युदाहृता ॥२५॥
पञ्चतालान्तरं पादं प्रसार्य स्यन्दितां न्यसेत् ।
द्वितीयेन तु पादेन तथापस्यन्दितामपि ॥२६॥
तलसञ्चरपादाभ्यां[2] घूर्णमानोपसर्पणैः ।
[3]समोत्सरितमत्तल्ली व्यायामे समुदाहृताः ॥२७॥

पेक्षयोत्क्रान्तमस्याम् । यन्नद्याः प्रत्यावर्तनरूपस्पन्दितकृतं तत्तुल्यत्वादियमुत्स्पन्दिता । रेचकं नृत्तहस्तमत्र केचिदाहुः ॥२४॥

अथ जनिता—तलसञ्चरपादः प्रवर्तित इति । एतदेवास्याः स्वरूपं मुष्टेर्वक्षोगामित्वं हस्तान्तरस्य च प्रवर्तनमितिकर्तव्यतामात्रम् । समस्तगतीनामियं जननं करोति प्रारम्भरूपत्वादिति जनिता ॥२५॥

अथ स्यन्दितापस्यन्दिते - क्रमसमो निषण्णोरुः पादो दक्षिणस्तु पञ्चतालान् प्रसारितः 'अस्यैव दक्षिणं पादं पञ्चतालान् प्रसारितः । तालः स्मृतो मध्यमया इति । सा स्यन्दिता प्रसारणधर्मत्वात् । एतद्विपर्ययादपस्यन्दितेति । अङ्गविपर्ययाच्च लब्धाप्येषा प्रयोगे साहचर्यनियमख्यापनार्थं पुनर्निरूपिता । आलीढप्रत्यालीढयोस्तु पादद्वयमपि त्र्यश्रितसंस्थानं मण्डलजीवित्वं यद् वक्ष्यते मण्डलेन प्रयोजयेत् ।१०-६६। स्यन्दितायास्तु नैवमिति शेषः । स्थानस्य स्थितिप्रधानता चार्यास्तु गतिप्रधानतेत्यपि विसेषः ॥२६॥

अथ समोत्सरितमत्तल्ली—तलसञ्चरयोगेन जङ्घास्वस्तिकाभ्यन्तरे यदान्यस्य तदैव च द्वितीयतलसञ्चरं करोति ततो घूर्णमानयोस्तयोः उपसर्पणमित्यन्ये । समः अविकलः । अ अवनं रक्षणम् उत् ऊर्ध्वं सरितः गतिमान् समोत्सरितः । मदनं मत् तं मदं तनोतीति मत्तत् तस्य लयो गमनं यस्यामिति मत्तल्ली । सरितशब्दो रि गतौ इत्यस्मात् क्तप्रत्यये विन्यस्यते । सहेन समासे सादेशे च । मदनं मत् । तननं तत् । लयनं लीः । सर इति प्रातिपदिकात् इतचि वा सरितशब्दः । सम् आ उत् सरित इत्यन्ये पठन्ति । मदेन यो न विकलीभूतः रक्षार्थं चान्यतः पलायते तस्य वै द्विधा गतिरिति मध्यमदविषयेयं चारी सम्पद्यते ॥२७॥

१. KSS., NS, विवर्तेत ।
२. GOS. पादस्य ।
३. KSS., NS. समोत्तारित ।

उभाभ्यामपि पादाभ्यां घूर्णमानोपसर्पणैः ।
उद्वेष्टितापविद्धैश्च हस्तैर्मत्तल्ल्युदाहृता ॥२८॥

एता भौम्यः[1] स्मृताश्चार्यो [2]नियुद्धकरणाश्रयाः ।
आकाशकीनां चारीणां सम्प्रवक्ष्यामि लक्षणम् ॥२९॥

कुञ्चितं पादमुत्क्षिप्य पुरतः सम्प्रसारयेत् ।
उत्क्षिप्य पातयेच्चैनमतिक्रान्ता तु सा स्मृता ॥३०॥

ऊरुभ्यां वलनं कृत्वा कुञ्चितं पादमुद्धरेत् ।
पार्श्वे विनिक्षिपेच्चैनमपक्रान्ता तु सा स्मृता ॥३१॥

कुञ्चितं पादमुत्क्षिप्य पार्श्वेनोत्पतनं[3] न्यसेत् ।
उद्घट्टितेन पादेन पार्श्वक्रान्ता विधीयते ॥३२॥

अथ मत्तल्ली—पादाभ्यामिति भूमिश्लिष्टाग्रतलाभ्यामिति जङ्घास्वस्तिकयोगेनार्धत्र्यश्रितभागाभ्यां घूर्णमानत्वेनापसर्पणाद्वा, अगाढमदविषया चारी मत्तल्ली ।२८।

नियुद्धकरणाश्रया इति । नियुद्धेऽनादिसिद्धा एताः, करणाङ्गहारेषु च तनो नाट्ये । स्मृता इत्यनेनोपवेदसंबन्धत्वेन वेदोऽत्र प्रमाणमिति दर्शितं विनियोगदिक्प्रदर्शनं चेदं मन्तव्यम् ॥२९॥

अथातिक्रान्ता—"उत्क्षिप्ता यस्य पार्ष्णिरिति" (९-२७७) कुञ्चितं तद् द्वितीयगुल्फक्षेत्रे कृत्वा किंचित् पुरतः प्रसार्य प्रकृतिभेदेन चतुस्तालान्तरमुत्क्षिप्याग्रेण भूमौ निपात्यत इति गन्तव्यातिक्रमादतिक्रान्ता ॥३०॥

अथापक्रान्ता—ऊरुभ्यां वलनोपलक्षितां (बद्धां) पूर्वं कृत्वा ततः पादमुद्धृत्य पार्श्वे क्षिपेदित्यपक्रमणादपक्रान्ता ॥३१॥

अथ पार्श्वक्रान्ता—कुञ्चितं पादं स्वपार्श्वेनोपरि नीत्वा भूमौ पार्ष्ण्या पातयेदिति पूर्वं कुञ्चनद्विलादेवोद्घाटितत्वं भवति; तस्य हि लक्षणं "स्थित्वा पादतलाग्रेण पार्ष्णिर्भूमौ निपात्यते" इति (९-२६६) । इयमेव पार्ष्णिचण्डघातेति प्रसिद्धा । अन्ये तु द्वितीयोरुक्षेत्रं यावदुत्क्षिप्योद्घाटितेन पातयेदित्याहुः ॥३२॥

---

१. KSS NS., भूम्यः ।
२. KSS, NS., नियुक्त ।
३. N.S, पार्श्वेत्थानगतिं । KSS. पार्श्वोत्थानोद्गतिं GOS. जानुस्तनसमं ।

कुञ्चितं पादमुत्क्षिप्य जानुस्तनसमं न्यसेत् ।
द्वितीयं च क्रमात्[1] स्तब्धमूर्ध्वजानुः प्रकीर्तिता ॥३३॥

[2]कुञ्चितं पादमुत्क्षिप्य जानूर्ध्वं सम्प्रसारयेत् ।
पातयेच्चाग्रयोगेन सा सूची परिकीर्तिता ॥३४॥

पृष्ठतो ह्यञ्चितं कृत्वा पादमग्रतलेन तु ।
द्रुतं निर्यातयेद्भूमौ चारी नूपुरपादिका ॥३५॥

कुञ्चितं पादमुक्षित्य[3]पार्श्वात्पार्श्वं तु दोलयेत् ।
पातयेदञ्चितं चैवं दोलपादा तु सा स्मृता[4] ॥३६॥

कुञ्चितं पादमुत्क्षिप्य आक्षिप्य[5] त्वञ्चितं न्यसेत् ।
जङ्घास्वस्तिकसंयुक्ता चाक्षिप्ता[6] नाम सा स्मृता[7] ॥३७॥

अथोर्ध्वजानुः—क्रमस्तब्धमिति यथा तस्योत्क्षेपस्तथास्य स्तब्धतेत्यर्थः ।३३।

अथ सूची—जानूर्ध्वं जानुपर्यन्तां जघां प्रसारयेत् । यदि वा जानोरुर्ध्वमूरुपर्यन्तां जङ्घां सकलां प्रसार्याग्रयोगेनापातयेदिति । सूच्याकारत्वात् सूची ॥३४॥

अथ नूपुरपादिका—पृष्ठत इति "पार्ष्णिर्यस्य स्थिता भूमौ" इत्यञ्चितं (९-२७५) कृत्वा तं पृष्ठतः स्फिक्पार्ष्णिश्लेषपर्यन्तं नीत्वा स्वपार्श्वेऽग्रतलेनाञ्चितां जङ्घां पातयेदिति । नूपुराणां झणझणिति शब्दजननात् त्वरितार्थत्वमनया भवति नूपुरयोजनं चेति तथोक्ता ॥३५॥

अथ दोलपादा—उत्क्षिप्येति दक्षिणक्षेत्रान्तं स्वपार्श्वं निनीय ततोऽपि स्वपार्श्वं दोलयेदिति दोलाकारेण नयेत्, ततः स्वपार्श्वे पार्ष्ण्या निपातयेत् ॥३६॥

अथाक्षिप्ता—आक्षिप्येति । अग्रतस्त्रितालोत्क्षेपादर्धमण्डलवत् पार्श्वान्तरं नीत्वा स्वस्तिकेन पार्ष्ण्या भुवि पातयेत् ॥३७॥

---

१. GOS क्रमः ।
२. KSS. does, not read this verse. NS. reads it after पृष्ठतो etc.
३. KSS., NS. पार्श्वं ।
४. GOS., NS. प्रकीर्तिता ।
५. NS. व्याक्षिप्य KSS. व्याक्षिप्यं चाञ्चितं ।
६. NS. प्रक्षिप्ता KSS. उत्क्षिप्ता ।
७. KSS. भवेत् ।

स्वस्तिकस्याग्रतः पादः कुञ्चितस्तु[1] प्रसारितः ।
निपतेदञ्चिताविद्ध[2] आविद्धा नाम सा स्मृता ॥३८॥

पादमाविद्धमावेष्ट्य समुत्क्षिप्य निपातयेत् ।
परिवृत्य द्वितीयं च सोद्वृत्ता चार्युदाहृता ॥३९॥

पृष्ठतो वलितं पादं शिरोघृष्टं प्रसारयेत् ।
सर्वतो मण्डलाविद्धं विद्युद्भ्रान्ता तु सा स्मृता ॥४०॥

[3]पृष्ठः प्रसारितः पादो वलितोऽभ्यन्तरीकृतः ।
पार्ष्णिप्रपतितश्चैव ह्यलाता सम्प्रकीर्तिता[4] ॥४१॥

कुञ्चितं पादमुत्क्षिप्य त्र्यस्रमूरुं विवर्त्तयेत् ।
कटिजानुविवर्त्ताच्च भुजङ्गत्रासिता भवेत् ॥४२॥

अथाविद्धा—विश्लिष्टजङ्घस्यैव स्वस्तिकस्य संबंधी कुञ्चितः पादः प्रसारितः ततआविद्धस्सन् स्वपार्श्वे द्वितीयपार्ष्णेः क्षेत्रे पार्ष्ण्या पातितः कार्यः ॥३८॥

अथोद्वृत्ता—आविद्धमिति आविद्धचारीसम्बन्धिनं कुञ्चितमित्ययनेन आविद्धाशेषभूतेयमिति दर्शयति । आवेष्टनं द्वितीयोरुक्षेत्रगपार्ष्णित्वम् । तमेव पादमुत्प्लुत्य भ्रमरकं कृत्वा पातयेत् । ततो द्वितीयमित्यूर्ध्वं वर्तमानत्वादुद्वृत्ता ॥३९॥

अथ विद्युद्भ्रान्ता—पृष्ठत ऊरुमूलादिति केचित् । उपाध्यायास्तु पृष्ठतः पार्श्वात् पश्चाद् भागे वलितं कृत्वा शिरः संश्लेषात् तद्द्वारेण सर्वत ऊर्ध्वाधः पार्श्वेषु मण्डलवद् भ्रमितं प्रसारयेदिति विद्युद्भ्रान्ता ॥४०॥

अथालाता—पूर्वं पश्चाद्भागे प्रसारितस्ततो वलनेनाभ्यन्तरीकृतो द्वितीयोरुदेशादभिमुखतलं च नीतः, ततः स्वपार्श्वपार्ष्ण्या पातित इति अलातचक्राकृतिरलाता ॥४१॥

अथ भुजङ्गत्रासिता—द्वितीयोरुमूलक्षेत्रान्तं कुञ्चितमुत्क्षिप्य कटिजानुनिवर्तनेन नितम्बसम्मुखपार्ष्णित्र्यश्रमूरुं विवर्तयेत् । स्वपार्श्वगजानुकमुत्तानपादतलं कुर्यादिति पादोपान्तभुजगभयभावितगतिसादृश्याद् भुजङ्गत्रासिता ॥४२॥

अथ हरिणप्लुता—अतिक्रान्तचार्युक्तकुञ्चितं पादमुत्क्षिप्योत्प्लुत्य च तमेव

---

१. NS. च ।
२. GOS. ताविद्धमाविद्ध ।
३. NS. पृष्ठतः सर्वतः पादो वलिताऽभ्य… । GOS. पृष्ठप्रसारितः ।
४. KSS. सा प्रकीर्तितः ।

अतिक्रान्तक्रमं कृत्वा समुत्प्लुत्य निपातयेत् ।
जङ्घाञ्चितोपरिक्षिप्ता सा ज्ञेया हरिणप्लुता[1] ॥४३॥

नूपूरं चरणं कृत्वा पुरतः सम्प्रसारयेत् ।
क्षिप्रमाविद्धकरणं दण्डपादा तु सा स्मृता ॥४४॥

अतिक्रान्तक्रमं कृत्वा त्रिकं तु परिवर्त्तयेत् ।
द्वितीयपादभ्रमणात्तलेन[2] भ्रमरी स्मृता ॥४५॥

आकाशिक्यः स्मृता ह्येता ललिताङ्गक्रियात्मिकाः ।
धनु[3]र्वज्रासिशस्त्राणां प्रयोक्तव्या[4] प्रयोक्तृभिः ॥४६॥

अग्रगौ पृष्ठगौ[5] वापि [6]ह्यनुगौ चापि योगतः ।
पादयोस्तु द्विजा[7] हस्तौ कर्तव्यौ नाट्ययोक्तृभिः ॥४७॥

पात्येत् । तदनन्तरं द्वितीया जङ्घा अञ्चितपादा सती पृष्ठभागे पश्चाद्देशे क्षिप्ता कार्येति मृगप्लुतितुल्या, 'सन्धि होदु' इत्यादौ विदूषकादेर्दृश्यते ।४३।

अथ दण्डपादा—नूपूरपादोक्तं कुञ्चितं पादं द्वितीयपार्ष्णिग्रं कृत्वाग्रतः प्रसारयेत्; कथं, क्षिप्रं कृत्वा तथा आविद्धकरणं, आविद्धस्वदेहक्षेत्रसम्मुखीकृत-जान्वग्रात् क्रिया यत्र । ऊरुजानुजङ्घस्य स्तब्धत्वेन दण्डाकारत्वाद् दण्डपादा ॥४४॥

अथ भ्रमरी—अतिक्रान्तचार्युक्तं कुञ्चितं पादमुत्क्षिप्य भुजङ्गत्रासितवत् त्र्यश्रमूरूं विवर्त्य द्वितीयपादतलभ्रमणे त्रिकं परिवर्तयेदिति सर्वशरीरपरिवर्तनद्वारेण नेमिभ्रमणाद् भ्रमरी ॥४५॥

इतिकर्तव्यताशेषं विनियोगादिकं चासां दर्शयति—ललिताङ्गक्रियात्मिका इति धनुर्वज्रेत्यादि च ॥४६॥

अथ कायशोभां निरूपयन् व्यापकविनियोगं चारीणां दर्शयति—अग्रगा-वित्यादि । इदं तात्पर्यम्—इह कदाचिद्गतेः प्राधान्यं, कदाचिद्धस्तव्यापारस्य, कदाचिद् द्वयोः । आद्ये पक्षे पादविक्षेपस्यानुगौ तदनुसारिणौ तत्पश्चाद्भाविनौ च हस्तौ, द्वितीये हस्तव्यापारस्यानुसारेण पश्चाद्भावेन च पादौ, तृतीये द्वयोरपि तुल्यकालताविनियोगपारतन्त्र्येण च प्रवृत्तिः । योग औचित्यम् ॥४७॥

---

१. NS. हरिणीप्लुता ।
२. NS. चलने ।
३. KSS. NS. वज्रादि ।
४. NS. योक्तव्याः ।
५. KSS. समगौ ।
६. KSS. Omits हि ।
७. KSS. द्विजहस्तौ ।

यतः पादस्ततो हस्तो यतो हस्तस्ततस्त्रिकम् ।
पादस्य निर्गमं [1]ज्ञात्वा तथोपाङ्गानि योजयेत् ॥४८॥

पादचार्यां यथा पादो धरणीमेव गच्छति ।
एवं हस्तश्चरित्वा[2] तु कटिदेशं समाश्रयेत् ॥४९॥

एताश्चार्यो[3] मया प्रोक्ता ललिताङ्गक्रियात्मिकाः ।
स्थानान्यासां प्रवक्ष्यामि सर्वशस्त्रविमोक्षणे ॥५०॥

वैष्णवं समपादं च वैशाखं मण्डलं तथा ।
प्रत्यालीढं[4] तथालीढं स्थानान्येतानि षण् नृणाम् ॥५१॥

द्वौ तालावर्धतालश्च पादयोरन्तरं भवेत् ।
तयोः समस्थितस्त्वेकः त्र्यस्रः पक्षस्थितोऽपरः[5] ॥५२॥

कायशोभायोजनायेह अग्रे चात्राध्याये चार्यः प्रस्तुताः (१०-७३) इति तत्प्राधान्यं यदा भवति तदा योजना कीदृशी कार्येति स्पष्टयितुमाह—**यतो हस्त** इति । **तथेति** तेनैव प्रकारेण, **उपाङ्गानि** भ्रूनेत्रादीनि ॥४८॥

ननु हस्तस्य क्रियायां यदि पादस्य गतिक्रिया तर्हि तद्विश्रान्तौ हस्तस्य को वृत्तान्त इत्याशङ्क्याह– **पादचार्यामिति** समाप्तायामिति शेषः । एवकारोऽप्यसंभावनां निरस्यति । **हस्त** इति ॥४९॥

अर्धचन्द्रो नाट्ये, नृत्ते तु पक्षप्रद्योतौ पक्षवञ्चितावपि । पादस्य धरणीप्राप्तौ कीदृक् कायसन्निवेश इत्याशयेन स्थानकान्यभिधित्सुः पूर्वोपसंहारपूर्वकं प्रतिजानीते—**एताश्चार्य** इति । ललितत्वमङ्गस्य यत इयतीभिरेव इमा उत्तानत्वे । तावानेव गतिप्रकार इति यावत् । स्थानानि भावे करणेऽधिकरणे वा व्युत्पत्त्या कायसन्निवेशाश्चार्यो उच्यन्ते । **सर्वशस्त्रविमोक्षण** इति साधारणो विनियोग उक्तः । आसामपि चारीणां पूर्वं गतिरूपत्वं, गतेश्च पश्चाद्भाविनी स्थितिरिति भावः ॥५०॥

नृणामिति स्थानकानि तु निरूपयिष्यन्त इत्यर्थः ॥५१॥ **पक्षस्थित** इति पार्श्वाभिमुखाङ्गुलिः । **त्र्यस्र** इति किंचिदग्राभिमुख्यमस्पृशत् ॥५१-५२॥ अञ्चिता कुटिला

---

१. NS. निर्गति ।

२. KSS., NS. हस्तं चरित्वा ।

३. KSS. एताश्चार्या ।

४. KSS. प्रत्यालीढमथालीढं ।

५. NS., KSS. त्र्यस्रपादस्थितोऽपरः ।

किञ्चिदञ्चितजङ्घं च सौष्ठवाङ्गपुरस्कृतम् ।
वैष्णवं स्थानमेतद्धि विष्णुरत्रा[1]धिदैवतम् ॥५३॥

स्थानेनानेन कर्त्तव्यः संल्लापस्तु स्वभावजः ।
नानाकार्यान्तरापेतैर्न भिरुत्तममध्यमैः ॥५४॥

[चक्रस्य मोक्षणे चैव धारणे धनुषस्तथा ।
धैर्यदानाङ्गलीलासु तथा क्रोधे प्रयोजयेत् ॥५५॥

इदमेव विपर्यस्तं प्रणयक्रोध इष्यते ।
उपालम्भकृते चैव [2]प्रणयोद्वेगयोस्तथा ॥५६॥

शङ्कासूयोग्रताचिन्तामतिस्मृतिषु चैव हि ।
दैन्ये चपलतायोगे गर्वाभीष्टेषु[3] शक्तिषु ॥५७॥

शृङ्गाराद्भुतबीभत्सवीरप्राधान्ययोजितम् ।]
समपादे समौ पादौ तालमात्रान्तरस्थितौ ॥५८॥

स्वभावसौष्ठवोपेतौ ब्रह्मा चात्राधिदैवतम् ।
अनेन कार्यं स्थानेन विप्रमङ्गलधारणम् ॥५९॥

रूपणे पक्षिणां चैव वरं[4] कौतुकमेव च ।
स्वस्थानां स्यन्दनस्थानां विमानस्थायिनामपि ॥६०॥

जानुनमनाज्जङ्घा यत्र । सौष्ठवे यदङ्गं वक्ष्यते तेन पुरस्कृतं पूजितम्, अप्रधाने वा अङ्गे सौष्ठवं पुरस्कृतं प्रधानम् । हि यस्मात् विष्णुरत्राधिदैवतम् तस्माद्वैष्णवम् । तेन तस्य तादृशस्य वाऽस्त्रीप्रधानस्य सूत्रधारादेः प्रयोगे स्थानकमिदम् । एवमुत्तरत्र मन्तव्यम् ।५३। एतदेवाह—स्थानेनानेनेति स्वभावजः अनावेशितः ।५४। विप्रमङ्गलेति विप्रैः क्रियमाणं यन् मङ्गलाशीर्वचनादि तस्य धारणं प्रतीप्सन् ।५९। स्वस्थादीनामिदं स्थानकम् ।६०। लिङ्गस्थाः शैवाद्याः व्रतस्था उर्ध्वकायादिप्रततान्ङ्गाः

---

१. NS. रैवाधि···।
२. KSS., NS. प्रकर्षाधिबलस्तथा ।
३. NS. मन्त्राधिक्येषु ।
४. NS. परम् ।

लिङ्गस्थानां व्रतस्थानां स्थानमेतत्तु कारयेत् ।
तालास्त्रयोऽर्धतालश्च पादयोरन्तरं भवेत् ॥६१॥

तालांस्त्रीनर्धतालांश्च निष्णणोरुं प्रकल्पयेद् ।
त्र्यस्रौ वक्षःस्थितौ चैव तत्र पादौ प्रयोजयेत् ॥६२॥

वैशाखस्थानमेतद्धि स्कन्दश्चात्राधिदैवतम् ।
स्थानेनानेन कर्तव्यमश्वानां वाहनं बुधैः ॥६३॥

व्यायामनिर्गमश्चैव स्थूल[1]पक्षिनिरूपणम् ।
शराणां च समुत्क्षेपो व्यायामकरणे तथा ॥६४॥

रेचकेष च कर्तव्यमिदमेव प्रयोक्तृभिः ।
ऐन्द्रे तु मण्डले पादौ चतुस्तालानान्तरस्थितौ ॥६५॥

त्र्यस्रौ [2]पक्षःस्थितौ चैव कटिजानू समौ तथा ।
धनुर्वज्रासिशस्त्राणि मण्डलेन प्रयोजयेत् ॥६६॥

वाहनं कुञ्जराणां[3] तु स्थूलपक्षिनिरूपणम् ।
अस्यैव दक्षिणं पादं पञ्च तालान् प्रसार्य तु ॥६७॥

आलीढं स्थानकं कुर्याद् रुद्रश्चात्राधिदैवतम् ।
अनेन कार्यं स्थानेन वीररौद्रकृतं तु यत् ॥६८॥

उत्तरोत्तरसंजल्पो रोषामर्षकृतस्तु यः ।
मल्लानाञ्चैव संफेटः शत्रूणां च निरूपणम् ॥६९॥

।६१। किंचत्याकाशदेश इत्याह—तालास्त्रयोऽर्धतालाश्चेति सार्धतालत्रयादधो नभोदेश इत्यर्थः । निषण्णावचलौ विश्रान्तौ तु उरू यत्र सूच्यपेक्षया ।६२। विशाखः स्कन्दः । व्याप्याङ्गानामेव युद्धादौ निर्गमनात् तेषामेव वेगादानपार्ष्णिचोदनाक्रमेण ।६३-६४। ऐन्द्रे त्विति शेषं द्योतयन् सार्धतालद्वयान्तरनभोदेशनिषण्णोरुत्वमत्रापि सूचयति ।६५। मण्डलेश्वरविषयत्वान्मण्डलम् ।६६। अश्वानां वाहने वैशाखं, इदं तु हस्तिनां, तेभ्यः स्थूलानामिति प्रक्रमात् स्थूलाः पक्षिणोऽत्र गरुडादयो मन्तव्याः ।

अस्यैवेति निषण्णोरुत्वं तथा त्र्यश्रत्वं द्वयोः सूचयति ।६७। आसमन्ताल्लीढा स्पृष्टा भूमिर्येनेत्यालीढम् ।६८। संफेटः संघर्षः ।।६९।।

---

१. NS पक्ष ।
२. KSS., NS. वक्षः ।
३. NS. कुञ्जरादीनां ।

तथाभिद्रवणं चैव शस्त्राणां चैव मोक्षणम् ।
कुञ्चितं दक्षिणं कृत्वा वामं पादं प्रसार्य च ॥७०॥

आलीढपरिवर्तस्तु प्रत्यालीढमिति स्मृतम् ।
आलीढसंहितं शस्त्रं प्रत्यालीढेन मोक्षयेत् ॥७१॥

नानाशस्त्रविमोक्षो हि कार्योऽनेन प्रयोक्तृभिः ।
न्यायाच्चैव हि विज्ञेयाश्चत्वारः शस्त्रमोक्षणे ॥७२॥

भारतः सात्वतश्चैव वार्षगण्योऽथ कैशिकः ।
भारते तु कटीच्छेद्यं पादच्छेद्यं तु सात्वते ॥७३॥

वक्षसो वार्षगण्ये तु शिरश्छेद्यन्तु कैशिके ।
एभिः प्रयोक्तृभिर्न्यायैर्नानाचारीसमुत्थितैः ॥७४॥

प्रविचार्यं प्रयोक्तव्यं नानाशस्त्रविमोक्षणे ।
न्यायाश्रितैरङ्गहारैर्न्यायाच्चैव समुत्थितैः ॥७५॥

यस्माद् युद्धानि वर्तन्ते[1] तस्मान् न्यायाः प्रकीर्तिताः ।
वामहस्ते विनिक्षिप्य खेटकं शस्त्रफेटकम् ॥७६॥

शस्त्रमादाय हस्तेन प्रविचारमथाचरेत् ।
प्रसार्य च करौ सम्यक् पुनराक्षिप्य[2] चैव हि ॥७७॥

आलीढपरिवर्त इतीयदेव लक्षणं पूर्वमुक्तम्, तु पदं इतिकर्त्तव्यतास्पष्टकरणार्थम् ।७०। कुञ्चितमिति प्रसारणविपरीतं भूय उत्तानाकुञ्चितोऽत्र पादः ।७१। ननु प्रयोक्तृभिः शस्त्रविमोक्षः कार्य इत्युक्तम् । तस्य (प्रयोक्तृभिः ? (न्यायात्यादि?) न्यायामाच्चेति नामानुसारादेषां वृत्तिविभागे परिशेषता । आरभटया वार्षगण्यः ।७२। कटिच्छेद्य-मिति भावे कृत्यः । कटीस्थानादिषु परस्य हन्तव्येष्वतिक्रमेण चत्वारः ।७३। एभिरिति एभिर्न्यायैरुपलक्षिताः ।७४। शस्त्रमोक्षणाविषयाः प्रविचाराः प्रकृष्टाः विचित्रा चारा गतिविशेषाः । (परिश्रान्तिशब्दाः?) प्रयोक्तव्याः चारीव्यायामकरण-खण्डमण्डलात्मकाः कार्याः ॥७५॥

न्यायशब्दस्यार्थं दर्शयति न्यायाश्रितैरिति न्यायेनाङ्गौचित्येन यान्यङ्गो-दाहरणादि न्यायादेव च परबन्धनस्वभाविताप्तिरूपात् प्रवर्तितानि तैः यत एतयोः क्रिया अतो न्यायाख्याः ।७६। अथापि चेत्यनन्तरं चेत्यर्थः ।७७। परिवेष्टनेन गमनं

---

१. NS. नीयन्ते ।
२. NS. पुनरावर्त्य ।

खेटकं भ्रामयेत् पश्चात् पार्श्वात् पार्श्वमथापि च ।
शिर:परिगमश्चापि कार्य: शस्त्रेण योक्तृभि: ॥७८॥
[1]कपोलस्यान्तरे वापि[2] शस्त्रस्योद्वेष्टनं[3] तथा ।
पुनश्च खड्गहस्तेन ललितोद्वेष्टितेन[4] च ॥७९॥
खेटकेन च कर्तव्य: शिर:परिगमो पुन: ।
एष प्रचार: कर्तव्यो भारते शस्त्रमोक्षणे ॥८०॥
सात्वते च प्रवक्ष्यामि प्रविचारं यथाविधि: ।
स एव प्रविचारस्तु खड्गखेटकयो: स्मृत: ॥८१॥
केवलं पृष्ठत: शस्त्रं कर्तव्यं खलु सात्वते ।
गतिश्च वार्षगण्येऽपि सात्वतेन क्रमेण तु ॥८२॥
[6]शस्त्रखेटकयोश्चापि भ्रमणं संविधीयते ।
शिर: परिगमस्तद्वच्छस्त्रस्येह भवेत्तथा[6] ॥८३॥
उरस्युद्वेष्टनं कार्यं शस्त्रस्यांशेऽथवा पुन: ।
भारते प्रविचारोऽयं कर्तव्य: स तु कैशिके ॥८४॥
विभ्रमय्य[7] तथा शस्त्रं केवलं मूर्ध्नि पातयेत् ।
प्रविचारा प्रयोक्तव्या[8] ह्येवमेतेऽङ्गलीलया ॥८५॥
धनुर्वज्रासि[9]शस्त्राणां प्रयोक्तव्या विमोक्षणे ।
न भेद्यं नापि तु च्छेद्यं न चापि रुधिरस्रुति: ॥८६॥

नयनं परिगम: ।७८। मणिबन्धोद्वेष्टनेन शस्त्रस्योद्वेष्टनम् । उद्वेष्टितेनेति उद्वेल्लितेनेति ।७९। पृष्ठत इति कायस्य पश्चाद्भागे ।८२। युद्धप्रसङ्गेन सर्वं प्रयोज्यमिति प्रतीत्या-शङ्क्याह—न भेद्यमिति भावे प्रत्यय: ।८६। संज्ञामात्रेणेति । यथा परो जानाति युध्येते इमाविति एवं त्विमावित्यादिविषयं निधाय नाटकादौ संज्ञामात्रेणापि; तेन

---

१. NS. कपोलांसान्तरे ।
२. NS. KSS. चापि ।
३. NS. घटनं ।
४. NS. वर्तितेन ।
५. NS. खड्ग ।
६. NS. शिर: परिगमार्दस्मिस्तस्य शस्त्रस्य केवलम् ।
७. NS. विभ्रमश्च ।
८. KSS. कर्त्तव्या ।
९. KSS. वज्रादि ।

रङ्गे[1] प्रहरणे कार्यो न चापि व्यक्तघातनम् ।
[2]संज्ञामात्रेण कर्तव्यं शस्त्राणां मोक्षणं बुधैः ॥८७॥

अथवाभिनयोपेतं कुर्याच्छेद्यं विधानतः ।
[2]अङ्गसौष्ठवसंयुक्तैरङ्गहारैर्विभूषितम् ॥८८॥

व्यायामं कारयेत् सम्यक् लयतालसमन्वितम् ।
सौष्ठवे हि प्रयत्नस्तु कार्यो व्यायामसेविभिः ॥८९॥

सौष्ठवे लक्षणं प्रोक्तं वर्तनाक्रमयोजितम् ।
शोभा सर्वैव नित्यं हि सौष्ठवं समुपाश्रिता ॥९०॥

अचञ्चलमकुब्जं चासन्नगात्रमथापि[3] च ।
नात्युच्चं चलपादञ्च[4] सौष्ठवाङ्गं प्रयोजयेत् ॥९१॥

कटी [5]कर्णसमा यत्र कूर्परांऽसशिरस्तथा[5] ।
समुन्नतमुरश्चैव सौष्ठवं नाम तद्भवेत् ॥९२॥

नहि सौष्ठवहीनाङ्गः शोभते नाट्यनृत्तयोः ।
अत्र नित्यं प्रयत्नो हि विधेयो मध्यमोत्तमैः ॥९३॥

नाट्यं नृत्तं च सर्वं हि सौष्ठवे संप्रतिष्ठितम् ।
कटीनाभिचरौ[6] हस्तौ वक्षश्चैव समुन्नतम् ॥९४॥

नानुचितमिति दर्शयति ।८७। **अथवेति** व्यवस्थितविकल्पः ।८८। अङ्गसौष्ठवं यदुक्तं तस्य सिद्धये परिकरमाह— **व्यायाममिति** । व्यायामोऽङ्गशिक्षाभ्यासव्यासङ्गयोग्यकाल- एव । एवं द्रुतादेः । चञ्चत्पुटादेश्चानुसन्धेरङ्गमात्मीकृतन्तालाख्यं पठ्यते ।८९। सन्नं स्वविश्रान्तिपरिणतं गात्रं यस्य ।९१। **कूर्परांसशिर** इति प्राण्यङ्गत्वादेकवद्भावः । तथेति साम्येनेत्यर्थः ।९२। अधमानामत्र स्वातन्त्र्यं दर्शयति मध्यमोत्तमैरिति ।९३। सौष्ठवं यदर्थं तत्सर्वसामान्यभूतं चातुरश्रयमाह -- कटिनाभिचराविति क्रमेण योग- पद्येन च ।९४। खड्गयुद्धे यथान्यायास्तथा धनुर्युद्धेऽपि कर्माणि सन्तीति दर्शयति

---

१. NS. प्रहरणं KSS. रङ्गप्रहरणे कार्यं ।
२. NS. राज्ञा ।
३. NS. सन्नगात्रं तथैव च ।
४. NS. चलपातं ।
५. KSS. कूर्परोऽस्थितस्तथा ।
६. NS. वरौ ।

वैष्णवं स्थानमित्यङ्ग[1] चतुरस्त्रमुदाहृतम् ।
परिमार्जनमादानं सन्धानं मोक्षणं तथा ॥९५॥

धनुषस्तु प्रयोक्तव्यं करणं तु चतुर्विधम् ।
[2]संमार्जनं परामर्श आदानं ग्रहणं क्रिया ॥९६॥

सन्धानं शरविन्यासो विक्षेपो मोक्षणं भवेत् ।
तैलाभ्यक्तेन गात्रेण यवागूमृदितेन च ॥९७॥

व्यायामं कारयेत् श्रीमान् भित्तावाकाशिके तथा ।
योग्यायां मातृका भित्तिस्तस्माद्भित्तिं समाश्रयेत् ॥९८॥

भित्तौ प्रसारिताङ्गन्तु व्यायामं कारयेन्नरम् ।
बलार्थं च निषेवेत नस्यं बस्तिविधिं तथा ॥९९॥

स्निग्धान्यन्यानि च तथा रसकं पानकं तथा ।
आहारेऽधिष्ठिताः प्राणा प्राणे योग्याः प्रतिष्ठिताः ॥१००॥

तस्माद्योग्याप्रसिध्यर्थमाहारे यत्नवान् भवेत् ।
अशुद्धकायं [3]प्रक्लान्तमतीवक्षुत्पिपासितम् ॥१०१॥

प्रमार्जनमिति प्रथमं धनुषो मार्जनं ततोऽपि बाणस्य ग्रहस्ततोऽपि शरस्य सन्धानं ततो मोक्षः ।९६। व्यायामे प्रस्तुते तदुपयोगि सौष्ठवं तत्प्रसङ्गगतं च धनुः कर्माभिधाय प्रयोगमेव व्यायाममाह— तैलाभ्यक्तेनेति । तैलमत्र तिलतैलम् । यवागूर्यवान्नम् ।९७। योगाय विद्याविशेषसम्बन्धाय प्रभवतीति योग्या गुणनिका ।९८। नस्यं वस्तिविधिश्च तैलघृतादिभिः यथादेशकालप्रकृतीति मन्तव्यम।युर्वेदात् ।९९। रसकमिति मांसरसं सवेतेति संबन्धः । पानकानि च स्निग्धानीति सम्बन्धः । योग्या वा । किमनेनेत्याशङ्क्याह—आहाराधिष्ठिता इति ।१००। अशुद्धकायमित्यनेन वमनविरेचनविशुद्धगात्रस्य व्यायामेऽधिकार इति दर्शयति । अशुद्धगात्रत्वं चाजीर्णयोगेऽपि । प्रक्लान्तमिति अध्वश्रमादिना ।१०१। अचलैरिति यत्र यत्र क्रियायां योज्यते तत्र

---

१. NS. त्यङ्गचतुरस्त्र··· ।

२. GOS. प्रमार्जनं ।

३. NS. प्रक्लान्तमधीरं ।

अतिपीतं तथा भुक्तं व्यायामं नैव कारयेत् ।
अचलैर्मधुरैर्गात्रैश्चतुरस्त्रेण वक्षसा ॥१०२॥
व्यायामं कारयेद्धीमान् नरमङ्गक्रियात्मकम् ।
एवं व्यायामसंयोगे कार्यश्चारीकृतो विधिः ॥१०३॥
अत ऊर्ध्वं प्रवक्ष्यामि मण्डलानां विकल्पनम् ।

इति भरतीये नाट्यशास्त्रे चारीविधानो नाम
दशमोऽध्यायः ।

तत्रैव प्राप्तपरिणतिभिरित्यर्थः । मधुरैरिति ललितैः ।१०२। अङ्गक्रिया अङ्गसिद्धिः । एवमित्युपसंहरन्नध्यायान्तरमासूत्रयति । विकल्पनं विचित्रतया कल्प्यन्ते येन प्रकारेण तं वक्ष्यामीति सूत्रयन्नङ्गानुसारायातचारीपरम्परात्मनां मण्डलात्मनामसङ्ख्येयत्वं सूत्रयन्नुदाहरणमात्रार्थमध्यायान्तरमिति निरूपयतीति शिवम् ।१०३।

इत्थं दशममध्यायं व्याचष्टे च समासतः ।
शिवस्मृतिकृतार्थोऽपि परार्थं दुःखलात्मजः ॥

इति श्रीमहामाहेश्वराभिनवगुप्ताचार्यविरचितायां नाट्यवेदविवृतावभिनवभारत्यां चारीविकल्पो नाम दशमोऽध्यायः ।

नाट्यशास्त्रम्

[1]अथ एकादशोऽध्यायः ।

एताश्चार्यो मया प्रोक्ता यथावच्छस्त्रमोक्षणे ।
चारीसंयोगजानीह मण्डलानि निबोधत ॥१॥
अतिक्रान्तं विचित्रं च तथा ललितसञ्चरम् ।
सूचीविद्धं [2]दण्डपावं विहृतालातके तथा ॥२॥
वामबन्धं सललितं क्रान्तञ्चाकाशगामि च ।
[3]मण्डलानि द्विजश्रेष्ठाः ! भूमिगानि निबोधत ॥३॥
भ्रमरास्कन्दिते स्यातामावर्तं च ततः परम् ।
समाक्रन्दितमप्याहुरेडकाक्रीडितं तथा ॥४॥
अड्डितं शकटास्यं च तथाऽध्यर्धकमेव च ।
पिष्टकुट्टं च विज्ञेयं तथा चाषगतं पुनः ॥५॥
एतान्यपि दशोक्तानि भूमिगानीह नामतः ।
आद्यं पावं च जनितं कृत्वोद्वाहितमाचरेत् [4] ॥६॥
अलातं वामकं चैव पार्श्वक्रान्तं च दक्षिणम् ।
सूचीवामं पुनश्चैव पार्श्वक्रान्तं च दक्षिणम् ॥७॥

अभिनवभारती

गतिमण्डलवैचित्र्यमासूत्रयति या सदा ।
तथा नैविष्ठनिर्मात्रीं शक्तिं वन्दे महेशितुः ॥
स्वल्पेऽपि पाठ्ये न त्याज्यः कोऽध्यायो मया यतः
विभोर्विश्वात्मनः स्तोत्रं मुख्यमन्यत्प्रसङ्गतः ॥

शस्त्रमोक्षणे मण्डलानीति सम्बन्धः । इहेत्यस्मिन्नध्याये श्रुते श्रुततद्विशान्यान्यपि निबोधत, । एषामियत् सामान्यलक्षणं चारीसंयोगजानीति ।

आकाशगतानां युद्धपरिक्रमेषु प्राधान्यात्पूर्वमुद्देशः आकाशभूचारीप्राचुर्यान्मण्डलेषु तथात्वम् ।१-५। आद्यमिति दक्षिणम् । उद्वाहितमिति लक्षणैकदेशेन शकटास्यां

---

१. KSS. द्वादशोऽध्यायः ।
२. KSS. NS. दण्डपादविहृत...
३. KSS. NS. do not read.
४. KSS. आद्यपादं तु तं कृत्वा उद्वाहितमथाचरेत् ।

सूचीं वामक्रमं दद्यादपक्रान्तं च दक्षिणम् ।
[1]सूचीवामं पुनश्चैव त्रिकं च परिवर्तयेत् ॥८॥

तथा दक्षिणमुद्वृत्तमलातञ्चैव वामकम् ।
परिच्छन्नं तु कर्त्तव्यं बाह्यभ्रमरकेण हि ॥९॥

अतिक्रान्तं पुनर्वामं दण्डपादञ्च दक्षिणम् ।
[2][विज्ञेयमेतद् व्यायामे त्वतिक्रान्तं तु मण्डलम् ॥१०॥

आद्यं तु जनितं कृत्वा तेनैव च निकुट्टकम् ।
आस्पन्दितं तु वामेन पार्श्वक्रान्तं च दक्षिणम् ॥११॥

वामं सूचीपदं दद्यादपक्रान्तञ्च दक्षिणम् ।
भुजङ्गत्रासितं वाममतिक्रान्तं च दक्षिणम्] ॥१२॥

[3]उद्वृत्तं दक्षिणं चैवाऽलातं[4] चैवात्र वामकम् ।
पार्श्वक्रान्तं पुनः सव्यं सूचीवामक्रमं तथा ॥१३॥

विक्षेपो दक्षिणस्य स्यादपक्रान्तं च वामकम् ।
[बाह्यभ्रमरकञ्चैव विक्षेपञ्चैव योजयेत्][5] ॥१४॥

विज्ञेयमेतद्व्यायामे विचित्रं नाम मण्डलम् ।
कृत्वोर्ध्वजानुचरणमाद्यं सूचीं प्रयोजयेत् ॥१५॥

अपक्रान्तः पुनर्वाम आद्यः पार्श्वगतो भवेत् ।
वामसूचीं पुनर्दद्यात् त्रिकञ्च परिवर्तयेत् ॥१६॥

पार्श्वक्रान्तं पुनश्चाद्यमतिक्रान्तश्च वामकम् ।
सूचीवामक्रमं कृत्वा ह्यपक्रान्तश्च वामकम् ॥१७॥

सूचयति। एवमन्यत्र ।६। त्रिकमिति भ्रमरीमाह ॥८॥

बाह्यभ्रमरकेण वामपादेन ।९। आस्पन्दितमिति स्पन्दिताञ्चारीमाह, तामेवान्ये आस्कन्दितेत्याहुः ॥११॥

---

१. KSS. NS., सूचीं पादं ।

२. KSS., NS. do not read this verse.

३. NS. उद्धृतं ।

४. NS. ह्यलातं ।

५. NS. does not read.

पार्श्वक्रान्तं [1]पुनश्चाद्यमतिक्रान्तं च वामकम् ।
परिच्छिन्नं च कर्त्तव्यं बाह्यभ्रमणकेन हि ।।१८।।
एष चारीप्रयोगस्तु कार्यो ललितसञ्चरैः ।
सूचीवामपदं दद्यात् त्रिकञ्च परिवर्तयेत् ।।१९।।
पार्श्वक्रान्तः पुनश्चाद्यो[2] वामोऽतिक्रान्त एव च ।
सूचीमाद्यं पुनर्दद्यात् अतिक्रान्तञ्च वामकम् ।।२०।।
पार्श्वक्रान्तं पुनश्चाद्यं सूचीविद्धे तु मण्डले ।
आद्यस्तु[3] जनितो भूत्वा स च दण्डक्रमो भवेत् ।।२१।।
[4]वामसूचीं पुनर्दद्यात् त्रिकञ्च परिवर्त्तयेत् ।
[5]उद्वृत्तो दक्षिणश्च स्यादलातश्चैव वामकः ।।२२।।
पार्श्वक्रान्तः पुनश्चाद्यो[6] भुजङ्गत्रासितस्तथा ।
अतिक्रान्तः पुनर्वामो दण्डपादश्च दक्षिणः ।।२३।।
वामसूचीत्रिकावर्त्तौ दण्डपादे मण्डले ।
आद्यं तु जनितं कृत्वा तेनैव च निकुट्टकम् ।।२४।।
[7]आस्पन्दितं च वामेन[8] ह्युद्वृत्तं दक्षिणेन च ।
अलातं वामकं पादं सूचीं दद्यात्तु दक्षिणम् ।।२५।।
पार्श्वक्रान्तः पुनर्वाम आक्षिप्तो दक्षिणस्तथा ।
[9]समावर्त्य त्रिकं चैव दण्डपादं प्रसारयेत् ।।२६।।

दण्डक्रम इति दण्डपादाचारी (लक्ष्यते) ।।२१।।
त्रिकावर्तादिषु अन्ते पठितत्वात् परिसमाप्तिस्थानगतामेव भ्रमरीमाश्रित्य यन्मण्डलं दण्डपादाख्यं तत्रेति संबन्धः । निकुट्टकमित्यनेन तलसञ्चरपादो लक्ष्यते ।२४। उद्वृत्तमूरूद्वृत्तादिकां चारीम् ।२५। समावर्तनं सम्यगावर्तनं सव्यापसव्यभ्रमरकद्वयेन ।।२६।।

---

१. NS. पुनश्चान्यो वामोऽतिक्रान्त एव च ।
२. KSS. NS. अन्यो ।
३. NS. तद्गतो ।
४. KSS. उद्वर्तो NS. तद्वृत्तो ।
५. KSS. अन्यो ।
६. KSS. NS. निकुट्टनम् ।
७. KSS. NS. आस्कन्दितं ।
८. KSS. उद्वत्तं NS. ह्युत्तम्भं ।
९. KSS. परिवृत्य ।

सूचीवामपदं दद्यात् त्रिकं तु परिवर्त्तयेत् ।
भुजङ्गत्रासितश्चाद्यो वामोऽतिक्रान्त एव च ॥२७॥

एष चारीप्रयोगस्तु विहृते[1] मण्डले भवेत् ।
सूचीमाद्यक्रमं कृत्वा चाऽपक्रान्तं च वामकम् ॥२८॥

[2]पार्श्वक्रान्तस्ततश्चाद्योऽप्यलातश्चैव वामकः ।
[3][भ्रान्त्वा चारीभिरेताभिः पर्यायेणाथ मण्डलम् ॥२९॥

षट्संख्यं सप्तसंख्यं च ललितैः पादविक्रमैः ।
अधिकुर्यादपक्रान्तमतिक्रान्तं च वामकम् ॥३०॥

अपक्रान्तः पुनश्चाद्यो वामोऽतिक्रान्त एव च ।
पादभ्रमरकश्च स्यादलाते खलु मण्डले ॥३१॥

सूचीमाद्यक्रमं कृत्वा ह्यपक्रान्तं च वामकम् ।]
आद्यो दण्डक्रमश्चैव सूचीपादस्तु वामकः ॥३२॥

कार्यस्त्रिकविवर्त्तश्च पार्श्वक्रान्तश्च दक्षिणः ।
आक्षिप्तं वामकं कुर्यात् दण्डपार्श्वं[4] च दक्षिणम् ॥३३॥

ऊरूद्वृत्तं च तेनैव कर्त्तव्यं दक्षिणेन तु ।
[5]सूचीवामक्रमं कृत्वा त्रिकं च परिवर्त्तयेत् ॥३४॥

अलातश्च भवेद्वामः पार्श्वक्रान्तश्च दक्षिणः ।
अतिक्रातः पुनर्वामो [6]वामबंधे तु मण्डले ॥३५॥

एताभिश्चारीभिः पर्यायेण षट्कृत्वः सप्तकृत्वो वा प्रयुक्ताभिः परिमण्डले चतुर्दिक्कं भ्रान्त्वान्तरालिकैः पादक्षेपैरिदमिदं कुर्यादिति सङ्गतिः । संख्याशब्देनाभ्यावृत्तिर्लक्ष्यते ॥३०॥

---

१. NS. विवृते ।
२. NS. पार्श्वक्रान्तं पुनश्चाद्यो ह्यलातः ।
३. इतः प्रभृति KSS. पुस्तके सार्धपद्यद्वयं नास्ति ।
४. KSS., NS. पादं ।
५. NS. सूचीवामक्रमश्चैव KSS. सूचीवामपदं ।
६. NS. कार्यो ललितसंचरः । एष पादप्रचारस्तु ललिते मण्डले भवेत् ।

सूचीमाद्यक्रमं कृत्वा ह्यपक्रान्तं च वामकम् ।
पार्श्वक्रान्तः पुनश्चाद्यो भुजङ्ग'त्र'सितः स च ॥३६॥

[2][अतिक्रान्तः पुनर्वाम आक्षिप्तो दक्षिणस्तथा ।]
अतिक्रान्तः पुनर्वाम ऊरूद्वृत्त[3]स्तथैव च ॥३७॥

अलातश्च पुनर्वामः पार्श्वक्रान्तश्च दक्षिणः ।
सूचीवामं पुनर्दद्यादपक्रान्तस्तु दक्षिणः ॥३८॥

अतिक्रान्तः पुनर्वामः कार्यो ललितसंज्ञकः ।
एष पादप्रसारस्तु ललिते मण्डले भवेत् ॥३९॥

सूचीमाद्यक्रमं कृत्वा ह्यपक्रान्तश्च वामकम् ।
पार्श्वक्रान्तं पुनश्चाद्यं वामपार्श्वक्रमं तथा ॥४०॥

भ्रान्त्वा चारीभिरेताभि पर्यायेणाथ मण्डलम् ।
वामसूचीं ततो दद्यादपक्रान्तं च दक्षिणम् ॥४१॥

स्वभावगमने ह्येतन्मण्डलं संविधीयते ।
क्रान्तमेतत्तु विज्ञेयं नामतो नाट्ययोक्तृभिः ॥४२॥

एतान्याकाशगामीनि ज्ञेयान्येवं दशैव तु ।
अतः परं प्रवक्ष्यामि भौमानामिह[4] लक्षणम् ॥४३॥

[5]आद्यस्तु जनितः कार्यो[5] वामश्चास्पन्दितो भवेत् ।
शकटास्यः पुनस्चाद्यो वामश्चापि प्रसारितः ॥४४॥

आद्यो भ्रमरकः कार्यस्त्रिकञ्च परिवर्तयेत् ।
[7]आस्कन्दितः पुनर्वामः शकटास्यश्च दक्षिणः ॥४५॥

अतिक्रान्तस्यैव विशेषणं ललितं सञ्चरतीत्यत एव मण्डलस्येदमेव नाम ।३९।
स चेति । एवेत्यर्थः ॥५१॥

---

१. KSS. NS. त्रासितं तथा ।

२. KSS. NS. do not read.

३. KSS. NS. वृत्तं ।

४. NS. अपि ।

५. KSS. आद्यन्तु ।

६. KSS. NS. आस्कन्दितो ।

७. KSS. NS. आक्रन्दितः ।

वामः पृष्ठापसर्पी च दद्यात् भ्रमरकं तथा ।
स एवास्पन्दितः[1] कार्यस्त्वेतद् भ्रमरमण्डलम् ।।४६।।
आद्यो भ्रमरकः कार्यो वामश्चैवाड्डितो भवेत् ।
[2][कार्यस्त्रिकविवर्त्तश्च शकटास्यश्च दक्षिणः ।।४७।।
उरूद्वृत्तः स एव स्याद्वामश्चैवापसर्पितः ।
कार्यस्त्रिकविवर्त्तश्च दक्षिणः [3]स्पन्दितो भवेत् ।।४८।।
शकटास्यो भवेद्वामस्तदेवास्फोटनं भवेत् ।]
एतदास्पन्दितं नाम व्यायामे युद्धमण्डलम्[4] ।।४६।।
[5]आद्यस्तु जनितं कृत्वा वामश्चैव निकुट्टकम्[6] ।
शकटास्यः पुनश्चाद्य[7] ऊरूद्वृत्तः स एव तु ।।५०।।
[8]पृष्ठापसर्पी वामश्च स च चाषगतिर्भवेत् ।
[9]आस्पन्दितः पुनर्दक्षः शकटास्यश्च वामकः ।।५१।।
आद्यो भ्रमरकश्चैव त्रिकञ्च परिवर्तयेत् ।
[10]पृष्ठापसर्पी वामश्चेत्यावर्तं मण्डले भवेत् ।।५२।।
समपादं बुधः कृत्वा स्थानं हस्तौ प्रसारयेत् ।
निरन्तरावूर्ध्वतलावावेष्टयोद्वेष्ट्य चैव हि ।।५३।।
कटीतटे विनिक्षिप्य [11]चाद्यमावर्त्तयेत् क्रमात् ।
यथाक्रमं पुनर्वाममावर्तेन प्रसारयेत् ।।५४।।

आस्फोटनमिति पादतलेन भूमिताडनं युद्धेष्वास्फालनमिति प्रसिद्धम् ।।६०।।

---

१. KSS. एवास्कन्दितः ।
२. KSS. does not read these verses.
३. NS. स्कन्दितो ।
४. NS. मण्डले ।
५. KSS. आद्यन्तु ।
६. NS. वामेन तु निकुट्टनम् ।
७. KSS. चान्यः ।
८. KSS. NS. पृष्ठावसर्पी ।
९. NS. आस्कन्दितः पुनः सद्यः, KSS. आस्कन्दितं पुनः सौख्यं ।
१०. KSS., NS. पृष्ठावसर्पी ।
११. KSS., NS. आद्यमावर्तयेत् क्रमम् ।

चारया चानया भ्रान्त्वा पर्यायेणाथ मण्डलम् ।
समोत्सरितमेत[1]त्तु कार्यं व्यायाममण्डलम् ॥५५॥
पादैस्तु भूमिसंयुक्तैः सूचीविद्धैस्तथैव च ।
एलकाक्रीडितैश्चैव [2]तूर्णैस्त्रिकविवर्तितैः[3] ॥५६॥
सूचीविद्धापविद्धैश्च क्रमेणावृत्य मण्डलम् ।
एलकाक्रीडितं[4] विद्यात् खण्डमण्डलसंज्ञितम् ॥५७॥
सव्यमुद्घट्टितं कृत्वा [5]तेनैवावर्तमाचरेत् ।
[6]तेनैवास्कन्दितः कार्यः शकटास्यश्च वामकः ॥५८॥
आद्यः पृष्ठापसर्पी[7] च स च चाषगतिर्भवेत् ।
[8][अड्डितश्च पुनर्वाम आद्यश्चैवापसर्पितः ॥५९॥
वामो भ्रमरकः कार्यं आद्य आस्कन्दितो भवेत् ।
तेनैवास्फोटनं कुर्यादेतदड्डितमण्डलम् ॥६०॥
आद्यं तु जनितं कृत्वा तेनैव च निकुट्टकम् ।
स एव शकटास्यश्च वामश्चास्कन्दितो भवेत्] ॥६१॥
विज्ञेयं शकटास्यन्तु व्यायामे युद्धमण्डलम् ।
पादैश्च शकटास्यस्थैः पर्यायेणाथ मण्डलम् ॥६२॥
आद्यस्तु जनितो भूत्वा स एवास्कन्दितो भवेत् ।
अपसर्पी पुनर्वामः शकटास्यश्च दक्षिणः ॥६३॥

चशब्दोऽप्यर्थे । अतः परमपि मण्डलानि योजयेत् । कथमित्याहुः । समाः परस्परं योजनोचिताश्चार्यो यत्र तत्रोहनेऽप्युदाहरणं दर्शयति समचारीप्रयोग इति समानां भौमत्वेनाकाशीयत्वेन च चारीणां प्रयोगो यत्र । एवमनया दिशा बहूनि कल्पयेदित्याह आचार्यबुद्ध्योपलभ्यो भागः प्रयोगयोग्यो भवतीति ।६६।

---

१. GOS. NS. च ज्ञेयं ।

२. KSS. तूर्णं ।

३. NS. विवर्तनम् ।

४. KSS. उद्घटितं ।

५. NS. तेनैवावृत्तं ।

६. KSS. आस्कन्दितं कार्यं ।

७. KSS. पृष्ठावसर्पी ।

८. KSS. does not read these verses. NS. reads अङ्कित in place of अड्डित ।

भ्रान्त्वा चारीभिरेताभिः पर्यायेणाथ मण्डलम् ।
अध्यर्धमेतद्विज्ञेयं नियुद्धे चापि मण्डलम् ॥६४॥

सूचीमाद्यक्रमं कृत्वा ह्यपक्रान्तञ्च वामकम् ।
भुजङ्गत्रासित[1]श्चाद्य एवमेव तु वामकः ॥६५॥

भुजङ्गत्रासितैर्भ्रान्त्वा[2] पादैरपि च मण्डलम् ।
पिष्टकुट्टं च विज्ञेयं[3] चारीभिर्मण्डलं बुधैः ॥६६॥

सर्वैश्चाषगतैः[4] पादैः परिभ्राम्य[5] तु मण्डलम् ।
एतच्चाषगतं विद्यान्नियुद्धे चापि मण्डलम्[6] ॥६७॥

नानाचारीसमुत्थानि मण्डलानि समासतः ।
उक्तान्यतः परं चैव[7] समचारीणि योजयेत् ॥६८॥

समाचारीप्रयोगो यस्तत्समं[8] नाम मण्डलम् ।
आचार्यबुद्ध्या तानीह कर्तव्यानि प्रयोक्तृभिः ॥६९॥

एतानि खण्डानि समण्डलानि युद्धे नियुद्धे[9] च परिक्रमे च ।
लीलाङ्गमाधुर्यपुरस्कृतानि कार्याणि वाद्यानुगतानि तज्ज्ञैः ॥७०॥

इति भरतीये नाट्यशास्त्रे मंडलविधानं नाम एकादशोऽध्यायः समाप्तः ।

खण्डानां प्राधान्यमपि दर्शयति खण्डानीति । वाद्येनानुगतानीति "गत्या वाद्यानुसारिण्या" (अ ४—२८२) इतिनृत्तविषयतुर्याध्यायाद्धि वैप.ीत्येन नाट्ये गतौ प्राधान्यमाह इति शिवम् ॥७१॥

इति श्रीमहामाहेश्वराभिनवगुप्ताचार्यविरचितायां नाट्यवेदविवृतावभिनवभारत्यां मण्डलाध्याय एकादशः समाप्तः ।

---

१. KSS. चान्य एष एव ।
२. KSS. चारैरपि ।
३. KSS. नियुद्धे चारिमण्डलम् ।
४. KSS. चापगतैः ।
५. NS परिक्रम्य ।
६. KSS. चारिमण्डलम् ।
७. NS. समचारीं नियोजयेत् ।
८. NS. नागमण्डलम् ।
९. NS. परिचङ्क्रमे च ।

नाट्यशास्त्रम्

अथ द्वादशोध्यायः ।

एवं व्यायाम संयोगे कार्यं मंडलकल्पनम् ।
अतः परं प्रवक्ष्यामि गतीस्तु प्रकृतिस्थिताः ॥१॥

[1]तत्रोपवहनं कृत्वा भाण्डवाद्यपुरस्कृतम् ।
यथामार्गरसोपेतं प्रकृतीनां प्रवेशने[2] ॥२॥

अभिनवभारती

श्रुत्यन्तविश्रान्तविधिर्या गतिः परमात्मनः ।
तां महानन्दसन्दोहतत्त्वमूर्तिं स्तुमः सदा ॥

प्रकरणसंगतये प्रकृतानुपूर्वकं निरूपयिष्यमाणं प्रतिजानीते एवमिति । व्यायामानामन्योन्यसमीलनयोग्यानां चारीणां संहत्या योगे मिश्रीभावे सति मण्डलानां कल्पनमनुक्तमपि कर्तुं शक्यं बुद्ध्येति तत उपरम्यते । तत्राङ्गिकस्य रसभावयोर्विभागशो विनियोगस्य कृतत्वाद्यद्यपि क्वचित् तन्मिश्रणेऽपि पृथग्विनियोगो न वक्तव्यः तथापि शिष्यहितप्रतिपन्नो मुनिर्दिशं दर्शयितुं शिरःप्रभृतिपदान्तं (यानि) अङ्गसंधेयानि कर्माण्युक्तानि तत्मेलनबलेन यो देहसंनिवेशो गतावेव न स्थितौ प्रकाराभावात्तस्य विनियोगं प्रकटयिष्यन् चारीमण्डलप्रसंगस्याचित्तवृत्तित्वाद्गतिविनियोगमेव प्रतिजानीते । गतिश्च प्रकृतिं रसमवस्थां देशं कालं चापेक्ष्य वक्तव्या प्रतिपुरुषमभिधानात् । तत्र प्रक्रिया पूर्वमुच्यते, तदेततुशब्देन यावच्छब्दपर्यायवाचिना क्रमार्थेन काकाक्षिवदुभयतो धावता द्योतितम् ॥१॥

तत्राप्रविष्टस्य का गतिरिति प्रयोगोपक्रमं सूचयति तत्रोपवहनमिति । यद्गङ्गानुसारालाप इति प्रसिद्धं तमालापं कृत्वा ध्रुवायां सम्यक् प्रवृत्तायां, कथं ? भाण्डवाद्यपुरस्कृतत्वादिरूपत्रययुक्तं कृत्वेति, त्रीण्यपि क्रियाविशेषणानि । तन्त्रीभाण्डं वाद्यमानं पुष्करवाद्यम् । मार्गो देशः, रसः स्थायिचित्तवृत्तिः । वीप्सायामव्ययीभावः यो

---

१. NS. तत्रोपवाहनं ।

२. KSS. प्रवेशनम् ।

ध्रुवायां [1]संप्रयुक्तायां पटे चैवापकर्षिते ।
कार्यः प्रवेशः पात्राणां नानार्थरससम्भवः ।।३।।

स्थानं तु वैष्णवं कृत्वा ह्युत्तमे मध्यमे तथा ।
सम्मुन्नतं समं चैव चतुरस्रमुरस्तथा ।।४।।

बाहुशीर्षे प्रसन्ने च नात्युत्क्षिप्ते च कारयेत् ।
[2]ग्रीवाप्रदेशः कर्तव्यो [3]मयूराञ्चितमस्तकः ।।५।।

यः कश्चिद्गृहोद्याननिर्देशः रत्यादिश्चित्तवृत्तिविशेषः तेनोपेतं कृत्वा, या ध्रुवा तथा उत्तमादिप्रकृतीनां यस्यावेशनं बुद्धौ प्रवेशो यत्र तथा कृत्वा । एतदुक्तं भवति—हंसाद्युपमानमुखेन प्रकृतिविशेषः, चित्तवृत्तिविशेषः, उद्यानादिविशेषश्चावश्यं ध्रुवासूपनिबन्धनीयः ।।२।।

एवं ध्रुवायां प्रवृत्तायामेवं सत्यां । पटेऽपकर्षिते यवनिकायामपसारितायां तदा सामाजिकानां नेपथ्यगृहादयमागत इति नटी निवर्त्यते । चकारात्तत्काले पुनरुपोहनम् । ध्रुवाप्रवेशो लये मध्ये वलितया (वलितयेति कोहलेन प्रयोगवलनाद्युपदिष्टम्) शुष्काक्षरगानं कृत्वा, प्रवेश एव तथा समुचितस्थानकदृष्टिमुखरागादिभियुक्तः कर्तव्यो यथा सामाजिकानां झटित्येवान्विताभिधाननयेन मुख्यरसव्याप्तिरुदयते । प्रगीतं गीयमानग्रामरागाग्रगतैकगमकाकर्णने समग्रग्रामतत्त्वसंवेदनवशः ।

अन्ये तु नानार्थरस सम्भव इत्यत्र यथामार्गकलोपेतमिति पठन्ति । उभयतः शेषत्वेन व्याचक्षते—मार्गेषु चित्रादिषु याः कला द्विमात्राचतुर्मात्राष्टमात्रेति ग्रामेषु उच्यन्ते चालिप्तकादिषु कलावाद्याक्षराणीति । यद्यपि पात्राणामध्रुवा अपि प्रवेशा वक्ष्यन्ते तथापि संभवमात्राभिधानमेतदुत्तममध्यमयोर्वा प्रस्तावादेवमुक्तम् तयोर्हि ता ध्रुवाः प्रवेशास्तेऽपि वा चकारेण संगृहीता एव ।।३।।

स्थानमिति त्र्यश्रेऽर्धद्विकतालभागिति वैष्णवं सममन्यत् समुन्नतम् ।४। स्वप्नप्रवेश एव सन्ने अचले प्रसन्ने, नात्युत्क्षिप्ते अधो वा उपरि वा । अधोगामित्वं यत्नेन परिहार्यमिति श्लोकार्थमेव शिक्षयितुं स्फुटमुपायमाह ग्रीवाप्रदेश इत्यादिना सार्धेन श्लोकद्वयेन । स्वस्थमयूरवदञ्चितं सुरूपं शिरो यत्र ।५। नाभिसंस्थ इति

---

१. KSS. GOS. संप्रवृत्तायां परे चैवापकर्षिता ।
२. NS. ग्रीवाप्रवेशः ।
३. NS. मयूराङ्कित ।

कर्णाद'ष्टाङ्गुलस्थे च बाहुशीर्षे प्रयोजयेत् ।
उरसश्चापि चिबुकं चतुरङ्गुलसंस्थितम् ॥६॥

हस्तौ तथैव कर्तव्यौ कटीनाभितटस्थितौ ।
दक्षिणो नाभिसंस्थस्तु वामः कटितटस्थितः ॥७॥

पादयोरन्तरं कार्यं द्वौ तालावर्धमेव च ।
'पादोत्क्षेपस्तु कर्त्तव्यः स्वप्रमाणविनिर्मितः ॥८॥

चतुस्तालो द्वितालश्चा'प्येकतालस्तथैव च ।
चतुस्तालस्तु देवानां पार्थिवानां तथैव च ॥९॥

'द्वितालश्चैव मध्यानां तालः स्त्रीनीचलिङ्गिनाम्' ।
[चतुष्कलोऽथ द्विकलस्तथा ह्येककलः स्मृतः] ॥१०॥

चातुरश्रप्रस्तावः खटकामुखः, वाम इत्यर्धचन्द्रः ।६-७। न चेदमुपविष्टस्थानकमपि तु गत्यानन्तर्यौचित्यात्तु स्थितस्थानकमेवेति दर्शयितुमाह—पादयोरन्तरमिति । "द्वौ तालावर्धतालश्च पादयोरन्तरं भवेदिति (१०-५२) । यत्स्थानकलक्षणं सूचितं तदेव कार्यं नान्यदुपवेशनादित्यर्थः । तत्र स्थानकान्तरं गतिमुपक्षिपति पादोत्क्षेप इति स युक्तस्तेन भाविलक्षणेन देशकाल परिच्छेदेन च कर्तव्यः । स्वकरमानेन च तालः पात्रस्येत्यर्थः ॥८॥

तत्र देशपरिच्छेदं तावदाह एकताल इति तालः प्रसारितमध्यमा ? (तर्जन्य)ङ्गुष्ठान्तरं "तालः स्मृतो मध्यमया ?" इति । संख्याक्रमेणाभिधाय स्थायिस्थानभूतोत्तमप्रकृतिविश्रान्तत्वात् प्रयोगजातस्य तदुपक्रमं विनियोगमाह चतुस्तालस्त्विति । तुशब्दोऽप्यर्थे कदाचिदन्यथापि भावात् । तथाशब्दो राज्ञां देवसदृशगत्यसंभवसंभावनापसारणद्योतकः ॥९॥

---

१. NS. दृष्टा ।
२. NS. पादक्षेपस्तु ।
३. KSS. omits अपि ।
४. KSS. द्वितानेद्यैश्चैव मध्यानां तालस्ची च ।
५. NS. सङ्गिनाम् ।

चतुष्कलो ह्युत्तमानां मध्यानां द्विकलो भवेत् ।
तथा चैककलः पादो नीचानां संप्रकीर्तितः ॥११॥
स्थितं मध्यं द्रुतं चैव समवेक्ष्य लयत्रयम्[१] ।
यथाप्रकृतिनाट्यज्ञो गतिमेवं प्रयोजयेत् ॥१२॥
धैर्योपपन्ना गतिरुत्तमानां मध्या गतिर्मध्यमसम्मतानाम् ।
द्रुता गतिश्च प्रचुराधमानां लयत्रयं सत्त्ववशेन योज्यम् ॥१३॥
एष एव तु विज्ञेयः कलातालसये विधिः ।
पुनर्गतिप्रचारस्य प्रयोगं शृणुतानघाः ? ॥१४॥

स्त्रीणां नीचानां साहचर्यादधमानामिति मन्तव्यम् । तेषां हि लिङ्गित्वादधमत्वं किंचिन्न संभावयेत । यथाशोभमिति नाट्यधर्मीकाममित्यर्थः ॥१०॥

देशनियममुक्त्वा कालनियमप्यौत्सर्गिकं तावदाह—चतुष्कलो हीति । तथा चेति तेनोत्क्षेपेण यत्पादस्य पतनं तदुत्तमानां चतसृभिः कलाभिः यस्मात्तदर्धार्धक्रमेण मध्यमाधमयोः परिभाषित इत्युत्सर्गतयेति भावः । तत्र गतिचतुष्टयं मागध्यादि वक्ष्यते यत्तत्रार्धमागध्यादौ क्रमेण चित्रादित्रयविनियोगात् । 'निमेषाः पञ्च मात्रा स्यात्" इति कला सामान्यलक्षणलब्ध औत्सर्गिकः सर्वत्र ध्रुवकमार्गो मन्तव्यः । वीशेषादभिधाने तेन ध्रुवकमानेन चतुष्कलः पादपातः तथा चोत्तमपरिग्रहे द्विपदी कोहलेनोक्ता —

"स्यादुत्तमानां द्विपदी चतुर्गुरुसमन्विता ।
तत्रोत्क्षेपनिपाताभ्यां यस्मात्पादद्वयं भवेत् ।।"

लक्ष्यश्च इत्थमेव धिक् डि धि इति द्विपदीभागेन पादेन पादपातः । अत्र ध्रुवके चतस्रः कला भवन्ति । धिगडधिङ् इत्यस्य कालः कखगघङ, इत्यादिना संकेतितः । नहि व्यञ्जनकालः स्वरकालात्पृथक्, तत्र गुरोश्च प्रचलत्वं खन्तलचडस्तद्विद्भिस्त्रिपुटमेवावधार्यते । तत्र हि धिगडिधि-इत्येवंरूपा लघु कला तस्यास्तिस्रो मात्राश्चतुर्थे गुर्वक्षरे द्वे मात्रे इति च मात्राः । सर्वत्र चैवं प्रकारः समनन्तरग्रहणं विश्रान्त्यभावेन दुष्करः प्रयोग इति स्थानचेष्टाविश्रान्ति प्रक्लृप्तये मध्यगता विरामरूपैका मात्रा लक्ष्यविद्भिः प्रकल्पिता; तद्वशादुक्ताः तादृशाः मात्राः चतुष्कलायां प्रतिभासन्त इत्यास्तां तावत् । इह चित्रमार्गेव चतुष्कलं पादपतनमिति न्याय (?) (नायं) लक्ष्यलक्षणशोभाबाह्यत्वादपेक्ष्यते च ।

---

१. GOS., NS. लयं बुधः ।
२ KSS., NS. भुवि ज्ञेयः ।
३. KSS. गतिम् ।

[1]स्वभावात्तूत्तमगतौ कार्यं जानुकटीसमम् ।
युद्धचारीप्रयोगेषु [2]जानुस्तनसमं न्यसेत् ।।१५।।

पार्श्वक्रान्तैः सललितैः पादैर्वाद्यान्वितैरथ ।
रङ्गकोणोन्मुखं[3] गच्छेत् सम्यक् पञ्चपदानि च ।।१६।।

अथ लयकालनियमशेषमाह स्थितमिति विलम्बितम् । समवेक्ष्येति प्रकृत्यादि भेदविभागेनेत्याह तमेव दर्शयति यथाप्रकृतीति धैर्यंस्थैर्यबिलम्बितमध्यद्रुतलय संमतं संवेदनं यथार्थ-मिथ्या-गौण-धैर्य-गाम्भीर्यादिकृतं मन्तव्यं न तु जाति-कालादिकृतम् ।।११।।

यथाप्रकृति । विदूषकस्य द्विजत्वेऽपि अविमलात्मत्वात् केवलमुत्तमघोषणायैव रचितं जात्यादि योजनीयम् । उत्तमस्याप्यन्यथाभावः क्वचिदनुत्तमत्वेऽपि समीचीन-भाव इति । प्रचुरेति लोकप्रसिद्धमेवेदमुक्तमित्यर्थः न केवलं प्रकृतितोऽवयवभेदो यावच्चित्तवृत्ति भेदेनेत्यभिप्रेत्याह सत्त्ववशेन च लयत्रयं योज्यम् । सत्त्वं चित्तवृत्तिः तेन संग्रामादावुत्तमस्यापि द्रुतं शोकादावधमस्यापि विलम्बितम् ।।१३।।

अथैतदनुसारिण्यां गत्युपयोगिन्यां ध्रुवायां विधिरिति दर्शयति एष त्विति । अत्र गत्यनुसारी तालविधिः । अन्ये त्वन्यथेत्युक्तं ताले । यस्താललयः कलासहितः स कलाताललयः इति मध्यमपदलोपी समासः । तेनायमर्थः— ध्रुवातालेऽपि गत्यनुसार्येव कलाविधिर्लयविधिश्च अत एवैतदनुसारेण भट्टलोल्लटगोपालादिभिर्भङ्गोपभङ्ग-विभङ्गविषये तालदीपिकादौ चिरन्तनसंमतो ध्रुवातालानां विनियोगः प्रपञ्चतो दूषितः । तत्तु ध्रुवाध्याये विचारयिष्याम इत्यास्ताम् ।

एवं देशकालनियममुक्तं प्रकृते योजयति पुनर्गतिप्रचारस्येति गतिषु । प्रचारो वैचित्र्यं तस्य प्रयोगं पुनः शृणुतेति संबन्धः । संघटना ह्यनुक्तेति भावः ।।१४।।

स्वभावात्त्विति । तुना विशेषद्योतकेन मन्थरगतौ चतुरतालत्वमुक्तं, स्वभाव गतौ तु त्रितालत्वं, दीप्तगतौ तु पञ्चतालत्वमपि कार्यमिति दर्शयति ।

तां गतिप्रचारघटनामाह—पार्श्वक्रान्तैरित्यादि ।

"कुञ्चितं पादमुत्क्षिप्य पार्श्वोत्थानोत्थितं न्यसेत्
उद्घट्टितेन पादेन पार्श्वक्रान्ता विधीयते" (१०-३२)

इति पार्श्वक्रान्ता चारी । रङ्गकोणं पूर्वोत्तरम् ।१६। द्वितीयं कोणमित्युत्तर-पश्चिममिति । ततः परमिति । कोणद्वयेऽनिदिशति । पूर्वं रङ्गे चैषा पञ्चपदी

---

१. KSS. स्वभावैरुत्तमगतौ NS. स्वभावे तूत्तमगतौ ।
२. NS. पुनः स्तनसमं भवेत् ।
३. KSS. मुखो ।

वामवेधं ततः कुर्याद्विक्षेपं दक्षिणेन तु ।
परिवृत्य द्वितीयं तु गच्छेत् कोणं [1]ततः परम् ॥१७॥

तत्रापि वामवेधस्तु विक्षेपो [2]दक्षिणेन च ।
ततो भाण्डोन्मुखो गच्छेत् तान्येव [3]तु पदानि च ॥१८॥

एवं गतागतैः कृत्वा पदानामिह[4] विंशतिम् ।
वामवेधं ततः कुर्यात् विक्षेपं दक्षिणस्य च ॥१९॥

रङ्गे विकृष्टे भरतेन कार्यो गतागतैः पादगतिप्रचारः ।
[5]त्र्यश्रस्त्रिकोणे चतुरस्ररङ्गे गतिप्रचारश्चतुरस्र एव ॥२०॥

यः समैः संहितो गच्छेत्तत्र कार्यो लयाश्रयः ।
चतुष्कलोऽथ [6]द्विकलस्तथैवैककलः पुनः ॥२१॥

अथ मध्यमनीचैस्तु गच्छेद्यः परिवारितः ।
चतुष्कलमथार्धञ्च[7] तथा चैककलं पुनः ॥२२॥

व्याख्याता (अ ५-७३) । वेधः पार्ष्णिक्षेत्रे सूचीपादनिपातः । वामवेधमिति अन्तराविद्धमुखं (तत्) प्राप्तिसिद्धौ कोणैर्गत्वा ब्रह्मस्थानस्यानुल्लंघ्यतामाह । एतच्च पञ्चपदीगमनं सर्वत्रौत्सर्गिकम् ।१७—१९। विशेषमप्याह रङ्गे विकृष्ट इति । भरतशब्देन उपचारतस्तद्विद्या योनिसंबन्धः सूच्यते गतागतैरिति परिमितायां दिशि पञ्चपदी गतागतेन नियमः एकत्रैव स्थाने द्वौ पादविक्षेपाविति मन्तव्यम् । विकृष्टायां च भूयो भूयः पञ्चपदी ॥२०॥

अत्रैव विषये विविधप्रमाणा पातरीतिः, तद्द्विलयद्विभङ्गचतुर्भङ्गादयः प्राधान्येन । व्यामिश्रगतेरपि विशेषं व्याचिख्यासुः समगतिमुपसंहरति यः समैरिति द्विति । तथैवेति साम्येनेत्यर्थः ।२१। मिश्रगतिमाह अथेति । परिवारित इत्युत्तमत्वेन विवक्षितः इत्यर्थः । तेन देवादिवत् साध्वाश्रीयमाणायामुत्तमप्रकृतावपि नायं विधिरन्यस्यैव तत्र प्राधान्यात् । तदोत्तमादिपादपाते मध्यमस्य द्वौ, नीचादेरेकः, उत्तमस्य चत्वारः ।२२। अत्रैव च चतुस्तालादिविभागे निश्चयार्थं प्रश्नमुत्थापयितुमुप-

---

१. NS., KSS. वृञ्जितेन ।
२. KSS., NS. विपदानि ।
३. KSS., NS. एकं ।
४. KSS. त्र्यश्रे ।
५. KSS. द्विकलो भवेदेककलः ।
६. NS. मथोर्ध्वं च ।

दैत्यदानवयक्षाणां नृपपन्नगरक्षसाम् ।
चतुस्तालप्रमाणेन कर्तव्याथ गतिर्बुधैः ॥२३॥

दिवौकसां तु सर्वेषां मध्यमा गतिरिष्यते ।
तत्रापि[१] चोद्धता ये तु तेषां देवैः समा गतिः ॥२४॥

ऋषय ऊचुः

यदा मनुष्या राजानस्तेषां देवगतिः कथम् ।
अत्रोच्यते कथं नैषा गती राज्ञां भविष्यति ॥२५॥

इह प्रकृतयो दिव्या दिव्यमानुष्य एव च ।
मानुष्य इति विज्ञेया नाट्यनृत्तक्रियां प्रति ॥२६॥

[२]देवानां प्रकृतिर्दिव्या [३]राज्ञां वै दिव्यमानुषी ।
या त्वन्या लोकविदिता मानुषी सा प्रकीर्तिता ॥२७॥

[४]देवांशजास्तु राजानो वेदाध्यात्मसु कीर्तिताः ।
एवं [५]देवानुकरणे दोषो ह्यत्र न विद्यते ॥२८॥

अयं विधिस्तु कर्तव्यः स्वच्छन्दगमनं प्रति ।
संभ्रमोत्पातरोषेषु प्रमाणं न विधीयते ॥२९॥

संहारमुक्तमविशेषाभिधानसहितमाह—दैत्यदानवेत्यादि ।२३। सर्वेषामिति देवदूतादीनाम् । उद्धता ये त्विति मातलिप्रभृतयः ॥२४॥

देवांशजा इति लोकपालांशविनिर्माणा राजानः वेदेषु तथाध्यात्मशास्त्रेषु वेदान्तेषु । तेषामनेन प्राधान्यमुक्तम् । अनुकरणं देवादीनां वर्णनात् उक्तं च राजविद्या राजगुह्यमिति । देवानुकरणे नाल्पत्वमित्यर्थः ।२८। अयमिति चतुष्कल इत्यादिः स्वच्छन्दगमनं स्वस्था गतिः संभ्रम आवेगः । उत्पातोऽत्रोन्मादादिः । प्रमाणमिति उक्तरूपमित्यर्थः ॥२९॥

---

१. NS. योध्वंवा (?ा ?)
२. KSS., NS. देवा हि ।
३. KSS., NS., राज्ञानो ।
४. KSS., NS, देवान्वाजास्तु ।
५. NS. देवानुकरणो देवो ।

सर्वासां प्रकृतीनां तु अवस्थान्तरसंश्रया ।
उत्तमाधममध्यानां गतिः कार्या प्रयोक्तृभिः ॥३०॥

[1]चतुरर्धकलं वा स्यात् तदर्धकलमेव च ।
अवस्थान्तरमासाद्य कुर्याद् गतिविचेष्टितम् ॥३१॥

ज्येष्ठे चतुष्कलं ह्यत्र मध्यमे द्विकलं भवेत् ।
[2][द्विकला चोत्तमे यत्र मध्ये त्वेककला भवेत्] ॥३२॥

[3]कलिकं मध्यमे यत्र नीचेष्वर्धकलं भवेत् ।
एवमर्धार्ध[4]हीनं तु अडानो संप्रयोजयेत् ॥३३॥

ज्वरार्ते च क्षुधार्ते च तपःश्रान्ते भयान्विते ।
[5]विस्मिते चावहित्थे च तथौत्सुक्यसमन्विते ॥३४॥

सर्वासां प्रकृतीनां, गतिरिति कलालयतालाश्रिता । सर्वमेतदिति तु युक्तम् ॥३०॥

एतदेवास्य दूषयति चतुरर्धमिति द्वे उत्तमस्य, एका मध्यमस्य, अर्धं नीचस्य; अवस्थान्तरबलात् । ३१-३२। नीचेष्वर्धकलं भवेदिति अनेन कलातुर्यभागो भरतमुनिना सूचितोयं लक्षणविदो वृत्ताकारं द्रुतमाहुः, यद्यथा पञ्चमांश उक्तनीत्या श्वासादिविश्रान्तिपूर्वक इति चतुर्धा स एव द्रुतो युक्तः ।।३३॥

चतुष्कलादप्याधिक्यमस्तीति दर्शयति । ज्वरार्त इत्यादि । भयेन योऽन्वितो जातोरुस्तम्भः, अन्यथा ह्यस्य त्वरिततरा गतिर्वक्ष्यते। विस्मय इति तत्कृतस्तम्भ इत्यर्थः । अवहित्थ इति कृतकधैर्याणाम् ; कृतकं हि नः सुश्लिष्टं कर्तुं पार्यत इति । तत्राधिक्यमेव भवति तत एव हि कुशलाः कृतकतां विदुः ।३४। अत्यादरवदौत्सुक्येन सम्यगन्वितो य एव शृङ्गारभेदस्तत्रैव विप्रलम्भ इति यावत् । स्वच्छन्दगमन इति कार्येण विना क्रीडाचङ्क्रमणे । अधिकले इत्यधिशब्दोऽधिकार्थः । अधिकलामिति केचित् । आधिक्यं प्रकर्षेण चतुःस्वरूपेण संख्या चेतत् प्लुतस्य विरामस्य च स्वरूपाधिक्ये तालबोधः संख्याधिक्येन षट्कलादेर्विकृष्टमधिकृतं

---

१. KSS. चतुर्थ्येकलं वा स्यात् तथार्धकलमेव स ।
२. KSS. NS., do not read.
३. KSS., NS. विकलं चोत्तमा यत्र नीचेष्वर्धकलं भवेत् ।
४. KSS, NS. हानि तु कलानां ।
५. NS. विस्मये ।

शृङ्गारे चैव शोके च स्वच्छन्दगमने तथा ।
गतिः स्थितलया कार्याधिकलान्तरपातिता[1] ॥३५॥

[2][पुनश्चिन्तान्विते चैव गतिः कार्या चतुष्कला ।]
अस्वस्थकामिते चैव भये वित्रासिते तथा ॥३६॥

आवेगे चैव हर्षे च [3]कार्ये यच्च त्वरान्वितम् ।
अनिष्टश्रवणे चैव [4]क्षेपे चाद्भुतदर्शने ॥३७॥

कलान्तरं परिमाणं यथा तथाभूतः पादपातो यस्याम् । अत एवैतत्पादपतनप्रसङ्ग-विचारणाद्वक्ष्यति—

षट्कलन्तु न कर्तव्यं तथाष्टकलमेव च ।
पादस्य पतनं तज्ज्ञैः खेदनं तद्भवेत् स्त्रियाः ॥१२।१८४-१८५॥

अर्धैकद्विचतुष्कलमिति वचसा षडष्टकलयोर्निषेधेन च त्रिकलपञ्चकलादीनामभावं सूचयति विषमाणां सपरिमाणोत्क्षेपणनिपातनायोगात्तालविदां हि साम्यमुपनिषद्भूतं तच्चात्र स्फुटयति ॥३५॥

एवमेतेषु षट्कलादप्यधिकं मानं तथा च तपःशान्तानां परिक्रमे यत्र उलसनाख्यो लयः कोहलादिभिरुक्तो यस्यातिविलम्बितः कालावधिः । एवं कलाधिक्यमभिधाय न्यूनत्वमप्यस्तीत्याह अस्वस्थकामित इत्यादि । अस्वस्थे प्रच्छन्नकामिते हि त्वरातिशयः ।६६। अनिष्टं यदा बान्धवादेः श्रुतं तदा तदन्तिकं द्रुतगमनं, अद्भुतदर्शनविषये यदा क्षेपः प्रक्षिप्तता, पुनरेतन्न दुष्यत इति । यन्नाभिरुजितमवश्यकर्तव्यं च तत्त्वरया क्रियते, त्वरयान्वितं सुकार्यं अभिरुचितमेवेति विशेषः त्वरान्वितमिति । इयता यद्यपि सर्वं लभ्यते तथापि कविनटव्युत्पादनाय प्रपञ्चः ।३७। अत्ययोऽतिक्रमणं शीघ्रसंपादनं प्रयोजनमस्य । अपराधोऽभिनेयः शत्रोरन्य एव, यद्वा यस्यापराधः कृतो गुर्वादेस्ततश्च रुषा गतः सोऽपराद्धः ।३८। तथापि एतेष्विति एवं प्रकारेष्वन्येषु

---

१. NS. विफलान्तरपातिना ।

२. KSS. does not read,

३. NS. कार्यम् ।

४. KSS. कोपेष्वद्भुतदर्शने ।

अपि चात्ययिके कार्ये [1]दुःखिते शत्रुमार्गणे ।
अपराधानुसरणे श्वापदानुगतौ[2] तथा ॥३८॥

एतेष्वेवं गतिः प्राज्ञो [3]विकलां सम्प्रयोजयेत् ।
उत्तमानां गतिर्या तु न तां मध्येषु योजयेत् ॥३९॥

या गतिर्मध्यमानां तु न तां नीचेषु योजयेत् ।
गतिः भृङ्गारिणी कार्या [4]स्वस्थकामितसम्भवा ॥४०॥

दूती (दर्शन ?)शितमार्गस्तु प्रविशेद्रङ्गमण्डलम् ।
[5]सूचया चाप्यभिनयं कुर्यादर्थसमाश्रयम् ॥४१॥

मदादिष्वपीत्यर्थः विकलामिति विकलः कलापरिमाणो यस्याः सा कला अर्धकला-रहिता तुर्या यद्यपि, तथापि नादरणीया, यतः त्रिभागषड्भागादिरपि तत्र भवति। अत एव संभ्रमोत्पातरोषेषु चतुरर्धकलमित्यनेन पौनरुक्त्यं तस्याविषयत्वादस्य तु विषमभागविषयत्वात् तथाहि मत्तगतौ शेखरकस्य खण्डकप्रयोगे हि "गहिदुं धि" इत्येवं रूपे मात्रा तृतीये, तृतीयस्य नामात्र धं धग् इत्येकः पातः, त्सुक इति द्वितीयो, धि इति तृतीयो, नचैषां साम्यम् । एतेन च कलानां साम्यं न्यूनाधिकतानिरूपणेन समविषमकलाभागभङ्गाभिधानेन गुरुलघुद्रुतप्लुतानां स्वीकारात्तद्वैचित्र्यम्। इयमपि भङ्गोपभङ्गविभङ्गप्रकारप्रस्तार संगृहीता लक्ष्यसिद्धा भङ्गलयव्यवस्था प्रतिपाद्या-क्षरतदर्थादिरूपा च धाराबन्धादिविषया घातमार्गशब्देन प्रसिद्धा व्यवस्था स्फुटमेव दर्शिता माभूदेवं कालप्रमाण (कलापरिमाण ?) नियमाभिधानं गजस्नानीभूतमित्याह उत्तमानां गतिर्यात्विति । तुरेवार्थे अन्यक्रमेणैवेत्यर्थः एतदुक्तं भवति – अनियमेन निदर्शितेन नियमो विप्लुतः, तथापि कलाधिवये षट्कलोत्तमस्य तत्र मध्यमस्य चतुष्कलता, अधमस्य द्विकलता । यत्र न्यूनकलमुक्तं तत्राप्युत्तमस्यैका कला, मध्य-मस्यार्धकला, अधमस्य कलातुर्यभाग इति कथं विप्लवः ॥३९॥

एवं प्रकृतिभेदेन गतिमभिधाय रसविषयेण दर्शयितुं प्रथमं पुरुषार्थोपयोगिर-सविषयां निरूपयन् प्राधान्याच्च शृंगारे तावदाह गतिः भृङ्गारिणीत्यादि । स्वस्थ-

---

१. NS. तथा चैवारिमार्गणे ।
२. KSS. NS. अनुगते ।
३. NS. द्विकलां ।
४. KSS., NS. स्वच्छ ।
५. NS. सूचयन् वा ।

[1]हृद्यैर्गन्धैस्तथा वस्त्रैरलङ्कारैश्च भूषितः ।
नानापुष्पसुगन्धाभिर्मालाभिः समलंकृतः ॥४२॥

गच्छेत् सललितैः पादैर[2]तिक्रान्तस्थितैस्तथा ।
तथा सौष्ठवसंयुक्तैर्लयतालवशानुगैः[3] ॥४३॥

पादयोरनुगौ [4]हस्तौ नित्यं कार्यौ प्रयोक्तृभिः ।
[5][उत्क्षिप्य हस्तं पातेन पादयोश्च विपर्ययात्] ॥४४॥

प्रच्छन्नकामिते चैव गतिं भूयो निबोधत ।
विसर्जितजनः स्रस्तस्तथा दूतीसहायवान् ॥४५॥

निर्वाणदीपो नात्यर्थं भूषणैश्च विभूषितः ।
वेलासदृशवस्त्रश्च सह दूत्या शनैस्तथा ॥४६॥

कामितमप्रच्छन्नम् ।४०। अर्थसमाश्रये सिद्धे सूचायाः पुनर्वचनं हृद्यस्य पदार्थस्य पर्यालोचनं सातिशयं चमत्कारकारीति निरूपयितुं तत्र चर्वितचर्वणवत्पुनः पुनः कंचिदपि भागमत्यजन् सूचां श्रृंगारे कुर्यादिति दर्शयति । युद्धवीरादौ हि प्रधानानुसंधानमेवोचितं तन्मध्यपतितनां कार्यान्तराणामपर्यालोचनीयत्वात्, पर्यालोचने आचार्यं मातुलान् भ्रातॄन् स्वजनमित्यापाद्यापत्तेः, येऽपि चान्तरमार्गा इत्यत्रत्यान् नृत्ते सूच्यान् परिहर्तुमित्यर्थसमाश्रयणमित्यसत् ।४१। साऽपि हि निरर्थिका सूचैव हि कथं स्यात् सूचातोऽपि चान्तरङ्गमस्य प्रकृतां गतिमाह नानेति शोभनो गन्धः सुगन्धः । नानापुष्पैः सह सुगन्धः । अत्र समासान्ताभावः ।४२। सललितैः सविलासैः । सौष्ठवेनाङ्ग चातुरक्ष्येण युक्तः, लयो विलम्बितादि, तालं चतुरश्रादि, भूयः पुनः समान्येन उक्ताप्युत्तमगतिः पुनर्विशेषतया निरूप्यत इति भावः ।४३। प्रच्छन्नं कृत्वा कामितं यत्र श्रृंगारे सागरिकादाविव वत्सराजादेः तदन्यत्र सीतादाविव पौलस्त्यप्रभृतेस्तु ।४५। निर्वाणदीपः । वेलातुल्यवस्त्रः इति । तथाहि चन्द्रालोके सितवस्त्रावगुण्ठितो घनसारपरागपुञ्जमञ्जुगात्रो मुक्ताप्रायप्रचुराभरणो वस्त्राद्युपलक्षणम् ।४६। प्रच्छन्न

---

१. NS. हृद्यैवस्त्रैस्तथा गन्धैधूपैश्चूर्णैश्च ।
२. KSS. अतिक्रान्तोत्थितस्तथा ।
३. KSS. समन्वितैः ।
४. NS. वापि हस्तौ कार्यौ ।
५. KSS., NS. do not read.

व्रजेत् प्रच्छन्नकामस्तु[1] पादैर्निश्शब्दमन्दगैः ।
शब्दशंक्युत्सुकश्च स्यादवलोकनतत्परः ॥४७॥

वेपमानशरीरश्च शंकितः प्रस्खलन् मुहुः ।
रसे रौद्रे तु वक्ष्यामि दैत्यरक्षोगणान् प्रति ॥४८॥

एक एव रसस्तेषां स्थायी रौद्रो द्विजोत्तमाः ।
नेपथ्यरौद्रो विज्ञेयस्त्वङ्गरौद्रस्तथैव च ॥४९॥

तथा स्वभावजश्चैव त्रिधा रौद्रः प्रकल्पितः[2] ।
रुधिरक्लिन्नदेहो यो रुधिरार्द्रमुखस्तथा ॥५०॥

तथा पिशितहस्तश्च रौद्रो नेपथ्यजस्तु सः ।
बहुबाहुर्बहुमुखो नानाप्रहरणाकुलः ॥५१॥

स्थूलकायस्तथा प्रांशुरङ्गरौद्रः प्रकीर्तितः ।
रक्ताक्षः पिङ्गकेशश्च असितो विकृतस्वरः ॥५२॥

[3]रूक्षो निर्भत्सनपरो रौद्रः सोऽयं स्वभावजः ।
चतुस्तालान्तरोत्क्षिप्तैः पादैस्त्वन्तरपातितैः ॥५३॥

कामस्तु । एवंविधकामिविषयमेव सुभद्राभिधानं ध्रुवातालमाहुः कोहलाद्याः । यस्य हि प्रस्तारो द्रुतलघुमिश्रः । शब्दशङ्कीत्यादिना खण्डितां कलां सूचयन् मिश्रप्रयोगां गतिमत्राह । उत्सुक इत्यादिना कार्ये ।४७। वेपमान देहः । प्रस्खलन्नित्यादिना कलातुर्यांशात् । विप्रलम्भे तु शृङ्गारिण्येव करुणव्यामिश्रा गतिर्व्यभिचारिसंवादिन्यभिप्रेत्य पृथङ् नोक्ता एवं विषयाभिलाषप्राणे शृङ्गारेऽभिधाय तद्रूप एव रौद्रे गतिं निरूपयति रौद्रे रसे त्विति ।४८। दैत्यादिप्रयुक्तं यदुक्तं तत्केनाशयेनेति शङ्काशमनायाह एक एवेति । ननु किं तेषां क्रोधेन विनापि रौद्रता; ओमिति ब्रूमः । कथमिति चेत् रसाध्यायोक्तन्यायेनानुरसयितुमाह **नेपथ्यरौद्र** इत्यादि **स्वभाव** इत्यन्तम् । एवमेक एव रसस्तेषामिति कथितं, रसाध्याये चैतत्प्रपञ्चितम् ।४९-५२। चतुस्तालान्तरोत्क्षिप्तैरिति तालान्तरपातित्वं द्वितीयतालान्तरालापेक्षयेति केचित् । उपाध्यायास्तु तालशब्देनात्र कालमानमुक्तं न तु देशमानं, तेन यावता कालेनोत्क्षेपस्ततो न्यूनेन पतनमिति । एतदनु प्रकृतिसन्धिसंरम्भत्वं चाभिदधता विषमगतित्वमेषामनुज्ञातम् । तथा च कोहलमुखाः कलातदर्धद्वयलक्षणेन नर्तनकोत्फुल्लकादिना रौद्रादौ परिक्रममाहुः ।५३। तद्विधा इति भीमसेनादयः । अनेन युद्धवीरेऽप्येषैव गतिरिति सूचयति ।

---

१. KSS. कामैस्तु ।
२. KSS. प्रकीर्तितः ।
३. KSS. रूक्षे ।

गतिरेवं प्रकर्त्तव्या तेषां ये चापि तद्विधाः ।
अहृद्या तु मही यत्र श्मशानरणकश्मला ॥५४॥
गतिं तत्र प्रयुञ्जीत बीभत्साभिनयं[1] प्रति ।
क्वचिदासन्नपतितैः विकृष्टपतितैः क्वचित् ॥५५॥
एलकाक्रीडितैः पादैरुपर्युपरि पातितैः ।
तेषामेवानुगैर्हस्तैर्बीभत्से गतिरिष्यते[2] ॥५६॥
अथ वीरे च कर्त्तव्या पादविक्षेपसंयुता ।
[3]द्रुतप्रचाराधिष्ठाना नानाचारीसमाकुला ॥५७॥
पार्श्वक्रान्तैर्द्रुताविद्धैः[4] सूचीविद्धैस्तथैव च ।
[5]कलाकालगतैः पादैरावेगे योजयेद् गतिम् ॥५८॥
उत्तमानामयं प्रायः प्रोक्तो गतिपरिक्रमः ।
मध्यानामधमानां च गतिं वक्ष्याम्यहं पुनः ॥५९॥

अथ रौद्रप्राणोग्रचविवक्षामध्ये पुरुषार्थप्राणायातर्बीभत्साश्रयां गतिमाह अहृद्या त्विति श्मशानरूपा युद्धपतितकबन्धप्रभृतिविरचिता अत एव रणेन कश्मला जुगुप्सिता ।५४। आसन्नपतितत्वेन कलार्धतुर्यांशत्वादि विकृष्टपतितत्वेन कलासार्धकलादि सूचयति ॥५५॥

अथ वीरगतिमाह—अथ वीरे चेति । विस्तारेण क्षेप इति स्यन्दितापस्यन्दितादेर्ग्रहणम् । तत्र च कलयार्धकलादि च प्रयोगः । तत एवोल्लासनिकाख्यं तालमत्राहुर्लक्ष्यविदः । द्रुतेन प्रचारेणाधिष्ठानं गन्तव्ये देशे यस्यामिति । मल्लघटीत्र्यश्रादि विकृष्टपतितत्वे कलासार्धलघुद्रुतप्रचारं सूचितमनेन वीरे रौद्रे वा प्रवेगस्य स्पर्शभावत्वात् ।५७। तत्र गतिमाह कलाकालगतैरिति । पादैरिति बहुवचनेन त्रयः पादपाता गृह्यन्ते । तेन कलया कालेन च सन्निधानात् तालगतैव गतिरिति लघु पातनं येषाम् । अथवैको लघुपातो द्वावन्योन्यद्रुतपातौ कलामात्रं च विराममित्येवम् ।५८। उत्फुल्लकपरिक्रमः स चोभयोर्वीररौद्रयोः क्रमः । उत्तमानामिति ननु बीभत्सस्यैवोत्तमविषयतैवं केनैतदुपदिष्टं भवतः ? पुरुषार्थसाधनः बीभत्सः उत्तमेष्वेवैतदभिहितरसविषय व्यभिचारियोगे तु ।५९। मध्यमानां गतिमाह विस्मये चेति । चकारादावेगादौ

---

१. KSS. बीभत्सानुनयं ।

२. KSS. बीभत्सा NS. बीभत्सगतिरुच्यते ।

३. KSS. द्रुता प्रहणांविद्धा ।

४. KSS. तथाविद्धैः ।

५. KSS., NS. कालाकालागतैः ।

विस्मये चैव हर्षे च विक्षिप्तपदविक्रमान् ।
आश्रये तु रसं हास्यमे[1]तच्चान्यच्च योजयेत् ॥६०॥

पुनश्च करुणे कार्या गतिः स्थिरपदैरथ ।
वाष्पाम्बुरुद्धनयनः सन्नगात्रस्तथैव च ॥६१॥

उत्क्षिप्तपातितकरस्तथा सस्वनरोदनः ।
[2]गच्छेत्तथाध्यर्धिकया प्रत्यप्राप्रियसंश्रये ॥६२॥

एषा स्त्रीणां प्रयोक्तव्या नीचसत्त्वे तथैव च ।
उत्तमानां तु कर्त्तव्या [3]सधैर्या वाष्पसंगता ॥६३॥

निःश्वासैरायतो[4]त्सृष्टैस्तथैवोर्ध्वनिरीक्षितैः ।
न तत्र सौष्ठवं कार्यं न प्रमाणं तथाविधम् ॥६४॥

व्यभिचार्यन्तरेष्वपि । विक्षिप्तः इतस्ततो गतो व्याकुलप्रायो लघुद्रुतबहुलः परिक्रमो यस्य तथा विस्मय एव व्यभिचारिरूपे स्थायिनि अद्भुतरसरूपे मध्यमानाम् ! पुनरिति पुनर्ग्रहणादुत्तमानामङ्गु तेऽपि स्वच्छन्दगतिरेव पूर्वोक्तेति दर्शयति । केवलं तत्र विस्मयो वदन उत्पाद्यो मुखरागः । एतच्चेति परं हास्यं स्मिताद्यतिहसतिपर्यन्तं, यदोत्तमानां स्वस्थगतिरेव तदा मध्याधमानान्तु अपहसितातिहसितयोर्विक्षिप्तगतित्वमेव । अन्यां च्चेति तावद्विदूषकगतौ वक्ष्यमाणम्, एवं प्रसङ्गाद् द्रुतहास्ययोग्या गतिरभिहिता- करुणे तूच्यते पुनश्च करुण इति । "ज्वरार्ते चे" त्यादिश्लोकेन यद्यपि स्तोकगति- रुक्ता तथापि यद्वक्ष्यत इति पुनः शब्दार्थः । स्थिरपदैः विलम्बितैः । ६१-६३। आयतं दीर्घं कृत्वा उत्सृष्टैस्त्यक्तैः । उर्ध्वनिरीक्षणैः देवोपालम्भसूचकैः । न प्रमाणं तथाविधमिति नात्र सर्वथा प्रमाणाभावः अपि त्वनियन्त्रितमेव पातात्मकं प्रमाणम् । अत एवात्र विलम्बितलयेन लघुलयेन द्रुतलयेन गुरुप्लुतमात्रेण च विरामेण जम्भ- टिकाख्यो लयः कोहलेन दर्शितः ।६४। उरसः पातः आभुग्नत्वात् करुणप्रसङ्गात्प्रहारे

---

१. KSS., NS. मेताश्चान्याश्च ।

२. KSS., NS. गच्छेत्तथा विद्धकायः प्रत्यग्रगतिसंश्रये ।

३. KSS. सधैर्यं ।

४. KSS. उत्कृष्टैः ।

[1][मध्यानामपि सत्त्वज्ञा गतिर्योज्या विधानतः] ।
उरःपात[2]हतोत्साहः शोक[3]व्याकुलचेतनः ॥६५॥

नात्युत्क्षिप्तैः पदैर्गच्छेत् इष्टबन्धुनिपातने ।
गाढप्रहारे कार्या च शिथिलाङ्गभुजाश्रया ॥६६॥

विघूर्णितशरीरा च [4]गतिश्चूर्णपदैरथ ।
शीतेन चाभिभूतस्य वर्षेणाभिद्रुतस्य[5] च ॥६७॥

गतिः प्रयोक्तृभिः कार्या स्त्रीनीचप्रकृतावथ ।
पिण्डीकृत्य तु गात्राणि तेषां चैव प्रकम्पनम् ॥६८॥

करौ वक्षसि निक्षिप्य कुब्जीभूतस्तथैव च ।
दन्तोष्ठस्फुरणं चैव चिबुकस्य प्रकम्पनम् ॥६९॥

कार्यं शनैश्च [6]कर्त्तव्यं शीताभिनयने गतौ ।
तथा भयानके चैव गतिः कार्या विचक्षणैः ॥७०॥

गतिमाह ।६५। चूर्णानि परिमितोत्क्षिप्तानि अधिकपतितानि पादानि तेनाद्यधिकातोऽ ल्पान्तरं स्यात् । करुणे रसे दारिद्र्यमभिभवस्त्वत्र शीतः वर्षभवः संभाव्यत इति । तद्भवगतिमाह—शीतेन चेति ।६७। अथेत्यनेन मध्यमोत्तमानामनुभावन्यूनभावेन शीतादिगतिं सूचयति । तेषामिति पिण्डीकृतानां गात्राणां, चकारेण कम्पनं सङ्कोचनं समुच्चीयते एवकारेण सौष्ठवचातुरश्र्यादि निरस्यते ।६८। कराविति कटिपात-रूपावित्यर्थः । गात्राणि पिण्डीकृत्य करौ वक्षसि च कृत्वा या गतिः लोके तस्याभिग-मने योऽयं शीताभिनयस्तत्र कर्तव्यः प्रयोक्तृभिर्नटैर्गात्रकम्पनं कुब्जीभूतो देह इत्यादि कार्यमिति पदसङ्गतिः ।६९। एवं करुणे तत्प्रसङ्गेन चान्यत्रापि गतिममिधाय भयानकं कथयति ये चान्य इति । येषामुत्तमत्वं कुलाद्यौचित्यात् । अथ सत्वविहीनाः ।

---

१. KSS., NS. do not read.
२. KSS., NS. गतोत्साहः ।
३. NS. व्यामूढ ।
४. NS. गतिस्तूर्ण । ।
५. KSS., NS. हतस्य ।
६. KSS., गन्तव्यं ।

स्त्रीणां कापुरुषाणां च ये चान्ये सत्त्ववर्जिताः ।
विस्फारिते चले नेत्रे विधुतं च शिरस्तथा ॥७१॥

भयसंयुक्तया दृष्ट्या पार्श्वयोश्च विलोकनैः[१] ।
द्रुतैश्चूर्णपदैश्चैव बद्ध्वा हस्तं कपोतकम् ॥७२॥

प्रवेपितशरीरश्च शुष्कोष्ठस्खलितं व्रजेत् ।
एषानुकरणे कार्या तर्जने त्रासने तथा ॥७३॥

सत्त्वं च विकृतं दृष्ट्वा श्रुत्वा च विकृतं स्वरम्[३] ।
एषा स्त्रीणां प्रकर्त्तव्या नृणाञ्चाक्षिप्तविक्रमा ॥७४॥

क्वचिदासन्नपतितैर्विकृष्टपतितैः क्वचित् ।
एलकाक्रीडितैः पादैरुपर्युपरि पातितैः ॥७५॥

एषामेवानुगैर्हस्तैर्गतिं भीतेषु योजयेत् ।
वणिजां सचिवानां च गतिः कार्या स्वभावजा ॥७६॥

[कृत्वा नाभितटे[४]हस्तमुत्तानखटकामुखम् ।
आद्यं चारालमुत्तानं कुर्यात्पार्श्वं[५] स्तनान्तरे ॥७७॥

न निषण्णं न च स्तब्धं न चापि परिवाहितम् ।
कृत्वा गात्रं तथा गच्छेत्तेन चैव क्रमेण तु] ॥७८॥

तद्यथा— विराटपुत्र उत्तरः ।७१। द्रुतैरित्यनेन धारालयादिः कोहलोक्तः सूचितः ।७२। अनुसरण इति शत्रोः पृष्ठतः आगमनमित्यर्थः ।७३। नृणां पुनराक्षिप्तविक्रमं यत्तेनोपाहृतं मध्ये-मध्ये कृतधैर्यं यस्यामित्यर्थः । तेन मध्ये गुरु लघु पादपाता अपि । तदाह— क्वचिदासन्नपतितैरित्यादि ।७४-७५।

अथ शान्तरसे गतिर्वक्तव्या स च प्राधान्येन तथा प्रयोगसौन्दर्यमावहति अतोऽन्तस्संस्काररूपता येषां वणिक्प्रभृतीनामस्ति "धीरप्रशान्ता वाणिज" इति वचनात् । यति प्रभृतयोऽपि च शान्तरसप्रधानाः, ये नाटकादौ प्रसङ्गा भवन्ति तेषामुभयेषामपि गतिमाह—वणिजामित्यादिना । सचिवा अमात्याः । स्वभावशब्देन तत्र तत्रानाविष्ट-

---

१. KSS., विलोकितैः ।
२. NS. पूर्णपदैः ।
३. NS. विकृतं एवम् KSS. विकृतस्वरम् ।
४. KSS.. NS. हस्तं मुक्ताङ्गकटकामुखम् ।
५. KSS., NS. तदन्तरे ।

[1][अतिक्रान्तैः पदैर्विप्रा द्वितालान्तरगामिभिः ।]
[2]यतीनां श्रमणानाञ्च ये चान्ये तपसि स्थिताः । ७९।।

तेषां कार्या गतिर्ये तु नैष्ठिकं व्रतमाश्रिताः[3] ।
अलोलचक्षुश्च भवेद्युग[4]मात्रनिरीक्षणः ।।८०।।

उपस्थितस्मृतिश्चैव गात्रं सर्वं विधाय च ।
अचञ्चलमनाश्चैव [5]यथावल्लिङ्गमाश्रितः ।।८१।।

विनीतवेषश्च भवेत् कषायवसनस्तथा ।
प्रथमं समपादेन स्थित्वा स्थानेन वै बुधः ।।८२।।

हस्तं च चतुरं कृत्वा तथा चैकं प्रसारयेत्[6] ।
प्रसन्नं वदनं कृत्वा प्रयोगस्य वशानुगः ।।८३।।

अनिषण्णेन गात्रेण गतिं गच्छेद् व्यतिक्रमात्[7] ।
उत्तमानां भवेदेषा लिङ्गिनां ये महाव्रताः ।।८४।।

एभिरेव विपर्यस्तैर्गुणैरन्येषु योजयेत् ।
तथा[8] व्रतानुगावस्था ह्यन्येषां लिङ्गिनां गतिः ।।८५।।

सेव रूपमाह ।७६-७९। नैष्ठिकमिति ब्रह्मचर्य एव प्रवर्तित इत्यर्थः। युगं चतुरहस्तम् ।८०। उपस्थिता झटिति संस्कारप्रबोधप्रभवा स्मृतिर्यस्य। शान्तत्वादेव हि हृदयं नियम्यमेषां वणिगमात्ययतिप्रभृतीनां निर्जने विजय इति सन्धिबन्धमेव नित्यनिरूपणपरं यस्य। लिङ्गं जपभस्म कौपीनादि ।८१। अन्येष्विति नाममात्रवृत्तिषु तत्र तु विपर्यासो यथोचितं द्रष्टव्यः। तद्यथा, लोलं चक्षुः, मनश्चञ्चलम्। लिङ्गं पुनर्जटादि भवति। एवमन्यदुत्प्रेक्ष्यम् ।८२-८४। व्रतानुगत्वं स्फुटयति विभ्रान्ता चेति। उन्मत्तादिव्रतं हि श्रूयते। आगमेषु तत्तदुचितैरित्यैवसेव गतिरित्यर्थः ।।८५।।

---

१. KSS. NS. do not read.
२. NS. यतीनां चैव सर्वेषां ।
३. NS. आस्थिताः ।
४. KSS. युगमत्र···।
५. KSS. तथालिङ्गं समाश्रितः ।
६. KSS. प्रयोजयेत् ।
७. KSS. अतिक्रमात् ।
८. KSS., NS. तथा व्रतानुगा च स्यात् ।

विभ्रान्ता वाप्युदात्ता वा विभ्रान्तनिभृताऽपि वा।
शकटास्यस्थितैः पादैरतिक्रान्तैस्तथैव च ॥८६॥

कार्या पाशुपतानां च [1]गतिरुद्धतगामिनी।
अन्धकारेऽथ याने[2] च गतिः कार्या प्रयोक्तृभिः ॥८७॥

भूमौ विसर्पितैः पादैर्हस्तैर्मार्गप्रदर्शिभिः[3]।
[4]रथस्थस्यापि कर्त्तव्या गतिश्[5]चूर्णपदैरथ ॥८८॥

समपादं तथा स्थानं कृत्वा रथगतिं व्रजेत्।
धनुर्गृहीत्वा चैकेन तथा चैकेन कूबरम् ॥८९॥

सूतश्चास्य भवेदेवं प्रतोदप्रग्रहाकुलः।
वाहनानि विचित्राणि कर्तव्यानि विभागशः ॥९०॥

क्रमणादुत्क्रान्तं कृत्वा पतिः पाशुपतानां परमेश्वरव्रतधारिणां गतिरत्युदात्तेत्यर्थः यदि वा परमयोग्यवस्थायां नाकुलदर्शनप्रतिपन्नानामुन्मत्तव्रतमप्यस्ति, तद्विषमेवोद्भ्रान्तत्वं गतौ। एवं रसान्तरसङ्गतिरुक्ता। यच्चान्यै रौद्रानन्तरं शान्तरसाभिप्रायेण पठितं।

"रूपादित्वनिराशंसः परोपायविचिन्तकः।
चतुष्कलैर्द्विपातैश्च पादैर्भ्रान्तिगतिं व्रजेत् ॥ इति

तदनर्थमेव, एतत् ग्रन्थे पुनरुक्तमपुष्कलार्थं, पुस्तके कथं दृष्टमिति स्वकल्पितमेवेत्युपेक्ष्यम् ॥८६॥

एवं रसानुसारेण गतिमुक्त्वा देशानुसारेणाप्याह। अन्धकार इति अन्धत्वेन गमन इति ।८७। विसर्पितैरपक्षेपणशून्यैः मार्गप्रदर्शिभिः मार्गान्वेषणपरैरित्यर्थः। कर्तव्या गतिरिति च्छेदः तदाह चूर्णपदैः, चूर्णपदैरित्यनेन खण्डधारालयं द्रुतबहुलं गुर्वन्तं कोहलोक्तं सूचयति ।८८। समपादेन स्थानकेन रथेन गतिः यस्मिन् देशे तं व्रजेत् रथविशिष्टा वा गतिः। सामान्यके अकर्मकरभसात्मिका साऽत्र इति। कूबरं युगन्धरं प्रतोदः प्रेषणकः, प्रग्रहो वल्गा ।८९। वाहनानि रथ्यानि तानि, प्रकृतिविभागौचित्येन विचित्राणि तुरगबलीवर्दखरोष्ट्रकानि चित्राणि लिखितानि। अस्य सूतस्यैव कर्तव्यानि तच्चित्रपटं सूतस्यैव हस्ते आवर्जयेदिति यावत् ।९०। चूर्णपदानां

---

१. KSS. गतिरुद्भ्रान्त··।
२. KSS., NS. अन्धयाने।
३. मार्गं प्रदर्शितैः।
४. KSS. अधस्तस्यापि।
५. NS. तूर्णपदैः।

द्रुतैश्चूर्णपदैश्चैव गन्तव्यं रङ्गमंडले ।
विमानस्थस्य कर्तव्या ह्येषैव [1]स्यन्दिनी गतिः ॥६१॥

[2]आरोढुमुद्वहेद् गात्रं किञ्चित् स्यादुन्मुखस्थितम् ।
अस्यैव वैपरीत्येन कुर्याच्चाप्यवरोहणम् ॥६२॥

अधोऽवलोकनैश्चैव मंडलावर्तनेन च ।
आकाशगमने चैव कर्तव्या नाट्ययोक्तृभिः ॥६३॥

[3][स्थानेन समपादेन तथा चूर्णपदैरपि ।]
व्योम्नश्चावतरेद्यस्तु तस्यैतां कारयेत् गतिम् ॥६४॥

[4]ऋज्वायतोन्नतनतैः कुटिलावर्तितैरथ ।
भ्रश्यतश्च तथाकाशादपविद्धभुजा गतिः ॥६५॥

विकीर्णवसना चैव तथा भूगतलोचना ।
प्रासादद्रुमशैलेषु नदीनिम्नोन्नतेषु च ॥६६॥

लयविशेषनिरूपणाय पुर्नग्रहणं द्रुतैरिति । रङ्गमण्डल इत्यनेनेदमाह—यथा वस्तुतोऽसौ रङ्गमण्डल एव गतिक्रियां करोति तथात्र सर्वम् । तच्चित्रं तद्रथाकृति कर्तव्यं तत्त्वनुगतपदमात्रमेव, येन रथो यातीति प्रतीयते एवं सर्वत्र । अत एवाह विमानस्थस्यापीति । दिव्यस्याकाशगामिनोऽपि पुष्पकादेरित्यर्थः ।६१। अथ रथप्रसङ्गादुद्धतं क्रियान्तरमप्याह आरोढुमिति । उद्वहेदूर्ध्वं प्रापयेत् । वैपरीत्येन अधोमुखत्वेन गात्राधोनयनेन चेत्यर्थः ।६२। अथाकाशगति विमानप्रसङ्गादाह—अधोऽवलोकनेनेति । मण्डलावर्तं परिवर्तुलगतिरिति केचित् ।

आकाशीयानां चारीमण्डलानां पुनः पुनरावर्तनेनेति तूपाध्यायाः ।६३। एतामिति वक्ष्यमाणां कारयेन्नाट्याचार्यो नटैः ।६४। ऋजुभिः सरलैः ललितजङ्घैः । अत एवायतैरुत्क्षिप्तपातितैः, कुटिलया गत्या आवर्तितैः भ्रमितैः उन्नतनतैरित्यन्ये पठन्ति, उत्क्षेपणकाले उन्नतैः पातनकाले तु नतैरिति व्याचक्षते ।

भ्रश्यन इत्यबुद्धिपूर्वकं पतत इत्यर्थः । अपविद्धौ त्वरितडोलाकारपातौ भुजौ यस्याम् ।६५। अर्थवशादिति स्फुटयति अवतरणमिति । तटादवतीर्य ततः शरीरं

---

१. KSS. स्पन्दिनी ।
२. KSS., NS. आरूढ··· ।
३. KSS , NS. do not read.
४. KSS., NS. रुद्धायतोऽनुतननैः ।

आरोहणावतरणं कार्यमर्थवशाद् बुधैः ।
प्रासादारोहणं कार्यमतिक्रान्तैः पदैरथ ॥९७॥

उद्वाह्य गात्रं पादञ्च [1]सोपाने निक्षिपेन्नरः ।
[2]तथावतरणञ्चैव गात्रमानम्य रेचयेत् ॥९८॥

[3]प्रासादे यन्मया प्रोक्तः प्रतारः केवलो भवेत् ।
किञ्चिन्नतप्रकाया तु प्रतारे गतिरिष्यते ॥९९॥

जलप्रमाणापेक्षा तु जलमध्ये गतिर्भवेत् ।
तोयेऽल्पे वसनोत्कर्षः प्राज्ये पाणिविकर्षणैः ॥१००॥

प्रसार्य बाहुमेकैकं मुहु[4]र्वारिविकर्षणैः ।
तिर्यक् प्रसारिता चैव [5]ह्रियमाणा च वारिणा ॥१०१॥
अशेषाङ्गाकुलाधूतवदना[6] गतिरिष्यते ।
नौस्थस्यापि प्रयोक्तव्या [7]द्रुतैश्चूर्णपदैर्गतिः ॥१०२॥

अतिक्रान्तेन पादेन द्वितीयेनाञ्चितेन च ।
प्रासादारोहणे[8] यत्तु तदेवाद्रिषु कारयेत् ॥१०३॥

प्रयोगेन रेचयेत् ।९७-९८। प्रतार इति एतत्प्रकारं व्याचष्टे । जलप्रमाणापेक्षा त्विति । एतत्स्फुटयति तोयेऽल्प इति । उत्कर्षः उद्ध्वं नयनं, प्राज्ये भूयसि जले यः प्रचारस्तत्र पाणिविचित्रकर्षणेन पताकसर्पशीर्षकादिनोपलक्षितगतिरिति संबन्धः ।९९-१००। अबुद्धिपूर्वकन्तु जलेन नीयमानस्य गतिमाह प्रसार्येति । एकैकमिति पर्यायेणेत्यर्थः ।१०१। अशेषेऽङ्गे आकुलत्वं यस्यां गतौ तथा आधूतमुच्यते तिर्यक् सकृदुद्वाहितं तुलयेत् । अस्वतंत्रत्वाच्चैवं भवति । कैश्चित्तु पर्यायशः पार्श्वस्वमुक्तं, तदसत् । परिवाहितं ह्येतत् बुद्धिपूर्वके च जलप्रतरणे तत्स्यात्, नत्विह ।१०१। जलप्रसङ्गात् नौगतिमाह—नौस्थस्येति ।१०२। एवं प्रसङ्गान्नौगतिमुक्त्वा प्रकृतमेवारोहणमनुसन्धत्ते । प्रासादारोहण इति ।१०३। ननु वृक्षप्रासादादि तत्र किं रङ्गमण्डले रथचित्र-

---

१ KSS., NS. न्यसेत्सोपानपङ्क्तिषु

२ NS तथावतरणं चैव गात्रमस्यैव कारयेत् ।

३. NS प्रसादे यन्मया प्रोक्तं प्रतारः कवलो भवेत् ।

४. KSS. NS. बाहु···।

५. KSS., NS. ह्रियमाणस्य ।

६. KSS. पूरवदना ।

७. KSS. गतिश्चूर्णपदैः । NS. द्रुतैस्तूर्णैः ।

८. KSS. रोहणं ।

[1]केवलमूर्ध्वनिक्षेपमाद्रिष्वङ्कं भवेदथ ।
द्रुमे चारोहणं कार्यमतिक्रान्तैः स्थितैः[2] पदैः ॥१०४॥

सूचीविद्धैरपक्रान्तैः पार्श्वक्रान्तैस्तथैव च ।
एतदेवावतरणं सरित्स्वपि नियोजयेत् ॥१०५॥

अनेनैव विधानेन कर्तव्यं गतिचेष्टितम् ।
संज्ञामात्रेण कर्तव्यान्येतानि विधिपूर्वकम् ॥१०६॥

कस्मान्मृत[3] इति प्रोक्ते किं कर्तव्यं प्रयोक्तृभिः ।
अङ्कुशग्रहणान्नागं खलीनग्रहणाद्धयम् ॥१०७॥

प्रग्रहग्रहणाद्यानमेवमेवापरेष्वपि ।
अश्वयाने गतिः कार्या वैशाखस्थानकेन तु ॥१०८॥

[4]यथा चूर्णपदैश्चित्रैरुपर्युपरि पातितैः ।
पन्नगानां गतिः कार्या पादैः स्वस्तिकसंज्ञितैः ॥१०९॥

पार्श्वक्रान्तं पदं कुर्यात् स्वस्तिकं रेचयेदिह ।
विटस्यापि तु कर्तव्या गतिर्ललितविक्रमा ॥११०॥
पादैराकुञ्चितैः किञ्चित् तालाभ्यन्तरपातितैः ।
[5]स्वसौष्ठवसमायुक्तौ तथा हस्तौ पदानुगौ ॥१११॥

पटादिन्यायेन दर्शनीयं, नेत्याह संज्ञामात्रेणेति । संज्ञा उक्तरूपारोहणाद्यभिनयः ।४।५।६।

प्रसङ्गादन्यत्राप्यभिनयं दर्शयति । अङ्कुशग्रहणादित्यादि । तेन चित्रपटादि-वियोगेऽपि रथगमनाद्यभिनयनं न युक्तम् । सौकर्यात्तु तत्करणमपि भवत्विति भावः ।७। स्वस्तिकसंयुतैरित्युक्तमेव विभजति पार्श्वक्रान्तमिति । एवं देशापेक्षया गतिरुक्ता । नागादिप्रसङ्गात्तु सर्पगतिरपि ।९।

अथावस्थाभेदेन गतिं निरूपयन् विटावस्थायां तावदाह विटस्यापि चेति ।१०। स्वं प्रकृत्युचितं यत्सौष्ठवम् ।११। कञ्चुकमिति तन्नेपथ्योचिता वृत्तिः तदिच्छत्यात्मन

---

१. KSS., NS. केवलं मूर्धनि क्षेपं ।

२. KSS., NS. अतिक्रान्तोत्थितैः ।

३. KSS., NS. नृत्त ।

४. NS. तथा तूर्णपदैः ।

५. KSS. ससौष्ठव··· ।

लटकावर्धमानौ तु कृत्वा विटगतिं व्रजेत्।
¹कञ्चुकीयस्य कर्तव्या वयोवस्थाविशेषतः ॥११२॥

अवृद्धस्य प्रयोगज्ञो गतिमेवं प्रयोजयेत्।
अर्धतालोत्थितैः पादैर्विष्कम्भैः ऋजुभिस्तथा ॥११३॥

समुद्वहन्निवाङ्गानि पङ्कलग्न इव व्रजेत्।
अथवृद्धस्य कर्तव्या गतिः कम्पितदेहिका ॥११४॥

²विष्कम्भनकृतप्राणा मन्दोत्क्षिप्तपदक्रमा³।
कृशस्याप्यभिनेया वै गतिर्मन्दपदक्रमा⁴ ॥११५॥

व्याधिग्रस्ते ज्वरार्ते च तपःश्रान्ते क्षुधान्विते।
विष्कम्भनकृतप्राणः कृशः क्षामोदरस्तथा ॥११६॥

क्षामस्वरकपोलश्च दीननेत्रस्तथैव च।
शनैरुत्क्षेपणं चैव कर्त्तव्यं हस्तपादयोः ॥११७॥

कम्पनं चैव गात्राणां क्लेशनं च तथैव च।
दूराध्वानं गतस्यापि गतिर्मन्दपदक्रमा ॥११८॥

निकूणनञ्च गात्रस्य जानुनोश्च विमर्दनम्।
स्थूलस्यापि तु कर्तव्या गतिर्देहानुकर्षिणी ॥११९॥

इति "क्वचित् च"। कञ्चुकीयः। वयोऽवस्थाविशेषत इति युक्तं तद्विभजत्येवमिति वक्ष्यमाणक्रमेण।१३। विष्कम्भः स्थैर्यं तद्येषामिति मत्वर्थीयोऽकारः। समुद्वहन्निति यत्नेनाकर्षनं।

एतदेव दृष्टान्तेन शिक्षयति पङ्कलग्न इवेति। अत एव सञ्जकहेलाविलम्बितलधुमयस्य कोहलोक्तस्य सङ्ग्रहः।१४। विष्कभने यष्टयादिके कृतं समन्वितं प्राणो बलंयेत।१५।

विकूणनं सङ्कोचनं विमर्दनमिति मिश्रपरिहारार्थम्। स्थूलस्येति महाकायस्य श्रमकृत्स्वेदः।१९।

---

१. KSS. काञ्चुकी यस्य NS. कञ्चुकीव प्रस्तव्या।
२. KSS., NS. विष्कम्भेन।
३. NS. क्रमात्।
४. NS. परिक्रमात्।

समुद्वहनभूयिष्ठा मन्दोत्क्षिप्तपदक्रमा ।
विष्कम्भगामी च भवेन्निःश्वासबहुलस्तथा ॥१२०॥

श्रमस्वेदाभिभूतश्च व्रजेत्[1]चूर्णपदैस्तथा ।
मत्तानां तु गतिः कार्या मदे तरुणमध्यमे ॥१२१॥

वामदक्षिणपादाभ्यां घूर्णमानापसर्पणैः ।
अवकृष्टे पदे चैव ह्यनवस्थितपादिका ॥१२२॥

विघूर्णितशरीरा च[2] करैः प्रस्खलितैस्तथा ।
उन्मत्तस्यापि कर्तव्या [3]गतिस्त्वनियतक्रमा ॥१२३॥

बहुचारीसमायुक्ता लोकानुकरणाश्रया ।
रूक्षस्फुटितकेशश्च रजोध्वस्ततनुस्तथा ॥१२४॥

अनिमित्तप्रकथनो बहुभाषी विकारवान् ।
[गायत्यकस्माद्धसति सङ्गे चापि न सज्जते ॥१२५॥

नृत्यत्यपि च संहृष्टो वादयत्यपि वा पुनः ।
कदाचिद्धावति जवात् कदाचिदवतिष्ठते ॥१२६॥

कदाचिदुपविष्टस्तु शयातः स्यात् कदाचन ।
नानाचीरधरश्चैव रथ्यास्वनियतालयः ॥१२७॥

उन्मत्तो भवति ह्येवं तस्यैतां कारयेद् गतिम् ।
स्थित्वा नूपुरपादेन दण्डपादं प्रसारयेत् ॥१२८॥

बद्धां चारीं तथा चैव कृत्वा स्वस्तिकमेव च ।
अनेन चारीयोगेन परिभ्राम्य तु मण्डलम् ॥१२९॥

बाह्यभ्रमरकं चैव रङ्गकोणे प्रसारयेत् ।
त्रिकं सुललितं कृत्वा लताख्यं हस्तमेव च ॥१३०॥

विपर्ययगतैर्हस्तैः पङ्गूधां सह गतिर्भवेत् ।
त्रिविधा तु गतिः कार्या खञ्जपङ्गुकवामनैः ॥१३१॥

पङ्गूयां सह विपर्ययगतैरिति पादचेष्टा तथा करकर्मण्यनुवर्तनीयेति ।३०। कुहकाः अधमा । लिङ्गिन इति केचित् कुहकशब्देन हास्यरस इत्येतत् ।३१। तले पादतलें शल्या-

---

१. NS तूर्णपदैः ।
२. NS पदै प्रस्खलितैरथ । KSS करैः प्रचलितैस्तथा ।
३. KSS गतिश्च नियतक्रमा । NS गतिस्त्वभिनयक्रमात् ।

विकलाङ्गप्रयोगेण कुहकाभिनयं प्रति ।
एकः खञ्जगतौ नित्यं स्तब्धो वै चरणो भवेत् ॥१३२॥

तथा द्वितीयः कार्यस्तु पादोऽग्रतलसञ्चरः ।
स्तब्धेनास्थापनं कार्यमङ्गस्य चरणेन तु ॥१३३॥

गमनेन निषण्णः स्यादन्येन चरणेन तु ।
इतरेण निषीदेच्च क्रमेणानेन वै व्रजेत् ॥१३४॥

एषा खञ्जगतिः कार्या तलशल्यक्षतेषु च ।
पादेनाग्रतलस्थेन ह्यञ्चितेन व्रजेत्तथा ॥१३५॥

निषण्णदेहा पङ्गोस्तु नतजङ्घा तथैव च ।
सर्वसंकुचिताङ्गा च वामने गतिरिष्यते ॥१३६॥

न तस्य विक्रमः कार्यो विक्षेपश्चरणस्य च ।
सोद्वाहिता चूर्णपदा सा कार्या कुहनात्मिका ॥१३७॥

विदूषकस्यापि गतिर्हास्यत्रयसमन्विता ।
अङ्गवाक्यकृतं हास्यं हास्यं नेपथ्यजं स्मृतम् ॥१३८॥

दन्तुरः खलतिः कुब्जः खञ्जश्च विकृताननः ।
य ईदृशः प्रवेशः स्यादङ्गहास्यं तु तद्भवेत् ॥१३९॥

यदा तु बकवत् गच्छेदुल्लोकितविलोकितैः ।
अत्यायतपदत्वाच्च अङ्गहास्यो भवेत्स तु ॥१४०॥

कार्यहास्यं तु विज्ञेयमसंबद्धप्रभाषणात् ।
अनर्थकैर्विकारैश्च तथा चाश्लीलभाषितैः ॥१४१॥

दिक्षतमस्य तस्मिन् गतिमाह पादेनाग्रतलस्थेनेति नकुटः ।३५। प्रवेश इति यद्यस्मादीदृशः प्रवेश्यमानः पात्रविशेषः रङ्गे भवति ततोऽङ्गहास्यमिति । प्रवेशपदेन नाट्य एव रसो न लोक इति दर्शयति ।३९। असंबद्धं निरर्थमनुचितं च, तद्व्याचष्टे अनर्थकैरश्लीलैश्चेति, अश्रियमशोभां रातीति रेफस्य लत्वम् ।४०।

तस्मादिति त्रिप्रकारं हास्यमाश्रित्य क्वचिदेकः प्रकारः, क्वचित् द्वौ, क्वचित्सर्वं इत्यनेन क्रमेण विदूषकः स्वामिनः प्रकृति राजामात्यश्रेष्ठिप्रकृति भावं चित्तवृत्ति

चीरचर्ममषीभस्मगैरिकाद्यैस्तु मण्डितः ।
यस्तादृशो भवेद्विप्रा ? हास्यो नेपथ्यजस्तु सः ॥१४२॥
तस्मात्तु प्रकृतिं ज्ञात्वा भावः कार्यस्तु तत्त्वतः ।
गतिप्रचारं विभजेत् नानावस्थान्तरात्मकम् ॥१४३॥
स्वभावजायां विन्यस्य कुटिलं वामके करे ।
तदा दक्षिणहस्ते च कुर्याच्चतुरकं पुनः ॥१४४॥
पार्श्वमेकं शिरश्चैव हस्तोऽथ चरणस्तथा ।
पर्यायशः सन्नमयेल्लयतालवशानुगः ॥१४५॥
स्वभावजा तु तस्यैषा गतिरन्या विकारजा ।
अलाभलाभात् मुक्तस्य स्तब्धा तस्य गतिर्भवेत् ॥१४६॥

करणीयं ज्ञात्वा विभागः कार्यः । न च राजनि संनिवृत्तेऽश्लीलभाषणं समुचितम् । एवं सर्वत्रोह्यम् ।४२।४३।

गत्युपयोगिनं वृत्तान्तमस्याभिधाय गतिमाह स्वभावजायामिति । अनावेशे सति बकवद्गमनस्योक्तत्वात् । लयो विलम्बितः, तालः प्लुतलघुगुरुप्राय इह स्वीकृतः । अन्या द्रुतलयत्वेन प्लुतकालमानाद्बाहुल्येन शोकादि स्वभावजा ।४४।४५। गर्वात्मकोऽपि विकारो भवतीत्याशयेनाह अलाभलाभादिति । अलाभः लाभपूर्वकाल्लाभात् । भुक्तं वस्त्राद्युपलक्षयति । भयादौ तु परित एवास्य क्रमः ।४६।

शकारस्यापीति शकारबहुला यस्य भाषा स शकारः । शकारोपलक्षित-शकादिजनपदवासीत्यन्ये, यद्वक्ष्यते 'शकाराभीरचण्डाल' (अध्या १७-६०) इत्यादि । हीनाशय उत्तमपदेऽभिरोपितः शकार इत्यन्ये ।

अध्वहारस्य श्लोकः—

प्राकृतेऽपि शकारस्य विभूतिर्न प्रसिद्धये
तद्विभूतिरपभ्रंशे तापस्येव प्रकाशिता ।

ममापि चात्रार्थे श्लोकः—

लब्धापशब्दघटना विधुतश्च धर्मः
स्वार्थ प्रतीतिकलनां प्रति का कथैव ।
मूर्धन्यतां गमयता भवता शकारः
शक्नोति यत्र न विधे ! हृदि किं न्यधायि ॥

तथा

सकलजनतालभ्यः सोऽयं शकार इति स्फुटं
विरचयति यन्मुर्धन्यत्वं विमुहृतलक्षणा ।
हततनुरियं लोके जातापशब्दपरम्परा
परिचयमयी वार्ता कीर्ति निकृत्य निकर्तनी ॥ इति

कार्या चैव हि नीचानां चेटादीनां परिक्रमात् ।
अधमा इति ये ख्याता नानाशीलाश्च ते पुनः ॥१४७॥

पार्श्वसेकं शिरश्चैव करः सचरणस्तथा ।
शकारस्यापि कर्त्तव्या गतिश्चञ्चलदेहिका ।
गतौ नमेत चेटानां दृष्टिश्चार्धविचारिणी ॥१४८॥

वस्त्राभरणसंस्पर्शैर्मुहुर्मुहुरवेक्षितैः
गात्रैर्विकारविक्षिप्तैर्लम्बवस्त्रस्रजा तथा ॥१४९॥

सगर्विता चूर्णपदा शकारस्य गतिर्भवेत् ।
जात्या नीचेषु योक्तव्या विलोकनपरा गतिः ॥१५०॥

असंस्पर्शाच्च लोकस्य स्वाङ्गानि विनिगूह्य च ।
म्लेच्छानां जातयो यास्तु पुलिन्दशबरादयः ॥१५१॥

तेषां देशानुसारेण कार्यं गतिविचेष्टितम् ।
पक्षिणां श्वापदानां च पशूनां च द्विजोत्तमाः ? ॥१५२॥

स्वस्वजातिसमुत्थेन स्वभावेन गतिर्भवेत् ॥
सिंहर्क्षवानराणां च गतिः कार्या प्रयोक्तृभिः ॥१५३॥

या कृता नरसिंहेन विष्णुना प्रभविष्णुना ।]
आलीढस्थानकं कृत्वा गात्रं तस्यैव चानुगम् ॥१५४॥

प्रतिज्ञाचाणक्ये तन्महाकविना भीमेन राजापि विन्ध्यकेतुः शकार इति भूयसा व्यवहृतः ।१४७। वस्त्राभरणसंस्पर्शालोकनगर्वयोगोऽत्र पक्षे विलष्टतरः । न चार्यदेशजातिः शकार कश्चित्प्रसिद्धः । म्लेच्छजातयः पृथगेव निर्वक्ष्यन्ते "म्लेच्छानां जातयो यास्तु इत्यादिना, तस्मादिहायमीदृश एव शकार इति युक्तम् ।१४८।

प्रभविष्णुनेति वचनादिदं सूचयत्यसावतरणप्राधान्येन, ये ऋक्षवानरादयो जाम्बवत्सुग्रीवाङ्गदहनुमत्प्रायाः तेषामेवेयं गतिः । अन्येषां तु स्वजात्यानुरूप्येणैव । तस्यैवेत्यालीढस्यानुगतं गात्रं वामभागगमनमित्यर्थः ।१५४।

जानूपरि करं ह्येकमपरं वक्षसि स्थितम् ।
अवलोक्य दिशः कृत्वा चिबुकं बाहुमस्तके ॥१५५॥

गन्तव्यं विक्रमैर्विप्राः ? पञ्चतालान्तरोत्थितैः ।
[नियुद्धसमये चैव रङ्गावतरणे तथा ॥१५६॥

सिंहादीनां प्रयोक्तव्या गतिरेषा प्रयोक्तृभिः ।]
शेषाणामर्थयोगेन गतिं स्थानञ्च योजयेत् ॥१५७॥

वाहनार्थप्रयोगेषु रङ्गावतरणेषु च ।
एवमेताः प्रयोक्तव्या नराणां गतयो बुधैः ॥१५८॥

नोक्ता या या मया ह्यत्र ग्राह्यास्तास्ताश्च लोकतः ।
अतः परं प्रवक्ष्यामि स्त्रीणां गतिविचेष्टितम् ॥१५९॥

स्त्रीणां स्थानानि कार्याणि गतिष्वाभरणेषु च ।
आयतं चावहित्थं च अश्वक्रान्तमथापि च ॥१६०॥

[स्थानान्येतानि नारीणामथ लक्षणमुच्यते ।]
वामः स्वभावतो यत्र पादो विरचितः समः ॥१६१॥

तालमात्रान्तरे न्यस्तस्त्र्यश्रः पक्षस्थितोऽपरः ।
प्रसन्नमाननमुरः समं यत्र समुन्नतम् ॥१६२॥

लतानितम्बगौ हस्तौ स्थानं ज्ञेयं तदायतम् ।
[दक्षिणस्तु समः पादः त्र्यस्रः पक्षस्थितोऽपरः ॥१६३॥

वामः समुन्नतटकटिश्चायते स्थानके भवेत् ।
आवाहने विसर्गे च तथा निर्वर्णनेषु च ॥१६४॥

चिन्तायां चावहित्थे च स्थानमेतत्प्रयोजयेत् ।]
रङ्गावतरणारम्भः पुष्पाञ्जलिविसर्जनम् ॥१६५॥

मन्मथेर्ष्योद्भवं कोपं तर्जन्यङ्गुलिमोटनम् ।
निषेधगर्वगाम्भीर्यमौनं मानावलम्बनम् ॥१६६॥

स्थानेऽस्मिन् संविधातव्यं दिगन्तरनिरूपणम् ।
[समो यत्र स्थितो वामस्त्र्यश्रः पक्षस्थितोऽपरः ॥१६७॥

---

१. चैकम् NS त्वेकम् ।
२. NS. सर्वाः ।
३. KSS., NS. चापि ।

समुन्नतकटिर्वामस्त्ववहित्थन्तु तद्भवेत् ।]
[1]पुरो विचलितस्त्र्यश्रस्तदन्योपसृतः समः ॥१६८॥

पादस्तालान्तरप्यस्तस्त्रिकमीषत्समुन्नतम् ।
पाणिर्लताख्यो यत्रैकस्तदन्यस्तु नितम्बगः ॥१६९॥

अवहित्थं समाख्यातं स्थानमागमभूषणैः ।
[स्त्रीणामेतत् स्मृतं स्थानं संलापे तु स्वभावजे ॥१७०॥

निश्चये परितोषे च वितर्के चिन्तने तथा ।]
[2]विलासलीलाबिब्बोक शृंगारात्मनिरूपणे ॥१७१॥

स्थानमेतत्प्रयोक्तव्यं भर्तुर्मार्गावलोकने ।
पादः समस्थितश्चैक एकश्चाग्रतलाञ्चितः ॥१७२॥

सूचीविद्धमविद्धं वा तदश्वक्रान्तमुच्यते ।
स्खलितं घूर्णितं चैव गलिताम्बरधारणम् ॥१७३॥

कुसुमस्तबकादानं परिरक्षणमेव च ।
वित्रासनं सललितं तरुशाखावलम्बनम् ॥१७४॥

स्थानेऽस्मिन् संविधानीयं स्त्रीणामेतत्प्रयोक्तृभिः ।
[शाखावलम्बने कार्यं स्तबकग्रहणे तथा ॥१७५॥

विश्रामेष्वथ देवानां [3]नराणाञ्चार्थयोगतः ।]
[4]स्थानकं तावदेव स्याद्यावच्चेष्टा प्रवर्त्तते ॥१७६॥

स्खलितमिति पदम् । तथा विशेषेण च्युत इत्यर्थः ।१७३। प्रकृतिसंस्थितामित्यविशेषोक्ता । प्राधान्यात्प्राथम्यात् तदस्ति गतिरित्युच्यते । कृत्वावहित्थमित्यादि ।

---

१. KSS., NS. पुरोऽपि चलितः ।
२. KSS. विवाहलीलालावण्ये शृंगारादिनिरूपणे ।
३. KSS., NS. वाराणां चात्र
४. इतोऽग्रे श्लोकद्वयेषु पाठक्रमो भिद्यते ।

[1]भग्नं च स्थानकं नृत्ते चारी चेत्समुपस्थिता ।
एवं स्थानविधिः कार्यः स्त्रीणां नृणामथापि च ॥१७७॥
[2]पुनश्चासां प्रवक्ष्यामि गतिं प्रकृतिसंस्थिताम् ।
कृत्वाऽवहित्थं स्थानन्तु वामञ्चाधोमुखं करम् ॥१७८॥
नाभिप्रदेशे विन्यस्य सव्यञ्च [3]खटकामुखम् ।
ततः सललितं पादं तालमात्रसमुत्थितम् ॥१७९॥
दक्षिणं वामपादस्य बाह्यपार्श्वे विनिक्षिपेत् ।
तेनैव सहकालञ्च लताख्यं वामकं भुजम् ॥१८०॥
दक्षिणं विनमेत्पार्श्वं न्यसेन्नाभितटे ततः ।
नितम्बे दक्षिणं कृत्वा हस्तञ्चोद्वेष्ट्य वामकम् ॥१८१॥
ततो वामपदं दद्याल्लताहस्तं च दक्षिणम् ।
लीलयोद्वाहितेनाथ शिरसाऽनुगतेन च ॥१८२॥
[4][किञ्चिन्नतेन गात्रेण गच्छेत्पञ्चपदीं ततः ।
यो विधिः पुरुषाणां तु रङ्गपीठपरिक्रमे ॥१८३॥
स एव प्रमदानां वै कर्त्तव्यो नाट्ययोक्तृभिः ।]
षट्कलं तु न कर्तव्यं तथाष्टकलमेव च ॥१८४॥
पादस्य पतनं तज्ज्ञैः खेदनं तद्भवेत्स्त्रियाः[5] ।
सयौवनानां नारीणामेवं कार्या गतिर्बुधैः ॥१८५॥
[6]स्थवीयसीनामेतासां सम्प्रवक्ष्याम्यहं गतिम् ।
कृत्वाऽपविद्धं स्थानन्तु वामं न्यस्य कटीतटे ॥१८६॥

वामश्चेति ।१७८। लताख्यं बाह्यपार्श्वे कनिष्ठाङ्गुलिदेशे ।१८०।

यो विधिरिति वामवेधं तः कुर्यादिति ।१८३। अतिदेशेन चेदं दर्शयति यावती काचिद्रसप्रकृतिदेशकालापेक्षा नृणां गतिरुक्ता सा सर्वैवोक्ता विलासरूपप्रकारानुविद्धा स्त्रीणामपि विवक्षिता । दिक्कालपरिमाणत्वं यत्र शोभोदात्तं तत्र विशेषमाह । एतत्प्रागेव व्याख्यातं चतुष्कलादभ्यधिको न स्त्रीणां मानविधिरिति । अष्टकलग्रहणं तदप्यधिकं मानं पुरुषेष्वपि नास्तीति सूचयति । अन्यथा षट्कले निषिद्धे काष्टकलस्य संगतिस्तन्निषेधेन ।१८४।१८५। स्थानीया मध्यमवयसः, अत एव मध्यमप्रकृतित्वं

---

१. KSS.NS. भग्नावस्थानकं नृत्ये चारी च समुपस्थिता ।
२. KSS. NS पुनश्च सम्प्रवक्ष्यामि ।
३. KSS. कटकामुखम् ।
४. KSS., NS. do not read.
५. KSS. स्त्रियः ।
६. GOS. स्थानीया याः स्त्रियस्तासां ।

आद्यञ्चारालमुत्तानं कुर्यान्नाभिस्तनान्तरे ।
न निषण्णं न च स्तब्धं न चापि परिवाहितम् ॥ १८७ ॥

कृत्वा गात्रं ततो गच्छेत्तेनैवेह क्रमेण तु ।
प्रेष्याणामपि कर्तव्या गतिरुद्भ्रान्तगामिनी ॥ १८८ ॥

क्वचिदुन्नमितैर्गात्रैराविद्धभुजविक्रमा ।
स्थानं कृत्वाऽवहित्थञ्च वामञ्चाधोमुखं भुजम् ॥ १८९ ॥

नाभिप्रदेशे विन्यस्य सव्यञ्च खटकामुखम्[1] ।
अर्धनारीगतिः कार्या स्त्रीपुंसाभ्यां विमिश्रिता ॥ १९० ॥

उदात्तललितैर्गात्रैः[2] पादैर्लीलासमन्वितैः ।
या पूर्वमेवाभिहिता ह्युत्तमानां गतिर्मया ॥ १९१ ॥

स्त्रीणां कापुरुषाणाञ्च ततोऽर्धार्धन्तु योजयेत् ।
मध्यमोत्तमनीचानां नृणां यद् गतिचेष्टितम् ॥ १९२ ॥

स्त्रीणां तदेव कर्तव्या ललितैः पदविक्रमैः ।
बालानामपि कर्तव्या स्वच्छन्दपदविक्रमा ॥ १९३ ॥

न तस्याः सौष्ठवं कार्यं [3]न प्रमाणं प्रयोक्तृभिः ।
तृतीया प्रकृतिः कार्या नाम्ना चैव नपुंसका ॥ १९४ ॥

मनूद्यम् ।१८६। आद्यं दक्षिणम् । परिवाहितमिति ।१८७। सविभागमधमानां गतिमाह प्रेष्याणामित्यादि । उद्भ्रान्तगामिनीति समदविकारा ।१८८। आविद्धो वर्तनाबहुलो बाहुजानां विक्रमस्य ।१८९। नार्या अर्धमिति नपुंसकलक्षणा तृतीया प्रकृतिरुच्यते, समप्रविभागविवक्षया चार्धं नपुंसकमिति समासः ।१९०। उदात्तत्वं पुरुषाणां, लालित्यं योषितां गतौ । गतिरिति चतुस्ताला चतुष्कला च, अनुत्तमस्त्रीणां द्विताला द्विकलेति ततोऽप्यर्धा कापुरुषाणां, तत्कर्मकराणामेकताला एककला चेति । किमुत्तमानामेवेयं स्थाने दर्शयति मध्यमोत्तमानां नृणामुदारत्वं यद्गतिचेष्टितं तदेव उदात्तमध्यमोत्तमनीचानां स्त्रीणां तथा तत्कर्मकराणां कुर्यादित्युत्तमग्रहणम् ।१९१।१९२।

सर्वग्राहकं दर्शयितुं यत्रोत्तमादिविभागो नोद्भिन्नः तत्र गतिमाह बालानामपीति ।१९३।

---

१ KSS. कटकामुखम् ।

२. KSS., NS. पदैः ।

३. KSS. प्रमाणं न ।

नरस्वभावमुत्सृज्य स्त्रीगतिं तत्र योजयेत् ।]
विपर्ययः प्रयोक्तव्यः पुरुषस्त्रीनपुंसके ॥१९५॥

स्वभावमात्मनस्त्यक्त्वा तद्भावगमनादिह ।
व्याजेन क्रीडया वाऽपि तथा भूयश्च वञ्चनात् ॥१९६॥

स्त्री पुंसः प्रकृतिं कुर्यात् स्त्रीभावं पुरुषोऽपि च ।
धैर्यौदार्येण सत्त्वेन बुद्ध्या तद्वच्च कर्मणा ॥१९७॥

स्त्री पुमांसं त्वभिनयेत् वेषवाक्यविचेष्टितैः ।
स्त्रीवेषभाषितैर्युक्तं प्रेषिताप्रेषितैस्तथा ॥१९८॥

मृदुसन्नगतिश्चैव पुमान् स्त्रीभावमाचरेत् ।
[जातिहीनाश्च या नार्यः, पुलिन्दशबराङ्गनाः ॥१९९॥

याश्चापि, तासां कर्तव्या तज्जातिसदृशी गतिः ।
व्रतस्थानां तपःस्थानां लिङ्गस्थानां तथैव च ॥२००॥

स्वस्थानाञ्चैव नारीणां समपादं प्रयोजयेत् ।
उद्धता येऽङ्गहाराः स्युर्याश्चार्यो मण्डलानि च ॥२०१॥
तानि नाट्यप्रयोगज्ञैर्न कर्तव्यानि योषिताम् ।[1]]
तथासनविधिः कार्यो नृणां स्त्रीणां विशेषतः ॥२०२॥

तद्भावगमनादिति । यदेव रूपं यो गृह्णाति तदीयैव तस्य गतिः । विपर्यय-परिग्रहे च विशिष्टार्थं कारणमाह व्याजेनेति । व्याजः कस्यचित्कार्यस्य साधनाय, यथा विदूषकस्य संकेतस्थाने चेटिकावस्त्रधारणम् । क्रीडा यथा इष्टजनस्याकृतौ नायिकानाम् । वञ्चनादिति यथा विदूषकं वञ्चयितुं चेटकस्य स्त्रीवेषकरणम् ।१९६।

अपिचेति ग्रहणात् स्त्रीपुंसयोर्नपुंसकेन सह तस्य च ताभ्यां सह विपर्ययं दर्शयति । अत्रैव विपर्यये गतिविपर्यये प्रसङ्गेन व्यभिचारिभावसात्त्विकोपाङ्गाद्य-भिनयविपर्ययमप्याह धैर्यौदार्येणेति । धैर्यौदार्ये सामान्याभिनयोक्ते । ताभ्यां भावा उपलक्ष्यन्ते । बुद्ध्येति स्थायित्वम् । सत्त्वेनेति सात्त्विकाः कर्मणेति स्थानकादि-विषयः, वेषेति आहार्यप्रकाराः, वाक्येति वाचिकगतसंस्कृतादिप्रयोगः, चेष्टितैरिति अन्तरालस्थाने त्रिपताकादयः १९७।१९८।

यथास्थानकगतानां पूर्वपश्चाद्भावि तथोपवेशनात्मकमासनमपीति तद्विधमाह तथासनविधिरिति ॥२०२॥ तथैवेति गतौ हि शयनमपि पूर्वपश्चाद्भावि

---

१. KSS, NS. योषिता ।

नानाभावसमायुक्तस्तथा च शयनाश्रयः ।
[1]विष्कम्भिताञ्चितौ पादौ त्रिकं किञ्चित्समुन्नतम् ॥२०३॥

[2]हस्तौ कट्यूरुविन्यस्तौ स्वस्थे स्यादुपवेशने ।
पादः प्रसारितः किञ्चिदेकश्चैवासनाश्रयः ॥२०४॥

शिरः पार्श्वनतं चैव सचिन्त उपवेशने । ।
चिबुकोपाश्रितौ हस्तौ बाहुशीर्षाश्रितं शिरः ॥२०५॥

सम्प्रणष्टेन्द्रियमनाः शोकोत्सुक्योपवेशने[4] ।
प्रसार्य बाहू शिथिलौ तथा श्रोपाश्रयाश्रितः ॥२०६॥

[5]मोहमूर्च्छामदग्लानिविषादेषूपवेशयेत् ।
सर्वपिण्डीकृताङ्गस्तु [6]संयुक्तैः पादजानुभिः ॥२०७॥

व्याधिव्रीडितनिद्रासु ध्याने चोपविशेन्नरः ।
[7]तथा चोत्कटिकं स्थानं स्फिक्पार्ष्णीनां समागमः[8] ॥२०८॥

शयनाश्रय इति शेषः। विष्कम्भेन वैशाखस्थानकोचितेन विस्तारेणाञ्चितौ विस्तीर्णान्तरौ सुन्दरौ पादौ, न त्वत्राञ्चितपादलक्षणयोगः। स्वस्थे पुंसि यदुपवेशनमासनपीठिकादौ तत्र त्रिकमुन्नतं स्यादिति संबन्धः। "इति शब्देन वाक्यार्थः, स्यादित्यत्र कर्तव्याख्येय" इति स्यादिति। हस्ताविति कर्कटरूपौ समाहारद्वन्द्वे ।२०३।२०४। संप्रणष्टेन्द्रियमात्रा इति पाठः मन इति पाठे (प्रोच्यत्वे ?) वृते

---

१. KSS., NS. विष्कम्भेणाञ्चितौः ।

२. KSS., NS. हस्ताः कट्यूरुविन्यस्ताः ।

३. NS. बाहुशीर्षाश्रितं शिरः ।

४. NS. भवेच्छोकोऽपवेशने ।

५. GOS., NS. मूर्च्छामदश्रमग्लानि ।

६. NS. सम्पाते ।

७. KSS. तथा चोत्कटिकास्थानं ।

८. NS. समागमम् ।

पित्र्ये[1] निवापे जप्ये च सन्ध्यास्वाचमनेऽपि च[2] ।
विष्कम्भितं पुनश्चैव जानुं भूमौ निपातयेत् ॥२०९॥
प्रियाप्रसादने कार्यं होमादिकरणेषु च ।
महीगताभ्यां जानुभ्यामधोमुखमवस्थितम् ॥२१०॥
देवाभिगमने चैव रुषितानां प्रसादने ।
शोके चाक्रन्दने[3] तीव्रे मृतानां चैव दर्शने ॥२११॥
त्रासने च कुसत्वानां[4] नीचानाञ्चैव याचने ।
होमयज्ञक्रियायाञ्च प्रेष्याणाञ्चैव कारयेत्[5] ॥२१२॥
मुनीनां नियमेष्वेष भवेदासनजो विधिः ।
तथासनविधिः कार्यो विविधो नाटकाश्रयः ॥२१३॥

त्वध्याहृत्य संगतिः कार्या । अपाश्रयतीत्यादिकमाश्रितम् ।२०६। उपवेशयेदिति स्वार्थे णिच् आचार्ये वा कर्तृभूतत्वमात्रम् । आचार्यास्तु बाहू प्रसार्यैवासने उपवेशयेत् विश्रामयेदित्याहुः । पिण्डितत्रमज्ञानां जानुविश्लेषादूर्ध्वकायं कुटिलीकरोतीत्युत्कटं संज्ञायां कटतेः । अत्र च विरलत्वं जानुनोः स्फिग्भ्यां भूमेः परामर्शः पूर्वत्र तु नैतदुभयमपीति विशेषः ।२०७। पित्र्य इति श्राद्धादौ निवापसलिल इति पितृतर्पणे, प्रतिग्रहार्थं परस्य सलिलदाने तत्प्रतिग्रहे च । सन्ध्याशब्देन तदवसरोचितं, जपध्यानादि । विष्कम्भितमिति विस्तारितमेकं भूमौ जानु द्वितीयं यथास्थितं यंत्रनिकटे ढौकनं गमनं शंक्यं सन्तापादिभयात् । तत्र च कार्यं मन्त्रं तदुपलक्षणम् ।२०८। होमादिकरणेष्विति ।२०९। अभिगमनं वन्दनम् । शोके चेति नीचानाञ्चेति सर्वत्रात्र संबध्यते ।२१०। नीचानां शोकजनितो यस्तीव्राक्रन्दस्तत्रैव, नीचा यदा मृतमवलोकयन्ति । संबन्धमात्रे षष्ठीत्युभयप्राप्त्यभावान्न नियमः । कुसत्वा शिवादयः यदा नीचान् त्रासयन्ति तदा । नीचा यदा किंचिद्याचन्ते तदा जानुद्वयक्षेपो भूमौ ।२११।

अथासनात्मककालसंनिवेशप्रसङ्गेन तदधिकरणेषु विधिमाह तथासनविधिरिति बाह्यः सर्वजनविषयः आभ्यन्तरो राजोचितः ।२१२।२१३।

१. NS. निर्वापसलिले ।
२. NS. आचमनेषु च ।
३. NS. तीव्रं KSS. तीव्रमृतानां ।
४. NS. दीनानां ।
५. NS. योजयेत् ।

स्त्रीणाञ्च पुरुषाणाञ्च बाह्यश्चाभ्यन्तरस्तथा ।
[आभ्यन्तरस्तु नृपतेर्बाह्यो बाह्यगतस्य च ॥२१४॥]

देवानां नृपतीनाञ्च दद्यात्सिंहासनं द्विजाः ।
पुरोधसाममात्यानां भवेद्वेत्रासनं तथा ॥२१५॥

मुण्डासनञ्च दातव्यं सेनानीयुवराजयोः ।
[1]काष्ठासनं द्विजातीनां कुमाराणां[2] कुथासनम् ॥२१६॥

एवं राजसभां प्राप्य कार्यस्त्वासनजो विधिः ।
स्त्रीणा[3]ञ्चाप्यासनविधिं सम्प्रवक्ष्याम्यहं पुनः ॥२१७॥

सिंहासनन्तु राज्ञीनां देवीनाम्मुण्डमासनम् ।
पुरोधोऽमात्यपत्नीनां [4]दद्याद्वेत्रासनं तथा ॥२१८॥

भोगिनीनां [5]तथा चैव वस्त्रञ्चर्म कुथोऽपि वा ।
ब्राह्मणीतापसीनाञ्च पट्टासनमथापि च ॥२१९॥

वेश्यानाञ्च प्रदातव्यमासनञ्च मयूरकम् ।
शेषाणां प्रमदानान्तु भवेद् भूम्यासनं द्विजाः ? ॥२२०॥

एवमाभ्यन्तरो ज्ञेयो बाह्यश्चासनजो विधिः ।
तथा स्वगृहवार्तासु च्छन्देनासनमिष्यते ॥२२१॥

मुण्डासनं चातुरी ।२१८। मसूरकं वस्तुशून्यं, काष्ठासनं पीठकं, वेत्रलताकृतं वेत्रासनं वेत्रासनादन्य एव रूढो वर्णकम्बलखण्ड । विस्तारिकेत्यन्ये राज्ञी राजवंश्या देवी । सेनापतिप्रभृतिपुत्र्यो राज्ञा परिणीताः भोगिन्यः संगृहीतकन्याः ।२१९। भूमिरेवासनं भूम्यासनं । एवमिति नरपतिसंनिधौ । अन्यदात्मस्वेच्छयेति दर्शयति तथा स्वगृहेति ।२२०। वार्ताशब्देन सेनापतेरमात्यगृहगमन इत्यादि सूचयति ।२२१।

---

१. KSS. कुब्जासनं ।
२. KSS. कुमारीणां ।
३. NS. चैवासनविधिं ।
४. NS. भवेत् ।
५. NS. पुनश्चैव वस्त्रं चर्म कुथाऽपि वा । KSS. तथा चैव कुथा चर्म कुथाऽपि वा ।

नियमस्थमुनीनां च भवेदासनजो विधिः ।
लिङ्गिनामासनविधिः कार्यो व्रतसमाश्रयः ॥२२२॥

बृषीमुण्डासनप्रायं वेत्रासनमथापि च ।
होमे यज्ञक्रियायाञ्च पित्र्येऽर्थे च प्रयोजयेत् ॥२२३॥

स्थानीया ये च पुरुषाः कुलविद्यासमन्विताः ।
तेषामासनसत्कारः कर्तव्य इह पार्थिवैः ॥२२४॥

समे समासनं दद्यात् मध्ये मध्यममासनम् ।
अतिरिक्तेऽतिरिक्तञ्च हीने भूम्यासनं भवेत् ॥२२५॥

उपाध्यायस्य नृपतेर्गुरूणामग्रतो बुधैः ।
भूम्यासनन्तथा[1] कार्यमथवा काष्ठमासनम् ॥२२६॥

नौनागरथयानेषु [2]भूमिकाष्ठासनेषु च ।
सहासनं न दुष्येत गुरूपाध्यायपार्थिवैः ॥२२७॥

नियमस्थ इति कस्यचिदङ्गविष्टरोऽन्यस्य मृगाजिनम् । लिङ्गिनामिति । यथा शाक्यानां बृसी, शैवानां मुण्डासनं, क्षपणकानां वेत्रवल्कलडिम्बकम् ।२२२। तदेवाह बृसीत्यादि । स्थानाय हिता वृद्धाः ये भवन्ति तन्निकटे व्यवस्था दृष्टादृष्टोपयोगिनी अत एवाह कुलविद्येति । आसनसत्कार इहाह्यतामिति ।२२३।२२४।

तत्र विभागमाह सम इति तत्तुल्यजातिविद्यः । सममिति त्रित्वाच्चासनापेक्षया मध्य इति किंचिदूनेन, मध्यममिति स्वासनात्प्रमाणतोऽप्यूनं हीन इति स्वापेक्षया भूम्या सह भूमिरेव इहास्यतामिति निर्देश्या स एष तस्यासनसत्कारः ।२२५। काष्ठमिति एकमेव दीर्घं भरसहं पर्यङ्कं दर्शयितुं काष्ठमित्युक्तं न तु काष्ठमयमिति ।२२६।

---

१. NS सदा ।

२. KSS तथा काष्ठासनेषु ।

आकुञ्चितं समञ्चैव प्रसारितविवर्तने ।
उद्वाहितं [1]नतञ्चैव शयने कर्म कीर्त्यते ॥२२८॥

[2]सर्वैराकुञ्चितं रङ्गैः [3]शय्याविद्धे तु जानुनी ।
स्थानमाकुञ्चितं नाम शीतार्तानां प्रयोजयेत् ॥२२९॥

उत्तानितमुखं चैव त्रस्तमुक्तकरं तथा ।
समं नाम प्रसुप्तस्य स्थानकं संविधीयते ॥२३०॥

एकं भुजमुपाधाय सम्प्रसारितजानुकम् ।
स्थानं प्रसारितं नाम सुखसुप्तस्य कारयेत् ॥२३१॥

अधोमुखस्थितञ्चैव [4]विवर्तितमिति स्मृतम् ।
शस्त्रक्षतमृतोत्क्षिप्तमत्तोन्मत्तेषु कारयेत् ॥२३२॥

अंसोपरि शिरः कृत्वा कूर्परक्षोभमेव च ।
उद्वाहितन्तु विज्ञेयं लीलया वेशने प्रभोः ॥२३३॥

ईषत्प्रसारिते जङ्घे यत्र त्रस्तौ करावुभौ ।
आलस्यश्रमखेदेषु नतं स्थानं विधीयते] ॥२३४॥

अथ शयनसंनिवेशनमाहाकुञ्चितमिति । दिक् । या निजशरीरस्य कुटिलीकरणात्सा स्यात् । बाहु (मध्यम ?) प्रसारणे विक्षेपयोगात् पार्श्वे संनिवेशनवशात्। पूर्वकायस्यापरकायस्योर्ध्वनयनं नान्यशयन संनिवेशात् ।२२८।

अर्थवशेवेत्ति लौकिकेनेत्यर्थः । अथैतदुपसंहृताध्यायानन्तरावकाशं संगतिप्रदर्शनपूर्वकमाह अतः परमिति । रङ्गे यत्परिक्रमात् परिक्रमणाद् वृत्ते गत्यध्याये

---

१. NS. समं KSS. तथा ।

२. NS. स्वैरभानुञ्चितै ।

३. NS. शल्याविद्धेषु ।

४. NS. विकर्तनमिति ।

गतिप्रचारस्तु मयोदितोऽयं
नोक्तश्च यः सोऽर्थवशेन साध्यः ।
अतः परं रङ्गपरिक्रमस्य
वक्ष्यामि कक्ष्यां प्रविभागयुक्ताम्[1] ॥२३५॥

इति भरतीये नाट्यशास्त्रे गतिप्रचारो नाम द्वादशोऽध्यायः ।

निरूपितं तदुपयोग: कक्ष्याविशेषविभाग इति शिवम् ।२३५।

यावद्गतिभेदविधिप्रकटनमध्यायमिह विवृणुते
स्मरमथनचरणसरसिजपरागभूतोऽभिनवगुप्तः ।

इति श्रीमहामाहेश्वराभिनवगुप्ताचार्यविरचितायां नाट्यवेदविवृतावभिनव-
भारत्यां गत्यध्यायो द्वादशः समाप्तः ।

---

1. GOS. कक्ष्यान्तरसंविधानम्

अभिनवभारतीस्वीकृतपाठक्रमाद्
भिन्नपाठक्रमवान् द्वादशोऽध्यायः

एवं व्यायामसंजातं कार्यं मण्डलकल्पनम् ।
अत ऊर्ध्वं प्रवक्ष्यामि गतिस्तु प्रकृतिस्थिताः ॥१॥

तत्रोपवहनं कृत्वा भाण्डवाद्यपुरस्कृतम् ।
यथा मार्गरसोपेतं प्रकृतीनां प्रवेशनम् ॥२॥

ध्रुवायां संप्रवृत्तायां पटे चैवापकर्षिते ।
कार्यः प्रवेशः पात्राणां नानार्थरससंभवः ॥३॥

स्थानं तु वैष्णवं कार्यमुत्तमे मध्यमे तथा ।
समुन्नतं समं चैव चतुरश्रमुरस्तथा ॥४॥

बाहुशीर्षे प्रसन्ने च नात्युत्क्षिप्ते च कारयेत् ।
ग्रीवाप्रदेशः कर्तव्यो मयूराञ्चितमस्तकः ॥५॥

कर्णाभ्यां बाहुशिरसी स्यातामष्टाङ्गुलस्थिते ।
उरसश्चापि चिबुकं चतुरङ्गुलसंस्थितम् ॥६॥

हस्तौ तथैव कर्तव्यौ कटिनाभितटस्थितौ ।
दक्षिणो नाभिसंस्थस्तु वामः कटितटे स्थितः ॥७॥

पादयोरन्तरं कार्यं द्वौ तालावर्धमेव च ।
पादोत्क्षेपश्च कर्तव्यः स्वप्रमाणविनिर्मितः ॥८॥

चतुस्तालो द्वितालश्चाप्येकतालस्तथैव च ।
चतुस्तालस्तु देवानां पार्थिवानां तथैव च ॥९॥

द्वितालश्चैव मध्यानां तालः स्त्रीनीचलिङ्गिनाम् ।
चतुष्कलोऽथ द्विकलस्तथा ह्येककलः पुनः ।
चतुष्कलो ह्युत्तमानां मध्यानां द्विकलो भवेत् ॥
तथा चैककलः पातो नीचानां संप्रकीर्तितः ।
स्थितं मध्यं द्रुतं चैव समवेक्ष्य लयं बुधः ॥

यथाप्रकृति नाट्यज्ञो गतिमेवं प्रयोजयेत् ।
स्वभावेनोत्तमगतौ जानुं कुर्यात्कटीसमम् ॥१०॥

युद्धचारीप्रचारेषु जानु स्तनसमं भवेत् ।
अयं विधिस्तु कर्तव्यः स्वच्छन्दगमनं प्रति ॥११॥

संभ्रमोत्थानरोषेषु प्रमाणं न विधीयते ।
दृप्तानां दैत्ययक्षाणां तथा पन्नगरक्षसाम् ॥१२॥

चतुस्तालप्रमाणेन कर्तव्या तु गतिर्बुधैः ।
दिवौकसां तु शेषाणां मध्यमा गतिरुच्यते ॥१३॥

तत्रापि चोत्तमा ये तु तेषां देवैः समा गतिः ।
पुलिन्दाः शबराश्चैव शेषा ये म्लेच्छजातयः ॥१४॥

तेषां देशानुरूपेण कार्यं गतिविचेष्टितम् ।
जलाशयमृगव्यालपशुश्वापदपक्षिणाम् ॥१५॥

देशजातिसमुत्थेन गतिं भावेन योजयेत् ।
स्थितं मध्यं द्रुतं चैव समवेक्ष्य लयं बुधैः ॥१६॥

पादयोः पतनं सम्यक्प्रकुर्वीत यथाक्रमम् ।
स्थैर्योपपन्ना गतिरुत्तमानां मध्या गतिर्मध्यमसंस्थितानाम् ।
द्रुता गतिश्च प्रचुराधमानां लयत्रयं सत्त्ववशेन योज्यम् ॥१७॥

चतुष्कलं तूत्तमानां मध्यानां द्विकलं भवेत् ।
तथा चैककलं पातं नीचानां संप्रयोजयेत् ॥१८॥

यः समैः संहितो गच्छेत्तत्र कार्यो लयाश्रयः ।
चतुष्कलश्च द्विकलस्तथा चैककलः पुनः ॥१९॥

अथ मध्यमनीचैस्तु गच्छेत्संपरिवारितः ।
चतुष्कलस्तथार्धं च तथा चैककलो भवेत् ॥२०॥

एवमेष तु विज्ञेयः कलानां गमने विधिः ।
पुनर्गतिप्रचारस्य प्रयोगं शृणुतानघाः ? ॥२१॥

पार्श्वाक्रान्तैः सललितैः पादैर्वाद्यान्वितैरथ ।
रङ्गोन्मुखो गच्छेत्सम्यक्पञ्चपदानि तु ॥२२॥

एवं गतान्तरं गत्वा पदानामेव विंशतिम् ।
वामवेधं ततः कुर्याद्विक्षेपं दक्षिणस्य च ॥२३॥

रङ्गे विकृष्टे भरतेन कार्यो गतागतैः पादगतिप्रचारः ।
त्र्यश्रस्त्रिकोणे चतुरश्ररङ्गे गतिप्रचारश्चतुरश्र एव ॥२४॥

द्रुता गतिस्तु कर्तव्या द्विकला पादपातने ।
ज्येष्ठे चतुष्कला कार्या द्विकला तत्र मध्यमे ॥२५॥

द्विकला चोत्तमे यत्र मध्ये त्वेककला भवेत् ।
कलाप्रमाणं मध्ये च नीचे त्वर्धकला ततः ॥२६॥

एवमर्धार्धहानिं तु कलानां संप्रयोजयेत् ।
उत्तमानां गतिर्या तु न तां मध्येषु योजयेत् ॥२७॥

या गतिश्चैव मध्यानां न तां नीचेषु योजयेत् ।
उत्तमानां मयोक्ता तु गतिर्विप्राः यथायथम् ॥२८॥

मध्यानामधमानां च गतिं वक्ष्याम्यहं पुनः ।
वणिजां मन्त्रिणां चैव गतिः कार्या स्वभावजा ॥२९॥

अतिक्रान्तपदैः सा तु द्वितालान्तरगामिभिः ।
कृत्वा नाभितटे हस्तमुत्थानं खटकामुखम् ॥३०॥

आद्यं चारालमुत्तानं कुर्यात्पार्श्वस्तनान्तरे ।
न निषण्णं न च स्तब्धं न चैव परिवाहितम् ॥३१॥

कृत्वा गात्रं तथा गच्छेत्तेन वाद्यक्रमेण तु ।
हासे त्वथ गतिः कार्या तथा खञ्जनवामने ॥३२॥

द्विकलार्धप्रयोगेषु (कुहको दाम्भिकः) कुहकाभिनयं प्रति ।
खञ्जे गतिस्तु कर्तव्या स्तब्धैकचरणाश्रया ॥३३॥

तथा द्वितीयः कार्यस्तु पादोऽग्रतलसंचरः ।
स्तब्धेनोन्नमनं कार्यमङ्गस्य चरणेन तु ॥३४॥

गमने च निषण्णः स्यात्तथान्यचरणाश्रये ।
एष खञ्जप्रयोगेषु तलशल्यक्षते तथा ॥३५॥

पादेनाग्रतलेनाथ गतिः कार्याञ्चितेन तु ।
निषण्णदेहा कर्तव्या नतजङ्घा तथैव तु ॥३६॥

सर्वसंकोचिताङ्गी च वामने गतिरिष्यते ।
न तस्यातिक्रमः कार्यो विक्षेपश्चरणस्य तु ॥३७॥

उद्वाहिता चूर्णपदैः सा कार्या कुहकात्मिका ।
विदूषकस्यापि गतिर्हास्यार्थविभूषिता ॥३८॥

अङ्गहास्यं कार्यहास्यं हास्यं नेपथ्यजं तथा ।
कुब्जः खञ्जोऽथ खलतिर्दन्तुरो विकृताननः ॥३९॥

यत्तादृशो भवेद्विप्राः ! अङ्गहास्यं तु तद्भवेत् ।
यदा तु बकवद् गच्छेदुल्लोकितविलोकितैः ॥४०॥

अत्यायतपदत्वाच्चाप्यङ्गहास्यो भवेत्तु सः ।
चीरचर्ममषीभस्मगैरिकादिविभूषणैः ॥४१॥

यत्तादृशो भवेद्विप्राः ! हास्यं नेपथ्यजं तु तत् ।
कार्यहास्यं तु विज्ञेयमसंबद्धप्रभाषणैः ॥४२॥

अनर्थवाक्यैर्विविधैस्तथा चाश्लीलभाषणैः ।
तस्य तु प्रकृतिं ज्ञात्वा तथा भावं विचक्षणः ॥४३॥

गतिप्रचारं विभजेन्नानावस्थान्तरात्मकम् ।
स्वभावजायां विन्यस्य कुटिलं वामके करे ॥४४॥

दक्षिणं चैव हस्तं तु कुर्याच्चतुरकं तथा ।
पार्श्वमेकं शिरश्चापि हस्तं चरणमेव च ॥४५॥

पर्यायतः सन्नमयेल्लयतालवशानुगम् ।
स्वभावजाता तस्यैषा गतिरन्या विकारजा ॥४६॥

लाभे तथा च भुक्तस्य तुष्टे चापि गतिर्भवेत् ।
शकारस्यापि कर्तव्या गतिश्चञ्चलदेहिका ॥४७॥

वस्त्राभरणसंस्पर्शं सम्यक् पञ्चपदानि तु ।
वामवेधं ततः कुर्याद्विक्षेपं दक्षिणेन च ॥४८॥

परिवृत्य द्वितीयं तु गच्छेत्कोणं ततः परम् ।
तत्रापि वामवेधं तु विक्षेपो दक्षिणेन च ॥४९॥

ततो भाण्डोन्मुखो गच्छेदेतान्येव पदानि तु ।
एवं गतागतैर्गत्वा पदानि त्वेकविंशतिम् ॥५०॥

वामवेधं ततः कुर्याद्विक्षेपं दक्षिणेन च ।
एषा स्वभावगमने गतिः कार्या प्रयोक्तृभिः ॥५१॥

अवस्थान्तरयोगे तु गतिं समनुबोधत ।
अस्वस्थकामिते चैव भयवित्रासयोस्तथा ॥५२॥

आवेगे च तथा हर्षे तथानिष्टश्रुतावपि ।
कालातिक्रमणे चैव क्षेपे चाद्भुतदर्शने ॥५३॥

कार्यं आत्ययिके चैव दुःखिते चारिमार्गणे ।
अपराद्धानुसरणे श्वापदानुगतौ तथा ॥५४॥

गतिमेतेषु भावेषु द्विकलां संप्रयोजयेत् ।
दिव्यानां नृपतीनां च गतिरेवं विधीयते ॥५५॥

अत्रोच्यते कथं देवैः समा राज्ञां गतिर्भवेत् ।
दिव्या तु प्रकृतिर्ज्ञेया तथान्या दिव्यमानुषी ॥५६॥

मानुषी चैव मन्तव्या नाट्यवृत्तिक्रियां प्रति ।
दिव्या तु देवप्रकृती राज्ञां स्याद्दिव्यमानुषी ॥५७॥

अन्या या लोकसंस्था तु मानुषी सा प्रकीर्तिता ।
तस्माद्देवानुकरणे दोषस्तत्र न विद्यते ॥५८।

गतिः शृङ्गारिणी कार्या स्वस्थकामितसंभवा ।
चतुष्कलाप्रमाणेन सविलासा तथैव च ॥५९॥

दूतीदर्शितमार्गस्तु प्रविशेद्रङ्गमण्डलम् ।
सूच्या चैवाप्यभिनयं प्रकुर्यादर्थसंश्रयम् ॥६०॥

हृद्यैर्वस्त्रैस्तथागन्धैर्धूपैश्चूर्णैश्च योजितैः ।
सुगन्धिभिश्च मालाभिर्विचित्राभिरलंकृतः ॥६१॥

गच्छेत्सललितैः पादैरतिक्रान्तोत्थितैरथ ।
सौष्ठवेन समायुक्तैर्लयतालवशानुगैः ॥६२॥

पादयोरनुगौ चापि हस्तौ कार्यौ प्रयोक्तृभिः ।
प्रच्छन्नकामिते चैव गतिं भूयो निबोधत ॥६३॥

विसर्जितजनस्तत्र तथा दूतीसमन्वितः ।
निर्वाणदीपो नात्यर्थं भूषणैश्च विभूषितः । ६४॥

वेलासदृशवस्त्रश्च निवृत्तस्तु शनैः शनैः ।
शब्दशंक्युत्सुकश्चापि पश्चाल्लोकनतत्परः ॥६५॥

वेपमानशरीरश्च प्रस्खलंस्तु मुहुर्मुहुः ।
शङ्कितः पुरुषो गच्छेद्दिदृक्षुर्वल्लभं जनम् ॥६६॥

उत्तमानामियं कार्या पुरुषाणां गतिर्बुधैः ।
मध्यमानां गतिं चैव संप्रवक्ष्याम्यहं पुनः ॥६७॥

ज्वरार्ते च रुजार्ते च तपः श्रान्ते भयान्विते ।
विक्षते च्छन्नगमने त्ववहित्थे तथैव च ॥६८॥

चिन्तान्विते तथा स्वस्थ औत्सुक्ये संहृते तथा ।
गतिः स्थिरलया कार्या करणाश्रयभाविनी ॥६९॥

भये वित्रासिते चैव प्रमत्ते शङ्किते तथा ।
व्याधिते हर्षिते क्रोधे कार्यं तु चतुराञ्चितम् ॥७०॥

संभ्रमाद्भुतसंदर्शे मुहुर्मुहुरवेक्षणैः ।
कम्पनेन च गात्राणां वस्त्रस्याकर्षणेन च ॥७१॥

सुसन्धिता चूर्णपदा शकारस्य गतिर्भवेत् ।
स्थूलस्यापि तु कर्तव्या गतिर्देहानुकर्षिणी ॥७२॥

समुद्वाहितगात्रा च विलम्बितपदक्रमा ।
विष्कम्भगामिनी चैव निश्वासबहुला तथा ॥७३॥

अतिक्रान्ता च कर्तव्या तथा चूर्णपदैः सदा ।
कार्या चैव तु हीनानां चेट्यादीनां द्विजोत्तमाः ! ॥७४॥

अधमा इति ये ख्याता नानाशीलाः कुवृत्तयः ।
पार्श्वमेकं शिरश्चैव करं चरणमेव च ॥७५॥

नामयेत्तद्गतौ किंचित्कुजन्मा चेटसंज्ञितः ।
आतिनीचेषु कर्तव्या विलोकनपरा गतिः ॥७६॥

विकला बकसंचारा गात्रं सर्वं नियम्य च ।
स्वजातिसदृशी चैव तथा देहानुकर्षिणी ॥७७॥

संभ्रमे चैव हर्षे च विक्षिप्तपदविक्रमा ।
आसाद्य हास्यं तु रसमेताश्चान्याश्च योजयेत् ॥७८॥

पुनश्च करुणे कार्या गतिः स्थिरपदक्रमा ।
सबाष्पः साश्रुनयनः सन्नगात्रस्तथैव च ॥७९॥

उत्क्षिप्तपातितकरः तथा सस्वनरोदनैः ।
गच्छेद्याच्यधिकया प्रत्यप्राप्रियसंश्रयात् ॥८०॥

एषा स्त्रीषु प्रयोक्तव्या नीचसत्त्वेषु चैव हि ।
उत्तमानां तु कर्तव्या सबाष्पा धैर्यसंयुता ॥८१॥

निश्वासैरायतोत्सृष्टैस्तथा चोर्ध्वनिरीक्षणैः ।
न तत्र सौष्ठवं कार्यं न प्रमाणं यथोदितम् ॥८२॥

नात्युत्क्षिप्तैः पदैर्गच्छेदिष्टबन्धुनिपातने ।
गाढे प्रहारे कार्या च शिथिलाङ्गभुजाश्रया ॥८३॥

विघूर्णितशरीरा च गतिश्चूर्णपदैरथ ।
गति. काञ्चुकिनी प्रोक्ता वयोऽवस्था विशेषतः ॥८४॥

वृद्धे वा मध्यमे च वापि तथा चैव कनीयसी ।
अर्धतालोत्थितैः पादैर्विष्कम्भैर्ऋजुभिस्तथा ॥८५॥

उद्वहन्निव गात्राणि पङ्कमग्न इव व्रजेत् ।
अथ वृद्धस्य कर्तव्या गतिः कम्पितदेहिका ॥८६॥

विष्कम्भितगतिप्राणा मन्दोत्क्षिप्तपदा तथा ।
शीतेन चाभिभूतस्य वर्षेणाभिहतस्य च ॥८७॥

गतिः प्रयोक्तृभिः कार्यास्त्रीनीचप्रकृतौ सदा ।
पिण्डीकृत्य च गात्राणि तेषां चैव प्रकम्पनात् ॥८८॥

करौ वक्षसि निक्षिप्य कुब्जहा तथैव च ।
दन्तोष्ठस्फुरणाच्चैव चिबुकस्य प्रकम्पनात् ॥८९॥

शनैः शनैश्च कर्तव्या शीतार्ताभिनये गतिः ।
उष्णे चापि प्रयोक्तव्या गतिर्दाहसमाकुला ॥९०॥

नेत्रसंकोचनस्वेदगात्रसंहरणान्विता ।
अतिक्रान्तैरपक्रान्तैरेलकाक्रीडितैस्तथा ॥९१॥

क्रमैरभिनयैर्युता तथा चूर्णपदैरपि ।
एतांनन्यांश्च युञ्जीत नाट्यज्ञैः करुणे रसे ॥९२॥

रौद्रे रसे प्रवक्ष्यामि दैत्यरक्षोगणान् प्रति ।
एक एव रसस्तेषां स्थायी रौद्रो द्विजोत्तमाः ॥९३॥

नेपथ्यरौद्रो विज्ञेयः स्वाङ्गरौद्रस्तथैव च ।
अथ स्वभावजश्चैव त्रिधा रौद्रः प्रकीर्तितः ॥९४॥

रुधिरक्लिन्नदेहो यो रौद्राभिविकृताननैः ।
तथा पिशितहस्तश्च रौद्रो नेपथ्यजस्तु सः ॥९५॥

बहुवाहुर्बहुमुखो नानाप्रहरणाकुलः ।
स्थूलकायस्त्वतिप्रांशुरङ्गरौद्रस्तु स स्मृतः ॥९६॥

रक्ताक्षः पिङ्गकेशश्च कृष्णाङ्गो विकृतस्वरः ।
रौद्रनिर्भर्त्सनकथो रौद्रोऽयं स्यात्स्वभावजः ॥९७॥

चतुस्तालान्तरोत्क्षिप्तैः पादैस्त्यन्तरपातितैः ।
गतिरेवं प्रकर्तव्या शेषा ये चापि तद्विधाः ॥९८॥

एक एव रसस्तेषां स्थायी रौद्रो द्विजोत्तमाः ।
विग्रहः प्रहसश्चैव तथा शृङ्गार इष्यते ॥९९॥

तथा भयानके चापि गतिः कार्या विचक्षणैः ।
स्त्रीणां कापुरुषाणां च ये चान्ये सत्त्ववर्जिताः ॥१७०॥

विष्फारितचलन्नेत्रो विधुन्वन् स्वशिरस्तथा ।
भयाकुलितचित्तत्वात्पार्श्वानि च विलोकयन् ॥१०१॥

द्रुतैश्चूर्णपदैश्चैव कृत्वा हस्तं कपोतकम् ।
प्रलेपितशरीरस्तु शुष्कोष्ठश्च स्खलन् व्रजेत् ॥१०२॥

एषानुकरणे कार्या तर्जने कलहे तथा ।
सत्त्वं च विकृतं दृष्ट्वा श्रुत्वा च विकृतस्वरम् ॥१०३॥

एषा स्त्रीणां प्रयोक्तव्या नृणां चाक्षिप्तविक्रमा ।
क्वचिदासन्नपतितैर्विकृष्टपतितैः क्वचित् ॥१०४॥

एलकाक्रीडितैः पादैरुपर्युपरिपातितैः ।
एषामेवानुगैर्हस्तैर्गतिर्भीतेषु योजयेत् ॥१०५॥

अहृद्या तु मही यत्र श्मशानरणकश्मला ।
गतिस्तत्र प्रकुर्वीत बीभत्साभिनयं प्रति ॥१०६॥

क्वचिदासन्नपतितैः विकृष्टपतितैः क्वचित् ।
अतिक्रान्तैः पदैर्गच्छेज्जुगुप्सितगतिं प्रति ॥१०७॥

तथा वीरे च कर्तव्या पादविक्षेपसंयुता ।
द्रुतप्रचारणाविद्धा नानाचारीसमाकुला ॥१०८॥

पार्श्वाक्रान्तैर्द्रुताविद्धैः सूचीविद्धैस्तथैव च ।
कलातालगतैः पादैरावेगे योजयेद्गतिम् ॥१०९॥

विटस्यापि तु कर्तव्या गतिर्ललितविक्रमा ।
किंचिदाकुञ्चितैः पादैस्तालाभ्यन्तरपातितैः ॥११०॥

अङ्गसौष्ठवसंयुक्तं तथा हस्तौ कटिस्थितौ ।
खटकावर्धमानौ च कृत्वा कार्या विटे गतिः ॥१११॥

कृशाङ्गानां तु कर्तव्या गतिर्मन्दपरिक्रमा ।
व्याधिग्रस्तोज्वरार्तश्च तपश्श्रान्तः क्षुधान्वितः ॥११२॥

विष्टम्भनगतप्राणस्तथा क्षामोदरः सदा ।
क्षामस्वरकपोलश्च सन्नगात्रस्तथैव च ॥११३॥

हस्तपादसमुत्क्षेपं शनैस्तत्र प्रयोजयेत् ।
कम्पनं चैव गात्राणां श्लथनं चैव योजयेत् ॥११४॥

प्रकर्तव्याध्वगस्यापि गतिर्मन्दपरिक्रमा ।
विकूणनेन वक्त्रस्य जानुनोश्च विमर्शनात् ॥११५॥

नीचानां मध्यमानां च गतिः कार्या सदा बुधैः ।
तालमात्रोत्थितैः पादैस्तथा व्याकुञ्चिताञ्चितैः ॥११६॥

व्रतिनश्चाश्रमस्था ये ये चान्ये तपसि स्थिताः ।
ऋषयस्तापसाश्चैव नैष्ठिकं व्रतमास्थिताः ॥११७॥

अलोलचक्षुः स्याच्चैव युगमात्रनिरीक्षणे ।
उपस्थितस्मृतिश्चैव गात्रं सर्वं नियम्य च ॥११८॥

अचञ्चलमनाश्चैव गच्छेल्लिङ्गसमाश्रितः ।
विनीतवेषश्च तथा काषायवसनोऽपि च ॥११९॥

प्रथमं समपादेन स्थित्वा स्थानेन नाट्यवित् ।
हस्तं चतुरकं कृत्वा तथा चैतत्प्रसारयेत् ॥१२०॥

प्रसन्नं वदनं कृत्वा प्रयोगस्य वशानुगम् ।
सुनिषण्णेन गात्रेण गतिं कुर्याद्यतेस्तथा ॥१२१॥

उत्तमानां भवेदेषा लिङ्गिनां ये महाव्रताः ।
एभिरेव विपर्यस्तैर्गुणैरन्येषु लिङ्गिषु ॥१२२॥

तथा व्रतानुगा च स्यादन्येषां लिङ्गिनां गतिः ।
हस्तौ तदनुगौ चापि यथायोगं प्रयोजयेत् ॥१२३॥

विभ्रान्ता वा ह्युदात्ता च विक्रान्ता विहुता तथा ।
शकटास्यस्थितैः पादैरतिक्रान्तैस्तथैव च ॥१२४॥

कार्या पाशुपतानां च गतिरुद्भ्रान्तगामिनी ।
एवं लिङ्गस्थितानां हि प्रयोज्यैवं गतिर्बुधैः ॥१२५॥

अन्धस्येव गतिं कुर्यादन्धकारेषु योगवित् ।
भूमौ विसर्पितैः पादैर्हस्तदर्शितमार्गकैः ॥१२६॥

रथस्थस्यापि कर्तव्या गतिश्चूर्णपदक्रमा ।
समपादन्तथा स्थानं कृत्वा रथगतिं व्रजेत् ॥१२७॥

धनुरेकेन हस्तेन गृहीत्वान्येन सायकम् ।
सूतश्चास्य भवेदेवं प्रतोदप्रग्रहाकुलः ॥१२८॥

करणानि विचित्राणि कर्तव्यानि विभागतः ।
द्रुतैश्चूर्णपदैश्चैव गन्तव्यं रङ्गमण्डलम् ॥१२९॥

विमानस्थस्य कर्तव्या गती रथगतोपमा ।
आरोढुमुद्वहेद्गात्रं किंचित्स्यादुन्मुखस्तथा ॥१३०॥

अस्यैव वैपरीत्येन कुर्याच्चाप्यवरोहणम् ।
अधोऽवलोकनेनैव मण्डलावर्तनेन च ॥१३१॥

आकाशगमने चैव कर्तव्यं गतिचेष्टितम् ।
स्थानेन समपादेन तथा चूर्णपदैरथ ॥१३२॥

व्योम्नस्त्ववतरेद्यस्तु तस्येमां कारयेद्गतिम् ।
ऋज्वायतोन्नतनतैः कुटिलावर्तितैस्तथा ॥१३३॥

भ्रममाणस्य चाकाशादपरुद्धभुजागतिः ।
विकीर्णवसना चैव तथा भूगतलोचना ॥१३४॥

द्रुमप्रासादशैलेषु नदीनिम्नोन्नतेषु च ।
आरोहणावतरणं कार्यमर्थवशाद्बुधैः ॥१३५॥

प्रासादारोहणं कार्यमतिक्रान्तैः पदैरथ ।
उद्वाह्य गात्रं पादं च सोपानं निक्षिपेद् बुधः ॥१३६॥

तथावतरणे चैव गात्रमानम्य रेचयेत् ।
अतिक्रान्तेन पादेन द्वितीयेनाञ्चितेन च ॥१३७॥

प्रासादारोहणं यत्तु तद्देवादिषु कारयेत् ।
केवलं तूर्ध्वविक्षेपमविद्धाङ्गं भवेदथ ॥ ३८॥

द्रुमे चारोहणं कार्यमतिक्रान्तोत्थितैः पदैः ।
सूचीविद्धैरपक्रान्तैः पार्श्वक्रान्तैस्तथैव च ॥१३९॥

एवं देवावतरणं प्रयोज्यं सरिदादिषु ।
प्रसादेषु तथा प्रोक्तं तथैवोत्तरणं भवेत् ॥१४०॥

द्रुमप्रासादशैलांश्च संज्ञामात्रेण दर्शयेत् ।
जलप्रमाणापेक्षा तु जलमध्ये गतिर्भवेत् ॥१४१॥

तोयेऽल्पे वसनोत्कर्षैः प्राज्ये पाणिविकर्षणैः ।
किंचिन्नताग्रकाया तु प्रतारे गतिरिष्यते ॥१४२॥

प्रसार्य बाहुमेकैकं मुहुर्वारिविकर्षणैः ।
तिर्यक्प्रसारिता चैव ह्रियमाणा स्ववारिणा ॥१४३॥

अशेषाङ्गाकुलाधूतवदना गतिरिष्यते ।
नौस्थस्यापि प्रयोक्तव्या द्रुतैश्चूर्णपदैर्गतिः ॥१४४॥

अनेनैव विधानेन कर्तव्यं गतिचेष्टितम् ।
संज्ञामात्रेण कर्तव्यान्येतानि विधिपूर्वकम् ॥१४५॥

अङ्कुशग्रहणान्नागं प्रग्रहग्रहणाद्रथम् ।
खलीनग्रहणादश्वं नावं चैवावरोहणात् ॥१४६॥

अश्वयाने गतिः कार्या वैशाखस्थानकेन तु ।
तथा चूर्णपदैश्चैव ह्युपर्यपरिपातितैः ॥१४७॥

पन्नगानां गतिः कार्या पादैः स्वस्तिकसंस्थितैः ।
पार्श्वाक्रान्तक्रमं कृत्वा स्वस्तिकं योजयेत्तथा ॥१४८॥

मत्तानां तु गतिः कार्या तरुणे मध्यमे मदे ।
वामदक्षिणपादाभ्यां घूर्णनापसर्पणात् ॥१४९॥

आकाशस्खलितैः प्रायः पादैश्चाप्यनवस्थितैः ।
विघूर्णितशरीरा च करैः प्रचलितैस्तथा ॥१५०॥

उन्मत्तस्यापि कर्तव्या गतिस्त्वनियतक्रमा ।
बहुचारीसमायुक्ता लोकानुकरणाश्रया ॥१५१॥

रूक्षस्फुटितकेशस्तु रेणुध्वस्ततनुस्तथा ।
सनिमित्तप्रकथनो बहुभाषी विकारवाक् ॥१५२॥

प्रगीतहसितश्चापि नानाविकृतभूषणः ।
नृत्ते गीते च वाद्ये च भाषणे च सदा रतः ॥१५३॥

कदाचिद्धावति जवात्कदाचिदवतिष्ठते ।
कदाचिदुपविष्टस्तु शयानश्च कदाचन ॥१५४॥

नानाचीरधरश्चैव रथ्यास्वनियतालयः ।
उन्मत्ताभिनयस्त्वेवं तस्येमां कारयेद्गतिम् ॥१५५॥

स्थित्वा नूपुरपादेन दण्डपादं प्रसारयेत् ।
कृत्वा चारीं तथोद्धाममथ स्वस्तिकमेत्र च ॥१५६॥

अनेन चारीयोगेन परिभ्राम्य तु मण्डलम् ।
वक्रं तु भ्रमणं चैव रङ्गकोणेषु योजयेत् ॥१५७॥

त्रिकं सललितं कृत्वा लताख्यं हस्तमेव च ।
विपर्ययगतैर्हस्तैः पादैर्हंसगतिं व्रजेत् ॥१५८॥

सिंहर्क्षवानराणां च गतिः कार्या प्रयोक्तृभिः ।
या कृता नरसिंहेन विष्णुना प्रभविष्णुना ॥१५९॥

आलीढस्थानकं कृत्वा गात्रं तस्यैव चानुगम् ।
ऊर्ध्वजानु च विक्षिप्य करमेकं च संस्थितम् ॥१६०॥

विलोलितं शिरः कृत्वा चिबुकं बाहुमस्तके ।
गन्तव्यं विक्रमैश्चैव पञ्चतालान्तरस्थितैः ॥१६१॥

नियुद्धे संशये चैव रङ्गावतरणे तथा ।
सिंहादीनां च योक्तव्या गतिरेषा प्रयोक्तृभिः ॥१६२॥

शेषाणामर्थयोगेन स्थानान्यपि तु कारयेत् ।
गजवाजिरथादींस्तु चिह्नमात्रेण कारयेत् ॥१६३॥

वाहनार्थप्रयोगेषु रङ्गावतरणेषु च ।
एवमेताः प्रयोक्तव्या नृणां तु गतयो बुधैः ।।१६४।।

अत्र नाभिहिता यास्तु विज्ञेयाः शास्त्रलोकतः ।
अतः परं प्रवक्ष्यामि स्त्रीणां गतिविचेष्टितम् ।।१६५।।

स्त्रीणां स्थानानि कार्याणि गतिष्वाभाषणेषु च ।
आयतं चावहित्थं च तथाश्वक्रान्तमेव च ।।१६६।।

दक्षिणस्तु समः पादस्त्र्यश्रः पक्षस्थितोऽपरः ।
वामो नतः कटीपार्श्वमायतस्थानके भवेत् ।।१६७।।

वामः स्वाभाविको यत्र पादो विरचितस्ततः ।
तालमात्रान्तरे न्यस्तस्त्र्यश्रः पक्षस्थितोऽपरः ।।१६८।।

प्रसन्नमाननमुरस्समं यत्र समुन्नतम् ।
लतानितम्बगौ हस्तौ ज्ञेयं स्थानं तदायतम् ।।१६९।।

रङ्गावतरणारम्भं पुष्पाञ्जलिविसर्जनम् ।
मन्मथेर्ष्योद्भवः कोपस्तर्जनाङ्गुलिमोटनम् ।।१७०।।

निषेधगर्वगाम्भीर्यमौनमायावलम्बनम् ।
स्थानेऽस्मिन् सन्निधीयीत दिगन्तरनिरूपणम् ।।१७१।।

आवाहने विसर्गे च तथा निर्वर्णनेषु च ।
चिन्तायामवहित्थे च स्थानमेतत्प्रयोजयेत् ।।१७२।।

समो यत्र स्थितो वामस्त्र्यश्रः पक्षस्थितोऽपरः ।
वामोन्नतं त्रिकं यस्मिन्नवहित्थं तदुच्यते ।।१७३।।

स्थानमेतत्तु नारीणां संल्लापे तु स्वभावजे ।
निश्चये परितोषे च वितर्के लज्जिते तथा ।।१७४।।

एकः समस्थितः पाद एकस्त्वग्रतलाञ्चितः ।
सूचीविद्धमविद्धं वा तदश्वक्रान्तमुच्यते ।।१७५।।

स्खलिते घूर्णिते चैव स्खलिताम्बरधारणे।
चित्रासने सललिते स्थानमेतत्तु रक्षणे ॥१७६॥

शाखावलम्बने कार्या स्तबकग्रहणे तथा।
विश्रान्तिषु तथैव स्यात्पादताडन एव च ॥१७७॥

स्थानकं तावदेव स्याद्यावच्चेष्टा प्रवर्तते।
भग्नं च स्थानकं नृत्ते चारी चेत्समुपस्थिता ॥१७८॥

एवं स्थानविधिः कार्यः स्त्रीणां सम्यग्द्विजोत्तमाः।
पुनरासां प्रवक्ष्यामि गतीस्तु प्रकृतिस्थिताः ॥१७९॥

कृत्वावहित्थं स्थानं वामं चाधोमुखं भुजम्।
नाभिप्रदेशे विन्यस्य सव्यं च खटकामुखम् ॥१८०॥

ततः सुललितं पादं तालमात्रं समुत्थितम्।
दक्षिणं वामपादस्य बाह्ये पार्श्वे विनिक्षिपेत् ॥१८१॥

तेनैव समकालं च लताख्यं वामकं भुजम्।
दक्षिणं च नयेत्पार्श्वं न्यसेन्नाभितटे ततः ॥१८२॥

नितम्बे दक्षिणं कृत्वा हस्तं चोद्वेष्टय वामकम्।
ततो वामपदं दद्याल्लताहस्तं च दक्षिणम् ॥१८३॥

लीलयोद्वाहितेनाथ शिरसानुगतेन च।
किंचिन्नतेन चाङ्गेन गच्छेत्पञ्चपदीं ततः ॥१८४॥

यो विधिः पुरुषाणां तु रङ्गपीठपरिक्रमे।
स एव प्रमदानां तु कर्तव्यो नाट्ययोक्तृभिः ॥१८५॥

षट्कलं न प्रयोक्तव्यं तथाष्टकलमेव च।
पादस्य पतनं तज्ज्ञैः खेदजं तद्भवेत् स्त्रियाः ॥१८६॥

सयौवनानां नारीणां कार्या त्वेवं गतिर्बुधैः।
स्थानीया या स्त्रियस्तासां संप्रवक्ष्याम्यहं गतीः ॥१८७॥

कृत्वाऽवहित्थं स्थानं तु वामं न्यस्य कटीतटे ।
आद्यं चारालमुत्तानं कुर्यान्नाभिस्तनान्तरे ॥१८८॥

न निषण्णं न च स्तब्धं न चैव परिवाहितम् ।
कृत्वा गात्रं ततो गच्छेत्तेनैवाद्यक्रमेण तु ॥१८९॥

प्रेष्याणामपि कर्तव्या गतिर्विभ्रान्तिगामिनी ।
किंचिदुन्नमितैर्गात्रैरराविद्धपदविक्रमा ॥१९०॥

स्थानं कृत्वावहित्थं तु वामं चाधोमुखं भुजम् ।
नाभिप्रदेशे विन्यस्य सव्यं च खटकामुखम् ॥१९१॥

अर्धनारीगतिः कार्या स्त्रीपुंसाभ्यां विमिश्रिता ।
उदात्तललितैर्गात्रैः पादैर्लीलासमन्वितैः ॥१९२॥

या मयाभिहिता पूर्वमुत्तमानां गतिर्बुधाः ।
स्त्रीणां कापुरुषाणां च ततोऽर्धार्धं च कारयेत् ॥१९३॥

उत्तमाधममध्यानां नृणां यद्गतिचेष्टितम् ।
स्त्रीणां तदेव कर्तव्यं ललितैः पदविक्रमैः ॥१९४॥

बालानामपि कर्तव्या स्वच्छन्दपदविक्रमा ।
न तस्यां सौष्ठवं कार्यं न प्रमाणं तथाविधम् ॥१९५॥

तृतीया प्रकृतिः कार्या नाम्ना चैव नपुंसका ।
नरस्वभावमुत्सृज्य स्त्रीगतिं तत्र योजयेत् ॥१९६॥

विपर्यस्तप्रयोगस्तु पुरुषस्त्रीनपुंसके ।
स्वभावमात्मनस्त्यक्त्वा परभावेन योजयेत् ॥१९७॥

निजां प्रकृतिमुत्सृज्य क्रीडया वञ्चनेन वा ।
स्त्री पुंसः प्रकृतिं कुर्यात्स्त्रीभावं पुरुषोऽपि वा ॥१९८॥

सौष्ठवेनाथ सत्त्वेन बुद्ध्या तद्वच्च कर्मणा ।
स्त्री पुमांसं ह्यभिनयेद्वेषवाक्यविचेष्टितैः ॥१९९॥

स्त्रीवेषभाषितैर्युक्तं प्रेक्षिताप्रेक्षितस्मितैः ।
मृदुसन्नगतिश्चैव पुमान् स्त्रीभावमाचरेत् ॥२००॥

जातिहीनास्तु या नार्यः, पुलिन्दशबराङ्गनाः ।
याश्चापि तासां कर्तव्या तज्जातिसदृशी गतिः ॥२०१॥

व्रतस्थानां तपःस्थानां लिङ्गस्थानां तथा पुनः ।
स्वस्थानां चैव नारीणां समपादं प्रयोजयेत् ॥२०२॥
उद्धता येऽङ्गहाराः स्युर्याश्चार्यो मण्डलानि वा ।
तानि नाट्यप्रयोगज्ञैर्न कर्तव्यानि योषिताम् ॥२०३॥
अथासनविधिः कार्यः स्त्रीणां नृणां तथैव च ।
नानाभावसमायुक्तं तथैव शयनाश्रयः ॥२०४॥
स्वस्थं मन्दालसं क्लान्तं त्रस्तालमथापि च ।
विष्कम्भकमुत्कटिकं मुक्तजानु तथासनम् ॥२०५॥
जानुगतं विमुक्तं च स्थानकान्युपवेशने ।
लक्षणं पुनरेतेषां विनियोगं च वक्ष्यते ॥२०६॥
विष्कम्भेनाञ्चितौ पादौ किंचिद्वक्षः समुन्नतम् ।
हस्तौ कट्यूरुविन्यस्तौ स्वस्थे स्यादुपवेशने ॥२०७॥
स्वभावाभिनये चैव तथा स्वस्थोपवेशने ।
आविष्कृतेषु सर्वेषु भावेष्वेतत्प्रयोजयेत् ॥२०८॥
एकः प्रसारितः किंचित्पादोऽन्यस्त्वासनाश्रितः ।
शिरः पार्श्वगतं चैव स्थानं मन्दालसं तु तत् ॥२०९॥
चिन्तायां च ह्यौत्सुक्ये निर्वेदे विरहे तथा ।
विषादादिषु चाधेयं स्थानमेतत्प्रयोक्तृभिः ॥२१०॥
संप्रणष्टेन्द्रियमना भवेच्छोकोपवेशने ।
प्रसार्य बाहू शिथिलौ तथा चोपाश्रयाश्रितः ॥२११॥
श्रमग्लानिविषादेषु मदे चोपविशेद् बुधः ।
सर्वैः पिण्डीकृतैरङ्गैः त्रस्ताङ्घ्रिकरजानुकम् ॥२१२॥
व्याधिग्रस्ते च निद्रायां ध्याने चोपविशेन्नरः ।
तथा चोत्कटिकं स्थानं पुनः पार्ष्णिसमागमः ॥२१३॥
पित्र्योर्निवापे जप्ये च सन्ध्यास्वाचमनेषु च ।
आकुञ्चितं पुनश्चैव जानु भूमौ निपातयेत् ॥
प्रियाप्रसादने कार्यं होमादिकरणेषु च ॥२१४॥
चिबुकापाश्रयौ हस्तौ बाहुशीर्षाश्रयं शिरः ।
संप्रणष्टेन्द्रियमना विज्ञेयं क्लान्तमासनम् ॥२१५॥

बलेन विगृहीतस्य रिपुणा खण्डितस्य च ।
शोकग्लानस्य चौत्सुक्ये स्थानमेतद्विनिर्दिशेत् ॥२१६॥

स्रस्तौ हस्तौ विमुक्तौ च शरीरमलसं तथा ।
खेदालसं तथा चक्षुर्यत्र स्रस्ताभसं तु तत् ॥२१७॥

श्रमग्लानौ मदे चैव मूर्छायां व्याधितेषु च ।
मोहे प्राणभये चैव विषादे चैव तद्भवेत् ॥२१८॥

विष्कम्भावञ्चितौ पादावूरू विष्कम्भितौ भुजौ ।
निमीलितं तथा चक्षुः स्थानं विष्कम्भनामनि ॥२१९॥

स्वपक्षोगतया वृत्त्या योगध्याने विलीयते ।
स्वभावसंस्थया चैव नटानामुपगम्यते ॥२२०॥

समौ पादौ समाधाय समं यदुपविश्यते ।
अस्पृष्ठभूतलं चैव ज्ञेयमुत्कटिकासनम् ॥२२१॥

पित्र्ये समाधिजप्ये च होमादिकरणेषु च ।
एतत्स्थानं विधातव्यं तथाचमनकर्मणि ॥२२२॥

एकं जानु यदास्यैव महीपृष्ठे निधीयते ।
मुक्तजानुकमेतद्धि विज्ञेयं ह्यासनं बुधैः ॥२२३॥

एतत्कृतव्यलीकानां प्रियाणां संप्रसादने ।
मार्जने कुट्टिमानां च तथाभूम्यनुलेपने ॥२२४॥

महीगताभ्यां जानुभ्यां स्थानं जानुगतं भवेत् ।
देवाभिवन्दने कार्यं रुष्टानां च प्रसादने ॥२२५॥

शोके चाक्रन्दने तीव्रे मृतानां चैव दर्शने ।
संत्रासने कुसत्वानां नीचानां चैव याचने ॥२२६॥

भूमौ यदूर्ध्वपतनं तद्विमुक्तमिति स्मृतम् ।
प्रहारे तत्प्रयोक्तव्यमावेगे कम्पिते तथा ॥२२७॥

तथासनविधिः कार्यो विधिवन्नाटकाश्रयः ।
स्त्रीणां च पुरुषाणां च बाह्योऽथाभ्यन्तरस्तथा ॥२२८॥

देवानां नृपतीनां च योज्यं सिंहासनं तथा ।
पुरोधः श्रेष्ठमात्यानां भवेद्वेत्रासनं तथा ॥२२९॥

मुण्डासनं तु कर्तव्यं सेनानीयुवराजयोः ।
काष्ठासनं ब्राह्मणानां कुमाराणां कुथासनम् ॥२३०॥

स्थानीया ये तु पुरुषाः कुलविद्याप्रकाशिताः ।
तेषामासनसत्कारः कर्तव्य इह पार्थिवैः ॥२३१॥

समे समासनं चैव मध्ये मध्यं तथासनम् ।
अतिरिक्तेऽतिरिक्तं च हीने भूम्यासनं तथा ॥२३२॥

उपाध्यायस्य नृपतेर्गुरूणां चाग्रतो बुधैः ।
भूम्यासनं तथा कार्यं काष्ठासनमथापि वा ॥२३३॥

नौनागरथयानेषु तथा काष्ठासनेषु च ।
सहासनं न दुष्येत गुरूपाध्यायपार्थिवैः ॥२३४॥

एवं राजसभां प्राप्य कार्यस्त्वासनजो विधिः ।
प्रकृतीनां तु सर्वासां तथा स्थानसमुत्थितम् ॥२३५॥

पुरुषाणां भवेदेषु विधिरासनसंश्रयः ।
स्त्रीणां चैवासनविधिं संप्रवक्ष्याम्यतः परम् ॥२३६॥

सिंहासनं महादेव्या राज्ञीनां मुण्डमासनम् ।
पुरोधोऽमात्यपत्नीनां भवेद्वेत्रासनं तथा ॥२३७॥

भगिनीनां तु कर्तव्यं वस्त्रं चर्म कुथासनम् ।
ब्राह्मणीनां तापसीनां पट्टासनमथापि च ॥२३८॥

वेश्यानामपि कर्तव्यमासनं हि मसूरकम् ।
शेषाणां प्रमदानां तु भवेद्भूम्यासनं बुधाः ॥२३९॥

एवमन्तःपुरे ज्ञेयो बाह्यश्चासनजो विधिः ।
तथा स्वगृहवार्तासु छन्देनासनमिष्यते ॥२४०॥

नियमस्थो मुनीनां तु भवेदासनजो विधिः ।
लिङ्गिनां चासनविधिः कार्यो व्रतसमाश्रयः ॥२४१॥

वृसीमुण्डासनप्रायं वेत्रासनमथापि च ।
होमयज्ञक्रियायां च पित्र्येऽर्थे च प्रयोजयेत् ॥२४२॥

आकुञ्चितं समं चैव प्रसारितविवर्तिते ।
उद्वाहितं नतं चोक्ता शय्यास्थानानि निर्दिशेत् ॥२४३॥

सर्वैराकुञ्चितं रङ्गैः शय्याविद्धे तु जानुनी।
स्थानमाकुञ्चितं नाम शीतार्तानां प्रयोजयेत् ॥२४४॥

उत्तानितमुखं चैव प्रत्यङ्मुक्तकरं तथा।
समं नाम प्रसुप्तस्य स्थानकं संविधीयते ॥२४५॥

एकं भुजमुपाधाय संप्रसारितजानुकम्।
स्थानं प्रसारितं नाम सुखसुप्तस्य कारयेत् ॥२४६॥

अधोमुखस्थितं चैव विवर्तितमिति स्मृतम्।
शस्त्रक्षतमृतोत्क्षिप्तमत्तोन्मत्तेषु कारयेत् ॥२४७॥

हस्तोपरि शिरः कृत्वा कूर्परक्षोभमेव च।
उद्वाहितं तु विज्ञेयं लीलया वेशने विभोः ॥२४८॥

ईषत्प्रसारिते जङ्घे यत्र स्रस्तौ करावुभौ।
आलस्यश्रमखेदेषु नतं स्थानं विधीयते ॥२४९॥

रङ्गे विकृष्टे भरतेन कार्यो गतागतैः पादगतिप्रचारः।
त्र्यश्रे स्त्रिकोणश्चतुरश्रके वा सर्गैर्गतैरर्थवशेन नित्यम् ॥२५०॥

वयोऽनुरूपः प्रथमस्तु वेषो वेषानुरूपेण गतिप्रचारः।
गतिप्रचारानुगतं च पाठ्यं पाठ्यानुरूपोऽभिनयश्च कार्यः ॥२५१॥

गतिप्रचारस्तु मयोदितोऽयं नोक्तस्तु यः सोऽर्थवशेन साध्यः।
अतः परं रङ्गपरिक्रमस्य वक्ष्यामि कक्ष्यानुगतं विभागम् ॥२५२॥

इति श्रीभरतीये नाट्यशास्त्रे गतिप्रचारो नाम द्वादशोऽध्यायः ॥

□□□

नाट्यशास्त्रम्

[1]त्रयोदशोऽध्यायः

ये तु पूर्वं मया प्रोक्तास्त्रयो वै नाट्यमण्डपाः ।
तेषां विभागं विज्ञाय ततः [2]कक्ष्यां प्रयोजयेत् ॥१॥

अभिनवभारती

देशस्य बाह्यान्तरभेदिकक्ष्या
विभागधर्मो विविधां प्रवृत्तिम् ।
आसूत्रयन्दोषविशुद्धिदक्ष-
क्रमोऽर्कदृष्टिर्जयताद्वृषाङ्कः ॥

इहाभिनयानन्तरं यद्यपि सर्वा वृत्तिप्रवृत्तस्य उद्दृष्टाः, सर्वान्ते च रङ्गे (३६) सूचिता कक्ष्या, तच्चतुर्विधाभिनयाभिधानानन्तरमेतदध्यायार्थो वक्तव्यः । तथापि प्रत्यभिनयमियतीतिकर्तव्यतोपयुज्यते । तदभिधानं विना न आङ्गिकमेवोक्तं स्यादिति वक्तव्यम् । तदुद्देशे तु सामान्यशब्दत्वान्नास्ति प्रत्येकमुद्देशने हृतिः । तथोद्देशनेऽपि च गौरवं स्यात् । अत एव वादिना कक्ष्यादेरपृथग्भावे यो हेतुरुक्तः क्रमोल्लङ्घनादिति तस्यासिद्धत्वं विरुद्धता च, प्रत्युत प्रत्येकप्रसङ्गत्वलाभात्, क्रमस्यापदार्थत्वान्नार्थप्रमाणकत्वान्मुख्यश्रौतपदार्थबाधकत्वमयुक्तं, श्रुत्या वाक्यप्रमाणस्य बाधनादिति तु भट्टलोल्लटोक्तं प्रकृते सिध्यति विरोधाभावात्, क्रमस्य च मध्यत्वात् गतिरूपप्रयोगहेतुत्वात्, अतस्तदवसर एवाभिधानं युक्तम् । तद्द्वारेणाभिनवेऽङ्गतामगात् । तद्देशत्रयं वस्तुत्रयं वक्तव्यम् । तत्र प्रथमं कक्ष्याभिधानेऽयमभिप्रायः इह गतिर्गन्तव्यदेशाश्रयात्, देशश्च जलस्थलादि बहुतरसमविषमादिस्वभेदसहितं काव्यार्थतामात्रेणैवेह संभवन्नपि प्रयोगस्थाने न संभवत्येवेति, तस्य परिहारार्थं कक्ष्यानिरूपणं कर्तव्यम् । अत एव पूर्वाध्यायान्त उक्तं परिक्रमे गतावुपयोगिनां स्थानविशेषाणां सम्यग्विभागं वक्ष्यामीति । सेयमध्यायसंगतिस्तां दर्शयितुमाह ये तु पूर्वमिति । तु शब्दाद् दूरत्वं पूर्वतायाः सूचयन् द्वितीयाध्यायार्थं स्मारयति । तेषामिति प्रत्येकमित्यभिप्रायः । मण्डपस्य यो विशिष्टो भागोऽन्तरङ्गपीठात्मकस्तं विज्ञाय विभागतो ज्ञात्वा कक्ष्यागत्युपयोगिनं स्थानविशेषं प्रयोजयेत्, विभागेन संबन्धं नयेत् । नाट्यदेशानुसारेण प्रकोष्ठे त्यक्ते यो देशोऽवशिष्यते तत्रैव चातुरश्रायम् । अत एव वामदक्षिणभागयोः कृतपविन्यासः, शिष्टे कक्ष्याविभागः ॥१॥

---

१. KSS. चतुर्दशोऽध्यायः ।
२. NS. कक्षां ।

ये नेपथ्यगृहद्वारे मया पूर्वं प्रकीर्तिते ।
तयोर्भाण्डस्य विन्यासो मध्ये कार्यः प्रयोक्तृभिः ॥२॥
[1]कक्ष्याविभागो निर्देश्यो रङ्गपीठपरिक्रमात् ।
परिक्रमेण रङ्गस्य [2]कक्ष्या ह्यन्या विधीयते ॥३॥
[3]कक्ष्याविभागे ज्ञेयानि गृहाणि नगराणि च ।
[4]उद्यानारामसरितस्त्वाश्रमा आटवी तथा ॥४॥
पृथिवी सागराश्चैव त्रैलोक्यं सचराचरम् ।
वर्षाणि सप्तद्वीपाश्च पर्वता विविधास्तथा ॥५॥
अलोकश्चैव लोकश्च रसातलमथापि च ।
दैत्यनागालयाश्चैव गृहाणि भवनानि च[5] ॥६।

रङ्गस्य को विभाग इत्याह—ये नेपथ्यगृहद्वार इत्यादि । पूर्वमिति द्वितीयाध्याये प्रकीर्तिते भाण्डस्य ततातोद्यसहितस्य त्रिपुष्करस्य ।२। ततः किमित्याह कक्ष्याविभाग इति । तेन भाण्डेन यत्परित आक्रान्तं तद्विवर्ज्य शेषे रङ्गपीठदेशे निष्क्रमणप्रवेशगत्याद्युपयोगी स्थानविभागो निर्देश्यः प्रेक्षकावधिः संक्रमयितव्यः । ननु कः स्थानविभाग इत्याह—परिक्रमेणेति । परिक्रामन्त्यनेनेति परिक्रामः चार्यादिसंनिवेशः तद्वशादेकस्यापि रङ्गदेशस्य स्थानभेदेनापरित्यागः, यथा—'आरोढुमुद्वहेद्गात्रं', 'अतिक्रान्तेन पादेन' (१२-१०२) इत्यादिना विशेष तु प्रासादपर्वतादिरूपत्वमस्यैव ॥३॥

ननु भाण्डवाद्यविनियुक्ते रङ्गपीठदेशे क्रमविशेषस्थानभेदक्लृप्तिः । तन्नेत्याह-कक्ष्याविभाग इत्यादि विशिष्टे शिष्टे देशे स्थानान्तराणि कल्पनीयानि तानि कविजनस्मरणार्थमुपलक्षणत्वेन पठन्ति । गृहादीनि पृथ्वीस्वर्गपातालभेदात्पुनरुदाहृतानि सर्वसंग्रहाय त्रैलोक्यमित्युक्तेऽपि स्मणार्थं वर्णनोद्देशः ४।५।६।

ननु सर्वत्र प्रयोगे सर्वे त्रैलोक्यवर्तिनः स्थानभेदाद् (भिन्नाः गृहाः) किं संभाविनः । नेति दर्शयति नगरे वेत्यादि । निपातैरनुक्ता अटव्यादयः साक्षात् ग्राह्या इति वावीप्सया द्योत्यते । यत्र-यत्र वार्ता वृत्तान्त इतिवृत्तबलायातः प्रकर्षेण वर्तते

---

१. NS. कक्षा ।
२. NS. ह्यन्या कक्षा भवेदिह ।
३. NS. कक्षा ।
४. KSS. उद्यानारामसहितो देशो ग्रामोऽटवी तथा ।
५. KSS., NS. वनानि च ।

नगरे वा वने वापि वर्षे वा पर्वतेऽपि वा ।
यत्र वार्ता प्रवर्त्तेत तत्र कक्ष्यां प्रवर्तयेत् ॥७॥
बाह्यं वा मध्यमं वापि तथैवाभ्यन्तरं पुनः ।
दूरं वा सन्निकृष्टं वा [1]देशं तु परिकल्पयेत् ॥८॥
पूर्वप्रविष्टा ये रङ्गं ज्ञेयास्तेऽभ्यन्तरा[2] बुधैः ।
पश्चात्प्रविष्टा [3]विज्ञेयाः कक्ष्याभागे तु बाह्यतः ॥९॥
तेषान्तु दर्शनेच्छुर्यः [4]प्रविशेद्रङ्गमण्डलम् ।
[5]दक्षिणाभिमुखः सोऽथ कुर्यादात्मनिवेदनम् ॥१०॥

तत्रमध्ये यो देशविभागस्तमेव प्रवर्तयेत् रङ्गपीठे दर्शयेत् न सर्वमित्यर्थः ।७। विशिष्टे देश इत्युक्तं तं रङ्गपीठस्य विशेषं दर्शयति बाह्यं वेत्यादि । भागत्रितये सति कस्मिश्चिद्भागे देशादि कल्पयित्वा तत्रैव दूरादिभेदं परिकल्पेत, भूयस्त्वाल्पत्वादि भिन्नेन परिक्रमेण कल्पयेदित्यर्थः ।८। बाह्यादिभेदं निरूपयति पूर्वप्रविष्टा इति । पूर्वभूताः प्रधानभूता सन्तः पूर्वं ये प्रविष्टास्ते अभ्यन्तरा इति तदधिष्ठितो देशविशेषोऽभ्यन्तरकक्ष्या प्रधानभूतस्तु पूर्वप्रविष्टोऽपि प्रधाने प्रविशति स्वकक्ष्यान्त्य इत्येव । पश्चात्प्रविष्टानां तु स्थानं बाह्यकक्ष्या । ते तु येन स्थानविशेषेण प्राक प्रविष्टमुपसर्पन्ति स देशो मध्यमा कक्ष्या ॥९॥

एतदुक्तं भवति पूर्वप्रविष्टस्य स्वस्थान एवेतिवृत्तोचितगृहोद्यानादिविभागः पश्चात्प्रविष्टस्यापि पूर्वप्रविष्टेन सह यावन्न संमिलनं, तावत्प्रेक्षायामेव । मध्यमकक्ष्यायां तु गतिपरिक्रमादिः तत्संमेलनार्थम् । संमिलितानां तु कक्ष्याविभागो विच्छिद्यत इति संमेलन इतिकर्तव्यतामाह तेषां त्विति । पूर्वप्रविष्टानां कर्मणि षष्ठी । पूर्वं प्रविष्टस्य यो दक्षिणो भागस्तं वीक्षमाणः स्थितो यथा प्रेक्षकस्य यः पराङ्मुखीभवतीत्यर्थः । एषां प्रवृत्तये दाक्षिणत्यादिके क्रमः एतद्विपरीतमन्यत्र । प्रवृत्त्यवयवोद्भाविनं क्रममथशब्देन सूचयति । तेनेदमाह प्राधान्येनोत्तराभिमुखं दक्षिणस्यामात्मनिवेदनं यथावदितिवृत्तवशात्तादृङ् निबध्यते । पूर्वप्रविष्टैः सह संमिलितस्य सर्वं बाह्यकक्ष्यायामेवेति तुशब्दस्यार्थः ।१०। का खल्विह पूर्वा दिगित्याह यतोमुखमिति समस्तं पदम् । यदपेक्षं भाण्डस्य मुखं सा दिक् पूर्वा । ननु भाण्डस्य मुखं दुर्मानमित्याह

---

१. KSS. देशात् ।
२. KSS., NS. अभ्यन्तरे ।
३. NS. ते ज्ञेयाः ।
४. NS. सन् ।
५. GOS. दक्षिणाभिमुखं ।

[1]यतो मुखं भवेद्भाण्डं द्वारं नेपथ्यकस्य च ।
सामन्तव्या तु दिक् पूर्वा नाट्ययोगे न नित्यशः ॥११॥
[2]निष्क्रामेद्यश्च तस्माद्वै स तेनैव तथा व्रजेत् ।
यतस्तस्य कृतं तेन पुरुषेण निवेदनम् ॥१२॥
[निष्क्रान्तोऽर्थवशाच्चापि प्रविशेद्यदि तद् गृहम् ।
यतः प्राप्तः स पुरुषस्तेन मार्गेण निष्क्रमेत् ॥१३॥
अथवार्थवशाच्चापि तेनैव सह गच्छति ।
तथैव प्रविशेत् गेहमेकाकी सहितोऽपि वा ॥१४॥
तयोश्चापि प्रविशतोः कक्ष्यामन्यां विनिर्दिशेत् ।
परिक्रमेण रङ्गस्य त्वन्या कक्ष्या विधीयते ॥१५॥
समैश्च सहितो गच्छेन्नीचैश्च परिवाहितः ।
अथ प्रेक्षणिकाश्चापि विज्ञेया ह्यग्रतो गतौ] ॥१६॥
सैव भूमिस्तु बहुभिर्विकृष्टा स्यात्परिक्रमैः ।
मध्या वा [3]सन्निकृष्टा वा तेषामेवं विकल्पयेत् ॥१७॥
नगरे वा वने वापि सागरे पर्वतेऽपि वा ।
दिव्यानां गमनं कार्यं [4]द्वीपे वर्षेषु वा पुनः ॥१८॥

द्वारमिति । नेपथ्यग्रहणेन गृहस्य पूर्वं मुखं द्वारम् भाण्डोपादानं तु तस्य प्रतियोजने पूर्वतां प्रकटयति प्राधान्यज्ञापनेन ।११। तेनैवेति पूर्वप्रविष्टपात्रान्तरयोगेनेत्यर्थः ॥१२॥

एवं बाह्यं वा मध्यमं वापि तथैवाभ्यन्तरमिति दूरं वा सन्निकृष्टं वेत्यादि विभजति सैव भूमिरिति ।१७। (विकल्पानां मध्याल्पत्वरचनादिश्चन केवलमल्पत्वबहुत्वकृतमेव ?) परिक्रमवैचित्र्यं यावदन्यदपीति दर्शयति नगरे वेत्यादिना प्रयोगत इत्यन्तेन । प्रयोगो नाट्यम् । दिव्यानां देवयोनीनां पिशाचादिब्रह्मान्तानां यन्नगरादिद्वीपादिविषयाऽऽगमनं तदाकाशेनैव आकाशगामिना विमानेन, मायया वा अदर्शनरूपया, अन्याभिर्वा बलादा-

१. KSS. does not read.
२. KSS., NS. read as—निष्क्रामेच्चापि यस्तत्र नरः कार्येण केनचित् ।
सनिष्क्रमेत्तु तेनैव कृतं येन निवेशनम् ॥
३. KSS. सन्नकृष्टा ।
४. NS. वर्षे द्वीपेऽपि ।

आकाशेन विमानेन मययाप्यथ वा पुनः।
विविधाभिः क्रियाभिर्वा नानार्थाभिः प्रयोगतः ॥१९॥

नाटके च्छन्नवेषाणां दिव्यानां भूमिसञ्चरः।
मानुषे कारणादेषां यथा भवति दर्शनम् ॥२०॥

[भारते त्वथ हैमे वा हरिवर्षे इलावृते।
रम्ये किंपुरुषे वापि कुरुषूत्तरकेषु वा] ॥२१॥

दिव्यानां छन्दगमनं [1]सर्ववर्षेषु कीर्त्तितम्।
भारते मानुषाणाञ्च गमनं संविधीयते ॥२२॥

[2]गच्छेद्यदि विकृष्टस्तु देशकालवशान्नरः।
अङ्कच्छेदे तमन्यस्मिन् निर्दिशेद्धि प्रवेशके ॥२३॥

अह्नः प्रमाणं गत्वा तु कार्यलाभं विनिर्दिशेद्।
तथालाभे तु कार्यस्य अङ्कच्छेदो विधीयते ॥२४॥

क्षणो मुहूर्तो यामो वा दिवसो वापि नाटके।
एकाङ्के संविधातव्यो बीजस्यार्थवशानुगः ॥२५॥

अङ्कच्छेदे तु निर्वृत्तं मासं वा वर्षमेव वा।
नोर्ध्वं वर्षात्प्रकर्तव्यं कार्यमङ्कसमाश्रयम् ॥२६॥

एवन्तु भारते वर्षे कक्ष्या कार्या प्रयोगतः।
मानुषाणां गतिर्या तु दिव्यानान्तु निबोधत ॥२७॥

हरणादिक्रियाभिर्विविधप्रयोजनाभिः कार्यमिति संबन्धः।१९। न च द्विव्यानामेष एव प्रकारः किं तु अन्योऽप्यस्तीत्याह नाटक इति। वेषशब्देन चरणादतलं वपुर्लक्ष्यते। तेन वरप्रदानाद्यनुग्रहनिमित्ताच्छन्नस्वरूपाणां देवानां मानुषे दर्शनं भवति, तदा नाटके प्रयोगे तेषामपि भूमिसंचरः, संचरत्यस्मिन्निति सञ्चरः भूमिरेव।२०। अयं तु देवेषु सामान्यकल्प इत्याह दिव्यानामिति। पुराणेषु त्वयं सामान्यविधिरित्याह भारत इति न त्विलावृतादावित्यर्थः।२२। वर्षे प्रचारादाह हैमवता इति। हिमवति बाहुल्ये-

---

१. KSS. वर्षेष्वेतेषु कारयेत्।
२. GOS. विकृष्टं यस्तु गच्छेद्धि देशं कार्यवशान्नरः।

हिमवत्पृष्ठसंस्थे तु कैलासे पर्वतोत्तमे ।
यक्षाश्च गुह्यकाश्चैव धनदानुचराश्च ये ॥२८॥

[1]रक्षःपिशाचभूताश्च सर्वे हैमवताः स्मृताः ।
हेमकूटे च गन्धर्वा विज्ञेयाः साप्सरोगणाः ॥२९॥

सर्वे नागाश्च निषधे शेषवासुकितक्षकाः ।
महामेरौ त्रयस्त्रिंशद् ज्ञेया देवगणा बुधैः[2] ॥३०॥

नीले तु वैडूर्यमये [3]सिद्धा ब्रह्मर्षयस्तथा ।
दैत्यानां दानवानाञ्च श्वेतपर्वत इष्यते[4] ॥३१॥

पितरश्चापि विज्ञेया शृङ्गवन्तं समाश्रिताः ।
इत्येते पर्वताः श्रेष्ठा दिव्यावासाः प्रकीर्तिताः[5] ॥३२॥

तेषां [6]कक्ष्याविभागश्च जम्बूद्वीपे भवेदयम् ।
तेषां न चेष्टितं कार्यं स्वैः स्वैः कर्मपराक्रमैः ॥३३॥

परिच्छ(च्छे)दविशेषस्तु तेषां मानुषलोकवत् ।
सर्वे भावाश्च दिव्यानां कार्या मानुषसंश्रयाः ॥३४॥

नैषां गतिरित्यर्थः एवं सर्वत्र ।२८।३०। नील इति अद्रिविशेषे, तस्यैव विशेषणं वैडूर्यमये, एतच्च कवेः शिक्षार्थम् ।३१। दिव्यानां पिशाचादिब्रह्मान्तानामावासः ।३२। ननु वर्षान्तरेषु दिव्यपर्वतेषु यदुचितं गमनं तत्कर्त्तुं शक्यमित्याह तेषामिति । चकार इवार्थे । जम्बूद्वीप इव दिव्यपर्वतेष्वपि । दिव्यानामपि कक्ष्याविभागः स्थानविशेषोपलक्षिता गतिरित्यर्थः । एतत् स्फुटयति न तेषामिति ।३३। परिच्छदविशेषश्च तदीयः परिचारः स्वाभितो न कार्य इत्यर्थः । परिच्छेदो वा ज्ञानं तद् दूरव्यवहितादिविषयं न प्रदर्शनीयम् । कथं तर्हि, इत्याह मानुषेति मानुषगत एवैषां सर्वो भावः कार्यः, कथं, मानुषलोकवत् यथा मानुषे लोके अंशावतरणे नायकानां रामादीनां किंचिदुत्कृष्टं सातिशयं मनुष्योचितमेव चरितं तथैव दिव्यभावबहुवृत्तीनामपीत्यर्थ ।३४। न निमषतीत्यनिमिषं रूपं तेषां नैव कार्यम् । तुरवधारणे अत्र हेतुरिहेति । भावा व्यभि-

---

१. NS. रक्षोभूतापिशाचाश्च ।
२. KSS. तथा ।
३. KSS. सिद्धब्रह्मर्षयस्तथा ।
४. NS. उच्यते ।
५. NS. दिव्यावासा भवन्ति हि ।
६. NS. कक्षा ।

[1]तेषाम्न्वनिमिषत्वं यत्तन्न कार्यं प्रयोक्तृभिः ।
इह भावा रसाश्चैव [2]दृष्टावेव प्रतिष्ठिताः ॥३५॥
दृष्ट्या हि सूचितो भावः [3]पुनरङ्गैर्विभाव्यते ।
[एवं कक्ष्याविभागस्तु मया प्रोक्तो द्विजोत्तमाः ?] ॥३६॥
पुनश्चैव प्रवक्ष्यामि प्रवृत्तीनान्तु लक्षणम् ।
चतुर्विधा प्रवृत्तिश्च प्रोक्ता नाट्यप्रयोगतः[4] ॥
आवन्ती दाक्षिणात्या च पञ्चाली चोड्रमागधी ॥३७॥

चारिणो, रसाः स्थायिनो दृष्टावेवेति दृष्ट्यामिति स्पष्टयति । दृष्ट्येति सूचितः सूचाभिनय एव विभाव्यते विभावादिशेषयुक्तत्वे स्फुटो भवतीत्यर्थ । अत एव न तेषां चेष्टितमित्यनेन साध्योऽप्ययमर्थः पुनरुपात्तः प्राधान्यात् ॥३६॥

एवं सर्वोपकारित्वादुद्देशस्य संग्रहे सर्वं पश्चादभिधानं तेनैवं न यद्यपि कक्ष्याविभागः सूचितस्तथापि चारीपरिक्रमसङ्गेन गत्यध्यायानन्तरं दर्शितः । इदानीं त्वाङ्गिकोपयोगिधर्म्यादित्रयमुद्दिष्टं, तत्र वृत्तीनामग्रतो निरूपणं भविष्यति, तत्र च हेतुं वृत्त्यध्याय (अ-२०) एव वक्ष्यामः । यद्यपि धर्मी पूर्वमुद्दिष्टा तथापि यत्र वार्ता प्रवर्तेत' (१३-७) इत्यनेन कक्ष्याविभागकल्पितदेशभेदाभिधानप्रसङ्गेन च देशविभागप्रतिपन्नाः प्रवृत्तय आक्षिप्ताः । किं च पात्रस्य सति प्रवेशे कक्ष्याविभाग उत्तरद्वारेण दक्षिणात्यावन्त्योः प्रवेशः; अन्ययोस्तु सव्येनेत्येवं प्रवृत्तिविभागः प्रवेशकभेदमाक्षिपति । सोऽपि तत्स्थानेनेदमिति तदुपयोगित्वेनापि समनन्तरं प्रवृत्तयो वक्तव्या इति मनसि कृत्वाह चतुर्विधेति । प्रवृत्तिः कस्मादिति प्रश्नाः । कस्मादिति चतुष्कप्रश्नः । अर्थं तावदाह पृथिव्यामिति । प्रवृत्तिः देशविशेषगता वेषभाषासमाचारवैचित्र्यप्रसिद्धिरुच्यते । तत्रैवं योजना देशे देशे येष्वेव वेषादयो नेपथ्यं, भाषा वा, आचारो लोकशास्त्रव्यवहारः, वार्ता कृषिपाशुपाल्यादिजीविका इति तान् प्रख्यापयति पृथिव्यादिसर्वलोकविद्याप्रसिद्धिं करोति । प्रवृत्तिर्बाह्यार्थे यस्मान्निवेदने निःशेषेण वेदने ज्ञाने प्रवृत्तिशब्दः । "अस्त्येषा भुवने प्रवृत्तिरभवद्रामेण रामस्य यत्" इत्यादौ ।

अथ संख्याप्रश्ने स्वाभिप्रायमाह यथेति देशा इति । तत्कृत्वापि चतुष्टयी प्रवृत्तिरित्युक्तं न चत्वार एव देशाः । स्यादेतदेव तावत्यस्तावदुक्ता अभ्यधिकास्तु त्यक्ता इत्याशङ्क्याह समानलक्षणश्चासां प्रयोग इत्युच्यते महद्भिरिति शेषः । प्रयोग

---

१. NS. तेषामनिमिषं यत्तु ।
२. NS. दृष्ट्यामेव ।
३. KSS., पुनरङ्गैः । NS. पश्चादङ्गैः ।
४. NS. प्रयोक्तृभिः ।

अत्राह प्रवृत्तिरिति कस्मात्? उच्यते पृथिव्यां नानादेशवेषभाषाचारवार्ताः प्रख्यापयतीति वृत्तिः। प्रवृत्तिश्च निवेदने। अत्राह-यथा पृथिव्यां बहवो देशाः[1] सन्ति, कथमासाञ्चतुर्विधत्वमुपपन्नं, समानलक्षणश्चासां प्रयोग उच्यते, सत्यमेतत्। समानलक्षण आसां प्रयोगः। किन्तु नाना देशवेषभाषाचारो लोक इति कृत्वा लोकानुमतेन वृत्तिसंश्रितस्य[2] नाट्यस्य वृत्तीनां मया चतुर्विधत्वमभिहितं[3] भारती सात्त्वती कैशिक्यारभटी चेति। वृत्तिसंश्रितैश्च प्रयोगैरभिहिता देशाः। यतः प्रवृत्तिचतुष्टयमभिनिर्वृत्तं प्रयोगश्चोत्पादितः। तत्र दाक्षिणात्यास्तावत् बहुनृत्तगीतवाद्या कैशिकीप्रायाः चतुरमधुरललिताङ्गाभिनयाश्च। तद्यथा—

इति नाट्यम्। चतसृणामेवासां समानलक्षणानामेतत्साधारणस्वभावः सर्वप्र प्रयोग इत्येव व्यवहार; युष्मन्मते न त्वन्यो व्यवहारः कश्चिद्दर्शितः। यथा च कामक्रोधलोभमोहैस्तु साधरणीकृतजगच्चिन्तादिः प्रदेशः आशु पराक्रियते तथा प्रकृतेऽपि।

ननु चतुस्साधारणप्रयोग इत्येव नत्वन्योऽत्र प्रविशति व्यवहार इत्येतदुक्तम्। विस्मरणशीलो भवान् न स्मार्यते। उक्तं पूर्वरङ्गान्ते (अध्याय ५वां) इत्येवाऽवन्तिपाञ्चालदाक्षिणात्योढ्रमागधैः। कर्तव्यः पूर्वरङ्गस्तु।१८१। इति पूर्वरङ्गस्य प्रयोगस्य गर्भाधानीयस्थानीय इत्युक्तम्। तत्रैवाभ्युपगमपूर्वकमुत्तरमाह। तत्तु सत्यमित्यादिना नानादेशवेषेत्यन्तेन अभ्युपगमोक्तदेशादिशब्देन प्रवृत्तिमभिदधता। आसामिति व्याख्यातम्। किन्त्वित्यादिनोत्तरे एतदुक्तं भवति वृत्तिसंश्रितं वृत्तीराश्रितमेतच्चतुर्विधम्। ननु का प्रवृत्तिः किं तथैवाभ्युपगमः प्रवृत्तिः। नेत्याह लोकानुगुणानुसारेण। लोकस्य हि दक्षिणापथः पूर्वदेशः, पश्चिमदेशः उत्तरभूमिरिति चतुर्धा विभागोऽस्ति, न चैष निर्निबन्धनः (चित्तवृत्तिभेद) सादृश्यसंभवात्। तथाहि दाक्षिणात्येषु शृंगारप्रचुरतया कैशिक्याः संभवः। पश्चिमेष्वावन्त्येव संगृहीता एषु सापि, सति धर्म प्राधान्ये सात्त्वत्यस्ति। प्राच्येषु तु घटाटोपवाक्याडम्बरप्राधान्याद भारत्यारभट्योः योगः। उत्तरभूम्यां यद्यपि प्राधान्याद् भारत्यारभटीयोगस्तथापि कैशिकीलेशात्तु शृङ्गारमयप्रयोगसहिष्णवो जनाः। यद्वक्ष्यते "प्रयोगस्त्वल्पगीतार्थं" (१३-५१) इति। स्वर्थशब्देन तत्प्रयोजनं नृत्तवाद्यादि। इत्येवं चित्तवृत्तिभेदसादृश्याल्लोकस्य यश्चतुर्धाविभागः स एवास्मिन्नुक्तः।

---

१. NS. नानादेशाः।

२. NS. लोकानुमतेऽनुवृत्तिसंश्रितमस्य।

३. NS. भारत्यारभटी सात्त्वती कैशिकी चेति। वृत्तिसंश्रितेष्वमीषु प्रयोगेष्वभिरता।

महेन्द्रो मलयः सह्यो मेकलः पालमञ्जरः[1] ।
एतेषु ये श्रिता देशाः स ज्ञेयो दक्षिणापथः ॥३८॥
[2]कोसलस्तोशलाश्चैव कलिङ्गा यवनाः खसाः ।
द्रविडान्ध्रमहाराष्ट्रा वैष्णा वै वानवासजाः[3] ॥३९॥

दक्षिणस्य समुद्रस्य तथा विन्ध्यस्य चान्तरे ।
ये देशास्तेषु युञ्जीत दाक्षिणात्यां तु नित्यशः ॥४०॥
आवन्तिका वैदिशिका सौराष्ट्रा मालवास्तथा ।
सैन्धवास्त्वथ सौवीरा [4]आवर्ताः सार्बुदेयकाः[5] ॥४१॥
दाशार्णास्त्रैपुराश्चैव तथा वै मार्तिकावताः[6] ।
कुर्वन्त्यावन्तिकीमेते प्रवृत्तिं नित्यमेव तु ॥४२॥

सात्त्वतीं कैशिकीं चैव वृत्तिमेषां समाश्रिता ।
भवेत् प्रयोगो नाट्येऽत्र स तु कार्यः प्रयोक्तृभिः ॥४३॥

ननु किमित्ययं संक्षेप आदृतः । आह । यस्माल्लोको बहुविधवेषभाषाचारादि युक्तः कस्तं प्रतिपदं वक्तुं शक्नुयात् शिक्षितुमभ्यसितुं वा प्रयोक्तुं द्रष्टुं वा, चित्त-वृत्तिप्रधानं चेदं नाट्यमिति तदेव वक्तुं न्याय्यम् । एतदेव स्पष्टीकुर्वन्नाह भार-तीत्यादिना । प्रयोगे वागङ्गचेष्टासु अभिनिर्वृत्तं लोकप्रसिद्धमित्यर्थः । चकारेण तत इत्याकृष्यते । तल्लोकप्रसिद्धचतुष्टयमवलम्ब्य ब्रह्मणा प्रयोग उत्पादितः । अयं ग्रन्थश्चिरन्तनैर्वृत्तीनां चतुर्ष्वेव दृष्टान्ततामाश्रित्य व्याख्यातः, तत्र च वैषम्येण दूषणमुक्तम्, वृत्तीनां हि सनिमित्तं चतुर्धात्वं प्रवृत्तीनां तस्माच्चतुष्ट्वमात्रेण दृष्टान्तो-ऽयमिति व्याख्यानेषु गजस्नानीयताया आनयनेनालूनविशीर्णः कृत इत्यास्तां तावत् ।

कैशिकी प्रायेण एषु इति बहुव्रीहिः । असामानाधिकरण्यात्सामानाधिकर-ण्येऽपि वा सामानायामाकृतौ भाषितपुंस्त्वाभावान्न पुंवद्भावः । केशैर्निर्वृत्तास्तेषु भवा वेत्यादिव्युत्पत्तिर्निमित्तमात्रम् । एतच्च वक्ष्यामः संक्षेपेण (अध्या—२०) । दक्षिणसमुद्रस्य विंध्यपर्वतस्य च मध्ये ये देशास्तेषु दाक्षिणात्या ।३९। एतेनैव सिद्धे सति देशभेदानां प्रतिपदपाठस्तदन्तरालानां पर्वतकच्छादिम्लेच्छानां निषेधेन, प्रसिद्धया देशोपसंग्रहणार्थः कवीनाम् । एवमुत्तरत्र ।४१। नित्यमेव त्विति अनादिरयं देश-

---

१. NS. मेखक कालपञ्जरः KSS. मेखकः पलपञ्जरः ।
२. NS. कोशला ।
३. KSS., NS. वानवासिजाः ।
४. NS. आनर्ताः ।
५. KSS. सार्बुदेशकाः ।
६. KSS., NS. वैर्वातिकावताः ।

अङ्गा वङ्गाः कालिङ्गाश्च वत्साश्चैवोढ्रमागधाः ।
पौण्ड्रा नेपालकाश्चैव अन्तर्गिरिबहिर्गिराः[1] ॥४४॥

तथा प्लवङ्गमा ज्ञेया मलदा मल्लवर्तकाः ।
ब्रह्मोत्तरप्रभृतयो भार्गवा [2]मार्गवास्तथा ॥४५॥

प्राग्ज्योतिषाः पुलिन्दाश्च वैदेहास्ताम्रलिप्तकाः ।
प्राङ्गाः प्रावृतयश्चैव युञ्जन्तीहोढ्रमागधीम् ॥४६॥

अन्येऽपि देशाः प्राच्यां ये पुराणे सम्प्रकीर्तिताः ।
तेषु प्रयुज्यते ह्येषा प्रवृत्तिश्चोढ्र[3]मागधी ॥४७॥

पाञ्चाला सौरसेनाश्च काश्मीरा हस्तिनापुराः ।
बाह्लीका [4]शल्यकाश्चैव मद्रकौशीनरास्तथा ॥४८॥

हिमवतसंश्रिता ये तु गङ्गायाश्चोत्तरां दिशम् ।
ये श्रिता वै जनपदास्तेषु पाञ्चालमध्यमाः ॥४९॥

[5]पाञ्चालमध्यमायान्तु सात्त्वत्यारभटी स्मृता ।
प्रयोगस्त्वल्पगीतार्थं आविद्धगतिविक्रमः ॥५०॥

द्विधा क्रिया भवत्यासां रङ्गपीठपरिक्रमे ।
प्रदक्षिणप्रदेशा च तथा चाप्यप्रदक्षिणा ॥५१॥

भेदेन चित्तवृत्तिक्रमः । दृष्टो हि वस्त्राभरणात्मना देशभेदोचित्तः स्वभावभेदः ।४३। बाहुल्येन नात्र प्रमाणाभावादित्यादिना शुष्कतर्केण असूयितव्यमिति भावः ।४४। तत्र प्राग्देशानां सीमात्वेन दक्षिणत ऊढ्राः समुद्रनिकटे उत्तरतो मागधाः तदुभयमध्यवर्तित्वादूढ्रमागधा, अत एवोढ्रकलिङ्गानामुभयोपजीवित्वाभिप्रायेण वृत्तिद्वयमध्ये गणनम् । गिरीणामन्तर्ये भवास्तेऽन्तर्गिराः गिरीणां बहिर्भवा बहिर्गिरा 'गिरेश्च सेनकस्य इति समासान्ते अचि रूपम् ।४५। पुराण इत्यागमपूर्वकत्वमाह । एषेति आवन्तिकी प्राग्ज्योतिषकामरूपीया ।४८। तुरूष्काश्चारट्टकखसदरप्रभृतयः मध्यमायामेव ये प्रविष्टाः, ते तु व्यवहारबहिष्कृतत्वात् स्वकण्ठेन न पठिताः ।५०। अल्पगीतार्थं इति लेशतः कैशिकीमनुजानाति ॥५१॥

---

१. KSS., NS. अन्तर्गिरिबहिर्दुराः ।
२. KSS, मार्गवस्तथा ।
३. GOS. शाकला ।
४. NS. त्वौड्मागधी ।
५. KSS. reads this after two verses.

आवन्ती दाक्षिणात्या च प्रदक्षिणपरिक्रमे ।
अपसव्यप्रदेशास्तु पाञ्चाली चोढ्रमागधी ॥५२॥
आवन्त्यां दाक्षिणात्यायां[1] पार्श्वद्वारमथोत्तरम् ।
पाञ्चाल्यामोढ्रमागध्यां योज्यं द्वारन्तु दक्षिणम् ॥५३॥
[2]एकीभूताः पुनश्चैताः प्रयोक्तव्याः प्रयोक्तृभिः ।
[3]पार्षदं देशकालौ वाप्यर्थयुक्तिमवेक्ष्य च ॥५४॥
येषु देशेषु या [4]कार्या प्रवृत्तिः परिकीर्तिता ।
तद्वृत्तिकानि रूपाणि तेषु तज्ज्ञः प्रयोजयेत् ॥५५॥
एकीभूताः पुनस्त्वेता नाटकादौ भवन्ति हि ।
अवेक्ष्य वृत्तिबाहुल्यं तत्तत्कर्म समाचरेत् ॥५६॥

दक्षिणोत्तरव्यतिरेकेण परिक्रमणस्थानाभावात् नैकट्याद् द्वे प्रवृत्ती एकीकृत्य प्रयोगाभिधानम् । तत्र दाक्षिणात्य उत्तरेण द्वारेण प्रविश्य पश्चिमायां दिशि परिक्रम्य ततोऽपि दक्षिणस्यां ततः पूर्वस्यां तत, उत्तरस्यां परिक्रमेत । परिक्रम्य च तस्यामेव दिश्यात्मनिवेदनं कुर्यात् । तदुक्तं दक्षिणाभिमुख इति । तत उत्तरस्याः पूर्वां ततोऽपि दक्षिणां ततः पश्चिमां प्राप्योत्तरद्वारेणैव निष्क्रामेत् । एवं सात्त्वत्यादौ, तद्विपर्ययेण पाञ्चाल्यां । तदस्यां दक्षिणद्वारेण प्रवेशो निष्क्रमणं च प्रदक्षिणेन दक्षिणदिशा प्रवेशोऽभ्यन्तरकक्ष्याव्यवस्थितपात्रनिकट एवेति स्यात् । एवमपसव्यप्रवेश इति ॥५४॥

विशेषान्तरमाह एकीभूता इति । पार्षदमिति । परिषदि स्वामित्वकृतं वा प्राधान्यं देशकृतं कालकृतं प्रयोजनकृतं बहुतरपात्रपरीक्षायातोचितं यद्वैचित्र्यं तत्कृत मिदमवेक्ष्य सङ्करोऽपि कर्तव्यः, तदाह एकीभूता इति प्रधानानुयायिन्य एवेत्यर्थः ॥५५॥

एवं प्रयोक्तरि परिक्रमोपयोगः । प्रवृत्तीनां प्रत्येकविषयेऽपि तं दर्शयन्नाह येषु देशेष्वित्यादि या प्रवृत्तिरित्यर्थः, सा वृत्तिर्येषु रूपकेषु तेषु । तेन काश्मीर देशगत नायक नाटिकानुचिता तस्यां कैशिकीप्राधान्ये दाक्षिणात्योचितत्वात् । देशादौचित्ये तच्चेष्टितव्यावर्तनेन प्रतीतिविघाताद्रसमयत्वाभावः । रसाश्च नाट्यस्य प्राणाः व्युत्पत्तिरपि वा परेव भवेत् असत्यताशङ्का च समूलघातं विहन्यादेव प्रयोगमित्यनेनाभिप्रायेणाह तद्वृत्तिकानीति । येषु देशेषु यो वृत्तिप्रकार उक्तः स येषु रूपकेषु नाटकादीनामन्यतमेषु भवति, तानि रूपकाणि तेष्विति तद्देशगतनायकप्राधान्येन कर्तव्यानि कविना नटेन च ॥५६॥

---

१. KSS., NS. योज्यं ।
२. NS. एकभूताः ।
३. KSS., NS. वर्षं च देशकालौ च ।
४. KSS., NS. पूर्वम् ।

[सार्थे बाहुल्यमेकस्य शेषाणामथ बुद्धिमान् ।
येषामन्यस्य बाहुल्यं प्रवृत्तिं पूरयेत्तदा] ॥५७॥
प्रयोगो द्विविधश्चैव विज्ञेयो नाटकाश्रयः[1] ।
सुकुमारस्तथाऽऽविद्धो नाट्ययुक्तिसमाश्रयः ॥५८॥
यत्त्वाविद्धाङ्गहारन्तु च्छेद्यभेद्याहवात्मकम् ।
मायेन्द्रजालबहुलं पुस्तनेपथ्यसंयुतम् ॥५९॥
पुरुषैर्बहुभिर्युक्तमल्पस्त्रीकं तथैव च ।
सात्त्वत्यारभटीयुक्तं [2]नाट्यमाविद्धसंज्ञितम् ॥६०॥
डिमः समवकारश्च व्यायोगेहामृगौ तथा ।
एतान्याविद्धसंज्ञानि विज्ञेयानि प्रयोक्तृभिः ॥६१॥
[3]एषां प्रयोगः कर्तव्यो दैत्यदानवराक्षसैः ।
उद्धता ये च पुरुषाः शौर्यवीर्यबलान्विताः ॥६२॥
नाटकं सप्रकरणं भाणो वीथ्यङ्कनाटिके ।
सुकुमारप्रयोगाणि मानुषेष्वाश्रितास्तु ये ॥६३॥

नाट्यशब्दवाच्यस्य प्रयोगस्याश्रयो नाटकशब्दोऽत्र न रूपकविशेषे, अपि तु नाट्य एव यथा—

"हास्यस्थानानि यानि स्युः कार्योत्पन्नानि नाटके" (अ २२) इत्यत्र नाटकमुन्नयति प्रेक्षकान् (स्वावेशेन) संवेशेन ? व्युत्पत्त्या च तथा तद्भावानुप्रवेशेन प्रयोक्तृनिति । नाटके कृताविति पाठे गात्राणि विक्षिप्यन्ते अभिनयप्रयोगायाऽस्मादिति संज्ञाकाले । अन्ये तु नटशब्दात् काठकादिवच्चरणार्थे वुञ्इच्छन्तो नटानां कर्म श्लाघ्यमिति गोत्रचरणयोश्च श्लाघादिविशेषणत्वाद् वुञित्याहुः (पा—५-१-१३४) लौकिकं च लिङ्गमिति नैवं शङ्कितव्यमेतस्यैकान्तिकं स्त्रीत्वमिति ।५८। आविद्ध उत्कटः, अङ्गानां हारो हरणं यत्र । छेदेन भेदेन प्रधानः आहवः संग्रामः, आह्वयन्ते परस्परं वीरा यत्रेति । माया मंत्रौषधादिकृतं रूपपरिवर्तनादि, इन्द्रजालं हस्त लाघवसादृश्यादिकृतं, पुस्तं द्रुमृण्मयमाकृत्यादि ।५९। आविद्धं स्त्रीकर्मरूपाणां स्वरूपं स्वक्षेत्रे एव वक्ष्यामः ।६०—६१।

शौर्यमभीरुत्वं वीर्यमुत्साहः, बलं कायधर्मः पराक्रमः ।६२। मानुषेष्विति बाहुल्यापेक्षयैतत् । एवं चत्वारि भिन्नानि डिमादीति उद्धतानि, वर्गसुकुमाराणि नाटकादीनि ॥६३॥

---

१. KSS. नाट्यकाश्रयाः ।
२. NS. नाट्यमाविद्धमेव तत् ।
३. KSS. एषः ।

अथ बाह्यप्रयोगेषु प्रेक्षागृहविवर्जिते ।
विदिक्ष्वपि भवेद्रङ्गः कदाचिद् भर्तुराज्ञया ।।६४।।
पृष्ठे कृत्वा कृतपं नाट्ये युक्ता यतो मुखं भरताः ।
सा पूर्वा मन्तव्या प्रयोगकाले तु नाट्यज्ञैः ।।६५।।
द्वाराणि षट् चैव भवन्ति चास्य रङ्गस्य दिग्भागविनिश्चितानि ।
नाट्यप्रयोगेण खलु प्रवेशे प्राच्यां प्रतीच्यां च विशि प्रवेशः । ६६।।
विधानमुत्क्रम्य यथा च रङ्गे विना प्रमाणाद्विदिशः प्रयोगे ।
द्वारन्तु यस्मात्समृदङ्गभाण्डं प्राचीं दिशं तां मनसाऽध्यवस्येत् ।।६७।।
वयोऽनुरूपः प्रथमन्तु वेषोनुरूपश्च गतिप्रचारः ।
गतिप्रचारानुगतश्च पाठ्यं पाठ्यानुरूपोऽभिनयश्च कार्यः ।।६८।।
धर्मी या द्विविधा प्रोक्ता मया पूर्वं द्विजोत्तमा ? ।
लौकिकी नाट्यधर्मी च तयोर्वक्ष्यामि लक्षणम् ।।६९।।
स्वभावभावोपगतं शुद्धं त्वविकृतं तथा ।
लोकवार्ताक्रियोपेतमङ्गलीलाविवर्जितम् ।७०।।

एवमन्तरङ्गोपकारित्वात्कक्ष्यामाधारमुक्त्वा तदाक्षिप्तं च वृत्तिभेदमभिधाय धर्म्यो निरूप्यन्ते । तथा हि लोकस्वभावमेवानुवर्तमानं धर्मीद्वयम् । लोको नाम जनपदवासी जनः, जनपदश्च देश एव, स च प्रवृत्तिक्रमेण प्रपञ्चितः, तत्प्रसङ्गेनैव तावद्धर्म्यायाता । सा चाङ्गिकशेषतया वक्तव्या । प्रसङ्गाच्च वाचिकाहार्यादि विषयाप्युच्यते तुल्यलक्षणत्वादिति । सा च द्वेधा । यद्यपि लौकिकधर्मव्यतिरेकेण नाट्ये न कश्चिद्धर्मोऽस्ति, तथापि स यत्र लोकागतप्रक्रियाक्रमो रञ्जनाधिक्य-प्राधान्यमधिरोहयितुं कविनटव्यापारे वैचित्र्यं स्वीकुर्वन् नाट्यधर्मीत्युच्यते ।

तदेतदाह धर्मी या द्विविधेति । प्रोक्ता उद्दिष्टेत्यर्थः । पूर्वमिति रसा भावा' इत्यादिसंग्रहविभागावसरे (अ ६-१०) ६६। लौकिकस्य धर्मस्य मूलभूतत्वान्नाट्यधर्मं वैचित्र्योल्लेख्यभित्तिस्थानीयत्वेन लोकधर्मीमेव लक्षयति स्वभावभावोपगतमि-त्यादि । काचित्तद्विषया धर्मी, काचिन्नाट्यविषया । यो यस्य स्वभावतो भावः स्यात् स्थायिव्यभिचार्यादिः तेनोपेतम् कथमधिकृतत्वादित्याह शुद्धमिति ' शुद्धत्वात् स्वोत्रिकल्पितेनाव्याभिश्रत्वात् । तथा, इति कृत्वा । लोकवार्ता लोकप्रसिद्धिः तस्यां या क्रिया व्यवहारो वृत्तान्तस्तथा शुद्धमेव कृत्वा युक्तं यन्नाट्यं नटनीयं कार्यं सा लोकधर्मी धर्म्यास्तद्वतश्चाभेदोपचारात्सामानाधिकरण्यम् । अङ्गलीलया वर्त-नादिक्रया वर्जितं कृत्वा ।७०। स्वभावबलपतनप्रहारनादावसरविवादादाविव पताका-दिना योऽभिनयस्तेनोपेतम् । नानात्वेन च स्त्रीपुंसादेः स्त्रियां प्रयोज्यायां योषिदेव

स्वभावाभिनयोपेतं नानास्त्रीपुरुषाश्रयम् ।
यदीदृशं भवेन्नाट्यं लोकधर्मी तु सा स्मृता ॥७१॥

[1]अतिवाक्यक्रियोपेतमतिसत्त्वातिभावकम् ।
लीलाङ्गहाराभिनयं नाट्यलक्षणलक्षितम् ॥७२॥

स्वरालङ्कारसंयुक्त[2]मस्वस्थपुरुषाश्रयम् ।
यदीदृशं भवेन्नाट्यं नाट्यधर्मी तु सा स्मृता ॥७३॥

प्रयोक्त्री पुरुषे पुरुष इत्येवंभूतं यत्राभ्यस्तचेष्टितं सा लोकधर्मी तद्धर्मव्यपदेशात् । यदि वा समुदायरूपं काव्यं तदा मनस एकदेशभूता धर्मी ।

एतदुक्तं भवति—यदा कविर्यथावृत्तं वस्तुमात्रं वर्णयति नटश्च प्रयुङ्क्ते, न तु स्वबुद्धिकृतं रञ्जनावैचित्र्यं, तत्रानुप्रवेशयंस्तदा तावान् स काव्यभागः प्रयोगभागश्च लोकधर्माश्रयः अतोत्र धर्मी । अर्थाभिनये सहकारिरूपा इतिकर्तव्यतारूपा वेति दशशततमादितरत्र प्रवेशानाह शून्यतायाम । काव्यनाट्ययोर्हि लोकानुसारित्वं वा वैचित्र्ययोगित्वं वा धर्मः । तत्र किमेतद्भावमुद्भावमुच्यते तदास्तामेतत् ।७१।

अथ नाट्यधर्मीं लक्षयति अतिवाक्यक्रियोपेतमिति । इतिहासादिवाक्यमतिक्रम्य या उचितरञ्जकेतिवृत्तकल्पनात्मिका क्रिया । यथा राजशेखरेण रामनिर्वासनार्थं दशरथवेषराक्षसविरचिततत्त्वकल्पना, तथा यदुपेतम् । भावं सत्त्वं स्वभावं चित्तवृत्तिञ्चातिक्रम्य यत्स्थितं कविकल्पितचित्तवृत्त्यन्तरयुक्तमित्यर्थः । यथा स्वभावचपलविदूषकचित्तवृत्त्यतिक्रमात् वत्सराजेन मन्त्रिसमुचितगाम्भीर्यावहित्थयोजनं वसन्तकस्य तथा स्वभावभावितमतिक्रम्य यत्स्थितं यथा राक्ष्याः संक्रमम् । एवंभूतमभिनेयं तद्गतनाट्यधर्मी नटगता तु नाट्यलक्षणलक्षितं कृत्वा लीलायाः शोभाप्रधानतया मनोहरा ये अङ्गहारा तत्प्रधानैरभिनयैः उपेतं तथापाठे ।७२। स्वरालङ्कारसंयोजनया युक्तं यत्र च पुरुषो न स्वरूपे तिष्ठति, अपि तु स्त्रीबलमाश्रयति प्रयोज्यः पुरुषो यत्र न स्वरूपस्थः अपितु स्त्रिया प्रयुज्यते तन्नाट्यधर्मी । भवेदित्यनेन संभावनामाचक्षाण इदमाह नैवेदं समयमात्रनिष्ठमिति वक्तव्यं अपि तु संभाव्यमानमेव सद्रञ्जनोपयोगि वस्तूपयोगि च ।७३। न ह्यासन्नवचनस्यापि अश्रवणमन्यैरप्यश्रूयमाणस्य च श्रवणं लोकेऽपि कदाचन न भवति । केवलं तन्त्रे तत्सौन्दर्यार्थमानीयते यथोक्तमुपाध्यायैः—

तदत्रास्ति न तत्रास्य कवेर्वर्णनमर्हति ।
यन्नासंभवि यत्र स्यात्सम्भव्यः तु धर्मतः ॥

---

१. KSS. अनिसत्त्व ।
२. KSS., NS. मस्वभूः ।

लोकप्रसिद्धं द्रव्यन्तु यदा नाट्ये प्रयुज्यते ।
मूर्तिमत् साभिलाषञ्च नाट्यधर्मी तु सा स्मृता ।।७४।।

आसन्नोक्तन्तु यद्वाक्यं न शृण्वन्ति परस्परम् ।
अनुक्तं श्रूयते वाक्यं नाट्यधर्मी तु सा स्मृता ।।७५।।

शैलयानविमानानि चर्मवर्मायुधध्वजाः ।
मूर्तिमन्तः प्रयुज्यन्ते नाट्यधर्मी तु सा स्मृता ।।७६।।

[य एकां भूमिकां कृत्वा कुर्वीतैकान्तेरऽपराम् ।
कौशल्यादेककत्वाद्वा नाट्यधर्मीति सा स्मृता] ।।७७।।

या गम्या प्रमदा भूत्वा गम्या भूमिषु युज्यते ।
गम्या भूमिष्वगम्या च नाट्यधर्मी तु सा स्मृता ।।७८।।

ललितैरङ्गविन्यासैस्तथोत्क्षिप्तपदक्रमैः ।
नृत्यते गम्यते यत्त्र नाट्यधर्मी तु सा स्मृता ।।७९।।

योऽयं स्वभावो लोकस्य सुखदुःखक्रियात्मकः ।
सोऽङ्गाभिनयसंयुक्तो नाट्यधर्मी तु सा स्मृता ।।८०।।

यश्चेतिहासवेदार्थो ब्रह्मणा समुदाहृतः ।
दिव्यमानुषरत्यर्थं नाट्यधर्मी तु सा स्मृता ।।८१।।

यत्र नियमहेतुः सौमनस्यं तत्र नाट्यधर्मी व्यापकत्वमिति बहुतरोदाहरणनिदर्शन दिशा दर्शयितुमाह लोकेति अभियोज्यं क्रियासु पदं मूर्तत्वात् केवलं साभिलाषं लोकेऽपि कलाशिल्पिकल्पनाकलितमतस्तदपि मूर्तिसंपादनेन प्रयुज्यते प्रयोगः क्रियते । यथा मायापुष्पके "ततः प्रविशति ब्रह्मशाप" इति ।७४। न शृण्वन्ति जनान्तिकापवारितकयोः । अनुक्तं श्रूयते, आकाशभाषितं, गतादावाकाशादौ ।७५। मूर्तिमन्त इति प्रक्रियासु कर्मणायतत्वात्प्रयुज्यन्त इत्यर्थः । तद्यथा—'अग्रे पर्वत एष कथमत्र गन्तव्यम्" इत्यादि । चर्म खेटकं वसुनन्दादि अपूर्णरूपं दारुवस्त्रचित्रादिरूपतया प्रयुज्यते ।७६। ललितैरिति आवेष्टितादिचतुर्विधकरणोपगृहीतवर्तनाप्रवर्तितैः । उत्क्षिप्तानि यानि पदानि तेषां चतुस्तालादिना (अ ९-२७३-२८९) क्रमात्कालविभागाश्चतुष्कलत्वादयः । च शब्द इवशब्दार्थः । नृत्यत इव यद् गम्यते नृत्तसदृशी या विशाखा सा गतिरित्यर्थः । तद्भावे लटौ ।७९। एतत्प्राणितमेव नाट्यमित्याह योऽयं स्वभाव इति । अङ्गैरातोद्यादिभिरभिनयैश्च संयुक्तत्वं लोकस्वभावानुभावविलासोपेतत्वं विधायकस्य नाट्यधर्मीत्वं विधानमिति प्रथमाध्याये (१-११८) श्लोकाद्भिन्नार्थं एवायं तत्र नाट्यलक्षणपरो वाक्यार्थं इति विवृतं चैतत्तत्रैवाध्याये ।८०। प्रसङ्गोपयोगेन सर्वाभिनयप्रकारसारा नाट्यधर्म्यभिहिता, तां दर्शयति यश्चेति । चकारः प्रसङ्गं द्योतयति ।

यश्च कक्ष्याविभागोऽयं नानाविधिसमाश्रितः ।
रङ्गपीठगतः प्रोक्तो नाट्यधर्मी तु सा भवेत् ॥८२॥

नाट्यधर्मीप्रवृत्तं हि सदा नाट्यं प्रयोजयेत् ।
न [1]ह्यङ्गाभिनयात्किञ्चिदृते राग प्रवर्तते ॥८३॥

सर्वस्य सहजो भावः सर्वो ह्यभिनयोऽर्थतः ।
अङ्गालङ्कार[2]चेष्टाभिर्नाट्यधर्मी प्रकीर्तिता ॥८४॥

एवं [3]कक्ष्याविभागस्तु धर्मी युक्तय एव च[4] ।
विज्ञेया नाट्यतत्त्वज्ञैः प्रयोक्तव्याश्च तत्त्वतः[5] ॥८५॥

प्रोक्त इति समनन्तरमेव ।८२। व्यापकत्वमेव नाट्यधर्म्या उपसंहरति नाट्यधर्मीत्यादिना उपदेशद्वारेण नाट्यधर्मीप्रवृत्ता गतिः । हेतुः न ह्यङ्गाभिनयादिति । अङ्गानि च गीतातोद्यादीन्यभिनयश्चेति द्वन्द्वः समाहारः । राग इति सामाजिकप्रीतिः ।८३। नाट्यधर्म्या यदि व्यापकत्वाल्लोकस्वभावभाविन्या नं प्रयोजनमुक्तयेत्याशंक्याह सर्वस्य सहज इति । हि शब्दो हेतुमद्भावं द्योतयति । तदयमर्थः यस्मात्कविगता नाट्यगता वागङ्गालङ्कारचेष्टा नाट्यधर्मीरूपा सर्वप्राणवती । अर्थत इति अर्थमपेक्ष्य प्रवर्तते अभिनयश्च सर्वाभिनेयमर्थमपेक्ष्य प्रवर्तते, तस्मात्सर्वस्य संबधी सहजो भावो लोकधर्मलक्षण उक्तो भित्तिस्थानीयत्वेन नाट्धर्म्या सहजसंवादिकर्मणः । अङ्गं गुणाः लक्षणानि च चेष्टा वर्तनारूपा अलङ्कार उपमादिः ॥८४॥

अध्यायार्थमुपसंहरति एवं कक्ष्याविभागस्त्विति । धर्मी ह्येकवचनं नाट्यधर्म्या अत्र प्राधान्यादन्यस्यास्तत्रैव मग्नत्वात् । युक्तय इति प्रवृत्तयः ॥८५॥

अथोपसंहारे च प्रयोजनं धर्म्यादयो उपकरणभूताः, तेषामल्पबाहुल्यविरचित क्रमाभिधानं योजयित्वा प्रतिपादनमित्यध्यायार्थो प्रकरणप्रस्तावे च प्रथमेन योजयति अन्येन च भाविप्रकरणार्थमासूत्रयति उक्तो मयेहाभिनय इति स मयेत्यात्मज्ञानोत्कर्षणीं व्युत्पत्तिं शिष्याणामुपपादयति यद्यप्यस्य शाखानृत्तं (करवर्तना) चाङ्गहारश्च वस्तुनीत्युक्तं, तथापि, भावाध्याये सात्त्विकप्रसङ्गेन (७-१४३) अङ्कुरस्याभिहितत्वात्, सामान्याभिनये च (अ २२-४१) तदुक्तम् वक्तव्यशेषस्य वक्ष्यमाणत्वादाङ्गिकाभिनयोपसंहारादेवोपसंहरति । वाक्यमेवाभिनयः तत्त्वतश्च धर्मी, अभिनयो वाक्यं

---

१. KSS. ह्यभिनयार्थजः ।
२. NS. चेष्टा तु ।
३. NS. कक्षा ।
४. KSS. धर्मीयुक्ताः प्रकीर्तिताः ।
५. NS. यत्नतः ।

उक्तो मयोहाभिनयो यथावत् शाखाकृतो यश्च कृतोऽङ्गहारैः[1] ।
पुनश्च वाक्याभिनयं यथावद्वक्ष्ये स्वरव्यञ्जनवर्णयुक्तम् ॥८६॥

[2]इति भरतीये नाट्यशास्त्रे करयुक्तिधर्मीव्यञ्जको नाम त्रयोदशोऽध्यायः ।

अङ्गाभिनयः समाप्तः ।

हास्यादौ एवं यद्यपि वाक्याभिनय उक्तस्तथापि सति उक्तस्वरूपमभिनेयमिति तदाह यथावदिति, अत एव पुनरुक्तम् । स्वराः अचः । व्यञ्जनानि हलः । वर्णा अज्झलसमुदाया इति शिवम् ।८६।

शीतांशुमण्डलकशेखरपादपद्मकिञ्जल्कपूगपरिपूतशिरोरुहेण ।
वृत्तिः कृताभिनवगुप्तपदाभिधेन कक्ष्याङ्कचित्रतललक्षणवर्णनेऽस्मिन् ॥

इति श्रीमन्महामाहेश्वराचार्याभिनवगुप्तविरचितायां नाट्यवेदविवृतावभिनवभारत्यां कक्ष्याप्रवृत्तिधर्म्यभिधानं (धर्मीव्यञ्जको) नाम त्रयोदशोऽध्यायः ।

□□□

---

१. NS. अङ्गहारः ।

२. KSS. इति भारतीयनाट्यशास्त्रे प्रवृत्तिधर्मव्यञ्जको नाम चतुर्दशोऽध्यायः ।

नाट्यशास्त्रम्

अथ चतुर्दशोऽध्यायः

योवागभिनयः प्रोक्तो मया पूर्वं द्विजोत्तमाः ।
लक्षणं तस्य वक्ष्यामि स्वरव्यञ्जनसम्भवम् ॥१॥

अभिनवभारती

द्विधास्थितं सच (कर्म) सदाविभक्तं विश्वान्पदार्थान् समुपाददानम् ।
पाणीन्द्रियं संव्यवहारहेतुं यस्येश्वरं तं वरदं नमामः ॥

आङ्गिकाभिनयानन्तरं वाचिकस्य भेदं नाटयानुप्राणकतया पूर्वोद्दिष्टाङ्गिकस्य विषयसमर्पणप्राणत्वाच्च वाचिको लक्षणीय इत्येवंभूतामध्यायसङ्गतिं करोति यो वागभिनय इति । वागेवाभिनयः वाचिकाभिनयः । पूर्वमिति षष्ठेऽध्याये स निरूप्यते तत्त्वेन चास्याभिधानप्राधान्यात् ॥१॥

अत्र हेतुमाह वाचि यत्नस्तु कर्तव्य इति कविना निर्माणकाले नटेन प्रयोगकाले । कुत इत्याह—नाट्यस्यैषेति एषा हि तनुर्नाट्यस्य सकलप्रयोगभित्तिभूतत्वेनातोद्यगीताभिनयानुग्राहकत्वात् स्वयमभिनयरूपत्वाच्च । प्रदर्शितं चैतदस्माभिरुपाङ्गाभिनयारम्भ एव (अध्या—८) ।

यत्तु कैश्चिदभिधीयते चित्तवृत्तिं प्रति शब्दानां बहिरङ्गत्वम् । तदसत् । तथा हि यदुच्यते व्यतिरेकाभावान्न रसादयः शब्दवाच्या इति, तत्र सर्वैः शब्दैर्व्यतिरेकाभावोऽसिद्धः, अभिनयचतुष्टयसामान्यं बहिः सर्वत्र प्रतीतिस्फुटतायां व्याप्रियत इत्यवोचाम सप्तमेऽध्याये ।

अथ शृंगारादिशब्दानां वाचकानामभावेऽपि तत्प्रतिपत्तिः

परिणतशरकाण्डापाण्डुरा गण्डपाली
हिमसमयनिमीलत्पुण्डरीकायमाणम् ।
नयनमधरबिम्बं श्वासविश्रान्तितान्तं
तव सुतनु ! तनोति प्राणितं मन्मथस्य ॥

इत्यादावयमेव च व्यतिरेकाभावः । तदप्यसत् । एतावतापि हि वृश्चिकादिवद् निमित्तान्तरमपि तत्प्रतीतौ सुवचम् । वृश्चिकोऽन्यो गोमयजोऽन्य एव वृश्चिकप्रभव इति चेदिहापि तत्समानम् । न हि शृङ्गारशब्दात् यादृशी प्रतीतिस्तादृश्येवान्यतः,

अभिनवभारती

न च न भवति श्रृंगारशब्दात्तत्प्रतीतिः श्रृङ्गारहास्येति (६-१६) श्लोकस्य काकवाशित देशीयतापत्तेः। यथासंकेतं हि शब्दात्प्रवर्तमानासिद्धं साध्यं चाभिधातुं केन प्रतिरुध्यत इति साध्यमानता कापि विभीषिका। किंचेदमपि श्रृङ्गारायते हसति करुणायते इत्यादि साध्यशब्दशब्दनीयत्वं प्रति किं वक्तव्यं स्यात्, अवश्यं चैतत्, अन्यथा "याते द्वारवतीं" इत्यादौ सोत्कण्ठयेति, उत्कमिति चानुवादो विफल एव स्यात्, तद्रूपास्पर्शे तदनुभावसमाकर्षणस्याप्ययोगात्। स्थायिव्यभिचारिणां च भेदाप्रतीतौ—

यान्त्या तया वलितकन्धरमाननं त—
दावृत्तवृन्तशतपत्रनिभं वहन्त्या।
दिग्धोऽमृतेन च विषेण च पक्ष्मलाक्ष्या
गाढं निखात इव मे हृदये कटाक्षः॥

इत्यादावनुभावप्रत्ययोऽपि दुर्लभीभवेत् का कथा रसस्य, वलितावृत्तदिग्धनिखातादीनां कटाक्षशब्दे जीवभूतानां क्रियासु प्रतिपत्तेरभावात्। "लीनेव प्रतिबिम्बितेव लिखितेव" इत्यादावेषैव वार्ता।

"तथा सहासरभसव्यावृत्तकण्ठग्रहः" "वपुरलसलसद्बाहु लक्ष्म्याः" "कतिचिदहानि वपुरभूत्केवलमलसेक्षणं तस्याः"॥

रम्याणि वीक्ष्य मधुरांश्च निशम्य शब्दान्
पर्यत्सुकीभवति यत्सुखितोऽपि जन्तुः।
तच्चेतसा स्मरति नूनमबोधपूर्वं
भावस्थिराणि जननान्तरसौहृदानि॥

"निद्रानिमीलितदृशो मदमन्थरायाः" "विवृण्वती शैलसुतापि भावमङ्गैः" इत्यादि काव्येषु सहृदयहृदयसागरसमुच्चलद्राकामृगाङ्कप्रतिबिम्बेषु जीवितभूतानां हासालस्यौत्सुक्यनिद्रामदागमाभिलाषागमादीनां शब्दस्पृष्टत्वेन विभावाद्यनुत्साध्यस्वभावेषु वीतरागतेव बककाकक्रीडाकल्पनैव स्यात्। सिद्धस्वभावानामेव पदैरभिधानम्। तत्र भवनमिति तदनुभवतीतिवत्साध्यस्वभावतेति चेत्, अन्यतरधर्ममुखेन क्रियाख्यस्य धर्मिणो द्वाभ्यामपि यथासङ्केतस्पर्शाद् द्वितीयधर्मास्पर्शस्योभयोरपि तुल्यत्वात्। साध्यतार्थ क्रियायां जीवितमिति चेत्, धर्मद्वयवति धर्मिणि क एषोऽन्यतरधर्मपक्षपातः। न च सिद्धताधर्मोऽस्या नास्ति; तथात्वे वा कदाचिदपि कूलदर्शनं न स्यात्। भवनमिति वारोपितगौणीप्रतिपत्तिः स्यात्।

साऽपि बलादारोपस्थानस्य चानीतस्यैव केनापि शब्देनास्पृष्टत्वात् तस्मात्सिद्धाभिधायिना वा श्रृङ्गारादिशब्देन स्पृश्यत एव तदर्थः। न तु सर्वो वक्ता कविरित्यतिप्रसङ्गिलक्षणप्रबन्धबन्धुरकाव्यनिर्मातृत्वं हि कवित्वं, न चित्तवृत्ति प्रतिपादकत्वम्।

वाचि यत्नस्तु कर्तव्यो नाट्यस्येयं तनुः स्मृता ।
अङ्गनेपथ्यसत्त्वानि वाक्यार्थं व्यञ्जयन्ति हि ॥२॥
वाङ्मयानीह शास्त्राणि वाङ्निष्ठानि तथैव च ।
तस्माद्वाचः परं नास्ति वाग् हि सर्वस्य कारणम् ॥३॥

यत्तु शृङ्गारादिशब्दाद्यवधिर्न प्रतीतिरित्युच्यते, तत्र सङ्केतस्मृतिं मुक्त्वा नान्यद्व्यवधानं विद्मः । विततलक्षणपौर्वापर्यविपाकोऽयमिति सङ्केतग्रहणे किं तथा प्रतीतिः । एतेनान्वयाभावः प्रत्युक्तः । विभावादिभ्योऽपि पूर्णकाव्यप्रक्रियापरिगतमन्तरेण न रसादयः । (यथा)

उद्याने तु स्थितावेतावन्योन्यं ददतौ दृशम्
मध्ये भुवं लिखन्तौ च प्राप्य सङ्गमसङ्गतौ । ॥इति॥

तस्मादपूर्णत्वे तुल्योऽन्वयाभावः । यत्तूपाध्यायैः काव्यकौतुके रसोद्देशपरश्लोके—"तासां तु परि (पूर्णत्वे) सिद्ध एव रसो मतः" इत्यादिनिरूपितं तदुक्तान्यार्थतयैव न गृहीतव्यम् ॥२॥

नन्वेवं रससूत्रे शब्दोऽप्युपादातव्यः ? तदिदमायातं—उत्सङ्गसङ्गिनि बालके तदन्वेषणमिति । अत्र भावोपादाने हि किं न संगृहीतम् । यदयमाह—अनुभाव्यतुऽनेन वागङ्गसत्त्वकृतः" इति (७-५) । आवृत्त्याचान्वयः वागित्यादिष्वेत्र छेदः । तद्यदि वाग्भवति तदैतान्यर्थं व्यञ्जयन्ति, वाक्सहतानि स्वार्थं व्यञ्जयन्ति एकनस्त्र्यात्मकनश्च वागिति समासयोगेनाह । सैवेयमुपायोगिनी किन्तु चतुर्थगोपाग्रभूता परमपुरुषार्थस्वभावा विश्वकारणभूता भगवती भारतीत्याह वाङ्मयानीति । वाचि फलरूपायां निष्ठा येषाम् कुत इत्याह वागिति । इह भावानां सत्तासंबन्धनिजलक्षणार्थक्रियाकारित्वादिकृतं यत्सत्त्वं तत्प्रधानकबोध(त्व)भूतंश(त)पथशरणं, तस्य बोधस्य पारमैश्वर्यं स्वातन्त्र्यं प्रत्यवमर्शात्मकमेव जडवैलक्षण्यदायीति विभक्तमस्मत्परमगुरुपादैः प्रत्यभिज्ञादौ, अस्माभिश्च तद्विवरणे भेदवादविदारणादौ च । एवं वागेवावभासिका सैव च निर्वाहिकी अवभासनैव हि परमार्थतो निर्वाणम् । तदाह वाग्घि सर्वस्येति । वागेव विश्वाभुवनानीति श्रुतेः शब्दविवर्तादिरूपत्वं च प्रसाधित्तं तत्र भवद्भिर्मतं हरिप्रभृतिभिरिति तदिहानुसरणीयम् । सर्वाक रत्वे च वाचः इतिवृत्तं ते नाट्यस्य शरीरं परिकीर्तितमिति (अ १६।१) यद्वक्ष्यते तन्न विरुद्धं, तस्यापि वाङ्मयत्वादिति तत्रैव निर्णेष्यते ॥३॥

तत्र शास्त्रान्तरप्रसिद्धानपि रसाङ्गत्वेन कविशिक्षार्थं नटस्य च तत्र तत्राभिनेये विश्रान्तिकरानितिकर्तव्यतयोपदेशार्थमागमान् निर्दिशति आगमेत्यादि । अर्थद्वारेण रूपसौन्दर्येण चैषामुभयथा च योगः, क्षुभितं मह्यमिदं मे, क्षुब्धमिति मन्थेः प्रतीतिः स्यात् । अर्थभेदेऽपि स्वरूपसौन्दर्यं सार्वत्रिकं, विषयभेदेन च 'अस्यन्दिष्यन्त सिन्धवः' इति हि कर्तव्ये 'अस्यन्दिष्यन् सत्रे सिन्धवः' इति दुर्मणम्, अश्रवम् च, 'भक्ष्यं भक्षति

अभिनवभारती

वक्षसः क्षतमहो यद् वेपते क्लीवितम्' इति—अत्र रौद्रे भोक्ष्यतीति हृद्यम् । अत्र 'लोचने कदा संमार्जिष्यति' इति, न तु कदा संमार्क्ष्यतीति, एवं वैकल्पिकेऽपि आगमे सौन्दर्यात् । अभावपक्षे वा "आच्छिद्य प्रियतः इति सुव्यक्तमेव । एकान्त्संप्रनीतिनश्चेति घुटोऽसत्त्वपक्ष एव । आगमेनादेशोऽप्युपलक्ष्यते । मुग्धाशब्दस्थाने न मूढाशब्दः प्रयोगार्हः ।

नाम यथा मदनरिपुरिति भगवत्पर्यायश्चेति तदीयशृङ्गारवर्णने न प्रयोज्यम् । आख्यातमपि, किन्तु यद्वैचित्र्यमावहति (तत्प्रयोज्यम् यथा) "स्मरसि स्मर मेखलागुणैः इति वर्तमानप्रत्ययेन तत्साक्षात्करणमुपालम्भविषयता, त्वमेवात्र साक्षी अनृतं न प्रकटितं, अन्यथा स्मृतवानिति मेखलागुणैरिति स्यात् । उपसर्गोऽपिप्रकृतार्थयोगी यथा—विधिना तव निर्मितिः कृता इत्यर्थे न मितिः । अधिकद्योतको यथा—मुहुरुपचितैर्दृष्टिरालुप्यते" इति । उपसर्गैः कर्मप्रवचनीया अप्युपलक्ष्यन्ते (यथा) "कः स्यादर्जनात् प्रति", "विचितो नास्तीति पुनरेव स्यात् । अर्जुनकृते विचितामिति ।

मीमांसते हृदयमात्मन एव बाला
नाम्नापि मानकलनां सहते न जातु ।

न तु चित्तं विचारयत्यात्मन एवेति । एवं सुब्धातुप्रत्ययपदं न तत्सु कृत्सु वाच्यं गौरवभयात्तु नोदाहृतम् ।

स्त्रीप्रत्ययो यथा—'अध्यासीनः स वैदग्धीं कृतीति न तु वैदग्ध्यं कृतीति; स्त्रीप्रत्ययेन सौभाग्यातिशयप्रतीतेः ।

तद्धितपदं तद्धितप्रत्ययोपलक्षणम् तद् यथा—"शात्रवं व पपुर्यशः" इति न तु शत्रूणां वेति; तद्धितवृत्त्या ह्येकार्थीभावान्वयात् तद्ग्रासीकृतमपि यशस्ते स्वयंग्राही-चक्रुरित्यर्थः । निपातो यथा—"हा हा हा देवि धीरा भव" । सूचकः—आः ? किमत्र किरातैर्यत्र वान्ति वर्षानिला विशेषेण निरङ्कुशा इति । समासेन एकार्थीभावे यत्र सति वृत्तम्···यथा—मध्येगंङ्गायमुनमनु (नेति ?) न तु मध्ये गङ्गायमुनयोरिति । एवं समासान्तरेषु वाच्यम् । शुद्धेषु संकीर्णेषु चागमादयो निवृत्यन्ता विद्यन्ते यत्रेति मत्वर्थीये च ।

सन्धिर्द्विधा नैरन्तर्यरूपः श्लेषश्च—भवतोयेति । विपर्ययेण नैरन्तर्यं असिद्धता तत्रास्थिरा इति श्लेषे बीभत्साश्लीलने । सूत्रं ब्राह्ममिति पृथगपि द्विश्रुतिः, सङ्गः पदयोः, नैकपदवत्ता, ब्रह्मसूत्रमित्यनुस्वानस्योत्तरसंक्रान्तिव्यतिरेकेण / चात्मनि विश्रावयितुमशक्यत्वादेकपदवद्भावः ।

आगमनामाख्यातनिपातोपसर्गसमासतद्धितैर्युक्तः ।
सन्धिवचनविभक्त्युपग्रहनियुक्तो वाचकाभिनयः ॥४॥

द्विविधं हि स्मृतं पाठ्यं संस्कृतं प्राकृतं तथा ।
तयोर्विभागं वक्ष्यामि यथावदनुपूर्वशः ॥५॥

व्यञ्जनानि स्वराश्चैव सन्धयोऽथ विभक्तयः ।
नामाख्यातोपसर्गाश्च निपातास्तद्धितास्तथा ॥६॥

एतैरङ्गैः समासैश्च नानाधातुसमाश्रयम् ।
विज्ञेयं संस्कृतं पाठ्यं, प्रयोगञ्च निबोधत ॥७॥

विभक्तयः सुप्तिङः, तैः कारकशक्तयो लिङ्गाद्युपग्रहाश्चोपलक्ष्यन्ते । यथा "पाण्डिम्नि मग्नं वपुः" इति वपुष्येव मज्जनकर्तृकत्व तदायत्तां पाण्डिम्नश्चधारतां द्योतयन्नतीव रञ्जयति, न तु पाण्डुस्वभावं वपुरिति । एद कारकान्तरेषु वाच्यम् ।

वचनं यथा—"पाण्डवा यस्य दासाः" सर्वे च पृथक् चेत्यर्थः । तथा वैचित्र्येण "त्वं हि रामस्य दाराः किम्", "मैथिली तस्य दाराः" । लिङ्गाद्युपग्रहः, यथा—कीर्तिस्तव श्वेतेति न ते श्वेतं यशस्तवेति । (कुर्वाणो ?) कुरुते भुजशालिनः श्रेयम् । न तु कुर्वते । भुजशालि (नि पुंस्वं) लिङ्गम् । परिमृदितमृणालीकोमलान्यङ्गकानि । आसमन्ताद् वैचित्र्यं यथा—आपातेऽपि विकारकारणमहो वक्त्राम्बुजन्माऽऽसवः" । नियुज्यते क्रियायामिति नियुक्तो धातुः तस्य वैचित्र्यं यथा "ग्रस्तं कुलान्तं जगत्" न तु भुक्तम् । ग्रसतेरदनमात्रे परिभाषितेऽपि ग्रासातिशयसंरम्भः कुलान्तेऽत्र वर्त्तते । पूर्वं वदत्रापि द्वन्द्वान्मत्वर्थीयः । एतदेवोपजीव्यानन्दवर्धनाचार्येणोक्तं "सुप्तिङ् वचने" त्यादि । अन्यत्रापि सुबादिवक्रतेति ॥४॥

इत्येवं दशभिरङ्गैर्विभज्य कविताावाचकशब्दनिष्ठो व्यवहार उक्तः । स्थान (प्रयत्ना) (करणा ?) दिज्ञानञ्च कवेर्गाढशिथिलमसृणपरुषादिगुम्फविशेषविभागायोपदिष्टं न च तस्य सम्यगुच्चारणोपदेशाय । वर्गांश उपादानं सावर्ण्येन प्रबन्धसौन्दर्यज्ञानार्थं यथा—दत्तानन्दं धनिनमनुसरन् वृतिधनः । घोष इति अनुप्रदान विशेषः । नासिका तद्व्यापारोऽन्ते यस्य तथाभूतो धर्मोऽनुस्वारः ।
तत्र घोषबाहुल्याद् गाढता यथा—

"अङ्गं दधन्निबिडचन्दनमङ्गनानां
नैदाघवातसदनं न तु मन्मथस्य ।"

अत्र चकारतकारावेव अघोषौ । एतदर्थस्य च स्थानादिविभाग उपन्यस्तः । एतद् (भाषा) स्वर ? लक्षणाध्याये (१७) स्फुटयिस्यामः । ≍क≍ खयोरुच्चारणाय ककारखकारौ । जिह्वाशब्देन (जिह्वमूलं) स्थानम् । करणञ्ज ॥७॥

अकाराद्याः स्वरा ज्ञेया औकारान्ताश्चतुर्दश।
हकारान्तानि कादीनि व्यञ्जनानि विदुर्बुधाः ॥८॥

तत्र स्वराश्चतुर्दश-अ आ इ ई उ ऊ ऋ ॠ ऌ ॡ ए ऐ ओ औ इति स्वरा ज्ञेयाः ॥

कादीनि व्यञ्जनानि यथा-क ख ग घ ङ च छ ज झ ञ ट ठ ड ढ ण त थ द ध न प फ ब भ म य र ल व श ष स ह इति व्यञ्जनवर्गः।

वर्गे वर्गे समाख्यातौ द्वौ वर्णौ प्रागवस्थितौ।
अघोषा इति ये त्वन्ये सघोषाः संप्रकीर्तिता ॥९॥
अष्टौ स्थानानि वर्णानामुरः कण्ठः शिरस्तथा।
जिह्वामूलश्च दन्ताश्च नासिकोष्ठौ च तालु च ॥१०॥

अ कु ह विसर्जनीयाः कण्ठ्याः। इ चु य शास्तालव्याः। ऋ टु र षा मूर्धन्याः। ऌ तु ल सा दन्त्याः। उ पूपध्मानीया ओष्ठ्या। ⌒प⌒ फ इति प फा भ्यां प्राक् अर्धविसर्गसदृशः उपध्मानीयः ⌒क⌒ ख इति कखाभ्यां प्राक् अर्धविसर्गसदृशो जिह्वामूलीयः। ए ऐ कण्ठ्यतालव्यौ। ओ औ कण्ठोष्ठ्यौ। वकारो दन्त्योष्ठ्यः। ङ ञ ण न मा अनुनासिकाः विसर्जनीय औरस्य इत्येके। सर्ववर्णानां मुखं स्थानमित्यपरे।

द्वौ द्वौ वर्णौ तु वर्गाद्यौ शषसाश्च त्रयोऽपरे।
अघोषा घोषवन्तस्तु ततोऽन्ये परिकीर्तिताः ॥११॥
एते घोषाघोषाः कण्ठ्योष्ठ्या दन्त्यजिव्ह्यानुनासिक्याः।
ऊष्माणस्तालव्याः विसर्जनीयाश्च बोद्धव्याः ॥१२॥
गघङ जझञ डढण दधन बभम तथैव यरलवा मता घोषाः।
कख चछ टठ तथ पफ इति वर्गेष्वघोषाः स्युः ॥१३॥
कखगघङाः कण्ठस्थास्तालुस्थानास्तु चछजझञाः।
टठडढणा— मूर्धन्यास्तथदधनाश्चैव दन्तस्थाः ॥१४॥
पफबभमास्त्वोष्ठ्याः स्युः दन्त्या ऌलसा अहौ च कण्ठस्थौ।
तालव्या इचुयशा स्युर्ऋटुरषा मूर्धस्थिताः ज्ञेयाः ॥१५॥
ऌऌ दन्त्यौ ओऔ कण्ठोष्ठ्यो एऐकारौ च कण्ठतालव्यौ।
कण्ठ्यो विसर्जनीयो जिह्वामूलमुद्भवः कखयोः ॥१६॥
पफयोरोष्ठस्थानं भवेदुकारः स्वरो विवृतः।
स्पृष्टाः काद्या मान्ताः शषसहकारास्तथा विवृताः ॥१७॥

अन्तस्थाः संवृतजाः ङञणनमा नासिकोद्भवा ज्ञेयाः ।
ऊष्माणश्च शषसहाः यरलववर्णास्तथैव चान्तःस्थाः ॥१८॥

जिह्वामूलीयः ⌣क:⌣, प उपध्मानीयसञ्ज्ञया ज्ञेयः ।
कचटतपा स्वरिताः स्युः खछठथफा स्युः सदा कम्प्याः ॥१९॥

कण्ठ्योरस्यान् विद्यात् घझढधभान् पाठ्यसंप्रयोगे तु ।
वेद्यो विसर्जनीयो जिह्वास्थाने स्थितो वर्णः ॥२०॥

एते व्यञ्जनवर्णाः समासतः सञ्ज्ञया मया कथिता ।
शब्दविषयप्रयोगे स्वरांस्तु भूयः प्रवक्ष्यामि ॥२१॥

यस्मिन् स्थाने स समो विज्ञेयो यः सवर्णसंज्ञोऽसौ ।
य इमे स्वराश्चतुर्दश निर्दिष्टास्तत्र वै दश समानाः ।
पूर्वो ह्रस्वस्तेषां परश्च दीर्घोऽवगतव्यः ॥२२॥

इत्थं व्यञ्जनयोगैः स्वरैश्च साख्यातनामपदविहितैः ।
काव्यनिबन्धाश्च स्युर्धातुनिपातोपसर्गस्तु ॥२३॥

एभिर्व्यञ्जनवर्गैर्नामाख्यातोपसर्गनिपातैः ।
तद्धितसन्धिविभक्तिभिरधिष्ठितः शब्द इत्युक्तः ॥२४॥

[1]पूर्वाचार्यैरुक्तं शब्दानां लक्षणं समासयोगेन ।
विस्तरशः पुनरेव प्रकरणवशात् संप्रवक्ष्यामि ॥२५॥

[[2]अर्थप्रधानं नाम स्यादाख्यातं तु क्रियाकृतम् ।
द्योतयन्त्युपसर्गास्तु विशेषं भावसंश्रयम्] ॥२६॥

तत्प्राहुः सप्तविधं षट्कारकसंयुतं प्रथितसाध्यम् ।
[निर्देशसम्प्रदानापादानप्रभृतिसञ्ज्ञाभिः ॥२७॥

सवर्णसंज्ञ इति । ये येन तुल्यास्ते तत्सवर्णभूतयः ।२२। पूर्वापरीभूतह्रस्वदीर्घरूपतया स्वरा (भिन्ना अपि अभिन्ना, एकवद्) भावात् । करिष्यमाणं क्रियमाणं कृतमिति भूतादिकालयुक्तं गमनागमनाभ्यामव्यक्षपरोक्षभूताभ्यां क्रियाभ्यां युक्तमाख्यातम् । एकत्वादिवचनलिङ्गयुक्तं नाम ॥२३॥

प्रथितः साध्योऽर्थो वाच्यत्वेन यस्य ।२५---२६।

---

१. GOS. उद्दिष्टं शब्दानां लक्षणमेतत्समासयोगेन ।
प्रकरणावशाद्धि तदहं विस्तरशः संप्रवक्ष्यामि ॥

२. NS. does not read it.

नामाख्यातार्थविषयं विशेषं द्योतयन्ति ते।
पृथक्तत्रोपसर्गेभ्यो निपाता नियमेऽच्युते ॥२८॥

संप्रत्यतीतकालक्रियादिसंयोजितं प्रथितसाध्यम्।
वचनं नागतयुक्तं सुसदृशसंयोजनविभक्तम् ॥२९॥

पञ्चशतधातुयुक्तं पञ्चगुणं पञ्चविधमिदं वापि।
स्वाद्यधिकारगुणैरर्थविशेषैर्विभूषितन्यासम् ।
प्रातिपदिकार्थलिङ्गैर्युक्तं पञ्चविधमिदं ज्ञेयम् ॥३०॥

आख्यातं पाठ्यकृतं ज्ञेयं नानार्थश्रयविशेषम्]।
वचनं नामसमेतं पुरुषविभक्तं तदाख्यातम् ॥३१॥

प्रातिपदिकार्थयुक्तान्धात्वर्थानुपसृजन्ति ये स्वार्थैः।
उपसर्गा ह्यु पदिष्टास्तस्मात् संस्कारशास्त्रेऽस्मिन् ॥३२॥

प्रातिपदिकार्थयोगाद्धातुच्छन्दोनिरुक्तयुक्त्या च।
यस्मान्निपतन्ति पदे तस्मात्प्रोक्ता निपातास्तु ॥३३॥

पुरुषैरुत्तममध्यमप्रथमैर्विभक्तम् ॥२९॥

धात्वर्थानुपसृजन्ति उपरागेण अन्यादृशान् कुर्वन्ति तेनोपकारेण प्रादिपादिकार्थस्य युक्तसम्बन्धेन प्रकरोतीति। हि शब्दः प्रकर्षे। प्रातिपदिकार्थोपरागेण वा धात्वर्थं विचित्रं करोति। यद्वा तु स्वार्थैः धात्वर्थानुपसृजन्ति अतः उपसर्जनात् प्रातिपदिकार्थे च युक्ता उपसर्गाः यथा प्राचार्यः प्रान्तेवासी।३०। प्रातिपदिकार्थयोगात् बृद्धश्च वटुश्च, धातुयुक्त्या पचनि पठति च पाक (पाठ) योरेव हि समुच्चयार्थकौ चशब्दौ युक्तौ। अयुक्त्याश्रयात्तु पादपूरणार्थमुच्यते। यत्र द्योतनेन विना न मण्डना, द्योतने च सति वाक्यमलंकृतं भवति। तद्यथा—"मिलति न खलु यस्या" इति खलुशब्दः प्रयासस्याकृतार्थत्वं द्योतयति। तच्च येनापि विना स्फुटमेव वाक्यार्थत एव लाभात्। "अहरहरनुरागात्" इति निर्भज्य वचनं द्योतितस्यापि स्फुटीकरणम्, तद्युक्त्या: "अहो बतासि स्पृहणीयवीर्यः" इत्यत्र प्रातिपदिकार्थनेतैरर्थैरुपनिपतितैर्ज्ञापयति।३१। तद्धितः—तस्मै प्रातिपदिकार्थाय हितस्सः। प्रातिपदिकार्थं यश्च वा स्वात्मीकुरुते। प्रकृतिप्रत्यययोर्विभागोऽवयवः। काव्ये तन्मतं सं(प्र?)योगप्रयोजनमैन्द्रेऽभिहितं, संयोगः संबन्धः। चान्द्री ज्योत्स्ना। सत्त्वं तद्भावः यथा सूक्तस्य स्वभावः सौक्त्यं, वचनं प्रवचनं काठकमादित्यश्रुत्या, तुर्यपञ्चमाध्यायविहिना निर्देक्ष्यन्ते ॥३३॥

एकस्य पदस्य बहूनां वा पादानां समाप्ति प्राप्तानाम्। वाशब्दाद् द्वयोरपि। येनार्थो विभज्यते विभक्त्याख्यः प्रत्ययः, तेषां च पदानां द्वैविध्यं धातोर्वा संबन्धि

प्रत्ययविभागजनिताः प्रकर्षसंयोगसत्त्ववचनैश्च ।
यस्मात्पूरयतेऽर्थान् प्रत्यय उक्तस्ततस्तस्मात् ॥३४॥

लोके प्रकृतिप्रत्ययविभागसंयोगसत्त्ववचनैश्च ।
तांस्तान् पूरयतेऽर्थांस्तेषु यतद्धितस्तस्मात् ॥३५॥

एकस्य बहूनां वा धातोर्लिङ्गस्य वा पदानां वा ।
विभजन्त्यर्थं यस्मात् विभक्तयस्तेन ताः प्रोक्ताः ॥३६॥

विशिष्टास्तु स्वरा यत्र व्यञ्जनं वापि योगतः ।
सन्धीयते पदे यस्मात्तस्मात्सन्धिः प्रकीर्तितः ॥३७॥

[वर्णपदक्रमसिद्धः पदैकयोगाच्च वर्णयोगाच्च ।
सन्धीयते च यस्मात्तस्मात् सन्धिः समुद्दिष्टः ॥३८॥

लुप्तविभक्तिर्नाम्नामेकार्थं संहरत्समासोऽपि ।
तत्पुरुषादिकसंज्ञैर्निर्दिष्टः षड्विधो विप्राः !] ॥३९॥

एभिः शब्दविधानैर्विस्तारव्यञ्जनार्थसंयुक्तैः ।
पदबन्धाः कर्तव्या निबद्धबन्धास्तु चूर्णा वा ॥४०॥

विभक्त्यन्तं पदं ज्ञेयं निबद्धं चूर्णमेव च ।
तत्र चूर्णपदस्येह सन्निबोधत लक्षणम् ॥४१॥

अनिबद्धपदं छन्दोविधानानियताक्षरम् ।
अर्थापेक्ष्यक्षरस्यूतं ज्ञेयं चूर्णपदं बुधैः ॥४२॥

निबद्धाक्षरसंयुक्तं यतिच्छेदसमन्वितम् ।
निबद्धं तु पदं ज्ञेयं प्रमाणनियतात्मकम् ॥४३॥

यदुत्पन्नं, लिङ्गस्य वा संबन्धि अर्थवल्लिङ्गमिति संज्ञायां अव्युत्पन्नम् । यदि वा लिङ्गस्य संबन्धिन्यो विभक्तयः प्रतिपादिकात् सुपः, धातोस्तिङः ।३४। पद इत्येकपदे नित्या संहितेत्याह ।३४। निबद्धो भाविछन्दोविधिना बद्धः संघट्टनायुतः । पदबन्धा इत्युक्तम् ।३८। पदं निरूपयति तत्रेति परिमितवक्तव्यत्वादित्यत्राशयः ।३९। छन्दो-नियताक्षरम् । अक्षरसंख्यानियमः अक्षरनियमो गुरुलघुनिवेशनियमः (संख्यानियमः एकाक्षरः पादो द्व्यक्षरः पाद इत्यादिः ।) एतद्विहीनं चूर्णपदम् । अर्थः शृङ्गारवीरादि-स्तदपेक्ष्यक्षराणि परमितानि भूयांसि वा स्यूतानि यत्रेति असमाससंघट्टनात्मकमुक्त-मिति । इदं तु केवलं पठनकर्मत्वाद् गद्यमित्युच्यते । ४२। यतिर्विरामः । (छेदस्तत्कृतः पदविभागः) पादसंख्यया सामान्यलक्षणमाह प्रमाणेन श्रोत्रेन्द्रियेण नियत आत्मा यत्र श्रव्यमित्यर्थः ॥४३॥

एवं नानार्थसंयुक्तैः पादैर्वर्णविभूषितैः ।
चतुर्भिस्तु भवेद्युक्तं छन्दोवृत्ताभिधानवत् ।।४४।।

षड्विंशतिः स्मृतान्येभिः पादैश्छन्दांसि संख्यया ।
समञ्चार्धसमञ्चैव तथा विषममेव च ।।४५।।

छन्दोयुक्तं समासेन त्रिविधं वृत्तमिष्यते ।
नानावृत्तिविनिष्पन्ना शब्दस्यैषा तनूरस्मृता ।।४६।।

छन्दोहीनो न शब्दोऽस्ति न च्छन्दश्शब्दवर्जितम् ।
तस्मात्तूभयसंयोगो नाट्यस्योद्योतकः स्मृतः ।।४७।।

एकाक्षरं भवेदुक्तमत्युक्तं द्व्यक्षरं भवेत् ।
मध्यं[1] त्र्यक्षरमित्याहुः, प्रतिष्ठा चतुरक्षरा ।।४८।।

सुप्रतिष्ठा भवेत् पञ्च, गायत्री षट् भवेदिह ।
सप्ताक्षरा भवेदुष्णिगष्टाक्षरानुष्टुबुच्यते ।।४९।।

नवाक्षरा तु बृहती पङ्क्तिश्चैव दशाक्षरा ।
एकादशाक्षरा त्रिष्टुब् जगती द्वादशाक्षरा ।।५०।।

त्रयोदशाऽतिजगती शक्वरी तु चतुर्दशा ।
अतिशक्वरी पञ्चदशा षोडशाष्टिः प्रकीर्तिता ।।५१।।

अत्यष्टिः स्यात्सप्तदशा धृतिरष्टादशाक्षरा ।
एकोनविंशतिर्धृतिः कृतिर्विंशतिरेव च ।।५२।।

प्रकृतिश्चैकविंशत्या द्वाविंशत्याकृतिस्तथा ।
विकृतिः स्यात् त्रयोविंशा चतुर्विंशा च संकृतिः ।।५३।।

पञ्चविंशत्यतिकृतिः षड्विंशत्युत्कृतिर्भवेत् ।
अतोऽधिकाक्षरं छन्दो मालावृत्तं तदिष्यते ।।५४।।

अथ छन्दोलक्षणं कर्तुं तस्य स्वरूपं तावदाह एवमित्यादि । वर्णा गुरुत्वलघुत्वाद्यवच्छिन्नाः । विविधैर्भूषणैः सालंकारैः पादैश्चतुर्भिरिति संबन्धः इदं तत्पद्य पादेषु भवति, गद्यमिति निगदनीयत्वेऽपि विशेषसंज्ञया व्यपदेशः ।४४। षड्विंशतिरिति तावत्परिमाणान्येकाक्षरान्प्रभृति षड्विंशत्यक्षराणि यावदुक्तादीन्युत्कृत्यन्तानि छन्दांसीत्यर्थः । पादचतुष्टये तुल्यलक्षणं समं, अतुल्यलक्षणं विषमम् अर्धसमं प्रथमतृतीययोर्द्वि[illegible]चतुर्थयोः । संज्ञाभिश्छन्दोभेदा आश्रिता ।४५।

---

१. GOS. एवं ।

छन्दसां तु तथा ह्येते भेदाः प्रस्तारयोगतः ।
असंख्येप्रमाणानि वृत्तान्याहुरतो बुधाः ॥५५॥

गायत्रीप्रभृतिस्त्वेषां प्रमाणं संविधीयते ।
प्रयोगजानि सर्वाणि प्रायशो न भवन्ति हि ॥५६॥

वृत्तानि च चतुष्षष्टिर्गायत्र्यां कीर्तितानि तु । (६४)
शतं विंशतिरष्टौ च वृत्तान्युष्णिह्यथोच्यते ॥५७॥ (१२८)

षट्पञ्चाशच्छते द्वे च वृत्तानामप्यनुष्टुभि । (२५६)
शतानि पञ्च वृत्तानां बृहत्यां द्वादशैव च ॥५८॥ (५१२)

षङ्क्तयां सहस्रं वृत्तानां चतुर्विंशतिरेव च । (१०२४)
त्रैष्टुभे द्वे सहस्रे च चत्वारिंशत्तथाष्ट च ॥५९॥ (२०४८)

सहस्राण्यपि चत्वारि नवतिश्च षडुत्तरा ।
जगत्यां समवर्णानां वृत्तानामिह सर्वशः ॥६०॥ (४०९६)

अष्टौ सहस्राणि शतं द्व्यधिका नवतिः पुनः ।
जगत्यामतिपूर्वायां वृत्तानां परिमाणतः ॥६१॥ (८१९२)

शतानि त्रीण्यशीतिश्च सहस्राण्यपि षोडश ।
वृत्तानि चैव चत्वारि शक्वर्याः परिसंख्यया ॥६२॥ (१६३८४)

द्वात्रिंशच्च सहस्राणि सप्त चैव शतानि च ।
अष्टौ षष्टिश्च वृत्तानि ह्याश्रयन्त्यतिशक्वरीम् ॥६३॥ (३२७६८)

पञ्चषष्टिसहस्राणि सहस्रार्धञ्च संख्यया ।
[1]षट्त्रिंशच्चैव वृत्तानि ह्यष्ट्यां निगदितानि च ॥६४॥ (६५५३६)

एकत्रिंशत्सहस्राणि वृत्तानाञ्च द्विसप्ततिः ।
तथा शतसहस्रञ्च छन्दांस्यत्यष्टिसंज्ञिते ॥६५॥ (१३१०७२)

धृत्यामपि हि पिण्डेन वृत्तान्याकल्पितानि तु ।
तज्ज्ञैः शतसहस्रे द्वे शतमेकं तथैव च ॥६६॥

तथा ह्येते भेदा इत्याह प्रस्तारयोगत इति प्रस्तारे योगो युक्ति तेन तत्र युक्तिर्वक्ष्यते—

"प्रकीर्य सर्वं गुरु, तत्र पूर्वंगुरोरधो लं परिपूर्य तत्त्वम् ।
स्यात्पूर्वं पूर्वं गुरूणेति यावत्सर्वत्र लं प्रस्तरणे तदेव ॥

---

१. षड्विंशच्चैव वृत्तानि तथा   नि तु ।

द्विषष्टिश्च सहस्राणि चत्वारिंशच्च योगतः ।
चत्वारि चैव वृत्तानि समसंख्याश्रयाणि तु ॥६७॥ (२६२१४४)

अतिधृत्यां सहस्राणि चतुर्विंशतिरेव च ।
तथा शतसहस्राणि पञ्च वृत्तशतद्वयम् ॥६८॥
अष्टाशीतिश्च वृत्तानि वृत्तज्ञैः कथितानि च । (५२४२८८)
कृतौ शतसहस्राणि दश प्रोक्तानि संख्यया ॥६९॥
चत्वारिंशत्तथा चाष्टौ सहस्राणि शतानि च ।
पञ्चषट्सप्ततिश्चैव वृत्तानां परिमाणतः ॥७०॥ (१०४८५७६)
तथा शतसहस्राणां प्रकृतौ विंशतिर्भवेत् ।
सप्त वै गतितास्त्वत्र नवतिश्चैव संख्यया ॥७१॥
सहस्राणि शतं चैकं द्विपञ्चाशत्तथैव च ।
वृत्तानि परिमाणेन वृत्तज्ञैर्गदितानि तु ॥७२॥ (२०९७१५२)
चत्वारिंशत्तथैकञ्च लक्षाणामथ संख्यया ।
तथा चेह सहस्राणि नवतिश्चतुरुत्तरा ॥७३॥
शतत्रयं समाख्यातं ह्याकृत्यां चतुरुत्तरम् । (४१९४३०४)
ज्ञेया शतसहस्राणामशीतिस्त्र्यधिका बुधैः ॥७४॥
अष्टाशीति सहस्राणि वृत्तानां षट्छतानि च ।
अष्टौ चैव तु वृत्तानि विकृत्यां गदितानि तु ॥७५॥ (८३८८६०८)
तथा शतसहस्राणि सप्तषष्टिश्च सप्ततिः ।
सप्त चैव सहस्राणि षोडश द्वे शते तथा ॥७६॥
कोटिश्चैवेह वृत्तानि संकृतौ कथितानि वै । (१६७७७२१६)
कोटित्रयञ्चाभिकृत्यां पञ्चत्रिंशद्भिरन्वितम् ॥७७॥
पञ्चाशद्भिः सहस्रैश्च चतुर्भिरधिकैस्तथा ।
चतुष्टयं शतानाञ्च द्वात्रिंशद्भिः समन्वितम् ॥७८॥ (३३५५४४३२)
षट् कोटयस्तथोत्कृत्यां लक्षाणामेकसप्ततिः ।
चतुष्षष्टिशतान्यष्टौ सहस्राण्यष्ट चैव हि ॥७९॥ (६७१०८८६४)

एते यथा भेदाः । षडक्षराणि गायत्र्यां तत एवारभ्य प्रयोगार्हतेति सूचयति उक्त्यादीनामश्रवत्वात् । तदाह प्रयोगज्ञानीति लक्ष्यतो न स्थितानि, अपि तु वेदवद् दृश्यन्त इति भावः । वृत्तानि च चतुःषष्टिरित्यादिना स्वकण्ठेन संख्यां पठति यावत् ।

षट्कोट्यस्तु सहस्राणां शतानि ह्येकसप्ततिः ।
अष्टौ चैव सहस्राणि शतान्यष्टौ तथैव च ॥

उक्ताद्युत्कृतिपर्यन्तवृत्तसंख्यां विचक्षणः ।
एतेन च विकल्पेन वृत्तेष्वेतेषु निर्दिशेत् ॥८०॥

सर्वेषां छन्दसामेवं वृत्तानि कथितानि वै ।
तिस्रः कोटयो दश तथा सहस्राणां शतानि तु ॥८१॥

चत्वारिंशत्तथा द्वे च सहस्राणि दशैव तु ।
सप्तभिः सहितान्येव सप्त चैव शतानि च ॥८२॥

षड्विंशतिरिहान्यानि, व्याख्यातानि समासतः । (१३४२१७७२६)
समानि गणनायुक्तिमाश्रित्य कथितानि वै ॥८३॥

सर्वेषां छन्दसामेवं त्रिकैर्वृत्तं प्रयोजयेत् ।
ज्ञेयाश्चाष्टौ त्रिकास्तत्र संज्ञाभिः स्थानमच्छरम् ॥८४॥

त्रीण्यक्षराणि विज्ञेयस्त्रिकोंशः परिकल्पितः ।
गुरुलघ्वक्षरकृतः सर्ववृत्तेषु नित्यशः ॥८५॥

गुरुपूर्वो भकारः स्यान्मकारे तु गुरुत्रयम् ।
जकारो गुरुमध्यस्थः सकारोऽन्त्यगुरुस्तथा ॥८६॥

लघुमध्यस्थितो रेफस्तकारोऽन्त्यलघुः परः ।
लघुपूर्वो यकारस्तु नकारे तु लघुत्रयम् ॥८७॥

एते ह्याष्टौ त्रिकाः प्राज्ञैर्विज्ञेया ब्रह्मसम्भवाः ।
लाघवार्थं पुनरमी छन्दोज्ञानमवेक्ष्य च ॥८८॥

एभिर्विनिर्गताश्चान्या जातयोऽथ समावयः ।
अस्वराः सस्वराश्चैव प्रोच्यन्ते वृत्तलक्षणैः ॥८९॥

गुर्वेकं गिति विज्ञेयं तथा लघु लिति स्मृतम् ।
नियतः पदविच्छेदो यतिरित्यभिधीयते ॥९०॥

गुरु दीर्घं प्लुतञ्चैव संयोगपरमेव च ।
सानुस्वारविसर्गंच तथान्त्यञ्च लघु क्वचित् ॥९१॥

चतुः षष्टिस्तु वृत्तानि ह्युत्कृतावपि संख्यया ॥ इति प्रमाणम् । उत्कृत्यन्तानां संख्यां प्रमाणीकृत्याह तिस्रः कोट्य इत्यादिना ।८१—८२।

तदङ्कं पूर्वेण पिण्डयित्वा सर्वसंख्याज्ञानं क्रमवशात् ।
एकादिकक्रमवशाद् द्विगुण (दिपिण्ड्या ?) (णं सुपिण्ड्य)
छन्दःप्रमाणकलितानथ पिण्डयेत्तान् ।
एकं क्षिपेत्तदुपरीति समस्तवृत्त-
संख्याप्रकाशनविधौ लघुरभ्युपायः ॥

[1]गायत्र्यां द्वौ त्रिकौ ज्ञेयौ, उष्णिक् चैकाधिकाक्षरा ।
अनुष्टुप् द्व्यधिका चैव बृहत्यां च त्रिकास्त्रयः ॥६२॥

एकाक्षराधिका पङ्क्तिस्त्रिष्टुप् च द्व्यधिकाक्षरा ।
चतुस्त्रिका तु जगती सैकातिजगती पुनः ॥६३॥

शक्वरी द्व्यधिका पञ्च त्रिका ज्ञेयातिशक्वरी ।
एकाधिकाक्षराष्टिश्च द्व्यधिकात्यष्टिरुच्यते ॥६४॥

षट्त्रिकास्तु धृतिः प्रोक्ता सैका चातिधृतिस्तथा ।
कृतिश्च द्व्यधिका प्रोक्ता प्रकृत्यां सप्त वै त्रिकाः ॥६५॥

आकृतिस्त्वधिकैकेन द्व्यधिका विकृतिस्तथा ।
अष्टत्रिकाः संकृतौ स्यात् सैका चाभिकृतिः पुनः ॥६६॥

उत्कृतिर्द्व्यधिका चैव विज्ञेया गणमानतः ।
[गुर्वेकं ग इति प्रोक्तं गुरुणी गाविति स्मृतौ ।
लघ्वेकं ल इति ज्ञेयं लघुनी लाविति स्मृतौ ॥६७॥

यथा (त्र्य ?) (सप्ता) क्षरे तत्पिण्डयित्वा एकाक्षरक्षेपात् (पूर्तिः) एकसंख्याकाक्षरादन्याक्षरक्षेपः षड्विंशत्यक्षरं यावत् "द्व्यंश उक्तक्रमेणेह द्वैगुण्यं यावदुत्कृतेः" । इति ॥६२॥

एकाक्षरे द्वौ, द्व्यक्षरे चत्वारः, त्र्यक्षरेऽष्टौ, चतुरक्षरे षोडशेत्यादिसंक्षेपः । अनेनैवोपायेन विचार्य ग्रन्थे पाठो निश्चेयः ।६२। सर्वेषां छन्दसां वृत्तानामित्यादावर्थः समासेन जयदेवोऽभ्यधात्—"सर्वादिमध्यान्तग्लौ त्रिकौ म्नौ भ्यौ ज्रौ स्तौ" इति (अ. १-२) त्रिकैरुपलक्षितेऽपि वृत्ते त्रिकसंख्यानेन यत्र छन्दो न पूर्यते यथोष्णिक्, अत्रैकमधिकमक्षरमविकत्वेनोक्तं अनुष्टुभि द्वे । अत्र त्रिकबीजानि गुरुलघुरूपाण्येव कर्तव्यानि ॥६३॥

अत्रैकमधिकमिति । तथा चैकं गुरु लघु वा द्वे गुरूणी द्वे लघूनी द्वे लघुगुरूणी गुरुलघूनी वा तदाह द्विकौ ग्लावित्यादि वक्ष्यमाणश्लोकेन व्याचष्टे नैवातिरिक्तमिति । सम्पदिति स्वराट् विराट् भूरिक निचृत् इत्येषां श्रुतावेव संभवो न काव्य इति तात्पर्यम् । एतन्निरूपणं तु उपयुज्यते यत्र वेदवाक्यसदृशं वाक्यं निर्णीयते, यथा अभिज्ञानशाकुन्तले ॥६४॥

---

१. GOS read here before this verse. गायत्री प्रभृति त्वेषां प्रमाणं सम्प्रवर्तते । प्रयोगजानि पूर्वाणि प्रायशो न भवन्ति हि ॥

[1]संपद्विरामपावाश्च दैवतस्थानमक्षरम् ।
वर्णः स्वरो विधिर्वृत्तमिति छन्दोगतो विधिः ॥९८॥

नैवातिरिक्तं हीनं वा यत्र संपद्यते क्रमः ।
विधाने च्छन्दसामेष संपवित्यभिसंज्ञितः ॥९९॥

यत्रार्थस्य समाप्तिः स्यात् स विराम इति स्मृतः ।
पादश्च पद्यतेर्धातोश्चतुर्भाग इति स्मृतः ॥१००॥

अग्न्यादिदैवतं प्रोक्तं स्थानं द्विविधमुच्यते ।
शरीराश्रयसंभूतं दिगाश्रयमथापि च ॥१०१॥

[शारीरं मन्त्रसंभूतं छन्दो गायत्रसंज्ञितम् ।
क्रुष्टे मध्यं दिनं प्रोक्तं त्रैष्टुभं परिकीर्त्यते ॥१०२॥

तृतीयसवनञ्चापि शीर्षण्यं जागतं हि यत् ।]
ह्रस्वं दीर्घं प्लुतञ्चैव त्रिविधञ्चाक्षरं स्मृतम् ॥१०३॥

श्वेतादयस्तथा वर्णा विज्ञेयाश्छन्दसामिह ।
तारश्चैव हि मन्द्रश्च मध्यमस्त्रिविधः स्वरः ॥१०४॥

ध्रुवाविधाने चैवास्य संप्रवक्ष्यामि लक्षणम् ।
विधिर्गणकृतश्चैव तथैवार्थकृतो भवेत् ॥१०५॥

अर्थस्यावान्तररूपस्य समाप्तिर्लक्षणतो यतिः । 'यथा मीलति सति राज्ञि" यथा "आयान्त्या तुल्यकालं" इति न तु "जम्भारातीभकुम्भोद्भवं" इति उच्छब्दोऽर्थसमाप्त्यभावात् । चतुर्भाग इति पादान्ते छेदः कर्तव्यः, न तु "ताम्बूलवल्लीपरिणद्धपूगासु, ऐला" । इति । प्रयोगी प्रतिपादमङ्कुरीकृत्य पठन्मध्ये विश्राम्यति । विश्रान्तौ चात्र वृत्तभङ्गोऽर्थभङ्गोऽभिनेयस्याश्रव्यत्वाद्भट्टशङ्करादिभिरुपगतमेतत् "क्वचिदुपान्त्यो वा" इति ॥१००।

---

१. GOS. reads here following lines more.

द्व्यक्षरादधिको पादावन्यौ हीनाक्षरावपि ।
स्वराडिति समाख्याता विराडिति हि सूरिभिः ।
पादो यस्या ऋचश्चैव भवेदेकाधिकाक्षरः ।
समास्त्वन्ये त्रयः पादाः सा भुरुक् सम्प्रकीर्तिता ।
एकाक्षरो नः पादश्चेदेको यस्या ऋचो भवेत् ।
समा पादास्त्रयश्चान्ये सा निवृत्सम्प्रकीर्तिताः ।।
सम्पदाद्यधुना चैषां छन्दसां सम्यगुच्यते ।

छन्दतो यस्य पादे स्याद्धीनं वाऽधिकमेव वा[1] ।
अक्षरं निचृदिति प्रोक्तं भूरिक् चेति द्विजोत्तमाः ॥१०६॥

अक्षराभ्यां सदा द्वाभ्यामधिकं हीनमेव वा ।
तच्छन्दो नामतो ज्ञेयं स्वराडिति विराडपि ॥१०७॥

सर्वेषामेव वृत्तानां तज्ज्ञैर्ज्ञेया गणास्त्रयः ।
दिव्यो दिव्येतरश्चैव दिव्यमानुष एव च ॥१०८॥

गायत्र्युष्णिगनुष्टप् च बृहती पङ्क्तिरेव च ।
त्रिष्टुप् च जगती चैव दिव्योऽयं प्रथमो गणः ॥१०९॥

तथातिजगती चैव शक्वरी चातिशक्वरी ।
अष्टिरत्यष्टिरपि च धृतिश्चातिधृतिर्गणः ॥११०॥

कृतिश्च प्रकृतिश्चैव ह्याकृतिर्विकृतिस्तथा ।
संकृत्यभिकृती चैव उत्कृतिर्दिव्यमानुषा ॥१११॥

अधिष्ठात्री देवता वह्न्यादयः । शरीराश्रयेत्यादि । तथोक्तं कात्यायनेन—

वीरस्य भुजदण्डानां वर्णने स्रग्धरा भवेत् ।
नायिकावर्णने कार्यं वसन्ततिलकादिकम् ॥
शार्दूललीला प्राच्येषु मन्दाक्रान्ता च दक्षिणे । इत्यादि ।

प्लुतस्याप्यत्र प्रयोगो भवत्येव । यथा—"यतोऽभिमानेन स एष मूढो द्रोणारिरे याति पदे विलग्नः" स तु पाठो दीर्घवत्पठितव्यः प्रयोक्त्रा त्रिमात्र एव ।

श्वेतादय इति छन्दसि प्रतिशाख्यादौ विविधो वर्णः कृतः तदनुप्रयोगाभ्रास्माभिर्लिखितम् । भगवते कृत इति श्लोके केषांचिद्दोधकतोटकादीनां गीयमानतया शोभातिशयो भवति । स्रग्धरादीनां तु पाठेन । च शब्देन प्रकारार्थेन व्याचष्टे दिव्य इति । प्रथम इति स्तोत्रशास्त्रेषु सप्तानामेव छन्दसां बाहुल्येन दर्शनात् । देवस्तुत्यादौ देवेषु वक्तृष्वयं गण इत्यर्थः । गण इति द्वितीयो दिव्यानिवृत्तौ गण इत्यर्थः तेन मानुषेषु वक्तव्यदं प्रायेण । तृतीयस्तु दिव्यमानुषेषु च रामादिषु नरपतिषु च ।

प्रस्तारस्तत्र संख्यादि सर्वमिति संश्रयशब्देनाह, तद्गुणसंविज्ञानाच्च प्रस्तारोऽप्युच्यते । प्रस्तरणं वितानानां लक्षणमङ्कसंख्येत्यर्थः । नष्टमिति स्वरूपेणैव न ज्ञातं संख्यया तु ज्ञातम्, उद्दिष्टं तु स्वरूपेण ज्ञातं न संख्यया । तज्ज्ञानोपायेन नष्टादयः सिद्धाः ।

---

१. GOS. वृत्तमर्धसमं चैव विषममेव च ।

एतेषां छन्दसां भूयः प्रस्तारविधिसंश्रयम् ।
लक्षणं सम्प्रवक्ष्यामि नष्टमुद्दिष्टमेव च ॥११२॥

प्रस्तारोऽक्षरनिर्दिष्टो मात्रोक्तश्च तथैव हि ।
द्विकौ ग्लाविति वर्णोक्तौ मिश्रौ चेत्यपि मात्रिकौ ॥११३॥

गुरोरधस्तादाद्यस्य प्रस्तारे लघु विन्यसेत् ।
अग्रतस्तु समादेया गुरवः पृष्ठतस्तथा ॥११४॥

प्रथमं गुरुभिर्वर्णैर्लघुभिस्त्ववसानजम् ।
वृत्तन्तु सर्वछन्दस्सु प्रस्तारविधिरेव तु ॥११५॥

गुर्वधस्ताल्लघुं न्यस्य तथा द्विद्वि यथोदितम् ।
न्यस्येत् प्रस्तारमार्गोऽयमक्षरोक्तस्तु नित्यशः ॥११६॥

मात्रासंख्याविनिर्दिष्टो गणो मात्राविकल्पितः ।
मिश्रौ ग्लाविति विज्ञेयौ पृथक् लक्ष्यविभागतः ॥११७॥

मात्रागणो गुरुश्चैव लघुनी चैव लक्षिते ।
आर्याणां तु चतुर्मात्राप्रस्तारः परिकल्पितः ॥११८॥

तत्र वर्णगतो मात्रागतश्चेति प्रस्तारो द्विधा, तमुदाहरति । द्विकौ ग्लाविति वर्णसंख्यादिनियमेन यौ गुरू लघू द्विकौ संख्यापरिमाणौ तौ मात्रिकौ मात्रागणेषूक्तौ । अन्येनाधिकृतत्वादेकेन भेदेन मिश्रौ भवतः ॥११३॥

अत्र प्रस्तारेऽप्युपायमाह—गुरोरधस्तादिति । आद्यस्यैव गुरोरधो लघुः सर्वो न्यसनीयः । यत्र द्वौ भागौ मिश्रौ विषमसंख्यायां तदा द्विरिति भूयो भूयः । मात्राप्रस्तारो निरूप्यते । मात्रापरिकल्पितो यस्त्रिमात्रचतुर्मात्रादिः समूहो गणमात्रसंख्याया लब्धक्षरसंख्याया: तत्र प्रथम प्रस्तार इत्याह पृथग्लक्षणीयोऽपि भागोऽत्र संख्यायास्तत्र गुरुः सर्वतो न्यसनीयः । यत्र तु द्वौ भागौ मिश्रौ, विषमसंख्यायां तत्राद्यो लघुरन्यो गुरुः शेषं वर्णप्रस्तारेण तुल्यम् । केवलं मात्रासंख्येति वचनाद् गणन्यासे पूर्वत्र मात्रा देया । यत्र वर्णप्रस्तारः तत्र विषयप्रस्तारेऽपि मात्रेत्युदाहृता एव ॥११४॥

द्वितीयस्तु तदाह गुर्वरति जातावेकवचनं गुरु इत्यर्थः । लघुनी चकाराद् गुरु, तथा शब्दादन्यद्रूदत्रयम् ॥११७। चतुर्मात्रा आर्याणां प्रस्तारे गणभेदः पञ्चदश इत्यर्थः । पञ्चमात्रोऽष्टधा, एवं षष्ठोऽत्र प्रस्तार्यातीत इति वर्णवृत्तेष्वेव च कृत इत्यर्थः । अन्यत्र तु मात्राकृतो गणविभागः तदपेक्षया गुरुलघुव्यवस्थानान्न स्वातन्त्र्येण ।११८।

गीतकप्रभृतीनान्तु पञ्चमात्रो गणः स्मृतः ।
[1]वैतालीयं पुरस्कृत्य षण्मात्राद्यास्तथैव च ।।११९।।

त्र्यक्षरास्तु त्रिका ज्ञेया लघुगुर्वक्षरान्विताः ।
मात्रागणविभागस्तु गुरुलघ्वक्षराश्रयः ।।१२०।।

अन्त्याद् द्विगुणिताद्रूपात् द्विद्विरेकं गुरोर्भवेत् ।
द्विगुणाञ्च लघोः कृत्वा संख्यां पिण्डेन योजयेत् ।।१२१।।

आद्यं सर्वगुरु ज्ञेयं वृत्तन्तु समसंज्ञितम् ।
[2]कोशं तु सर्वलघ्वन्त्यं मिश्ररूपाणि सर्वतः ।।१२२।।

[3]वृत्तानान्तु समानानां संख्यां संयोज्य तावतीम् ।
राश्यूनामर्धविषमां समासादभिनिर्दिशेत् ।।१२३।।

तत्रोद्दिष्टमाह द्विगुणितादिति वर्णवृत्तेष्वेव चेदं सर्वं मन्तव्यम् । (कमपि) भेदं पश्य; एकमङ्कं द्विगुणितं च दत्वा द्विद्विरिति भूयो द्विगुणितम् कृत्वान्त्यं सरिसमाप्य गुरुसंबन्धिनोऽङ्कान् परेत् पुंसयेत् । लघोः संबन्धिनोऽङ्कान् पिण्डीकृत्य तेन पिण्डेनातिक्रान्तेनैतावानयं भेद इति संख्यां निर्दिशेत्, यथा चतुरक्षरस्येदृशीं क्रियां कृत्वा भेदं वदेत् यत्र लघ्वङ्कगणनातिक्रान्ता ।।१२१।।

अथैकादिलघुज्ञानार्थं पीठं रचयति आद्यं सर्वगुर्वित्यादि । कोश इत्याद्यन्तयोर्मध्यगो भेदगणः । सोऽस्य लघोः संख्यया निश्चयः कुर्यात् । तद्यथा चतुरक्षरौ प्रथमान्तौ सर्वगुरुः सर्वलघुश्च, एकद्वित्रिलघवस्तु चतुःषट् चतुःप्रकाराः संक्षेपत इति एतदङ्कथामिश्रणेन संख्या लभ्यते षोडशभेदाश्चतुरक्षरस्येति ।।१२२।।

संख्यास्थान उपायान्तरमाह एकादिकामिति । छन्दोऽक्षरोपरि एकद्विचत्वारीत्यदींनि निक्षिपेत् । तत्र पूर्वेणोत्तरस्य मिश्रणं कुर्यात् यावत्पर्यन्तं गणपिण्डस्ता चैकादिकामेकेन मिश्रितं कुर्यादित्येवं समवृत्तानां संख्या । लघूनामित्थं षोडशभिर्गणयेत् । ततो गुणराशेः षोडशसंख्यामवपातयेत । तेन चतुरक्षरे विंशत्यधिकं शतमर्धसमवृत्तानां

---

१. यं पुरस्कृत्य षण्मात्राः स्युस्तथैव च त्र्यक्षराः ।
उक्तघास्तु त्रिका ज्ञेया गुरुलघ्वक्षराश्रयाः ।।

२. KSS., NS. कोशे ।

३. NS. नैधनादङ्कमेकैकं प्रतिलोक्यक्रियात्मकम् । इति श्लोकार्धमेवाऽस्ति ।

[1]एकादिकां तथा संख्यां छन्दसो विनिवेश्य तु ।
[2]यावत् पूर्णन्तु पूर्वेण पूरयेदुत्तरं गणम्[3] ॥१२४॥

समानां विषमाणां च संगुणय्य तथा स्फुटम् ।
राश्यूनामभिजानीयाद्विषमाणां समासतः ॥१२५॥

एवं कृत्वा तु सर्वेषां परेषां पूर्वपूरणम् ।
[[4]क्रमान्नैधनमेकैकं प्रतिलोमं विसर्जयेत् ॥१२६॥

सर्वेषां छन्दसामेवं लघ्वक्षरविनिश्चयम् ।]
जानीत समवृत्तानां संख्यां संक्षेपतस्तथा ॥१२७॥

[5]वृत्तस्य परिमाणन्तु छित्वाऽर्धेन यथाक्रमम्[6] ।
न्यसेल्लघु तथा सैकमक्षरं गुरु चाप्यथ ॥१२८॥

एवं विन्यस्य वृत्तानां नष्टोद्दिष्टविभागतः ।
गुरुलघ्वक्षराणीह सर्वछन्दस्सु दर्शयेत् ॥१२९॥

[इति छन्दांसि यानीह मयोक्तानि द्विजोत्तमाः ! ।
वृत्तान्येतेषु नाट्येऽस्मिन् प्रयोज्यानि निबोधत] ॥१३०॥

तामपि संख्यां गुणयित्वा गुणराशि पातयेत् । तेन च सहस्राणीति शतान्यशीतिश्चेति चतुरक्षरे विषमवृत्तानि ॥१२४॥

अथ नष्टमाह वृत्तस्य परिमाणं त्विति संख्यामर्धेन छिन्द्यात् । यत्र विषमाङ्क न पूर्यते तत्र पूरणार्थमेकमधिकं कुर्यात् । तदाह यथाक्रममिति । तत्र गुरु । सैककरणात्प्रयत्नगौरवात् लघुरन्यथा च्छेदनात् । एवं पुनः पुनर्यावदक्षराणि पूर्णानि तावत् । चतुरक्षरे पञ्चमो भेदः कीदृगिति—पूर्वं पञ्चाङ्कस्य सैकच्छेदात् गुरु, पुनरपि त्र्यङ्कस्य सैकच्छेदात् गुरु, द्वयोश्च समच्छेदाल्लघु एकस्य सैकच्छेदाद् गुरु , एतेनेदृशः पञ्चमो भेदः ॥१२९॥

एतदुपसंहरन्नध्यायान्तरमासूत्रयति एवमिति । व्याकृतेन विभागेन लघुप्रधानानि वा गुरुप्रधानाति वा लक्ष्ये निवेशयेत् कविरुपबध्नीयादिति शिवम् ॥१३०॥

---

१. NS. एकाधिकां । KSS. एकाद्यां च ।
२. NS. यावच्चरणं ।
३. KSS. उत्तरस्तथा ।
४. NS. does not read.
५. NS., वृत्ताधंपरिमाणं KSS. वृत्ताङ्गपरिमाणं ।
६. KSS, गुरुं न्यसेत् ।

[1]इति भरतीये नाट्यशास्त्रे वाचिकाभिनये छन्दोविधानं नाम

चतुर्दशोऽध्यायः ।

पार्वतीवदनाम्भोजभृङ्गनेत्रत्रयीभुवः ।
दासोऽभिनवगुप्ताख्यश्छन्दोऽध्यायमपप्रथत् ।

इति श्रीमहामाहेश्वराभिनवगुप्ताचार्यविरचितायामभिनवभारत्यां नाट्यवेविवृतौ छन्दोऽध्यायश्चतुर्दशः समाप्तिमगमत् ॥

□□□

---

१. इति भारतीये नाट्यशास्त्रे वाचिकाभिनयच्छन्दोविभागो नाम पञ्चोदशोऽध्यायः ।

नाट्यशास्त्रम्

अथ पञ्चदशोऽध्यायः

[1]छन्दांस्येवं हि यानीह मयोक्तानि द्विजोत्तमाः ।
[2]वृत्तानि तेषु नाट्येऽस्मिन्प्रयोज्यानि निबोधत ॥१॥

आद्ये पुनरन्त्ये द्वे द्वे गुरुणी चेत् ।
[3]सा स्यात्तनुमध्या गायत्रसमुत्था ॥२॥

यथा—संत्यक्तविभूषा[4] भ्रष्टाञ्जननेत्रा ।
हस्तार्पितगण्डा किं ? त्वं तनुमध्या ॥३॥

लघुगण आदौ भवति चतुष्कः ।
गुरुयुगमन्त्ये मकरकशीर्षा ॥४॥

यथा—स्वयमुपयान्तं भजसि न कान्तं ।
भयकरि किं ? त्वं मकरकशीर्षा ॥५॥

अभिनवभारती

समस्तवृत्तानि विना न येन पटूद्भवश्रोत्ररसायनेन ।
छन्दांसि यस्मात्प्रभवन्ति वन्दे तं वाङ्मयं रूपमिहाष्टमूर्तेः ॥

यदुक्तमक्षराणि निवेशयेदिति (१४-१३३) तत्र श्रव्यताकृतं प्रविभागमाख्यातुमुपचक्रमे छन्दांस्येवमिति । एषां छन्दसां नाट्यप्रयोगयोग्यानि वृत्तानि निबोधतेति संवन्धः । गुरुलघुनियमेन श्रव्यता वर्तते येषु तानि वृत्तानि, श्रव्यार्थत्वात् अधिकरणे क्तः ।१। गायत्रीत आरभ्य प्रयोगार्हतेति पूर्वाध्याये निरूपितत्वात् तदुपक्रममेवाह आद्ये पुनरिति, मध्ये तु लघुनी अर्थात् । गायत्र्यैव गायत्रम् । तत्रेहाध्याये भरतमुनिकृतमिति त्रिकैर्मकारादिभिः कैश्चित्किञ्चिल्लक्षणं स्वीकृतमिति द्विविधः पुस्तकपाठो दृश्यते मध्ये च चिन्तनाय पुस्तकेषूभयमपि पठ्यत इति ॥२॥

---

१. KSS., NS. इति छन्दांसि ।
२. KSS., NS. वृत्तान्येतेषु ।
३. KSS. वृत्तं तनुमध्या ।
४. KSS. भूषणा ।
५. KSS. भयकरिकिञ्च ।

एकमात्रं षट्के स्याद् द्वितीयं पादे ।
ख्यातरूपा वृत्ते मालिनी सा नाम्ना ।।६।।

षडक्षरकृते पादे लघु यत्र द्वितीयकम् ।
शेषाणि तु गुरूणि स्युर्मालिनी सा मता यथा ।।७।।

[1]स्नानगन्धाधिक्यैर्वस्त्रभूषायोगैः ।
व्यक्तमेवासौ त्वं मालिनी प्रख्याता ।।८।।

द्वितीयं पञ्चमं चैव लघु यत्र प्रतिष्ठितम् ।
शेषाणि च गुरूणि स्युर्मालती नाम सा यथा ।।९।।

शोभते बद्धया षट्पदाविद्धया ।
मालतीमालया मानिनी लीलया ।।१०।।

द्वितीयं च चतुर्थं च पञ्चमं च यदा लघु ।
यस्याः सप्ताक्षरे पादे ज्ञेया सा तूद्धता यथा ।।११।।

[2][सौ त्रिकौ यदि पादे ह्यन्तिमश्च गकारः ।
उष्णिगुत्थितपादा उद्धता खलु नाम्ना] ।।१२।।

[3]दन्तकुन्तकृतास्त्रं व्याकुलालकशोभम् ।
शंसतीव तवास्यं निर्दयं रतयुद्धम्[4] ।।१३।।

आदौ द्वे निधने चैव गुरुणी यत्र वै सदा ।
पादे सप्ताक्षरे ज्ञेया नाम्ना भ्रमरमालिका ।।१४।।

[5][पादे यदि निविष्टौ सम्यग्विरचितौ त्सौ ।
अन्त्ये यदि गकारः सा तु भ्रमरमाला] ।।१५।।

यथा—नानाकुसुमचित्रे प्राप्ते सुरभिमासे ।
एषा भ्रमति मत्ता कान्ते भ्रमरमाला ।।१६।।

आद्यं तृतीयमन्त्यं च पञ्चमं सप्तमं तथा ।
गुरूण्यष्टाक्षरे पादे सिंहलेखेति सा यथा ।।१७।।

एतन्नाम्ना प्रसिद्धा ख्यातरूपा श्लाघनीयेत्यर्थः ।।६।।

---

१. NS. स्नानगन्धस्रग्भिः ।

२. KSS., NS. do not read.

३. NS., KSS. दन्तद्युतिकृताङ्कं ।

४. KSS., NS. युद्धमुद्धतवेषम् ।

५. KSS., NS. do not read.

[जातु यस्य गौ न, पादे संस्थितः समस्वरूपे ।
तामनुष्टुभाश्रयस्थां वावदन्ति सिंहलेखाम्] ॥१८॥
यत्त्वया ह्यनेकभावैश्चेष्टितं रहः सुगात्रि ! ।
तन्मनो मम प्रविष्टं वृत्तमत्र सिंहलेखम् ॥१९॥

चतुर्थं च द्वितीयं च षष्ठमष्टममेव च ।
गुरूण्यष्टाक्षरे पादे यत्र तन्मत्तचेष्टितम् ॥२०॥
[यदा तु जात्परौ रलौ गकार एव च स्थितः ।
अनुष्टुबुद्भवं तदा वदन्ति मत्तचेष्टितम्] ॥२१॥
यथा—[1]चरावघूर्णितेक्षणं विलम्बिताकुलालकम् ।
असंस्थितैः पदैः प्रिया करोति मत्तचेष्टितम् ॥२२॥

अष्टाक्षरकृते पादे सर्वाण्येव भवन्ति हि ।
गुरूणि यस्मिन्सा नाम्ना [2]विद्युन्मालेति कीर्तिता ॥२३॥
[मौ गौ चान्त्यौ यस्याः पादे पादस्यान्ते विच्छेदश्च ।
सा चानुष्टुप्छन्दस्युक्ता नित्यं सद्भिर्विद्युन्माला] ॥२४॥
[3]साम्भोभारैरानदद्भिः श्यामाम्भोदैर्व्याप्ते व्योम्नि ।
आदित्यांशुस्पर्धिन्येषा दिक्षु भ्रान्ता विद्युन्माला ॥२५॥

[4][पञ्चमं सप्तमं चान्त्यं गुरु पादेऽष्टके तथा ।
छन्दोज्ञैर्ज्ञेयमेतत्तु वृत्तं चित्तविलासितम् ॥२६॥
स्मितवशविप्रकाशैर्दशनपदैरमीभिः ।
वरतनु ! पूर्णचन्द्रं तव मुखमावृणोति] ॥२७॥
नवाक्षरकृते पादे त्रीणि स्युर्नैधनानि च ।
गुरूणि यस्याः सा नाम्ना ज्ञेया मधुकरी यथा ॥२८॥

[षडिह यदि लघूनि स्युर्निधनगतमकारश्चेत् ।
बुधजनबृहतीसंस्था भवति मधुकरी नाम्ना] ॥२९॥

त्वया यन्मदीयं मनः प्रविष्टं व्याप्तमाक्रान्तं तत्सिंहनखविलेखनसदृशं जातम् । तादृशं वृत्तं तद्यथाक्रान्तम् ॥१९॥

---

१. NS. मदावघूर्णिता । KSS. varies.

२. विद्युल्लेखितनामान्तरम् ।

३. KSS. सान्द्राम्भोभिर्नानाम्भोदैः NS. अम्भोभारैरानदद्भिः ।

४. KSS., NS. do not read.

कुसुमितमभिपश्यन्ती[1] विविधतरुगणैश्छन्नम् ।
वनमतिशयगन्धाढ्यं भ्रमति मधुकरी हृष्टा ॥३०॥

[2]दशाक्षरकृते पादे त्रीण्यादौ त्रीणि नैधने ।
यस्या गुरूणि सा ज्ञेया पङ्क्तिरुत्पलमालिका ॥३१॥

[त्रीण्यादौ यदि हि गुरूणि स्युश्चत्वारो यदि लघवो मध्ये ।
पङ्क्तावन्तगतमकारः स्याद्विज्ञेया कुवलयमालाख्या] ॥३२॥

यथा—[3]अस्मिंस्ते शिरसि तदा कान्ते वैडूर्यस्फटिकसुवर्णाढ्ये ।
शोभां स्वां न वहति तां बद्धा सुश्लिष्टा कुवलयमालेयम् ॥३३॥

द्वितीयं च चतुर्थं च षष्टमष्टममेव च ।
ह्रस्वं दशाक्षरे पादे यत्र सा शिखिसारिणी ॥३४॥

[जौ त्रिको हि पादगौ तु यस्या गौ च संश्रितौ तथा समौ स्तौ ।
पङ्क्तियोग सुप्रतिष्ठिताङ्गी सा मयूरसारिणीति नाम्ना] ॥३५॥

यथा—नैव तेऽस्ति संगमो मनुष्यैर्नापि कामभोगचिह्नमन्यत् ।
गर्भिणीव दृश्यसे ह्यनार्ये ! किं मयूरसारिणी त्वमेवम् ॥३६॥

[4]आद्यं चतुर्थमन्त्यं च सप्तमं दशमं तथा ।
गुरूणि त्रैष्टुभे पादे यत्र स्युर्दोधकं तु तत् ॥३७॥

[भौ तु भगाविति यस्य गणाः स्युः स्याच्च यतिस्त्रिचतुर्भिरथाऽस्मिन् ।
त्रैष्टुभमेव हि तत्खलु नाम्ना दोधकवृत्तमिति प्रवदन्ति] ॥३८॥

यथा—प्रस्खलिताप्रपदप्रविचार्यं मत्तविघूर्णितगात्रविलासम्[5] ।
पश्य विलासिनि ! कुञ्जरमेतं, दोधकवृत्तमयं[6] प्रकरोति ॥३९॥

शं भां स्वाम् (स्वभाववर्तने ये भेदाः ?) वैडूर्यच्छायानि यानि दलानि तत्तत्स्फुरत्सुवर्णतुल्यानि वर्णानि तदभ्यन्तरकेसराणि ॥३३॥ मयूरवद् व्याकोचमस्याः मयूरीभिर्वा (सारी) गतिविशेषो भवतीत्याहुः ॥३६॥

मन्दं मन्दं दोधकेन गीयमानं वृत्तं दोधकवृत्तम् ॥३९॥

---

१. KSS. अपश्यन्ती ।

२. KSS. varies.

३. KSS,. NS. varies absolu tely.

४. KSS., NS. प्रथमं च चतुर्थं च ।

५. KSS. विनामम् ।

६. KSS., NS. गतिम् ।

आदौ द्वौ पञ्चमं चैवाप्यष्टमं नैधनं तथा ।
गुरूण्येकादशे पादे यत्र तन्मोटकं यथा ।४०॥

एषोऽम्बुदनिस्वनतुल्यरवः [1]क्षीवः स्खलमानविलम्बगतिः ।
श्रुत्वा घनगर्जितमद्रितटे वृक्षान् प्रतिमोटयति द्विरदः ॥४१॥

नवमं सप्तमं षष्ठं तृतीयं च भवेल्लघु[2] ।
[3]एकादशाक्षरे पादे इन्द्रवज्रेति सा यथा ॥४२॥

[4]त्वं दुर्निरीक्ष्या दुरतिप्रसादा [5]दुःखैकसाध्या कठिनस्वभावा ।
सर्वास्त्ववस्थासु च कामतन्त्रे योग्यासि किं ? वा बहुनेन्द्रवज्रा[6] ॥४३॥

एभिरेव तु संयुक्ता लघुभिस्त्रैष्टुभी यदा ।
उपेन्द्रवज्रा विज्ञेया [7]लघ्वावाविह केवलम् ॥४४॥

[8]प्रिये ! श्रिया वर्णविशेषणेन स्मितेन कान्त्या सुकुमारभावैः ।
अमी गुणा [9]रूपगुणानुरूपा [10]भवन्ति ते किं ? त्वमुपेन्द्रवज्रा[11] ॥४५॥

आद्यं तृतीयमन्त्यं च सप्तमं नवमं तथा ।
गुरूण्येकादशे पादे यत्र सा तु रथोद्धता ॥४६॥

एष इति यावन्मुरजघाततुल्यं गर्जितं श्रुत्वा ॥४१॥

उपेन्द्रवज्रा अस्या उपमानत्वेन सा तथा । मत्वर्थीय उपेन्द्रवज्रन्तु इन्द्रधनुष उपमितमुपेन्द्रवज्रमित्युपमितसमासः । द्विगुप्राप्ते परवल्लिङ्गनिषेधः । स्मितेन कान्त्या च । इन्द्रधनुषोऽपि वर्णवैचित्र्यं भवति ॥४५॥

---

१. KSS. क्षणस्खलमान ।
२. KSS., NS. लघुन्यथ ।
३. KSS., NS. यत्रैकादशके ।
४. KSS., NS. चन्द्रं निरीक्ष्यादुरितस्वभावा ।
५. NS. दुःखेन साध्या कठिनौ स्तनौ ते ।
६. KSS. वज्रे ।
७. NS. लघ्वाढ्यमिह ।
८. KSS. श्रिया च वर्णेन । NS. प्रेम्णा श्रिया वर्णविशेषणेन ।
९. KSS. रूपगणा ।
१०. NS. वसन्ति ।
११. इतोऽग्रे ग्रन्थान्तरेषु "षष्ठं च नवम" मेत्यादिश्लोकद्वयमधिकं वर्तते ।

किं? त्वया सुभट ! दूरवर्जितं नात्मनो न सुहृदां प्रियं कृतम् ।
यत्पलायनपराणस्य ते याति धूलिरधुना रथोद्धता ।।४७।।

यथा—[1][किं ? त्वया कुमतिसङ्गया सदा नाज्ञयेव सुहृदां प्रियं कृतम् ।
यद् गृहाद्वचनरोषकम्पिता याति तूर्णमबला रथोद्धता] ।।४८।।

आद्यं तृतीयमन्त्यं च सप्तमं दशमं गुरु ।
[2]यस्यास्तु त्रैष्टुभे पादे विज्ञेया स्वागता हि सा ।।४९।।

यथा—अद्य मे सफलमायतनेत्रे ! जीवितं मदनसंश्रयभावम् ।
आगतासि भवनं मम यस्मात्स्वागतं तव वरोरु ! निषीद ।।५०।।

[3][षष्ठं च नवमं चैव लघुनी त्रैष्टुभे यदि ।
गुरूण्यन्यानि पादे तु सा ज्ञेया शालिनी, यथा ।।५१।।
दुःशीलं वा निर्गुणं वापरं वा लोके धैर्यादप्रियं न ब्रवीषि ।
तस्माच्छीलं साधुहेतोः सुवृत्तं माधुर्यात्स्यात्सर्वथा शालिनी त्वम् ।।५२।।

तृतीयं चैव षष्ठं च नवमं द्वादशं तथा ।
गुरूणि जागते पादे यत्र तत्तोटकं भवेत् ।।५३।।

यदि सोऽत्र भवेत्तु समुद्रसमस्त्रिषु चापि तथा नियमेन यतिः ।
सततं जगतीविहितं हि ततं गदितं खलु तोटकवृत्तमिदम्] ।।५४।।

यथा—किमिदं कपटाश्रयदुर्विषहं [4]बहुशाठ्यमथोल्वणरूक्षकथम् ।
स्वजनप्रियसज्जनभेदकरं ननु तोटकवृत्तमिदं कुरुषे[5] ।।५५।।

[6][आद्यं तृतीयमन्त्यं च पञ्चमं षष्ठमेव च ।
तथोपान्त्यं जगत्यां च गुरु चेत्कुमुदप्रभा ।।५६।।
यौ त्रिकौ तथा न्यौ यदि खलु पादे षड्भिरेव वर्णैर्यदि च यदिः स्यात् ।
नित्यसंनिविष्टा जगतिविधाने नामतः प्रसिद्धा कुमुदनिभा सा ।।५७।।

दूरवर्जितं प्रियं न कृतम् । हे सुभट, किं त्वया कृतम् (दूरत्यक्तमित्यर्थः ?) कुत इत्याह यत्पलायनेति ।।४७।। मदनसंश्रयो भावो यस्य कामफलमिति यावत् ।।५०।।

किमिदमिति तोटकस्य छेदकस्य वृत्तं चेष्टितम् ।।५५।।

---

१. KSS., NS. do not read.

२. NS. गुरूणि त्रैष्टुभे पादे ।

३. NS. does not read.

४. KSS., बहुगर्जमिवोद्गणरूक्षकथम् । NS. बहुगण्डमिवोल्वणरूक्षपथम् ।

५. NS. प्रकुरु ।

६. NS. does not read.

यथा—मन्मथेन विद्धा सललितभावा नृत्तगीतयोगा प्रविकसिताक्षी।
निन्द्यमद्य किं ? त्वं विगलितशोभा चन्द्रपादयुक्ता कुमुदवती च ॥५८॥

मतान्तरे—यदि खलु पादे न्यौ त्रिकौ यथा यौ यतिरपि वर्णैः षड्भिरेव चेत्स्यात्।
जगति विधाने नित्यसंनिविष्टा कुमुदनिभा सा नामतः प्रसिद्धा ॥५९॥

यथा—कुमुदनिभा त्वं कामबाणविद्धा किमसि ? नतभ्रूः शीतवातदग्धा।
मृदुनलिनीवापाण्डुवक्त्रशोभा कथमपि जाता ह्यग्रतः सखीनाम् ॥६०॥

द्वादशाक्षरके पादे सप्तमं दशमं लघु।
आदौ पञ्चाक्षरच्छेदश्चन्द्रलेखा सा यथा ॥६१॥

वक्त्रं सौम्यं ते पद्मपत्रायताक्षं कामस्यावासं सुनासोच्चप्रहासम्।
कामस्यापीदं काममाहर्तुकामं कान्ते ! कान्त्या त्वं चन्द्रलेखेव भासि] ॥६२॥

तृतीयमन्त्यं नवमं पञ्चमं च यदा गुरु।
द्वादशाक्षरके पादे यत्र सा प्रमिताक्षरा ॥६३॥

यथा—स्मितभाषिणी[1] ह्यचपलापरुषा निभृतापवादविमुखी[2] सततम्।
अपि कस्यचिद्युवतिरस्ति सुखा प्रमिताक्षरा स हि पुमाञ्जयति[3] ॥६४॥

द्वितीयमन्त्यं दशमं चतुर्थं पञ्चमाष्टमे।
गुरूणि द्वादशे पादे वंशस्था जगती तु सा ॥६५॥

[4][यदि त्रिकौ ज्तौ भवतस्तु पादतस्तथैव च ज्रावथसानसंस्थितौ।
तदा हि वृत्तं जगतीप्रतिष्ठितं वदन्ति वंशस्थमितीह नामतः] ॥६६॥

न मे [5]प्रिया त्वं बहुमानवर्जितां प्रियं प्रिया ते परुषाभिभाषिणी।
तथा च पश्याम्यहमद्य विग्रहं ध्रुवं हि [6]वंशस्थगतिं करिष्यति ॥६७॥

मन्मथेनेति नृत्तगीतयुक्ता न भवतीति संबन्धः ॥५८॥

स्मितेति। प्रमिताक्षरा भण्यते, सा स्मितभाषित्वादिगुणयुक्ता सा तादृशी सुमुखी युवतिरपि कस्यचिद्भवेदिति शेषः ॥६४॥

---

१. NS. हासिनी।
२. NS. विमुखा।
३. NS. जगति।
४. KSS., NS. do not read.
५. NS. प्रियं।
६. KSS., वंशस्थगतिः NS. वंशस्थगता।

चतुर्थमन्त्यं दशमं सप्तमं च यदा गुरु ।
भवेद्धि जागते पादे तदा स्याद्धरिणप्लुता[1] ॥६८॥

परुषवाक्यकशाभिहता[2] त्वया भयविलोकनपार्श्वनिरीक्षणा ।
वरतनुः प्रततप्लुतसर्पणैरनुकरोति गतैर्हरिणप्लुतम्[3] ॥६९॥

सप्तमं नवमं चान्त्यमुपान्त्यं च यदा गुरु ।
द्वादशाक्षरके पादे कामदत्तेति सा यथा[4] ॥७०॥

करजपदविभूषिता यथा त्वं सुदति ! दशनविक्षताधरा च ।
गतिरपि [5]चरणावलग्नमन्दा त्वमसि मृगनिभाक्षि ! कामदत्ता ॥७१॥

आद्यं चतुर्थं दशमं सप्तमं च यदा लघु ।
पादे तु जागते यस्या अप्रमेया तु सा यथा ॥७२॥

न ते काचिदन्या समा दृश्यते स्त्री नृलोके विशिष्टा गुणैरद्वितीयैः ।
त्रिलोक्यां गुणाढ्यान् समाहृत्य सर्वान् जगत्यप्रमेयाऽसि सृष्टा विधात्रा ॥७३॥

द्वितीयं पञ्चमं चैव ह्यष्टमैकादशे तथा ।
पादे यत्र लघूनि स्युः पद्मिनी नाम सा यथा ॥७४॥

[6][राशिस्त्रिकाः सागराख्या निविष्टा यदा स्यात् त्रिके च त्रिके युक्तरूपा यतिः ।
सन्निविष्टा जगत्यास्ततस्सा बुधैर्नामतश्चापि संकीर्त्यते पद्मिनी] ॥७५॥

देहतोयाशया वक्त्रपद्मोज्ज्वला नेत्रभृङ्गाकुला दन्तहंसस्मिता ।
केशपाशच्छदा चक्रवाकस्तनी पद्मिनीव प्रिये भासि मे सर्वदा ॥७६॥

[7][फुल्लपद्माननना त्वं द्विरेफेक्षणा केशपत्रच्छदा चक्रवाकस्तनी ।
पीततोयावली बद्धकाञ्चीगुणा पद्मिनीव प्रिये ! भासि नीरे स्थिता ॥७७॥

आदौ षट्दशमं चैव पादे यत्र लघून्यथ ।
शेषाणि तु गुरूणि स्युर्जागते पुटसंज्ञिता] ॥७८॥

परुषेत्यादि । भवत्परुषवाक्यरूपया कशया अभिहता वरतनुर्हरिणप्लुतमिव करोति ॥६९॥

---

१. NS. हरिणीप्लुता ।
२. NS. हिता ।
३. NS. हरिणीप्लुतम् ।
४. KSS. स्मृता ।
५. NS. चरणारविन्दमन्दा ।
६. NS. does not read.
७. NS. does not read.

यदि चरणनिविष्टौ नो तथा म्यौ यतिविधिरपि युक्त्याष्टाभिरिष्टः ।
भवति च जगतीस्थः सर्वदासौ य इह हि पुटवृत्तं नामतस्तु ॥७६॥

उपवनसलिलानां बालपद्मैर्भ्रमरपरभृतानां कण्ठनादैः ।
मदनमदविलासैः कामिनीनां कथयति पुटवृत्तं पुष्पमासः ॥८०॥

[1]द्वितीयान्त्ये चतुर्थं च नवमैकादशे गुरु ।
विच्छेदोऽतिजगत्यां तु चतुर्भिः सा प्रभावती ॥८१॥

कथं न्विदं कमलविशाललोचने ! गृहं धनैः पिहितकरे दिवाकरे[2] ।
अचिन्तयन्त्यभिनववर्षविद्युत-स्त्वमागता सुतनु ! यथा प्रभावती ॥८२॥

त्रीण्यादावष्टमं चैव दशमं नैधनद्वयम्[3] ।
गुरूण्यतिजगत्यां तु त्रिभिश्छेदैः प्रहर्षिणी ॥८३॥

भावस्थैर्मधुरकथैः सुभाषितैस्त्वं साटोपस्खलितविलम्बितैर्गतैश्च ।
शोभाढ्यैर्हरसि मनांसि कामुकानां सुव्यक्तं ह्यतिजगती प्रहर्षिणी च ॥८४॥

षष्ठं च सप्तमं चैव दशमैकादशे लघु ।
त्रयोदशाक्षरे पादे ज्ञेयं मत्तमयूरकम् ॥८५॥
विद्युन्नद्धाः सेन्द्रधनूरञ्जितदेहा वातोद्धूताः श्वेतवलाकाकृतशोभाः ।
एते मेघा गर्जितनादोज्ज्वलचिह्नाः प्रावृट्कालं मत्तमयूराः कथयन्ति ॥८६॥
आदौ द्वे चतुर्थं चाष्टमैकादशे गुरु ।
अन्त्योपान्त्ये च शक्वर्यां वसन्ततिलका यथा ॥८७॥

चित्रैर्वसन्तकुसुमैः कृतकेशहस्ता
स्रग्दाममाल्यरचनासुविभूषिताङ्गी ।
नानावतंसकविभूषितकर्णपाशा[4]
साक्षाद्वसन्ततिलकेव विभाति नारी ॥८८॥

उपवनेति । पुटस्य युगलस्य वृत्तं तथा चोपवनं सलिलं चेति युग्मं, एव-मन्यत् ॥७६।८०॥

चित्रैरिति । वसन्तस्य यस्तिलकस्तस्यास्ति उपमानं त्वनेनेति । साक्षादिति । छन्दानुवर्तिनीत्यर्थः ॥८८॥

१. KSS., NS. द्वितीयं च चतुर्थं च ।
२. KSS., NS. निशाकरे ।
३. KSS., NS. नैधनं तथा ।
KSS., NS. विनिभूषितगण्डपाली ।

पञ्चादौ शक्वरी पादे गुरूणि त्रीणि नैधने[1] ।
पञ्चाक्षरादौ च यतिरसंबाधा तु सा यथा[2] ॥८९॥

यथा—मानालोकज्ञः सुतबलकुलशीलाढ्यो
यस्मिन्सम्मानं न सदृशमनु पश्येद्धि ।
गच्छेत्तं त्यक्त्वास्तं द्रुतगतिरपरं देशं
कीर्णा नानार्थैरवनिरियमसंबाधा ॥९०॥

चत्वार्यादौ गुरूणि स्युर्दशमैकादशे तथा ।
अन्त्योपान्त्ये च शक्वर्याः पादे तु शरभा यथा ॥९१॥

यथा—एषा कान्ता व्रजति ललिता वेपमाना
गुल्मैश्छन्नं वनमभिनवैः संप्रविद्धम् ।
हा हा कष्टं किमिदमिति नो वेद्मि मूढो
[3]व्यक्तं कान्ते ! शरभललितान्वं करोषि ॥९२॥

आदौ षट् दशमं चैव लघु चैव त्रयोदशम्[4] ।
यत्रातिशक्वरे पादे ज्ञेया नान्दीमुखी तु सा ॥९३॥

यथा—न खलु तव कदाचित्क्रोधताम्रायताक्षं
भ्रुकुटिवलितभङ्गं दृष्टपूर्वं मयास्यम् ।
किमिह बहुभिरुक्तैर्या ममेच्छा हृदिस्था
त्वमसि मधुरवाक्या देवि ! नान्दीमुखीव ॥९४॥

[5]आद्यं चतुर्थं षष्ठं च नैधनं च यदा गुरु ।
षोडशाक्षरके पादे यत्रेभललितं तु तत् ॥९५॥

[[6]स्रौ यदि नाश्च नित्यमिह विरचितचरणः
गश्च तथा च वै भवति निधनमुपगतः ।
स्यावपि चाष्टिमेव यदि सततमनुगतं
तत्खलु वृषभगजविलसितम्] ॥९६॥

नान्दीमुखीति नान्द्यां मङ्गलदुन्दुभेरिव मुखं यस्याः ॥९४॥

---

१. KSS., NS. चान्ततः ।
२. NS. स्मृता ।
३. KSS., NS. व्यक्तं क्रोधाच्छरमललितं कर्तुकामा ।
४. KSS. लघूनि स्युस्त्रयोदश ।
५. ग्रन्थान्तरेषु बहुधा भिद्यते ।
६. NS. does not read.

काल-तोयधरैः[1] सुधीरघनपटुपटहरवैः[2]
सर्जकदम्बनीपकुटजकुसुमसुरभिः ।
कन्दलसेन्द्रगोपकरचितमवनितलं
वीक्ष्य करोत्यसौ वृषभगजविलसितम् ॥९७॥

आद्यात्पराणि वै पञ्च द्वादशं सत्रयोदशः ।
[3]अन्त्योपान्त्ये च दीर्घाणि ललितप्रवरं हि तत् ॥९८॥

[यदा म्मौ पादस्थौ भवत इह चेत्तौ तथा गौ
तथा षड्भिश्चान्यैर्यतिरपि च वर्णैर्यथा स्यात् ।
तदप्यष्टौ नित्यं समनुगतमेवोक्तमन्यैः
प्रयोगज्ञं वृत्तं प्रवरललितं नामतस्तु] ॥९९॥

यथा—नखालीढं गात्रं दशनखचितं चोष्ठगण्डं
शिरः पुष्पोन्मिश्रं प्रविलुलितकेशालकान्तम् ।
गतिः खिन्ना चेयं वदनमपि संभ्रान्तनेत्रं
अहो श्लाघ्यं वृत्तं प्रवरललितं कामचेष्टम् ॥१००॥

आद्यात्पराणि पञ्चाथ द्वादशं सत्रयोदशम् ।
अन्त्यं सप्तदशे पादे शिखरिण्यां गुरूणि च ॥१०१॥

[चतुर्भिस्तस्यैव प्रवरललितस्य त्रिकगणै
र्यदा लौ गश्चान्ते भवति चरणेऽत्यष्टिगदिते ।
यदा षड्भिश्छेदो भवति यदि मार्गेण विहित
स्तदा वृत्तेऽप्येषा खलु शिखरिणी नाम गदिता] ॥१०२॥

यथा—[4]महानद्या भोगं पुलिनमिव ते भाति जघनं
तथास्यं नेत्राढ्यं भ्रमररहितं पङ्कजमिव ।
गतिर्मन्दा चेयं सुतनु ! तव चेष्टा सुललिता
स्तनाभ्यां ताभ्यां त्वं शिखरणि सुपीनासि वनिते ॥१०३॥

यत्र पञ्च लघून्यादौ त्रयोदशचतुर्दशे ।
षोडशैकादशे चैव तत्स्याद् वृषभचेष्टितम् ॥१०४॥

तोयधरैरिति गज एव, वा गजोचितं विलासं करोति । इदमिद वीक्ष्य ॥९७॥

---

१. NS. धरः ।

२. NS. रवः :

३. NS. अन्त्ये द्वे यत्र दीर्घामि प्रवरं ललितं हि तत् ।

४. NS. महानद्याः भोगे ।

[यदि हि चरणे न्सौ स्लौ गः क्रमाद्विनिवेशिताः
यदि खलु यतिः षड्भिर्वर्णैस्तथा दशभिः पुनः ।
यदि विहितं स्यादत्यष्टि प्रयोगसुखाश्रयं
वृषभललितं वृत्तं ज्ञेयं तथा हरिणीति वा] ॥१०५॥

यथा—जलधररवं श्रुत्वा श्रुत्वा मदोच्छ्रयदर्पितो[1] ।
विलिखित मही शृङ्गाक्षेपैर्वृषः प्रतिनर्द्य च ॥
स्वयुवतिवृतो [2]गोष्ठाद्गोष्ठं प्रयाति च निर्भयो[3] ।
[4]वृषभलालितं चित्रं वृत्तं करोति च शाद्वले ॥१०६॥

चत्वार्यादौ च दशमं गुरु यत्र त्रयोदशम् ।
चतुर्दशं तथान्त्ये द्वे चैकादशमथापि च ॥१०७॥
यदा सप्तदशे पादे शेषाणि च लघून्यथ ।
भवन्ति यस्मिन्सा ज्ञेया श्रीधरी नामतो यथा ॥१०८॥

[मो म्नौ च स्युश्चरणरचितास्तौ गुरू च प्रविष्टा
श्छेदः श्लिष्टो यदि च दशभिः स्यात्तथान्यैश्चतुर्भिः ।
अत्यष्टौ च प्रतिनियमिता वर्णतः स्पष्टरूपा
सा विज्ञेया द्विजमुनिगणैः श्रीधरी नामतस्तु] ॥१०९॥

स्नानैश्चूर्णैः सुखसुरभिर्गन्धवासैश्च धूपैः[5]
पुष्पैश्चान्यैः[6] सिरसि रचितैर्वस्त्रयोगैश्च तैस्तैः ।
नानारत्नैः कनकखचितैरङ्गसंभोगसंस्थै
र्व्यक्तं कान्ते ! कमलनिलया[7] श्रीधरीवातिभासि ॥११०॥

आद्यं चतुर्थं षष्ठं च दशमं नैधनं गुरु ।
तद्वंशपत्रपतितं दशभिः सप्तभिर्यतिः ॥१११॥

---

१. NS., दीप्तस्मरोत्सवलालितो KSS. गर्जन् मदोच्चयदर्पितो ।
२. KSS. गोष्ठोपगोष्ठं ।
३. KSS. नो भिया ।
४. KSS. ललितमृषभः ।
५. KSS. गण्डुलेपैः सुधूपैः । NS. गन्धसारैश्च धूपैः ।
६. NS. माल्यैः ।
७. NS. निलये ।

यथा एष गजोऽद्रिमस्तकतटे कलभपरिवृतः
क्रीडति वृक्षगुल्मगहने कुसुमभरनते ।
मेघरवं निशम्य मुदितः पवनजवसमः[1]
सुन्दरि ! वंशपत्रपतितं पुनरपि कुरुते ॥११२॥

द्वितीयमन्त्यं षष्ठं चाप्यष्टमं द्वादशं तथा ।
चतुर्दशं पञ्चदशं पादे सप्तदशाक्षरे ॥११३॥

भवन्ति यत्र दीर्घाणि शेषाणि च लघून्यथ ।
विलम्बितगतिः सा तु विज्ञेया नामतो यथा ॥११४॥

[यदा द्विरुदितौ हि पादमभिसंश्रितौ ज्सौ त्रिकौ
तथैव च पुनस्तयोर्निधनमाश्रितो यो लगौ ।
तदाष्टिरतिपूर्विका यतिरपि स्वभावाद्यथा
विलम्बितगतिस्तदा निगदिता द्विजैर्नामतः] ॥११५॥

यथा विघूर्णितविलोचना पृथुवि[2]कीर्णहारा पुनः
प्रलम्बरशना [3]चलत्स्खलितपादमन्दक्लमा ।
न मे प्रियमिदं जनस्य बहुमानरागेण य
न्मदेन विवशा विलम्बितगतिः कृता त्वं प्रिये ! ॥११६॥

पञ्चाद्यौ पञ्चदशकं द्वादशैकादशे गुरु[4] ।
चतुर्दशं [4]तथान्त्ये द्वे चित्रलेखा धृतौ स्मृता ॥११७॥

यथा नानारत्नाढ्यैर्बहुभिरधिकं भूषणैरङ्गसंस्थै
र्नाना गन्धाढ्यैर्मदनजनकैरङ्गरागैर्विचित्रैः ।
[5]केशैः स्नानाढ्यैः कुसुमभरितैर्वस्त्ररागैश्च तैस्तैः
कान्ते ! [6]संक्षेपात् किमिह बहुना चित्रलेखेव भासि ॥११८॥

अन्त्यं सप्तदशं चैव षोडशं सचतुर्दशम् ।
त्रयोदशं द्वादशं च षष्ठमष्ठममेव च ॥११९॥

---

१. KSS. मुदितपवनजववशात् ।
२. KSS. विघूर्णहारा ।
३. NS. स्खलत् ।
४. NS. द्वादशं सानुगं गुरु ।
४. NS. तथा पञ्च ।
५. KSS. स्नानार्द्रैः कुसुमरचितैर्वक्त्ररागैश्च तैस्तैः ।
६. NS. संक्षेपः किमिति ।

त्रीण्यादौ च गुरूणि स्युर्यास्मिंस्त्वेकोनविंशके ।
पादे लघूनि शेषाणि शार्दूलक्रीडितं तु तत् ॥१२०॥

[म्सौ ज्सौ तौ गुरु च प्रयोगनियता यस्मिन्निविष्टास्त्रिका
आद्या चान्त्ययतिश्चतुस्त्रिकयुता ज्ञेया परः सप्तभिः ।
नित्यं यत्पदमाश्रिता ह्यतिधृतिर्नित्यं कवीनां प्रियं
तज्ज्ञेयं खलु वृत्तजातिनिपुणः शार्दूलविक्रीडितम्] ॥१२१॥

यथा—नानाशस्त्रशतघ्नितोमरहताः प्रभ्रष्टसर्वायुधाः
निर्भिन्नोदर[1]पादबाहुवदना निर्भार्शिताः शत्रवः ।
धैर्योत्साहपराक्रमप्रभृतिभिस्तैस्तैर्विचित्रैर्गुणै
र्वृत्तं ते रिपुघाति भाति समरे शार्दूलविक्रीडितम् ॥१२२॥

[तावत्त्वं विजितेन्द्रियः शुभमते सर्वात्मना प्रत्यहं
दाने शीलविधौ च योजय मनः स्वर्गापवर्गावहम् ।
यावद् व्याधिजराप्रचण्डनखरो व्यात्तसटाभिर्मृशं
मृत्युस्ते न करोति जीवितमृगैः शार्दूलविक्रीडितम्] ॥१२३॥

चत्वार्यादौ च षष्ठं च सप्तमं सचतुर्दशम् ।
तथा पञ्चदशं चैव षोडशं नैधनं तथा ॥१२४॥

एतानि च गुरूणि स्युः शेषाणि तु लघून्यथ ।
पादे यत्र कृतौ ज्ञेया नाम्ना सुवदना तु सा ॥१२५॥

[म्रौ म्नौ य्भौ ल्गौ च सम्यग्यदि च विरचिताः पादे क्रमवशात्
विच्छेदः सप्तभिः स्यात्पुनरपि च यतिः सप्ताक्षरकृता ।
यद्येषा संश्रिता स्यात्कृतिमपि च पुनः श्लिष्टाक्षरपदा
विद्वद्भिर्वृत्तजातौ तत इह गदिता नाम्ना सुवदना] ॥१२६॥

यथा—नेत्रे लीलालसान्ते कमलदलनिभे भ्रूचापविनते[2]
[3]रक्तोष्ठं पीनमध्यं समसहितघनाः स्निग्धाश्च दशनाः ।
[4]कर्णावंसप्रलम्बौ चिबुकमपि नतं घोणा सुरुचिरा
व्यक्तं त्वं मर्त्यलोके वरतनु ! विहितास्येका सुवदना ॥१२७॥

चत्वार्यादौ तथा षष्ठं सप्तमं च चतुर्दशम् ।
अष्टादश सप्तदश तथा पञ्चदश पुनः ॥१२८॥

---

१. NS. हस्त । KSS. बाहुवक्त्रनयना निर्भर्त्सिता ।
२. NS. निहिते ।
३. NS. गण्डौष्ठं ।
४. NS. कर्णौ पार्श्वावलम्बौ ।

अन्त्योपान्त्ये गुरूण्यत्र लघून्यन्यानि सर्वदा ।
एकविंशतिके पादे स्रग्धरा नाम सा यथा ॥१२९॥

[म्रौ भ्नौ यौ यश्च सम्यग्यदि हि विरचिताः स्युस्त्रिकाः पादयोगे
वर्णैः पूर्वोपदिष्टैर्यतिरपि च पुनः सप्तभिः सप्तभिः स्यात् ।
वृत्तं सम्यग्यदि स्यात्प्रकृतिमनुगतं तत्त्वविद्भिः प्रदिष्टं
विज्ञेयं वृत्तजातौ कविजनदयिता स्रग्धरा नामतस्तु] ॥१३०॥

यथा—चूताशोकारविन्दैः कुरवकतिलकैः कर्णिकारैः शिरीषैः
पुन्नागैः पारिजातैर्बकुलकुवलयैः किंशुकैः सातिमुक्तैः ।
एतैर्नानाप्रकारैः बहुलसुरभिविप्रकीर्णैश्च तैस्तै
र्वासन्तैः पुष्पवृन्दैर्नरवर ! वसुधा स्रग्धरेवाद्य भाति] ॥१३१॥

चतुर्थमाद्यं षष्ठं च दशमं द्वादशं तथा ।
षोडशाष्टादशे चैव नैधनं च गुरुण्यथ ॥१३२॥
द्वात्रिंशत्यक्षरे पादे शेषाणि च लघून्यथ ।
भवन्ति यत्र तज्ज्ञेयं भद्रकं नामतो यथा ॥१३३॥

[भ्रौ चरणे यदा विनियतौ त्रिकौ क्रमवशादथाकृतिविधौ
न्रौ च ततः परं च रुचिरावनन्तरकृतौ नगावपि पुनः ।
तच्च दशाष्टवर्णरचिता चतुर्ष्वपि तथा यतिश्च सततं
भद्रकवृत्तमेव खलु नाट्ययोगकुशलैर्बुधैर्निगदितम् ॥१३४॥

[1]उत्प्लुतमेकहस्तचरणं द्वितीयकररेचितं[2]
वंशमृदङ्गवाद्यमधुरं विचित्रकरणानुगं बहुविधम् ।
भद्रकमेतदद्य सुभगे ! विदग्धगतिचेष्टितैः सुललितै
र्नृत्यसि विभ्रमाकुलपदं विचित्ररसभावितं शशिमुखि ! ॥१३५॥

अन्त्यमेकोनविंशं च सप्तमं सत्रयोदशम् ।
एकादशं सप्तदशं पञ्चमं च गुरुण्यथ ॥१३६॥
शेषाणि च लघूनि स्युर्विकृत्याश्चरणे बुधैः ।
वृत्तं तदश्वललितं विज्ञेयं नामतो यथा ॥१३७॥

[यदि च नकार आदिरचितः पदे विरचितोन्त एव च लगौ
यदि च जभौ त्रिधा च निहितौ क्रमेण खलु मध्यावपि तथा ।
यदि च समाश्रितं हि विकृतिं यतिश्च दशभिस्तथैकसहितै
स्तत इह कीर्तितं मुनिगणैर्विशुद्धचरितैस्तदश्वललितम्] ॥१३८॥

---

१. KSS., उत्फुल्लं NS. उन्नतं ।
२. NS. सललितं ।

[1]विविधतुरङ्गनागरथयोधसंकुलमलं बलं समुदितं
शरशतशक्तिकुन्तपरिघासियष्टिविततं [2]बहुप्रहरणम् ।
रिपुशतमुक्तशस्त्ररवभीतशङ्कितभटं भयाकुलदिशं
कृतमभिवीक्ष्य संयुगमुखे समर्पितगुणं त्वयाश्वललितम् ॥१३९॥

षष्ठादावष्टमं चैव ह्येकादशचतुर्दशे ।
विंशं सप्तदशं चैव त्रयोविंशं तथैव च ॥१४०॥

एतानि च लघूनि स्युः शेषाण्यथ गुरूणि च ।
चतुर्विशतिके पादे मेघमालेति सा यथा ॥१४१॥

[3][यदि खलु चरणस्थतो नौ त्रिकौ कृतिकाख्यास्तथा राः स्यु क्रमाद्
भवति यदि यतिस्तथा सप्तभिः सप्तभिस्त्रिष्वतोऽन्या यतिः पञ्च विद्यात्तथा ।][4]

पवनबल[5]समाहृता [6]तीव्रगम्भीरनादा बलाकावलीमेखला
क्षितिधरसदृशोच्चरूपा महानीलधूमाञ्जनाभाम्बुगर्भोद्भवा[7] ।
सुरपतिधनुरुज्ज्वलाबद्धकक्ष्या[8] तडिद्द्योतसन्नाहपट्टोज्ज्वला[9]
[10]गगनतलविसारिणी प्रावृषेण्या दृढं मेघमालाधिकं शोभते ॥१४२॥

आद्यं चैव चतुर्थं च पञ्चमं षष्ठमेव च ।
नवमं दशमं चैव नैधनं च भवेद् गुरु[11] ॥१४४॥

लघून्ययानि शेषाणि पादे स्युः पञ्चविंशके ।
वृत्तज्ञैः सा तु विज्ञेया क्रौञ्चपादीति नामतः ॥१४५॥

---

१. KSS. रथहयनागयोधपुरुषैः ।
२. KSS. निवृतं ।
३. NS. does not read.
४. GOS. reads after this—

सततमभिनिविष्टदेहा तथा संकृतौ सूरिभिः सर्वदा दृश्यते ।
तत हि परिभाषिता शास्त्रविद्भिस्त्वियं मेघमाला यथा दण्डकः ।

५. NS. जव ।
६. KSS. तीव्रमादा बालाकावली मेखला शोभिता ।
७. NS. क्षितिधरसदृशोर्ध्वरूपा महाधूमपुञ्जायमानाम्बुगर्भोद्भवा ।
८. NS. शोभा ।
९. NS. बन्धोज्वला ।
१०. NS., गगनतलविचारिणी प्रावृषि प्रोन्नता । KSS. प्रावृषेण्योन्नता ।
११. KSS., NS. अन्त्यं चैव गुरुण्यथ ।

[1][भ्मौ यदि पादे स्भावपि चेष्टावभिकृतिरपि च हि यदि खलु विहिता
नाश्च समुद्राः स्युर्विनिविष्टा यदि च खलु गुरु भवति निधनगतम् ।
पञ्चभिरादौ छेदमुपेता पुनरपि यतिरिह यदि खलु दशभिः
क्रौञ्चपदेयं वृत्तविधाने सुरगणपितृगणमुनिगणविहिता] ॥१४६॥

यः किल दाक्षं विद्रुतसोमं क्रतुवरमचमसमपगतकलशं ।
पातितयूपं क्षिप्तचषालं विचयनमसमिधमपशुकचरुकम् ॥
कार्मुकमुक्तेनाशु चकार व्यपगतसुरगणपितृगणमिषुणा ।
नित्यमसौ ते दैत्यगणारिः प्रदहतु मखमिव रिपुगणमखिलम् ॥१४७॥

[2][या कपिलाक्षी पिङ्गलकेशी
कलिरुचिरनुदिनमनुनयकठिना
दीर्घतराभिः स्थूलसिराभिः
परिवृत्तवपुरतिशयकुटिलगतिः ।
आयतजङ्घा निम्नकपोला
लघुतरकुचयुगपरिगतहृदया
सा परिहार्या क्रौञ्चपदा स्त्री
ध्रुवमिह निरवधि सुखमभिलषता] ॥१४८॥

अष्टावादौ गुरूणि स्युस्तथा चैकोनविंशकम्
एकविंशं च विज्ञेयं चतुर्विशं सनैधनम् ॥१४९॥

एतानि गुरु संख्यानि शेषाणि च लघून्यथ[3] ।
[4]षड्विंशत्यक्षरे पादे तद्भुजङ्गविजृम्भितम् ॥१५०॥

[5][यस्यां मौ तो नाः स्रौ नित्यं प्रतिचरणमथ
गदितकास्त्रिका] ह्यानुपूर्वशः ।
षड्विंशत्यामेकोनायां च यदि हि
खलु यतिरभिधा चतुर्भिरथाष्टभिः ॥

रूपोपेतामिति । भुजङ्गविजृम्भितं कृत्वा भगवतो हस्ते न्यस्तम् ॥१५०।१५२॥

---

१. KSS., NS. do not read.

२. NS. does not read.

३. KSS., NS. पादे षड्विंशकाक्षरे ।

४. KSS. NS. यत्र नाम्ना तथा ज्ञेयं ।

५. KSS., NS. do not read.

पश्चादन्त्यौ लगौ संयोज्यौ यदि भवति
भनुजदयितां समाश्रितमुत्कृति
नाम्ना वृत्तं लोके ख्यातं कविवदन-
विकसनपरं भुजङ्गविजृम्भितम्] ॥१५१॥

यथा—रूपोपेतां देवैः सृष्टां समदगज-
विलसितगतिं निरीक्ष्य तिलोत्तमां
[1]प्रादक्षिण्यात्प्राप्तां द्रष्टुं बहुवदन—
मचलनयनं शिरः कृतवान् हरिः।
दीर्घं विश्वस्यान्तर्गूढं स्तनवदन-
जघनरुचिरां निरीक्ष्य तथा पुनः
[2]पृष्ठे न्यस्तं देवेन्द्रेण प्रवरमणि-
कनकवलयं भुजङ्गविजृम्भितम् ॥१५२॥

[दण्डकं नामविज्ञेयमुत्कृतेरधिकतरम्
मेघमालादिकं तत्स्यान्नौ चादौ कागुहा त्रिकाः]

यथा—मुदितजनपदाकुला स्फीतसस्याकरा भूतधात्री भवन्तं समभ्यर्चति
द्विरदकरविलुप्तहिन्तालतालीवनास्त्वां नमस्यन्ति विन्ध्यादयः पर्वताः
स्फुटितकलशशु[3]क्तिनिर्गीर्णमुक्ता फलैरूर्मिहस्तैर्नमस्यन्ति वः सागराः
मुदितजलचराकुलाः संप्रकीर्णामलाः कीर्तयन्तीव कीर्तिं महानिम्नगाः] ॥१५४॥

एतानि समवृत्तानि मयोक्तानि द्विजोत्तमाः !
विषमार्धसमानां तु पुनर्वक्ष्यामि लक्षणम् ॥१५५॥

यत्र पादास्तु विषमा नानावृत्तसमुद्भवाः।
ग्रथिताः पादयोगेन तद् वृत्तं विषमं स्मृतम् ॥१५६॥

द्वौ समौ द्वौ च विषमौ वृत्तेऽर्धविषमे तथा।
सर्वपादैश्च विषमैर्वृत्तं विषममुच्यते ॥१५७॥

नानावृत्तसमुद्भवा इत्यनेन तुल्यच्छन्दसां वृत्तानां लक्षणं पृथक् पृथक् पादे विरचय्य स्वयं विषमता उह्या इत्याह ॥१५६॥

द्वौ समाविति प्रथमतृतीयौ द्वितीयचतुर्थौ। द्वौ विषमाविति प्रथमद्वितीयौ तृतीयचतुर्थौ, वीप्सागर्भमेतत् द्वाविति ॥१५७॥

---

१. NS. प्रादक्षिण्यं प्राप्तां·········। KSS. प्राप्तं द्रष्टुं बहुवदननयनसंहिता तिरस्तुतवान्हरः।

२. NS. कण्ठे।

३. KSS., NS. शुक्तिचीर्णमुक्ताफलैः।

ह्रस्वाद्यमथ दीर्घाद्यं दीर्घं ह्रस्वमथापि वा ।
युग्मोजविषमैः पादै[1]र्वृत्तमर्धसमं भवेत् ॥१५८॥

पादे सिद्धे समं सिद्धं विषमं सार्वपादिकम् ।
द्वयोरर्धसमं विद्यादेष छेदस्तु पादशः ॥१५९॥

छेदस्तु ये मया प्रोक्ता समवृत्तविकल्पितः ।
त्रिकैर्विषमवृत्तानां संप्रवक्ष्यामि लक्षणम् ॥१६०॥

[नैधनेऽन्यतरस्यां वै प्रथमे पाद इष्यते ।
द्वितीये चरणे च स्यादित्यनुष्टुप् समासतः] ॥१६१॥

सौ गौ तु प्रथमे पादे स्नौ लगौ चापि द्वितीयके ।
[2]युग्मेऽर्धविषमे पादे ज्ञेया पथ्या तु सा त्रिकैः ॥१६२॥

प्रियदैवतमित्राऽसि प्रियसंबधिवान्धवा ।
[3]प्रियदानरता पथ्या [4]दयिते ! त्वं प्रियासि मे ॥१६३॥

[म्रौ गौ तु प्रथमे पादे रसौ लगौ च द्वितीयके ।
पादे भौ लगौ तृतीये च चतुर्थे तु तसौ लगौ ॥१६४॥

नैवाचारो न ते मित्रं न संबन्धिगुणप्रिया ।
सर्वथा सर्वविषमा पथ्या न भवसि प्रिये !] ॥१६५॥

[4]अयुजोर्लक्षणं ह्येतद्विपरीतं तु यत्र च ।
पथ्या हि विपरीता सा विज्ञेया नामतो यथा ॥१६६॥

[5]कृतेन रमणस्य किं सखि ! रोषेण तेऽप्यथंन् ।
विपरीता न पथ्यासि त्वं जडे ! केन मोहिता ॥१६७॥

सिद्ध इति लक्षिते । सर्वपादिकमिति लक्षणीयमिति शेषः द्वयोरित्यत्रापि । छेद इति पादेषु विभाग इत्यर्थः ॥१५९॥ समवृत्तविकल्पनं समवृत्तेषु विकल्पिता ये चित्राश्छेदाः ते प्रोक्ताः ॥१६०॥

---

१. KSS., NS. तद्वृत्तमसमं स्मृतम् ।
२. KSS., NS. एवं युग्मौजको ज्ञेयो पथ्यावृत्ते त्रिक्रौ यथा ।
३. KSS. पिवदानवरा ।
४. KSS., यद्यपि NS. दयिता ।
४. KSS. युग्मयोः ।
५. KSS., NS. varies.

चतुर्थादक्षराद्यत्र त्रिलघु स्यादयुक्ततः ।
अनुष्टुप्चपला सा तु विज्ञेया नामतो यथा ॥१६८॥

न खल्वस्याः प्रियतमः श्रोतव्यं व्याहृतं सख्या ।
नारदस्य प्रतिकृतिः कथ्यते चपला हीयम् ॥१६९॥
विपुला तु युजि ज्ञेया लघुत्वात्सप्तमस्य तु ।
[1]सर्वत्र सप्तमस्यैव केषांचिद्विपुला यथा ॥१७०॥

संक्षिप्ता वज्रमध्ये हि हेमकुम्भनिभस्तनी ।
विपुलाऽसि प्रिये ! श्रोण्यां पूर्णचन्द्रनिभानने ! ॥१७१॥

गङ्गेव मेघोपगमे आप्लावितवसुन्धरा ।
कूलवृक्षानारुजन्ती स्रवन्ती विपुला बलात्[2] ॥१७२॥

[आगता मेघसमये भीरु भीरुकुलोद्गते ! ।
एकरात्रौ परगृहं चोरी बन्धनमर्हसि] ॥१७३॥

एवं विविधयोगास्तु[3] पथ्यापादा भवन्ति हि ।
युग्मोजविषमैः पादैः शेषैरन्यैस्त्रिकैरथ ॥१७४॥
गुर्वन्तकः सर्वलघुस्त्रिको नित्यं हि नेष्यते ।
प्रथमादक्षराद्यत्र चतुर्थात्प्राग्लघुः स्मृतः[4] ॥१७५॥

पथ्यापादं समास्थाप्य त्रीण्यन्ते तु गुरुण्यथ ।
भवन्ति पादे सततं बुधैस्तद्वक्त्रमिष्यते ॥१७६॥

दन्तक्षताधरं सुभ्रु ! जागरग्लाननेत्रं च ।
[5]रतिसंभोगखिन्नं ते दर्शनीयतरं वक्त्रम् ॥१७७॥

[इत्येषा सर्वविषमा नामतोऽनुष्टुबुच्यते ।
तद्विदां मतवैषम्यं त्रिकावक्षरतस्तथा] ॥१७८॥

सगुर्वन्त इति गुर्वन्तः सः सर्वलघुः नः, त्रिकौ नेष्येते । प्रथमादक्षरादनन्तरः चतुर्थादक्षरादूर्ध्वं तु प्राक्लघुः यकारस्तु नेष्यते । एतानि न प्रयोज्यानि इत्यर्थः ॥१७५॥

---

१. KSS. सप्तमस्यैव केषांचित् विपुलैव तु सा यथा ।
२. NS. विपुलान् बलान् ।
३. NS. योगैस्तु ।
४. KSS. लघु स्मृतम् ।
५. KSS. प्रातः सम्भोगखिन्नं ते दर्शनीयतमं ।

पादे षोडशमात्रास्तु [1]गाथांशकविकल्पिताः ।
चतुर्भिरंशकैर्ज्ञेया वृत्तज्ञैर्वानवासिका ॥१७९॥

असंस्थितपदा सुविह्वलाङ्गी मदस्खलितचेष्टितैर्मनोज्ञा ।
क्व यास्यसि वरोरु ! सुरतकाले विषमा किं ? वानवासिका त्वम् ॥१८०॥

[2][स्जौ स्गौ च प्रथमे पादे तथा चैव तृतीयके ।
केतुमत्यां गणाः प्रोक्ताः भ्रौ न्गौ गश्च सदा बुधैः] ॥१८१॥

स्फुरिताधरं चकितनेत्रं रक्तकपोलमम्बुजदलाक्षम् ।
किमिदं रुषापहृतशोभं केतुमतीसमं वद मुखं ते] ॥१८२॥

वक्त्रस्यापरपूर्वस्य चादौ नौ रो लगौ त्रिकाः ।
नजौ रजौ द्वितीये च शेषाग्रं पुनरेव तु ॥१८३॥

[प्रथमे च तृतीये नौ रलौ गश्च प्रकीर्तितः ।
गणाश्चापरवक्त्रे तु नजौ ज्रौ द्विचतुर्थयोः] ॥१८४॥

सतनु ! जलपरीतलोचनं जलदनिरुद्धमिवेन्दुमण्डलम् ।
किमिदमपरवक्त्रमेव ते शशिवदनेऽद्य मुखं पराङ्मुखम् ॥१८५॥

नौ यौ तु प्रथमे पादे न्जौ ज्रौ गश्च तथापरे ।
यत्र तत्पुष्पिताग्रा स्याद्यदि शेषं तु पूर्ववत् ॥१८६॥

पवनबलविधूतचारुशाखं
प्रमुदितकोकिलकण्ठनादरम्यम्
मधुकरपरिगीयमानशब्दं
वरतनु ! पश्य वनं सुपुष्पिताग्रम् ॥१८७॥

स्जौ स्लौ चादौ यथा न्सौ ज्गौ भ्नौ ज्लौ गश्च तथा पुनः ।
स्जौ स्जौ गश्च त्रिका ह्येते उद्गतायाः प्रकीर्तिताः ॥१८८॥

तव रोमराजिरतिभाति सुतनु ! मदनस्य मञ्जरी ।
नाभिकमलविवरोत्पतिता भ्रमरावलीव कुसुमात्समुद्गता ॥१८९॥

स्जौ स्लौ च ततो न्सौ ज्गौ नौ सौ चेति तृतीयके
स्जौ स्जौ गश्च चतुर्थे तु ललितायाः गणाः स्मृता ॥१९०॥

ललिताकुलभ्रमितचारु वसन कर चारुपल्लवा ।
प्रविकसितकमलकान्तिमुखी प्रविभासि देवी सुरतश्रमातुरा ॥१९१॥

---

१. KSS. त्रिकांशक ।
२. अतः परमेकादशपद्यानि ग्रन्थान्तरेषु न सन्ति ।

एवमेतानि वृत्तानि समानि विषमाणि च ।
[1]नाटकाद्येषु काव्येषु प्रयोक्तव्यानि सूरभिः ॥१९२॥

सन्त्यन्यान्यपि वृत्तानि यान्युक्तानीह पिण्डशः ।
न च तानि [2]प्रयोज्यानि न शोभां जनयन्ति हि ॥१९३॥

यान्यतः प्रतिषिद्धानि गीतके तानि योजयेत् ।
[3]ध्रुवायोगे तु वक्ष्यामि तेषां चैव विकल्पनम् ॥१९४॥

वृत्तलक्षणमेवं तु[4] समासेन मयोदितम् ।
अत ऊर्ध्वं प्रवक्ष्यामि ह्यार्याणामपि लक्षणम् ॥१९५॥

पथ्या च विपुला चैव चपला मुखतोऽपरा ।
जघने चपला चैव आर्याः पञ्च प्रकीर्तिताः[5] ॥१९६॥

[आसां तु संप्रवक्ष्यामि यतिमात्राविकल्पनम् ।
लक्षणं नियमं चैव विकल्पगुणसंश्रयम् ॥१९७॥

यतिश्छेदस्तु विज्ञेयश्चतुर्मात्रो गणः स्मृतः ।
द्वितीयान्त्यौ युजौ पादावयुजौ त्वपरौ स्मृतौ ॥१९८॥

गुरुमध्यविहीनस्तु चतुर्गणसमन्वितः ।
अयुग्गणो विधातव्यो युग्गणस्तु यथेप्सितः ॥१९९॥

[6]षष्ठो वै द्विविकल्पस्तु नैधनो ह्येकसंस्थितः ।
[7]पश्चार्धे तु षष्ठः स्यादेकमात्रस्तु[8] केवलः ॥२००॥

ननु हतशोभानीति चेत् कथं प्रयोज्यानीत्याह-यान्यत्र प्रतिषिद्धानीति । गीतं पठ्यमानस्वाभावात् न वृत्तगता श्रव्यतापेक्ष्येते केवलं तालयोजनार्थं साम्यमवश्यं कर्तव्यमिति मात्राणां वर्णानां नियमस्तत्राश्रीयते ॥१९३।१९४॥

---

१. KSS. नाटकादिषु ।
२. NS. मयोक्तानि ।
३. KSS., NS. ध्रुवाविधाने व्याख्यास्ये ।
४. KSS., NS. एतत्तु ।
५. KSS. पञ्चविधाः स्मृताः ।
६. KSS,. षष्ठस्य NS. षष्ठश्च ।
७. KSS., पश्चार्धे NS. पश्चाद्वा ।
८. KSS., NS. एकमात्रः स उच्यते ।

द्विविकल्पस्तु षष्ठो यो गुरुमध्यो भवेत्तु सः ।
[1]तथा सर्वलघुश्चैव यतिसंज्ञासमाश्रिता ॥२०१॥
[2][द्वितीयादिलघुर्ज्ञेयः सप्तमे पञ्चमे यतिः ।
प्रथमादिरथान्त्ये च पञ्चमे वा विधीयते ॥२०२॥
गणेषु त्रिषु पादस्य यस्याः पथ्या तु सा भवेत् ।
अतश्च विपुलान्या तु विज्ञेया यतिलक्षणा ॥२०३॥
अयुजः सर्वगुरवो गुरुमध्या गणा युजः ।
यस्याः स्युः पादयोगे तु विज्ञेया चपला हि सा ॥२०४॥
त्रिंशदाद्ये तु विज्ञेयाः सप्तविंशतिः चापरे ।
उभयोरर्धयोर्ज्ञेयो मात्रापिण्डो विभागशः ॥२०५॥
त्रिंशत्तस्याश्च यदि स्युरेतानि द्विगुणानि तु ।
त्रीण्यक्षराणि चान्यानि न्यस्य संख्याविभागशः ॥२०६॥
एतानि लघुसंज्ञानि निर्दिष्टानि समासतः ।
सर्वेषां चैवमार्याणामक्षराणां यथाक्रमम् ॥२०७॥
अर्धाष्टमगणार्धा च सववार्या प्रकीर्तिता ।
षष्ठश्च द्विविकल्पस्तु नैधने ह्येकसंस्थितः ॥२०८॥
पश्चाद्वा यो गणः षष्ठ एकमात्रः स उच्यते ।
द्विविकल्पस्तु यः षष्ठो गुरुमध्यो भवेत्तु सः ॥२०९॥
यथा सर्वलघुश्चैव यतिः संख्यासमाश्रिता ।
सा द्वितीया द्विलघुका सप्तमे प्रथमे यतिः ॥२१०॥
गुरुमध्यविहीनस्तु चतुर्गणसमन्वितः ।
अयुग्गणो विधातव्यः युग्गणस्तु स एव च[3] ॥२११॥

अर्धोऽष्टमो गणः । अतः सार्धाः सप्त गणाश्च । चतुर्मात्रा यस्मात्तादृगर्धः यः स्यात् ॥१०८॥ षष्ठो गणो द्विभेदः । तस्य एकभेदमाह पश्चादर्धो यः षष्ठो गणस्तस्मिन् कर्तव्ये लघुरेकः कर्तव्यस्तस्य स्थाने गुरुमध्यो जः इत्यर्थः ॥२०९॥ सर्वलघुः चतुर्लघुस्तत्र च द्वितीयादारभ्य लघोर्यतिरर्धे तदनन्तरं पादारम्भः कर्तव्यः, अन्ते च प्रथमादिर्यतिः, पञ्चमे च गणे समाप्ते यतिः ॥२१०॥

अयुग्गण इति विषमः प्रथमतृतीयपञ्चमसप्तमरूपः । युग्गणः समः । स एव चेति जगणस्तत्र न वर्ज्यं इति यावत् ॥२११॥

---

१. NS. यथा ।
२. कोष्ठबद्धश्लोकाः ग्रन्थान्तरेषु न पठिताः ।
३. KSS., NS. प्रमाणश्चैव पञ्चमः ।

[1]प्रथमतृतीयौ पादौ द्वादशमात्रौ भवेत्तु सा पथ्या ।
विपुलान्या लघु गदिता पूर्वोदितलक्षणोपेता ॥२१२॥

पथ्या यथा—रक्तमृदुपद्मनेत्रा सितदीर्घबहुलमृदुकेशी ।
कस्य तु पृथुमृदुजघना तनुबाहुं सोदरी पथ्या ॥२१३॥

विपुला यथा—

विपुलजघनवदनस्तननयनैस्ताम्राऽधरोष्ठकरचरणैः ।
आयतनासागण्डैर्ललाटकर्णैः शुभा कन्या ॥२१४॥

[2]द्वितीयश्च चतुर्थश्च गुरुमध्यगतो भवेत् ।
उभयोरर्धयोर्यत्र विज्ञेया चपला यथा[3] ॥२१५॥

यथा—उद्भटगामिनी परुषभाषिणी कामचिह्नकृतवेषा ।
जानाति मांसयुक्ता सुराप्रिया सर्वतश्चपला ॥२१६॥

पूर्वार्धे लक्षणं ह्येतदस्याः स च मुखेन तु ।
पश्चिमार्धे तु चपला यस्याः सा जघनेन तु ॥२१७॥

मुखचपला यथा—

आर्यामुखे तु चपला तथापि चार्या न मे यतः सा किम् ।
दक्षा गृहकृत्येषु तथा दुःखे भवति दुःखार्ता ॥२१८॥

जघनचपला यथा—

वरमृगनयने ! चपलासि वरोरु ! शशाङ्कदर्पणनिभास्ये ! ।
कामस्य [4]सारभूते ! न पूर्वमदचारुजघनेन ॥२१९॥

[5]उभयोरर्धयोरेतल्लक्षणं दृश्यते यदि ।
वृत्तज्ञैः सा तु विज्ञेया सर्वतश्चपला सखि ! ॥२२०॥

अर्धद्वयेऽपि गणत्रये छेदः कर्तव्यः सैव पाद उच्यते तदाह **प्रथमतृतीयौ पादौ द्वादशमात्रावि**ति । प्रथमेऽर्धे गणत्रयं प्रथमः पादः । द्वितीयेऽर्धे चान्यद् गणत्रयं तृतीयपादः ॥२१२॥ **पथ्ये**ति पथिसाध्वित्यर्थः ॥२१३॥

आर्याणां भेदं दर्शयितुं तत्प्रस्तारमाह ।

---

१. NS. varies.

२. KSS. varies.

३. अतः परं काशीमुद्रितपुस्तके सार्धचतुष्टयपद्यमधिकम् ।

४. KSS., NS. सारभूतेन ।

५. KSS., NS. vary absolutely.

[कार्यौ द्वादशमात्रौ च पादावाद्यौ तृतीयकौ ।
अष्टादश द्वितीयं च तथा पञ्चदशोत्तमा] ॥२२१॥
चतु:पञ्चप्रकाराणां चतुष्काणां विशेषतः ।
प्रस्तारयोगमासाद्य बाहुल्यं संप्रदर्शयेत् ॥२२२॥
पञ्चपञ्चाशदाद्या तु त्रिंशदाद्या तथैव च ।
आर्या त्वक्षरपिण्डेन विज्ञेयात्र प्रयोक्तृभि: ॥२२३॥
त्रिंशतस्त्वथ वर्णेभ्यो लघुवर्णत्रयं भवेत् ।
शेषाणि गुरुसंख्यानि ह्येवं सर्वत्र निर्दिशेत् ॥२२४॥
[1][सर्वेषामेव चार्याणामक्षराणां यथाक्रमम्] ।
सर्वेषां जातिवृत्तानां पूर्वमुत्तरसंख्यया ॥२२५॥
[2]विकल्पगणनां कृत्वा संख्यापिण्डेन निर्दिशेत्[3] ।
आर्यागीतिरथार्येव केवलं त्वष्टभिर्गणै: ॥२२६॥

चतु: पञ्चप्रकाराणां चतुष्काणां विशेषतः ।
प्रस्तारयोगमासाद्य बाहुल्यं संप्रदर्शयेत् ॥इति॥

अयुक्स्थानगतानां चतुष्प्रकाराश्चतुर्गणा: । समस्थानगता: पञ्चप्रकारास्तेषां यो विशेष: परस्परसंकीर्णता तत्कृतमार्याणां प्रस्तारबाहुल्यं निरूपयेत् ॥२२२॥ अन्त्या सर्वलघु: कार्या तत्र पञ्चन्नपञ्चाशदक्षराणि, प्रथमार्धे एकात्रिंशत्, द्वितीये षड्विंशति: ।

शिशिरतरकिरणपरिकरसकलकलविरचितकपिशकचनिचय ! ।
समहृदयतनुविनिहितधरणिधरवरसुत ! जय जय शिव ! ॥२२३॥

लघुद्वयं द्वितीये षष्ठे स्थाने, चतुर्थेऽपि च लघु: तथा च लघुवर्णत्रयमिति ॥२२४॥

अत्र मात्रावृत्तानां संख्याज्ञानार्थमाह । सर्वेषामेवेति । पूर्वं कृत्यो यो विकल्पसंख्याभेद: तस्योत्तरसंख्यया सह गुणसंहननं कृत्वा यो भवति पिण्डस्तेन संख्यां वदेत् ॥२२५॥

तत्र समस्तासां पञ्चभेद: विषमश्चतुर्भेद: षष्ठो द्विभेद: द्वितीयेऽर्धे त्वेकभेद:, अष्टममेकभेदम् । तदत्र पूर्वाङ्केनोत्तराङ्कस्य गुणनं तेनान्याङ्कस्य षोडश स्थानानि । संख्यालाभ: तत्र चतुर्भि: पञ्चानां गुणने विंशतिस्तया चतुर्णां गुणने अशीतिस्तया च चतुर्णां गुणने विंशत्युत्तरत्रिंशदित्यादि मन्तव्यम् । तदाह—

आर्या: शतसहस्राणि ज्ञेया ह्येकान्नविंशति: ।
अष्टौ कोट्य: सहस्राणि विंशतिश्च प्रमाणत: ॥

न लघुरिति । अपि तु प्रथमार्धवदपरार्धेऽपि षष्ठो द्विभेदो गण: आर्यागीतावित्यर्थ: ॥२२६॥

---

१. KSS., NS. do not read.
२. KSS., NS, विकल्पं गणयित्वा तु (च)
३. NS. दर्शयेत् ।

इतरार्थे जः षष्ठस्तु नलघुगण इष्यते[1] ।
[2]वृत्तैरेवं तु विविधैर्नानाछन्दस्समुद्भवैः ॥
काव्यबन्धास्तु कर्तव्याः षट्त्रिंशल्लक्षणान्विताः ॥२२७॥

इति भरतीये नाट्यशास्त्रे [3]छन्दोविचितिर्नाम पञ्चदशोऽध्यायः[4] ।

अध्यायार्थमुपसंहरन् भाविनं विषयमासूत्रयति वृत्तैरित्यादि । काव्यबन्धा यनेनेदमाह यथा प्रासादकुड्यादिके कर्तव्ये प्रथमं भूभिः, तद्वत्काव्ये निर्मातव्ये भूमिकल्पः शब्दच्छन्दोविधिः क्षेत्रपरिग्रहं वृत्तसमाश्रयमित्यादि विरचयन् भित्तिस्थानीयं लक्षणयोजनं चित्रकर्मप्रतिममलङ्कारगुणनिवेशनं गवाक्षवातायनादिदेशीयो दशरूपकविभागः, उपयोगनिरूपणाप्रख्या काक्कादिप्लुतिः, एवंभूतवाचिकाभिनयस्वरूपं चतुर्दशादिभिः षड्भिरध्यायैरुच्यते । तत्राध्यायद्वयं वृत्तलक्षणविधानं तु भविष्यति ।

यद्यपि रूपकविरचनकाले परिपक्वप्रज्ञस्य न क्रमप्रतिभासस्तथाप्यपोद्धारधिया कल्प्यत इत्याहुः । प्रबन्धस्य यो युक्तोऽभ्यासः तन्निष्पत्तिः प्रबन्धाभ्यासः तत्संपत्तिः अभिनेयार्थनिर्वर्तनं तदभिनयोपारोहणमिति स एव क्रम इत्युपाध्यायः यदाहुः—

महाकवीनां पदवीमुपात्तामारुरुक्षताम् ।
नासंस्मृत्य पदस्पर्शान्संपत्सोपानपद्धतिः ॥इत्यादि॥

क्रमोल्लङ्घने हि सति नाटकादिविरचयतां महान्तः प्रमादापभ्रंशा भवन्ति । न हि सर्वो वाल्मीकिर्व्यासः कालिदासो भट्टेन्दुराजो वा, तेषामपि प्राग्जन्मार्जितक्रमाभ्याससमुदितसंस्कारपाटवोत्पादितः कुलप्रतिभज्ञानातिशय इति शिवम् ॥२२७॥

इति पञ्चदशाध्याये ध्यायिना परमेश्वरम् ।
कृताभिनवगुप्तेन गुप्तार्थ—प्रकटीक्रिया ॥

इति श्रीमहामाहेश्वराभिनवगुप्ताचार्यविरचितायां नाट्यवेदविवृतावभिनवभारत्यां वृत्तविधिर्नाम
पञ्चदशोऽध्यायः ।

---

१. KSS. NS. स विकल्पो भवेद्गणः ।
२. NS. एवं चतुर्विधैर्वृत्तैः ।
३. NS. छन्दोवृत्तविधिः ।
४. KSS. षोडशोऽध्यायः ।

□□□

नाटचशास्त्रम्

[1]अथ षोडशोऽध्यायः

[2]विभूषणं चाक्षरसंहतिश्च शोभाभिमानौ गुणकीर्तनं च ।
प्रोत्साहनोदाहरणे निरुक्तं गुणानुवादोऽतिशयश्च हेतुः ॥१॥

अभिनवभारती

विचित्रं रूपकभुवां लक्षणं भूषणं भुवः ।
भास्यते येन तं वन्दे प्राच्यधीसाधितं शिवम् ॥

ननु काव्यबन्धास्तु कर्तव्याः इत्युक्तं, तत्र गुणालंकारादिरिति वृत्तयश्चेति काव्येषु प्रसिद्धो मार्गो, लक्षणानि तु न प्रसिद्धानि । किं च पुरुषस्येव काव्यस्य लक्षणगुणालङ्कारव्यवहारो न युक्तः, पुरुषस्य शरीरचैतन्यभेदात् कटकादीनां ततोऽपि भेदात् । काव्यस्य पुर्नविरचनकाले प्रतिपत्तिकाले प्रापकसत्तायां तेषामगणितत्वाच्च । दण्डिनापि—

"काव्यशोभाकरान्धर्मानलङ्कारान्प्रचक्षते"

इति ब्रुवता, गुणमध्य एव तत्र प्रसादादीनभिदधता च गुणालङ्कारविभागो-ऽप्यसंभवीति सूचितं भवति । सत्यमेतत्, किं तु कवीनां काव्यविरचनविवेचना-सामर्थ्यसमर्थनायावश्यं काल्पनिकोऽपि विभाग आश्रयणीयः । तत्र कल्पनायां विप्रतिपत्तयः केचिदाहुः—इह गुणास्तावदात्मनि चिन्मये शृङ्गारादौ वर्त्तन्ते, शृङ्गारे चावश्यं लक्ष्यत इति पृथक्सिद्धत्वादलङ्कारः, शरीरनिष्ठमेव यत्पदं पृथक्सिद्धं तल्लक्षणम्, येन शरीरस्य सौन्दर्यं जायते । तच्च सिद्धरूपं साध्यरूपं वा यथा श्यामेति, 'मदमन्थरगामिनी' इति च । एतदेव लक्षणं, तच्चालंक्रियते । अल-ङ्कारैर्युक्तं काव्यं लक्षणैर्विना न शोभते । उपमानोपमेयगतक्रियाक्रियरूपधर्मभेदेन तदेतल्लक्षणं द्विधेति यथा 'श्यामा विशालाक्षी,' मत्तमातङ्गगामिनी इति च ।

अन्ये मन्यन्ते—इतिवृत्तखण्ड [ल]कान्येव सन्ध्यङ्गकानि वृत्त्यङ्गकानि लक्षणानीति च व्यपदिश्यन्ते । निमित्तभेदात् पूर्वापरसंबन्धेन बीजरूपेणो पक्षिप्तेऽर्थे निर्वहणे फलतां गते परस्परसन्धायकत्वात् सन्ध्यङ्गतया व्यपदेशः, रस-

---

१. KSS. अथ सप्तदशोऽध्यायः ।

२. इतः प्रारम्भ श्लोकचतुर्षु ग्रन्थान्तरेषु सर्वथा पाठो भिद्यते अतस्तत्रैव द्रष्टव्यम् ।

अभिनवभारती

विशेषोपयोगितया वृत्त्यङ्गवाचोयुक्तिः, काव्यगतख्यातिप्राशस्त्योपयोगितया महापुरुषगतपाशध्वजादिपादरेखावल्लक्षणशब्दवाच्यता । तदुक्तं तत्रैव—

लक्षणान्येव बीजार्थक्रमनिर्वाहकानि च ॥ इति,

प्रतिसन्धितदङ्गानि फलसिद्ध्युपपत्तितः ॥ इति ।

काव्ये धीरोदात्तादिगुणाधानं वस्तुवर्णनाभङ्गिर्वेति केचित् ।

तदत्र प्रथमपक्षे वर्णनीयप्रधानभूताधिकारिपुरुषगतगुणादिविभाग एव काव्ये पर्यवसीयते । द्वितीयपक्षे तु वर्णनीयः सकल एवेति । वृत्तिलक्षणोऽर्थः काव्यभेदात् त्रेधा विभज्यते । एकेषां तु दर्शनं—कवेर्यः प्रतिभात्मा प्रथमपरिस्पन्दः न्दव्यापारबलोपनता गुणाः, प्रतिभावत एव हि रसाभिव्यञ्जनसामर्थ्यं माधुर्यादिरुपनिबन्धनसामर्थ्यं न सामान्यकवेः । अनेन शब्देनेदं वस्तु वर्णयामीत्येवंभूतवर्णनापरपर्यायद्वितीयव्यापारसंपाद्यास्त्वलङ्काराः ।

शब्दानमीभिः शब्दैरर्थानमीभिरर्थैः संघटयामीत्येवमात्मकस्तु यस्तृतीयः कवेः परिस्पन्दः तदधीनात्मलाभादिशब्दात्मार्थात्मककाव्यशरीरसंश्रितानि वक्ष्यमाणश्लेषादिगुणदशकसमभिव्यञ्जनव्यापाराणि शब्दार्थोपसंस्कारकल्पानि क्रियारूपाणि लक्षणानीति, तदुक्तं तत्रैव—

इति शब्दार्थयोर्येयं संश्रितिर्देहभूतयोः ।
काव्ये तया दर्शितानि लक्षणानि विदुर्बुधाः ॥ इति
काव्येऽप्यस्ति तथा कश्चित् स्निग्धः स्पर्शोऽर्थशब्दयोः ।
यः श्लेषादिगुणव्यक्तिदक्षः स्याल्लक्षणस्थितः ॥ इति,
चेष्टालङ्कारदृष्टान्तचिह्नं ·········॥ इति च

अत्र पक्षे कविव्यापारभेदाद् गुणालंकारलक्षणविभागः ।

अपरे संगिरन्ते—अभिनेयानां काव्यबन्धानां वक्ष्यमाणस्वरूपं च रूपकं समभिदध्यात्, कवेः स्वसामर्थ्याधानाय तावदभ्यासो निर्माणविषयो लक्षणं, यस्तथाऽसंपूर्णश्चादौ, क्रमेण तु तथाभूतोऽभिनेयार्थः काव्यबन्धो लक्षणोन्नीतः तेन च लोकोत्तरहृद्यवर्णनयोगात्, तथा हि किञ्चित् प्रबन्धजातं गुणालङ्कारनिकरप्रधानं, यथा मेघदूताख्यं तद्विभूषणम्, एवमन्यदपि, इति ।

'प्रबन्धधर्मा लक्षणानि' इति केचित्तु ब्रुवते । कवेरभिप्रायविशेषो लक्षणमितीतरे पुनर्मन्यन्ते । केचिद् यथास्थानविशेषं यद् गुणालङ्कारयोजनं तल्लक्षणमिति । परे त्वभाषन्त—अलङ्कारादिनिरपेक्षेणैव निसर्गसुन्दरो योऽभिनेयविशेषः काव्येषु दृश्यते, अमरुकश्लोकेष्वपि, तत्सौन्दर्यहेतुर्यो धर्मः सुलक्षणः स एव चार्थः काव्यशरीरविशेषरूपो लक्षणम् । उपमादीपकरूपकाणामानन्त्याद् भेदमाहुः । अन्ये तु शब्देन अर्थेन चित्रत्वं लक्षणमिति ।

अभिनवभारती

इतरेषां तु मतं यथा तन्त्रप्रसङ्गबाधातिदेशादि मीमांसाप्रसिद्धं वाक्यविशेषव्यवच्छेदलक्षणं तथा काव्यविशेषव्यवच्छेदकं भूषणादिलक्षणजातमिति त्वयं पक्षो द्वितीयपक्षान्न भिद्यते। एतेषु तु पक्षेष्वन्यतमग्रहे विशेषणानि न संगच्छन्ते स्पष्टेन पथा। इदं तु दशपक्ष्यां वस्तु।

इह काव्यार्था रसा इत्युक्तं प्राक्। उक्तं च वर्णनीयं शब्दनीयं कवेः कर्मेति च व्युत्पत्तित्रयं कविमिति काव्यमिति च। अनेनाभिधेयम्, अभिधानम्, अभिधाञ्च स्वीकृत्यावस्थीयते, अपि च शब्दव्यापारोऽभिधातृव्यापारः प्रतिपाद्यव्यापारश्चेति त्रिगतः। तत्र शब्दस्य रसाभिव्यक्तिक्षमार्थप्रतिपादकत्वं स्वतः च श्रोत्रे च संक्रान्तिमात्रं नान्तरीयकतया, तद्रसदर्शनयोग्यतापादनसामर्थ्याद् गुणवाच्यम्, आवर्तमानो द्वितीयो वर्णः पदं वा प्राक्तनवर्णपदशोभाहेतुरलङ्कारः। एवमर्थस्यापि, यद्रसाभिव्यक्तिहेतुत्वं सोऽर्थगुणः। यस्तु वस्त्वन्तरं वदनस्येव चन्द्रः सोऽलङ्कारः, यस्तु त्रिविधोऽप्यभिधाव्यापारः स लक्षणानां विषयः। तथाहि—इदमनेन शब्देनानयेतिकर्तव्यतयाऽमुनाशयेनेत्थंभूतबुद्धिजननाय ब्रुवे इति कविः प्रवर्तते, स तथाभूतः रसवत्काव्यं विधत्ते। तत्र चित्तवृत्यात्मकं रसं लक्षयंस्तत्तद्रसोचितविभावादिवैचित्र्यसम्पादकस्त्रिविधोऽभिधाव्यापारो लक्षणशब्देनोच्यते। इत्येषां सामान्यलक्षणम्। यथा च पीवरत्वं स्तनयोर्लक्षणं, मध्यस्य तु कुलक्षणं, एवं किञ्चिदभिधीयमानं केनचिद्रूपेण रसोचितेन विभावादिरूपेण तमेव पदार्थक्रमं लक्षयल्लक्षणम्, अन्यत्र तु तत्कुलक्षणं, तेन सर्वेऽलङ्कारा गुणाश्च तत्समुदायाद्विलक्षणा भवन्ति। तथा क्वचिदर्थमात्रं क्वचिदलङ्कारोऽर्थतः क्वापि चित्रतः। क्वचिदलङ्कारादिप्रक्रियाविहीनोऽपि स्वयं सुन्दरस्वभावोऽर्थः कुत्रचिच्छन्द, इति त्रिविधव्यापारगामी, तद्द्वारेणाभिधानाभिधेयतद्गुणालङ्काराद्यनुग्रहः शब्दानां शब्दैरर्थानामर्थैः शब्दानामर्थैस्तथापरैः संघटनां विचित्रां कारयमाणाभिधाव्यापारवती ह्युक्तिर्निर्वाणप्रधानघुराधिरोही लक्षणाख्य एव। अत एव पूर्वं "काव्यबन्धास्तु कर्तव्याः षट्त्रिंशल्लक्षणान्विताः" इति लक्षणान्येव हि प्रधानं तत्प्रसङ्गेन गुणालङ्कारा इति तात्पर्यम्। विशेषलक्षणव्याख्याने चैतत्स्फोटयिष्यामः।

तत्र लक्षणान्युद्देष्टुं तावदाह विभूषणमित्यादि यथारसं त्वित्यन्तेन श्लोकचतुष्टयेन। यथारसं ये भावा विभावानुभावव्यभिचारिणः, तेषां योऽर्थः तं स्थायिभावरसीकरणात्मकं प्रयोजनान्तरं गतानि प्राप्तानि, यदभिधाव्यापारोपसंक्रान्ता उद्यानादयोऽर्थास्तद्रसविशेषविभावादिभावं प्रतिपद्यन्ते तानि लक्षणानीति सामान्यलक्षणम्। अत एव काव्ये सम्यक्प्रयोज्यानीति विषयस्तेषामुक्तः।

भट्टनायकेनापि तानेव शिक्षित्वा अभिधाव्यापारप्रधानं काव्यमित्युक्तं—

शब्दप्राधान्यमाश्रित्य तत्र शास्त्रं पृथग्विदुः।
अर्थे तत्त्वेन युक्ते तु वदन्त्याख्यानमेतयोः।
द्वयोर्गुणत्वे व्यापारप्राधान्ये काव्यगीर्भवेत्॥इति॥

साङ्ख्यमिथ्याध्यवसायसिद्धिपदोच्चयाक्रन्दमनोरथाश्च ।
आख्यानयाच्ञाप्रतिषेधपृच्छादृष्टान्तनिर्भासनसंशयाश्च ॥२॥
आशीः प्रियोक्तिः कपटः क्षमा च प्राप्तिश्च पश्चात्तपनं तथैव ।
अर्थानुवृत्तिर्ह्युपपत्तियुक्ती कार्योऽनुनीतिः परिदेवनं च ॥३॥
षट्त्रिंशदेतानि हि लक्षणानि प्रोक्तानि वै भूषणसंमितानि ।
काव्येषु भावार्थगतानि तज्ज्ञैः सम्यग् प्रयोज्यानि यथारसं तु ॥४।

भामहेनापि

"सैषा सर्वैव वक्रोक्तिरनयार्थो विभाव्यते" (२-७५) इत्यादि। तेन च परमार्थ व्यापार एव लक्षणं, स तु विषयद्वारेण विशेषलक्षणे तु निरूप्यत इति तत्स्वीकृतत्वादर्थोऽपि लक्षणं, व्यापारोऽपि च तद्विदां तु तदभ्यासपराणां च तथाभूतकाव्यात्मकविषयावलोकने झटित्येव प्रतिभाति। तदन्यत्रानुमानेन प्रतिभया स्वसंवेदना इत्यनेन प्रयोजनम्। कुशलशिक्षितव्यापारो हि तत्काव्यज्ञदृशि भात्येव ।१।२।३।

षट्त्रिंशदिति च नान्यदिति वारणपरं कविहृदयवर्तिनामपराणामपरिसंख्येयत्वात्। किं तु बाहुल्येन तावदियता लक्ष्यं व्याप्तम्, इयति च कविनावधातव्यमिति संख्यानिरूपणम्।

तथा च मतान्तरेण भरतमुनिरेवान्यथाप्युद्देशलक्षणेन नामान्तरैरपि च व्यवहारं करोति; तत एव पुस्तकेषु भेदो दृश्यते तं च दर्शयिष्यामः। पठितोद्देशक्रमस्त्वस्मदुपाध्यायपरम्परागतः ॥१—४।

तत्र विभूषणं लक्षयितुमाह अलङ्कारैरिति। भूषणैः कटकादिभिः विभज्य स्थानदेशकालदशापुरुषादिविभागं विचार्य न्यस्तैरिव गुणालङ्कारैर्यदलङ्करणं तद् भूषणं नाम लक्षणं, कविव्यापारः, तद्द्वारेण शब्दार्थव्यापारावपि।

एतदुक्तं भवति—इह गुणा अलङ्काराश्च विषया इत्यनेन निबद्धाः काव्यार्थीकृतानामभिधेयानां रसविशेषविषयं विभावादिभावं विवरीतुं समर्था। तथा हि हास्यरसप्रधाने प्रहसनादौ शुष्कश्रोत्रिये वक्तरि प्रयोक्तरि श्रोतरि वा गुणविनिवेशितं तु लक्षणं भजत्यलङ्कारश्च। तथा हि पादताडितके श्रोत्रियं श्रोतारमभिप्रेत्य विटस्यापि निर्गुणपुरुषस्यैवोक्तिः "मा मुसलेनापकार्षीः, मा कुसूलाग्निना धाक्षीः" इति शोभां पुष्णाति। अनौचित्यनिबन्धस्तु करुणविप्रलम्भादौ यमकस्य, यथा—

विना प्रियतमेनाद्य विरहानलतापिता।
दह्ये च्चूतस्य विच्छेदं किंतु हाऽनलतापिता ॥

स्थाने निवेशस्तु यथा—

लीनेव प्रतिबिम्बितेव लिखितेवान्तर्निखातेव च
प्रोत्कीर्णेव च वज्रलेपघटितेव" इति। (मालतीमाधवात्)

अलङ्कारैर्गुणैश्चैव बहुभिः समलङ्कृतम् ॥
भूषणैरिव [1]विन्यस्तैस्तद् भूषणमिति स्मृतम् ॥५॥

अत्रापि लोके उत्प्रेक्षापरम्परैव हीयं सातिशयकामावेशावस्थासमुद्द्योतित-प्रियतमाविषयविचित्रसंकल्पगर्भसंभावनामुख्यप्राणत्वाद् विप्रलम्भस्य कामावस्थानां च माधुर्यप्रसादोपेते च काव्ये श्रोत्रपथमवतरत्येवेति प्रतिपाद्यते। सुकुमारचित्त-वृत्तिसुभगोऽयमुत्तमश्चेत्येवं समस्तस्य गुणालङ्कारवर्गस्यानुग्राहकमिदं कविव्यापाररूपं तद्वशाच्च शब्दार्थतद्व्यापाराद्यपि स्पृशद्विभूषणाख्यं लक्षणम्। एतमेवार्थं सम्यगा-**नन्दवर्धनाचार्यो**ऽपि विविच्य न्यरूपयत्—

ध्वन्यात्मभूते शृङ्गारे समीक्ष्य विनिवेशितः।
रूपकादिरलङ्कारवर्ग एति यथार्थताम् ॥

इत्युक्त्वा क्रमेण—

विवक्षातत्परत्वेन नाङ्गित्वेन कदाचन।
काले च ग्रहणत्यागौ नातिनिर्वहणैषिता ॥ (ध्वन्यालोके २)

इत्यादिना ग्रन्थसन्दर्भेण सोदाहरणेन। तच्चास्माभिः सहृदयालोकलोचने तद्विवरणे विस्तरतो व्याख्यातमिति तत्कुतूहलस्तत्रैव गृह्णीयात्। इह तु प्रसक्तया ग्रन्थभूयस्त्वादुद्विजते लोक इति न विस्तारितम् ॥५॥

अथाक्षरसंहतिमाह यत्राल्पैरिति। अक्षरशब्देन यदृच्छाशब्दप्राधान्यं, यदृच्छाशब्देषु स्वरूपस्यैव प्रवृत्तिनिमित्तत्वात्। तेनाल्पैरेवाक्षरैः श्लिष्टैः प्रवृत्तिनिमित्त-भूतस्वस्वरूपलक्षितत्वेनैव विचित्रं तद्रसोचितविभावादिभावं प्राप्यमाणोऽर्थ उपवर्ण्यते श्रोतृणां हृदयमुपसंक्रामयितुं यत्तस्मिन् कविव्यापारोऽक्षरसङ्घातस्तत्कारणत्वात्।

तथाहि मानिनीत्यक्षराणि ईर्ष्याविप्रलम्भे, तरुणीत्याभिलाषिके, वरतनुरिति संभोगे विभावतां तामेव प्रापयन्ति। अस्तीतिव्युत्पत्तिस्तथापि पर्यन्ते मानादि-शब्दानामन्ततो वा धातुप्रत्ययमात्रादेरवश्यं यदृच्छात्वमित्यक्षराणामेव संघातः प्रधानं यदृच्छाशब्दप्राधान्ये उदाहरणं यथा—

विस्रम्भादुत्तमाङ्गं प्लवगबलपतेः पादमक्षस्य हन्तुः।
कृत्वोत्सङ्गे सलीलं त्वचि कनकमृगस्याङ्गमाधाय शेषम् ॥
बाणं रक्षः कुलघ्नं प्रगुणितमनुजेनादरात्तीक्ष्णमक्ष्णोः।
कोणेनोद्वीक्षमाणस्त्वदनुजवदने दत्तकर्णोऽयमास्ते ॥

अत्र **विस्रम्भा**दित्यादिना मैत्रीप्राधान्याद् वालिहननपूर्वकसाम्राज्यदातृत्व-बलाच्चेत्युक्तम्। अक्षस्य यो हन्तेत्येकाकिनापि येनाशोकवनिकाविप्लोषणं राक्षस-

---

1. KSS. चित्रार्थैः।

यत्राल्पैरक्षरैः श्लिष्टैर्विचित्रमुपवर्ण्यते ।
तमप्यक्षरसङ्घातं विद्याल्लक्षणसंज्ञितम् ॥६॥
सिद्धैरर्थैं समं कृत्वा ह्यसिद्धोर्थः प्रसाध्यते[1] ।
यत्र श्लक्ष्णविचित्रार्था सा शोभेत्यभिधीयते ॥७॥

बलक्षपणं च कृतं, स यत्र प्रधानप्रकृतिर्भवतीत्युक्तम् । **त्वचीति** प्रहृतमारीचवृत्तान्तः इत्युक्तम् । **बाण**मित्यादिना तत्रैवास्य बहुमान इत्युक्तम् । राक्षसविषये दैववैगुण्यमित्युक्तम् । अत्र च यत्र यस्य यद्व्यापारस्तत्र प्राधान्यस्य का कथेति । **प्रगुणित**मिति बहुतररणसंमर्दधुरन्धरतया कुटिलीकृतस्यापि क्षेत्रबहुमाने पुनर्योजनमित्युक्तम् । **त्वदनुजवदन** इति भेदोपायकृता नीतिसंपत् परपक्षे च विपर्ययम् । **दत्तकर्ण** इति तदाकर्णनमात्रमेतत्, न तु हृदये निर्व्याजं तेजोजाज्वल्यमानौजसि भेदं प्रति कोऽप्यस्य बहुमानः । अयमिति गम्भीरधीराकृतिः प्रसन्नश्च आस्त इति । यद्यपि प्रकृते नापि कश्चित्क्षोभोऽत एवोक्तं सलीलमिति । अत्र चार्थस्यालङ्कारघटनाप्रयासमन्तरेणैव सुन्दरत्वं लक्षणकृतमेव ।

ननु साभिप्रायमात्रत्वं नामार्थस्य तु गुण ओज इत्युक्तम् । भोः भोः सहृदयाः अर्थो जडस्तस्याभिप्राय इति कथं भाषावक्तृश्रोत्रोः स इति चेत् तद्गोऽर्थस्य गुण इति कथम् ।

अथ वस्त्वन्तराक्षेपकत्वमेव तस्य स गुण इत्यच्यते तद्वस्त्वन्तरमाक्षिप्यं वक्त्रभिप्रायरूपमेव; आक्षेपकत्वमपि कविमनीषाव्यापारबलादेव तथाविनिवेशनात् प्रकारान्तरयोगे तथाभावात् । अत एव प्रौढिर्वस्तुतो वक्तृगतैव नत्वर्थे, काममुपचर्यतामित्यलं बहुना ।

एतेषां च लक्षणानां संकीर्णत्वेन लक्ष्यं दृश्यते बाहुल्यापेक्षया तूदाहरणं मन्तव्यम् ॥६॥

अथ **शोभा सिद्धैरर्थै**रिति । यथा—

भेदश्छेदकृशोदरं लघुभवत्युत्थानयोग्यं वपुः ।
सत्त्वानामपि लक्ष्यते विकृतिमच्चित्तं भयाक्रोधयोः ॥
उत्कर्षः स च धन्विनां यदिषवः सिध्यन्ति लक्ष्ये चले ।
मिथ्या हि व्यसनं वदन्ति मृगयामीदृग्विनोदः कुतः ॥

अत्र पादत्रयेण प्रसिद्धा एवार्था अभ्यसनीयत्वेन शोभमानास्तैः समविकलं मृगयालक्षणमर्थं कृत्वा अप्रसिद्धोऽनुचितोऽपि सोऽर्थ उचितो विचित्रश्च निरूपितः । न चात्रालङ्कारः कश्चिदपि तु कविव्यापारेण यः शब्दार्थव्यापारादेवार्थघटनात्मा तत्कृतं हृद्यं लक्षणमेव । अशोभनोऽप्यर्थोऽमुना नयेन शोभेत इति शोभेयमुक्ता ॥७॥

---

१. KSS., NS. प्रयुज्यते ।

[1]धार्यमाणस्तु बहुभिर्वचनैः कार्ययुक्तिभिः ।
न यः पर्यवतिष्ठेत सोऽभिमानस्तु संज्ञितः ॥८॥

अथाभिमानः—धार्यमाणस्तु बहुभिरिति । यथा ममैव—

शीतांशोरमृतच्छटा यदि कराः कस्मानमनो मे भृशं
संप्लुष्यन्त्यथ कालकूटपटलीसंवाससंधुक्षिताः ।
किं प्राणान् न हरन्त्युत प्रियतमासंजल्पमन्त्राक्षरै
र्वार्यन्ते किमु यद्विमोहत्रिवशात्सन्तापतन्त्रा स्थितिः ॥

अत्र हि तादृश्यर्थस्यार्थेन घटा कृता यस्यां कार्ययुक्तिभिः फलयोजनाभिर्धार्यमाणो हृदये स्थाप्यमानो नावतिष्ठत इति । वार्यमाणोऽपि वा न निवर्तते । तत्रैवायं बद्धः । तथाभूतोऽर्थोऽलौकिकत्वात्तावानुपायः । कविनालङ्कारे उपमानोपमेयभावस्य कथंचिदप्यस्वीकारात्केवलं वक्तुरभिमतं वदता किमिव मयाप्येवं तदपि नैवेत्यभिधानमभिधानाख्यलक्षणम् । एतदेव सादृश्यनाम्नाप्यन्यैरुक्तम् ।

दृष्टश्रुतानुभूतार्थकथनादिसमुद्भवम् ।
सादृश्यं क्षोभजननं सारूप्यमिति संज्ञितम् ॥इति॥

अमृतकरत्वं हि चन्द्रस्य श्रुतं कालकूट सहोदरत्वं च, मन्त्राणां विषशमनं दृष्टं, स्वयमनुभूतं मोहादि च तत्समुद्भवं, वृत्तान्तेन यत्प्रकृते सादृश्यं तुल्यं तेन लोकदृष्टश्रुतानुभूतत्वं तत्क्षोभं हृदयेऽनवस्थानं जनयति—यद्यमृतसदृशश्चन्द्रपादाः तत्किमेवमङ्गं विदध्युरिति । एवमन्यत् ॥८॥

अथ गुणकीर्तनं—कीर्त्यमानैर्गुणैरित्यादि । यथा

पृथुरसि गुणैर्मूर्त्या रामो नलो भरतो भवान्
महति समरे शत्रुघ्नस्त्वं तथा जनकः स्थितो ।
इति सुचरितैर्मूर्ति बिभ्रच्चिरन्तनभूभृतां
कथमसि न मान्धाता देवस्त्रिलोकविजय्यपि ॥

अत्र हि विविधा येऽर्थाः पृथुरामप्रभृतयस्तत्समुद्भवैर्गुणैः कीर्त्यमानैस्तद्गता दोषा न परिकल्प्यते । तथा हि पृथुरसीत्युक्ते तथा दोषा अपि केचिद् बलाद् भूमिदोहनप्रभृतयः प्रतीयेरन्, नलोऽसीति द्यूतव्यसनितापि । एवमन्यत्र । अत एव न दोषोऽत्र प्रधानम् । गुणैरिति सुचरितैरिति निरूपिते तु चारुत्वमिति गुणकीर्तनं नाम लक्षणम् । श्लेषानुग्राहित्वे स्थिते लक्षणानि ह्यलङ्कारानपि चित्रयन्ति । तदग्र एव वक्ष्यामः । अन्यत्र पाठः—

---

१. KSS., NS. vary absolutely.

कीर्त्यमानैर्गुणैर्यत्र विविधार्थसमुद्भवैः
दोषा न परिकथ्यन्ते तज्ज्ञेयं गुणकीर्तनम् ।
लोके गुणातिरिक्तानां बहूनां यत्र नामभिः
एकोऽभिशब्द्यते यस्तु विज्ञेयं गुणकीर्तनम् ॥९॥
उत्साहजननैः स्पष्टैरर्थैरौपम्यसंश्रयैः ।
प्रसिद्धैरुपगूढञ्च ज्ञेयं प्रोत्साहनं बुधैः ॥१०॥
यत्रैकस्यापि शब्दस्य दर्शनात्सुबहून्यपि ।
यान्ति सिद्धिमनुक्तानि तदुदाहरणं स्मृतम् ॥११॥

लोके गुणातिरिक्तानां बहूनां यत्र नामभिः ।
एको हि शब्द्यते तत्तु विज्ञेयं गुणकीर्तनं ॥इति।

अयं स्पष्टार्थः ॥९॥

अथ **प्रोत्साहनं—उत्साहजननै**रिति । औपम्यस्य संश्रयणमन्वेषणं यत्रेति अनेन यत्नान्वेषणेऽपि तस्य भाव इति दर्शितम् । यथा **भट्टेन्दुराजस्य—**

हरवृषभ ! तवेव तस्य माता जयति जगत्यसमानसूतिरेका ।
निवसति परमेश्वरोऽपि यस्मिन् सहतनयः सगणः सहावरोधः ॥

अप्रस्तुतप्रशंसाप्यत्र, तद्वैचित्र्यं प्रोत्साहनत्वलक्षणकृतमेव, केवलं त्वियं यथा लक्ष्मीरिति, स च भवान् मुरारिरित्यादि । इदमन्यत्र **प्रियवचन**मिति पठितम्—

यत्प्रसन्नेन मनता पूज्यान्पूजयितुं वचः ।
हर्षप्रकाशनार्थं तु सा प्रियोक्तिरुदाहृता ॥इति॥१०॥

अथोदाहरणं—**यत्रैकस्यापी**ति । यथा—

वल्मीकात् किमुतोद्धृतो गिरिरयं कस्य स्पृशेदाशयं
त्रैलोक्यं तपसा जितं यदि सखे ! दोष्णां किमेतावता
सर्वं साध्वथवा रुणत्सि विरहक्षामस्य रामस्य चेत्
त्वद्दन्ताङ्कितवालिकक्षरुधिरविलिन्नाग्रपुङ्खं शरम् ॥

अत्र उदाहृते हि रावणीयदशनपरिघट्टितवालिकक्षपाटनेन स्वावमाननेऽथऽवगते स्ति तदपजयः तत्कक्षाक्षय्यपरिग्रहस्तथैव चतुरर्णवभ्रमणं पुनः कृपामात्रेण त्यागः तत्राप्रतीकारः पुनरभिमानो दर्प इत्यादि गम्यते । **अक्षरसंहतेश्च विशेषः—** तत्रावमोपादातव्यशब्दान्तरस्थाने शब्दान्तरोपादानं यथा—हनूमत इति वक्तव्येऽक्षस्य हन्तुरिति, इह तु त्वद्दन्तेति तदीयधिक्कारोदाहरणम् । अन्ये पठन्ति—

यत्र तुल्यार्थयुक्तेन वाक्येनाभिप्रदर्शनात् ।
साध्यन्ते निपुणैरर्थास्तदुदाहरणं स्मृतम् । इति

ल्यैर्म्थैस्तत्समयभाविभिर्यदुक्तं तद्वाक्यमिति स एव फलितोऽर्थः ॥११॥

निरुक्तं द्विविधं प्रोक्तं तथ्यं चाऽतथ्यमेव वा ।
सिद्धिप्रसाधितं तथ्यमतथ्यं चाप्रसाधितम् ॥१२॥

अथ निरुक्तं—निरुक्तं द्विविधमिति । सिद्धिर्लक्षणेन स्त्रीकारः । तया प्रसाधितं तथ्यं, ततोऽन्यदतथ्यम् । उदाहरणं यथा ममैव—

वीरोत्सवे सङ्गरसीम्नि मूढं यः प्रापयत् सत्यपथं कथञ्चित् ।
स चार्जुनः सोऽपि च नाम कृष्णः प्रसिद्धिरित्थं वितथैव सर्वा ॥

परस्परं नाम्नोरन्यत्र तथ्यत्वं स्वविषये त्वतथ्यतेति । न चायमर्थश्लेषः, स हि तुल्यसंख्ययोः । यथा "गावो वः पावनानां" इति गोशब्दस्य रश्मिषु सुरभिषु चानादित्वेन प्रसिद्धेः । इह त्वेकत्रान्यत्वे कृतः समय इति । एवं पृथक् तथ्यातथ्ययोरुदाहार्यम् । अन्यत्र पाठः :—

निरवद्यस्य वाक्यस्य पूर्वोक्तार्थप्रसिद्धये ।
यदुच्यते तु वचनं निरुक्तं तदुदाहृतम् ॥

पूर्वं यत्प्रोक्तो बाह्यस्य संबन्धी कश्चिदर्थस्तस्य प्रसिद्धयेऽनवद्यभावस्य वाचकं यदुच्यते तेन निरुक्तमितोऽन्यथा निरर्थकमेवात्र वाच्यं स्यात् । यथा सत्यं स राजा मतिषु रञ्जनादिति ॥१२॥

अथ गुणानुवादः—गुणानुवाद इति परिमितस्यापादितोत्कृष्टगुणनयोपमा, तत्कृतो गुणानामुत्सेकः । यथा—

पालिता द्यौरिवेन्द्रेण त्वया राजन्वसुन्धरा ।

ननूपमेयमलङ्कारः, किमतः, उक्तं ह्यलङ्काराणां वैचित्र्यं लक्षणकृतमेव । एत एव शिक्षितैरपि दण्डिप्रभृतिभिर्ये निरूपिता उपमाभेदाः, तत्र यो भेदकोंऽशः आचिख्यासासंश्रयनिर्णयादिरर्थः, स तादृक् पृथगलङ्कारतया गणितः । गणनेऽपि वा संसृष्टिसङ्करापत्तिः । अर्थमात्रं तदिति चेत् तर्हि तदेव लक्षणम् । यथा हि राजता विभज्य विचार्यमाणा इत्थमवतिष्ठते—मकुटाद्यलङ्कारः, शौर्यादिगुणो, व्यूढोरस्कत्वादिलक्षणसमुदायो राजालङ्कार्यश्च गुणवांश्च लक्षणीयश्च, तथा काव्यमपि । तेन गुणालङ्कारव्यतिरिक्ताः सर्वे लक्षणमिति मन्तव्यम् । "अस्त्युत्तरस्यां" इति हि पूर्वार्धे आख्यानं राम लक्षणम् । नन्वेवं सर्वत्र लक्षणयोगः, क आक्षेपार्थः, प्रियमेवास्माकमदः तत्सर्वमलङ्कारयुक्तं काव्यम् । ननु गौर्वाहीक इति रूपकयोगेऽपि, किं न काव्यं, दोषपरिवर्जन गुणवत्त्वरसवत्त्वादि वैकल्यादिति चेत् आस्मास्वापादितो दोषस्त्वयैवोन्मूलित इत्यास्ताम् ।

अन्यत्र तु पाठः—

गुणाभिधानैर्विविधैर्विविधार्थप्रयोजितैः ।
गुणातिपातो मधुरैर्निष्ठुरैर्वा भवेदिह ॥

गुणानुवादो हीनानामुत्तमैरुपमाकृत :।
उत्तमार्थविशेषो यः स चाप्यतिशयः स्मृतः ॥१३॥

बहूनां भाषमाणानामेकस्यार्थविनिर्णयात्।
सिद्धोपमानवचनं हेतुरित्यभिसंज्ञितः ॥१४॥

मधुरैर्गीतैः (गुणैः) निष्ठुरैर्वा विविधैरुपमानभूतैरर्थैर्ये प्रयोजिता गुणास्तदभिधानैरुपलक्षितो गुणातिपात इत्यर्थः ॥१२॥

गुणानुवादः स ज्ञेयो यत्राभेदोपचारतः
गौणी वृत्तिमुपाश्रित्य वस्तुनो रूपमुच्यते।

अथातिशयः—उत्तमार्थाद्विशिष्ट इति उक्तादप्यर्थाद्विशेषो। यथा भट्टेन्दुराजस्य।

यावन्त्येव पदान्यलीकपिशुनैरालीजनैः शिक्षिता
तावन्त्येव कृतागसो द्रुततरं व्याहृत्य पत्युः पुरः।
प्रारब्धं परतो यथा मनसिजस्येच्छा तथा वर्तितुं
प्रेम्णो मौग्ध्यविभूषितस्य सहजः कोऽप्येष कान्तः क्रमः ॥

अत्रेर्ष्यात्मा यः प्रेमण्युत्तमेऽर्थस्ततोऽपि विशेष उक्तः प्रतिपदं चाभिप्रायोऽस्ति स विवेचनीयः। न चेयमतिशयोक्तिः संभाव्यमानत्वात्। सोऽपि वा लक्षणंनालङ्कार इति वक्ष्यामः समनन्तरमेव। अन्यत्र तु पठ्यते—

बहून् गुणान् कीर्तयित्वा सामान्यजनसंभवान्।
विशेषः कीर्त्यते यत्र ज्ञेयः सोऽतिशयो बुधैः ॥इति॥१३॥

अथ सहेतुः—बहूनां भाषणानामिति। बहून् भाषमाणाननादृत्यैकस्यासाधारणस्यार्थस्य निर्णयं कर्तव्यत्वेनावलम्ब्य सिद्धस्य प्रमितस्योपमानवचनं प्रक्षेपवचनं मम तावदेवं प्रतिभासते इति सहेतुः। यथा भट्टेन्दुराजस्य—

एके वारिनिधिप्रवेशमपरे लोकान्तरालोकनं
केचित्पावकयोगिनं निजगदुः क्षीणेऽह्नि चन्द्रार्चिषाम्।
मिथ्या चैतदसाक्षिकं प्रियसखि! प्रत्यक्षतीव्रातपो
मन्येऽहं पुनरध्वनीनरमणीचेतोऽधिशेते रविः ॥

एकस्येति। एकमसाधारणम्। सिद्धोपमानेति। डुमिञ् प्रक्षेपणे इत्यस्योपमानम्। अन्यत्र पाठः—

यत्प्रयोजनसामर्थ्याद्वाक्यं शिष्टार्थसाधनम्।
समासोक्तं मनोग्राहि स हेतुरिति संज्ञितः ॥इति।

सम्यगस्यते हृदि क्षिप्यते येन स समासः उपपत्तिस्तयोक्तम् ॥१४॥

अपदेशस्तु परोक्षो यस्मादुत्पद्यतेऽनुकरणेन ।
लक्षणसमानकरणात् सारूप्यं तत्तु निर्देश्यम् ॥१५॥

अभूतपूर्वैर्यत्रार्थैस्तुल्यस्यार्थस्य निर्णयः ।
स मिथ्याध्यवसायस्तु प्रोच्यते काव्यलक्षणे ॥१६॥

अथ सारूप्यं—अपदेशस्तु परोक्षो यस्मादुत्पद्यतेऽनुकरणेनेति । यथा ममैव—

सैन्दूरीकृतसान्द्रकुङ्कुमरसप्रच्छायमालोच्यते
यत्प्राच्यां दिशि वक्रिमास्पदमिदं दृग्द्वन्द्वलेह्यं महः ।
तत्तेजो जरठांशुतां कलयता भाविप्रवासावधि
सन्ध्यामुग्धवधूकपोलफलके कीर्णो नखाग्राङ्कुरः ॥

अत्र यदिति निर्देश्यं परोक्षवस्तु तत्त्वस्यापरिज्ञानात् । अनुकरणेन प्रच्छाय-मात्रेण अपदेश्यमालोच्यमिति लक्षणेन सैन्दूरीकृतेत्यादिना समानं सप्रमाणकं करणं दर्शनक्रिया यस्य तादृशे वस्तुनि सारूप्यं लक्षणम् । पौर्णमास्यामपि वक्ररेखेवेन्दो-र्भागो लक्ष्यते उदयाचलान्तरितत्वात् सन्ध्यासमये । न चेयमुपमा उपमेयस्याभावा-दुपमेयमेव हि पूर्वार्धेन लिंग्यते । पुस्तकान्तरेषु तु पाठः—

यथादेशं यथाकालं यथारूपं च वर्ण्यते ।
यत्प्रत्यक्षं परोक्षं वा दृष्टं तद्वर्णतोऽपि च ॥इति

प्रत्यक्षं वस्तु परोक्षमिव देशकालरूपानुसारेण वर्ण्यते ॥१५॥

अथ मिथ्याध्यवसायः—अभूतपूर्वैर्यत्रार्थैरिति । अपारमार्थिकैरेवार्थैस्तत्तुल्य-स्यावस्तुभूतस्यार्थान्तरस्य यस्य वक्तृव्यापारे सति निश्चयः सोऽयम् । यथा ममैव—
यो दुर्जनाद्वाञ्छितसिद्धिमीहते स नूनमुत्क्रामति तं सुखैधिनम् ।
जुहृज्ज्वलाग्नौ विगतार्थमण्डलं प्रसह्य षष्ठं विषयं प्रसाधयेत् ।

काव्यलक्षणमित्यनेन काव्येषु लोकविपर्यासबाहुल्यमवश्यं भवतीति दर्शयति । अन्ये तु पठन्ति—

विचारस्यान्यथाभावस्तथा दृष्टापदृष्टयोः ।
सन्देहात्कल्प्यते यत्र सविक्षेपो विपर्ययः ॥

विचार्यत इति विचारोऽर्थः अदृष्टमित्यर्थः । संदेहोऽत्र भ्रमः, अन्यथाभावो विपर्ययः । अथवा संशयोऽपि हि वस्तुतो विषयतत्त्वमन्यथाकारं दर्शयन् विपर्यय एव ॥१६॥

अथ सिद्धिः—बहूनां च प्रधानानामिति । प्रसिद्धानां मध्ये एकमित्यप्रसिद्धं यन्नाम कीर्त्यते तस्यासाधारणधत्वस्य प्रयोजनस्य संपत्तये करणं तत्र निवेशनं यस्य तादृक् तत्कीर्त्तनं सिद्धिहेतुत्वात्सिद्धिः । यथा—

बहूनां तु प्रधानानां मध्ये यन्नाम कीर्त्यते ।
एकार्थसाधनकृतं सा सिद्धिरिति कीर्त्यते ॥१७॥

गुणैर्बहुभिरेकार्थैः पदैर्यः सम्प्रशस्यते ।
पदोच्चयं तु तं विद्यान्नानार्थग्रथनात्मकम् ॥१८॥

भद्रेश्वरः सुरसरित्सु भवानहं च
त्रैलोक्यसारमिह संप्रति जीवलोके ।
भद्रेश्वरः सुरवरेषु सरित्सु गङ्गा
त्वं पार्थिवेष्वहमतीव सुदुःखितेषु ॥

अत्र भवानहं चेत्यप्रसिद्धं प्रसिद्धमध्ये उपात्तमसाधारण्यसिद्धिं विधत्ते ॥१७॥

अथ पदोच्चयः—गुणैर्बहुभिरेकार्थैरिति । एकता एकतात्पर्यार्थनिष्ठैर्बहुभिः शब्दैर्ये वाच्यत्वेन स्वीकृता धर्मास्तदुपलक्षितत्वेनैव यद्वस्तुनः प्रशंसनम् । कथं, नानार्थैर्ग्रथितात्मकमुपलम्भितरूपं कृत्वा तत्पदानामुच्चय उत्कर्षेण चयः बाहुल्यं यत्रेति पदोच्चयः ।

असारं संसारं परिमुषितरत्नं त्रिभुवनं
निरालोकं लोकं जननयननिर्माणमफलम् ।
अदर्पं कन्दर्पं मरणशरणं बान्धवजनं
जगज्जीर्णारण्यं कथमसि विधातुं व्यवसितः ॥

अत्र ह्यवान्तरावगमकारिणामवान्तरवाक्यरूपाणां पदानां तात्पर्यमभिन्नं स्वार्थस्तु भिन्नः । पदोच्चये पदशब्दार्थस्तु पादो भाग इति । अन्ये पठन्ति—

पूर्वंत एवार्थः ॥१८॥

अथाक्रन्दना—आत्मभावमुपन्यस्येति । तीव्रः साक्षादवाच्यो योऽर्थस्तस्य परं प्रति सादृश्ययोजनप्रकारैरात्माभिप्रायं प्रमुखे दत्त्वा तत्समन्ततः भाषणं स्फुटकथनं तन्निजभावाविष्करणप्रधानत्वादाक्रन्दो नाम लक्षणम् । यथा ममैव—

किं पान्थ ! त्वरसे विलोकय निशां या ह्युन्मुखी पाण्डुरा
चन्द्रं चुम्बितुमीहते प्रकटयन्त्यग्रे सरागां स्थितिम् ।
यद्वा नागरभोगदुर्ललितकैर्न्यस्तापि न ज्ञायते
ग्रामेऽग्राम्यजनोपभोगसुभगं निर्व्याजरम्यं सुखम् ।

अत्रोत्तरेणार्धेन ग्रामीणो रम्यतमो भोजनशयनादिसंभोग इति वक्त्र्या मोहप्रायोऽवाच्य आत्माभिप्रायः । तदरोचकरोचकत्वमुभयं प्रमुखे निधाय निशाकरवृत्तान्तसादृश्येन तीव्रः स्वात्मानुराग आविष्कृतः । अन्ये पठन्ति—

रूपकैरुपमाभिर्वा तुल्यार्थैः सुप्रयोजितैः ।
अप्रत्यक्षार्थसंस्पर्शस्तुल्यतर्कः प्रकीर्तितः ॥

आत्मभावमुपन्यस्य परसादृश्ययुक्तिभिः ।
तीव्रार्थभाषणं यत् स्यादाक्रन्दः स तु कीर्तितः ॥१९॥

हृदयस्थस्य भावस्य सुस्पष्टार्थप्रदर्शनम् ।
अन्यापदेशकथनैर्मनोरथ इति स्मृतः ॥२०॥

[1]अपृष्टैरथवा पृष्टैर्निर्णयः क्रियते तु यः ।
आख्यानमिति तज्ज्ञेयं लक्षणं नाटकाश्रयम् ॥२१॥

प्रथमार्धेन परसादृश्यमुक्तम् । अप्रत्यक्षस्यात्मभावस्य संस्पर्शना ज्ञापनेत्यर्थः ॥१९॥

अथ मनोरथः—हृदयस्थस्य भावस्येति । यथा—

णिग्गंध दुरारोहिं पुत्तअ (मा) पाडलिं समारूढ ।
आरूढणिपडिआ के इमि ए ण कआ इह ग्गामो ।
(निर्गन्धदुरारोहां पुत्रक ! पाटलीं मा समारोह ।
आरूढनिपतिताः केऽनया न कृता इह ग्रामे ॥ इति छाया)

अत्र पादपमारोहन्नेव कश्चिद् दुराशयपुंश्चलीसंगमोत्सुकः वृद्धविदग्धया स्वाभिप्रायद्योतनेन प्रबोध्यते, तत्प्रस्तुतमेवान्यदपदिश्य । अत एवाप्रस्तुप्रशंसा, सापि चात्रैवान्तर्भूता । नन्वलंकारे ह्यलंकार्यत्वं ह्यसत् इति केयं युक्तिः, लक्षणं तु भवति लक्षणत्वादेव ॥२०॥

अथाख्यानं पृष्टैरपृष्टैरपि चेत्यादि । 'प्रश्नपूर्वका यत्र बहवो निर्णीयन्ते यथा—बाले ! नाथ ! विमुञ्च मानिनि ! इत्यादावुक्तिप्रत्युक्तौ, प्रश्नसदृशैर्वा शक्याशक्यवस्त्वभिधानैर्यत्र निर्णयः । यथा—

रामोऽसौ भुवनेषु विक्रमगुणैर्यातः प्रसिद्धिं परां ।

इत्युक्ते यदि प्रसिद्धः कथं मया न ज्ञायत इत्याशंक्याख्यातं—

अस्मद्भाग्यविपर्ययाद्यदि परं देवो न जानाति तम् ।

किं तस्य प्रसिद्धौ निदानमित्याशंक्य पुनराख्यातं—

वन्दीवैष यशांसि इत्यादिना

नाटकाश्रयमित्यनेन भूयो लक्ष्यमाणस्येत्याह । अन्ये पठन्ति—

वाक्यैः सातिशयैर्युक्ता वाक्यार्थैश्च प्रसाधकैः ।
लोकप्रसिद्धैर्बहुभिः प्रसिद्धिरिति कीर्तिता ॥ स्पष्टम् ॥२१॥

---

१. GOS. पृष्टैरपृष्टैरथवा ।

आदौ यत् क्रोधजननमन्ते हर्षप्रवर्धनम् ।
[1]यत्तु प्रियं पुनर्भ्याचं च याच्ञा परिकीर्तिता ॥२२॥

कार्येषु विपरीतेषु यदि किञ्चित् प्रवर्तते ।
निवार्यते च कार्यज्ञैः प्रतिषेधः प्रकीर्तितः ॥२३॥

अथ याच्ञा आदौ यत्क्रोधजननमिति । प्रथमार्धेन हित व्याख्यातम् । तेन थमं यत्तदात्वे परुषमायत्यां च सत्फलं वस्तूच्यते, ततश्च प्रियम् । पुनः शब्दात्ततो हितं पुनः प्रियमित्येवं प्रबोध्यस्य प्रबोधनधिया याचनाद्याच्ञा । यथा ममैव—

भूमिः कण्टकिनी, पुरो विटपिनः प्रायो बहूपद्रवाः ।
भूयश्चैव दिवाकारो मृगयते सन्ध्याङ्गनासङ्गमम् ।
तद्विश्रम्य जनोऽयमत्र सदने ग्राम्योचितं सेवतां ।
प्रातः पान्थ ! विचार्य चेतसि चिरं स्थातासि गन्तासि वा

पाठान्तरं तु—

हितैः प्रसन्नवचनैर्यत्परस्यानुवर्तनम् ।
क्रियते वाक्यचेष्टाभिस्तद्दाक्षिण्यमुदाहृतम् ॥ इति ॥२२॥

अथ प्रतिषेधः—कार्येषु विपरीतेष्विति । यथा अमरुकस्य ।

लग्ना नांशुकपल्लवे, भुजलता न द्वारदेशेऽर्पिता ।
नो वा पादयुगे तया निपतितं तिष्ठेति नोक्तं वचः ।
काले केवलमम्बुदालिमलिने गन्तुं प्रवृत्तः शठः ।
तन्व्या वाष्पजलोपकल्पितनदीपूरेण रुद्धः प्रियः ।

अत्र तृतीयपादेन विपरीतकार्यप्रवृत्तिरुक्ता । आद्यार्धेन कार्यज्ञत्वं नायिकायाः तथापि निवारणं तुर्यपादेनोक्तम् । अन्ये त्वधीयते—

यद्वाक्यं वाक्यकुशलैरुपायेनाभिधीयते ।
सदृशार्थाभिनिष्पत्त्या: स लेश इति कीर्तितः ॥ इति ॥

वाक्यमिति वाक्यार्थो विधिर्वा निषेधो वा । नदीपूरश्च वर्षासु रोधको दृष्ट इति सदृशाभिधानेनोपायेन निषेधः कृतः ॥२३॥

अथ पृच्छा यत्राकारोद्भूतैर्वाक्यैरिति । यथा—

किं भीमाद् गुरुदक्षिणां गुरुगदाद्भीमप्रियः प्राप्तवान् । इत्यादि

अत्राकारेणाभिप्रायसूचकेन काक्वादिनोद्भूतानि द्योतितशक्तिकानि वाक्यानीति

---

१. GOS. यत्र ।

यात्राकारोद्भवैर्वाक्यैरात्मानमथवा परम् ।
पृच्छन्निवाभिधत्तेऽयं सा पृच्छेत्यभिसंज्ञिता ॥२४॥

विद्वान् पूर्वोपलब्धौ यत्समत्वमुपपादयेत् ।
निदर्शनकृतस्तज्ज्ञैः स दृष्टान्त इति स्मृतः ॥२५॥

अनेकयुक्तिमद्वाक्यमनेकार्थप्रसाधकम् ।
अनेकवाक्यसंयुक्तं तन्निर्भासनमुच्यते ॥२६॥

अपरिज्ञाततत्त्वार्थं यत्र वाक्यं समाप्यते ।
सोऽनेकत्वाद्विचाराणां संशयः परिकीर्तितः ॥२७॥

भावः । यत्र भावरसोपेतैरित्यन्ये प्राच्यं पादमधीयते ॥२४॥

अथ दृष्टान्तः—विद्वान्पूर्वोपलब्धौ यत्समत्वमिति । यथा ममैव—

हा हालाहललेहने हतमतिः सोयं समुत्कण्ठितो
गाढाङ्गारखरिम्णि चैष जडधीर्देहं निविक्षेप्स्यति ।
ग्राम्योऽप्याजगरीं गुरुं गलगुहां मोहादयं धावति
व्याघ्रेयेतरसङ्गतानि यदयं सार्धं खलैः खेलति ॥

यदयमित्यादि कस्य हेतोः । हालाहलकालकूटदलनादिना येन साम्यं कृतं स दृष्टान्तः । न चेयमुपमा, यतो निदर्शनेन प्रत्यक्षीकरणाय साम्यं कृतं, इतोऽयमेवं कर्तुमुद्यत इति, न च रूपकं यदेतत्करोति तत इदमस्य भविष्यतीति भिन्नकालत्वात्, तदाह पूर्वोपलब्धौ सत्यामिति ॥२५॥

अथ भासनं अनेकयुक्तिमद्वाक्यमिति । यथा "कर्ता द्यूतच्छलानां जतुमय-शरणोद्दीपनः सोऽभिमानी" (वेणी)—इत्यादि । भास्यते प्रकृतः क्रोधादिर्येन । पाठान्तरं—

ईप्सितार्थप्रसिद्ध्यर्थं कीर्त्यन्ते यत्र सूरिभिः ।
प्रयोजनान्यनेकानि सा मालेत्यभिसंज्ञिता ॥ इति ॥२६॥

अथ संशयः—अपरिज्ञाततत्त्वार्थमित्यादि । यथा—

तिष्ठेत्कोपवशात्प्रभावपिहिता दीर्घं न सा कुप्यति
स्वर्गायोत्पतिता भवेन्मयि पुनर्भावार्द्रमस्या मनः ।
तां हर्तुं विबुधद्विषोऽपि न च मे शक्ताः पुरोवर्तिनीं
सा चात्यन्तमगोचरं नयनयोर्यातेति कोऽयं विधिः (विक्रमो ४-..)

अत्राद्यो भागः संशयोदाहरणं अनन्तरस्तूपपत्त्युदाहरणम् ॥२७॥

अथाशीः—यथाशक्त्या धर्मं यन्नाजित्यादि । यथा—

यत्र शास्त्रार्थसम्पन्नां मनोरथसमुद्भवाम् ।
अप्रार्थनीयामन्यां वा विदुस्तामाशिषं बुधाः ॥२८॥

आदौ यत् क्रोधजननमन्ते हर्षप्रवर्धनम् ।
तत् प्रियं वचनं ज्ञेयमाशीर्वादसमन्वितम् ॥२९॥

'पादाग्रस्थितया' (रत्ना-१-१) इत्यादि । सर्वं वचनं न चाशीः, अलङ्कारः ? लक्षणं स्तुत्या एव वर्णनीयत्वात् ॥२८॥

अथ प्रियं—आनौ यत्क्रोधजननमिति । यथा—

किं वृत्तान्तैः परगृहगतैः किं तु नाहं समर्थः
तूष्णीं स्थातुं प्रकृतिमुखरो दाक्षिणात्यस्वभावः ।
गेहे गेहे विपणिषु तथा चत्वरे पानगोष्ठ्यां
उन्मत्तेव भ्रमति भवनो वल्लभा हन्त कीर्तिः ॥

अत्र भ्रमति वल्लभेत्यादौ क्रोधजननं हन्त कीर्तिरिति हर्षकृत् । अन्ये पठन्ति—

वाच्यमर्थं परित्यज्य दृष्ट्यादिभिरनेकधा ।
अन्यस्मिन्नेव पतनादाशु भ्रंशः स उच्यते ॥ इति ॥

दृष्टिर्दर्शनं, प्रकृतिमुखरादिवाक्यमिति पूर्वोक्तमित्यर्थः । न चेयं व्याजस्तेतिः निन्दाभागे स्तुतेरभावात् । पूर्णायास्तु निन्दाया अभावात् । यथा वा—

"प्रद्योतस्य सुता" इत्युक्त्वा वसन्तकं विप्रतारयितुं राजा वसन्तशब्दमाचष्टे । मधोश्च समयः इत्याकर्णने प्रसूनसमय इत्यनादृत्य निवृत्यङ्कुरेण हृष्यति विदूषके, समय इतिशब्देनान्यत्र पतनात्प्रणयक्रोधत्वं चेति प्रियवचनम् । प्रियङ्कर इति लोक एतत्सिद्धम् ॥२९॥

अथ कपटं—छलयुक्त्येति । व्याजप्रयोगेण अभिसन्धानं वञ्चना । अभिभावकं तिरस्कारकं । छलोक्त्या कथितस्यार्थस्यान्यथाग्रहणं अपलापो वा कपटं, तस्य सङ्घातो लक्षणम् । कपटो वस्तुक्रमाद्वाच्छत्रोर्वा समुद्भूतः । वस्तुक्रमोद्भूतस्य मालतीमाधवे मकरन्दस्य मालतीवेषधारणं, दैविकस्य नागानन्दे जीमूतवाहनस्य शङ्खचूडच्छलनं, शत्रुकृतस्य तु छलितरामे लवणासुरप्रयुक्तयो राक्षसयोर्मन्थराकैकेय्योर्वेषधारणं, सीताया अन्तर्वत्न्याः निर्वासनं च कृतम् । यथा वा कृत्यारावणे प्रथमेऽङ्के सीतावेषधारिण्या शूर्पणखया लक्ष्मणो वञ्चितोऽभिभूतश्च "ता सव्वहा अण्ण एव्व दे क्खणिद्धं अभिप्पाअं लक्खेमि" इत्यादिना वचनेन । अन्ये पठन्ति—

यत्र संकीर्तयन्दोषं गुणमर्थेन योजयेत् ।
गुणातिपाताद्दोषं वा गर्हणं नाम तद्भवेत् ॥ इति ॥

छलयुक्त्या त्वन्येषामभिसन्धानाभिभावकंकपटम् ।
द्वित्रिप्रयोगयुक्तो विज्ञेयः कपटसङ्घातः ॥३०॥

दुर्जनोदाहृतैं रूक्षैः सभामध्येऽतिताडितः ।
अक्रोधः क्रोधजननैर्वाक्यैर्यैः सा क्षमा भवेत् ॥३१॥

दृष्टवैवावयवं कञ्चिद्भावो यत्रानुमीयते ।
प्राप्तिं तामभिजानीयाल्लक्षणं नाटकाश्रयम् ॥३२॥

तस्त्रिविधमपि वागुपचारसामान्याच्छलमत्र स्वीकृतम् ॥३०॥

अथ क्षमा—दुर्जनोदाहृतैरिति । दुर्जनोक्तैर्वचनैः क्रोधजननैः सभायां ताडितोऽपि यः पुरुषोऽक्रोधनः क्रोधहीनः स एव क्षमावान् । तद्वर्णनोचितः कविव्यापारः क्षमेत्यर्थः । अनेन च यथोचिताभिन्नवृत्तिसंचयः सर्वो विभावाद्युचितो निर्वर्त्यमानः काव्यलक्षणत्वेन सूचितः । क्षमा यथा ममैव—

श्रोत्राय दुष्टवचनं प्रति किं न कोपः
क्षोभं करोति हृदये ननु कोप एव ।
मित्रं ममैष तु निजात्मनि योऽपकारं
कृत्वा ममाशुभकलङ्कविघातहेतुः ।

अन्येषां पाठः—

सिद्धान् बहून् प्रधानार्थांस्त्यक्त्वा यत्र प्रयुज्यते ।
विशेषयुक्तं वचनं विज्ञेयं तद्विशेषणम् ॥

सिद्धानिति लोकप्रसिद्धान्प्रधानभूतानशक्यापजयांस्त्यक्त्वानादृत्य क्रोधाद्यद्वचनं विशेषेण युक्तं, यथा 'ममायं' परिवादः सुहृत्प्रत्ययः इति स्वात्मनि क्षोभः पुण्यादिकमुररीकृत्यापि ममापुण्यसंचयं दुःखोपभोगदानेन शमयति ।।इति॥३१॥

अथ प्राप्तिः—दृष्ट्वैवावयवं कंचिदिति । तथा

अभ्युन्नतां पुरस्तादवगाढ़ा जघनगौरवात्पश्चात् ।
द्वारेऽस्य पाण्डुसिकते पदपङ्क्तिर्दृश्यतेऽभिनवा ॥

अत्र पदपङ्क्तिलक्षणमंशं दृष्ट्वाऽनयात्र भवितव्यमिति शकुन्तलायाः सद्भावोऽनुमीयत इति ॥३२॥

अथ पश्चात्तापः—अकार्यं सहसा कृत्वेति । सहसेत्यविचार्य अकार्यं कृत्वा यथा—अंगुलिशुकाहमिस इदोसल उप्पन्ना । जस्सकबलणो भूतभूहि भुव ओहिरणो । कार्यमकृत्वा यथा —

मुखमंसविवर्ति पक्ष्मलाक्ष्याः कथमप्युन्नमितं न चुम्बितं तु इति । शाकुन्तले ।

अन्ये पठन्ति—

अकार्यं सहसा कृत्वाऽकृत्वा कार्यमथापि वा।
सन्तापो मनसो यस्तु पश्चात्तापः प्रकीर्तितः ॥३३॥
प्रश्रयेणार्थसंयुक्तं यत्परस्यानुवर्तनम्।
स्नेहाद्दाक्षिण्ययोगाद्वा सानुवृत्तिस्तु संज्ञिता ॥३४॥

अनेकार्थविचारस्तु विचारः परिकीर्तितः ।इति। अनेकस्य कार्यरूपस्यार्थस्य कृताकृतस्य विचारः किमेतत्कृतमिति ॥३३॥

अथानुवृत्तिः—प्रश्रयेणार्थसंयुक्तमिति। यथा भट्टेन्दुराजस्य—

राज्ञा यद्यनुरुध्यसे यदि भवेद्वाच्यं पुरा मादृशां
तत्संक्रन्दनगोप! किंचन मनाक् पृच्छत्यधीरो जनः।
अग्रे रोहणचारिणां सरभसं संचूर्यमाणश्चिरं
कं प्रत्याययितुं प्रयासरसिको यत्नेन रत्नायसे ॥

अप्रस्तुतप्रशंसात्वेऽपि हि यदप्रस्तुतस्य शरीरवैचित्र्यं तल्लक्षणकृतमेव, लक्षणं हि शरीरमित्युक्तम्। कटकाद्यैरपि हि यद्वैचित्र्यं कुशलसुवर्णकारोत्प्रेक्षितं तल्लक्षणमहिम्नैव। तत्तेनोपमानशरीरस्योपमेयशरीरस्य वा वैचित्र्यं लक्षणानामेव व्यापारः इत्येवमुपमारूपकदीपकानां त्रयाणामलङ्कारत्वेन वक्ष्यमाणानां प्रत्येकं षट्त्रिंशल्लक्षणयोगात् लक्षणानामपि चैकद्वित्र्याद्यवान्तरविभागभेदादानन्त्यं केन गणयितुं शक्यम् इदानीं शतसहस्राणि वैचित्र्याणि सहृदयैरुत्प्रेक्ष्यन्ताम्। परे त्वधीयते—

उभयोः प्रीतिजननो विरुद्धाभिनिवेशयोः।
अर्थं प्रसादजनको ज्ञेयस्त्वनुनयो बुधैः ॥ इति ॥

उभयोरत्र वक्तृवाच्ययोस्तयोश्च विरुद्धाभिनिवेशः। एकस्य तत्त्वविश्रान्तता अपरस्य त्विषा तत्नवदाचरितमिति ॥३४॥

अथोपपत्तिः—प्राप्तानां यत्र दोषाणामिति। प्राप्तानामिति वीप्सागर्भो निर्देशः दोषाणामित्युपपत्त्ययोगदृष्टत्वेनावस्तुभूतानामित्यर्थः। यथा—
"तिष्ठेत्कोपवशा" दित्यादि। यथा वा—

क्वाकार्यं शशलक्ष्मणः क्व चकुलं भूयोऽपि दृश्येत सा
दोषाणां प्रशमाय मे श्रुतमहो कोपेऽपि कान्तं मुखम्।
किं वक्ष्यन्त्यपकल्मषाः कृतधियः स्वप्नेऽपि सा दुर्लभा
चेतः स्वास्थ्यमुपेहि कः खलु युवा धन्योऽधरं धास्यति ।इति। (विक्रमो)

अन्ये त्वधीयते—

परिगृह्य तु शास्त्रार्थं यद्वाक्यमभिधीयते।
विद्वन्मनोहरं स्वन्तमुपदिष्टं तदुच्यते। इति।

प्राप्तानां यत्र दोषाणां क्रियते शमनं पुनः ।
सा ज्ञेया ह्युपपत्तिस्तु लक्षणं नाटकाश्रयम् ॥३५॥

साध्यते योऽर्थसम्बन्धो महद्भिः समवायतः ।
परस्परानुकूल्येन सा युक्तिः परिकीर्तिता ॥३६॥

शास्त्रार्थशब्दः प्रमाणोपलक्षणम् । स्वन्तमिति शोभनोऽन्तो निश्चयो यत्र ॥३५॥

अथ युक्तिः—साध्यते योऽर्थसंबन्धः इति । यथा—

लावण्यसिन्धुरपरैव हि केयमत्र
यत्रोत्पलानि शशिना सह संप्लवन्ते ।
उन्मज्जति द्विरदकुम्भतटी च यत्र
यत्रापरे कदलकाण्डमृणालदण्डाः ॥

अत्र महद्भिरुत्कृष्टैर्नेत्रवदनादिभिः परस्परशोभात्मकानुकूल्योपलक्षितेन समवायेनैकविश्रान्त्यार्थः संबध्यमान उपपद्यमानो ऽपूर्वतरङ्गिणीलक्षणः साधित इति योजनादियं युक्तिः । प्रतीयमानं रूपकमत्रेति चेत्, किं ततः; शरीरं लक्षणमयमेवेत्युक्तमसकृत् । एकीयः पाठः—

अभूतपूर्वो ह्यर्थो यः सादृश्यात्परिकल्पितः ।
लोकस्य हृदयग्राही सोऽभिप्राय इतीरितः ॥ इति ॥३६॥

अथ कार्यं यत्रापसारयन् दोषमिति । दोषमपसार्य गुणं यदात्वेऽर्थनीये नियोजयति गुणाभिवादं वापसार्य दोषानर्थे योजयति आश्रित्य तेनार्थं योजयतीत्यर्थः । प्रथम उदाहरणं—

"तावत्स्वात्मनि संश्रितद्रुमलताश्लेषोऽध्वगैर्वर्जनम्" । इत्यादि द्वितीये ममैव—

विश्वप्रभो ? वितरतां कमलां किमन्यद्
भूयात्स कोऽपि घटितो भवतोपकारः ।
दूराध्वगेषु पुनरम्बु तथा विकीर्ण
मन्ते यथा त्रिभुवने प्रसृतं यशस्ते ।

एतत्कैश्चिद्गहनमित्युक्तम् । अन्ये त्वधीयते—

अर्थान्तरस्य कथने यत्रान्योऽर्थः प्रतीयते ।
वाक्यमाधुर्यसंपन्ना सार्थापत्तिरिति स्मृता । इति ।

अत्र हि महांस्त्वयास्योपकारः कृतः, अध्वगानां च महदम्बु दत्तमित्युक्ते विश्वप्रभो !

यत्रापसारयन् दोषं गुणमर्थेन योजयेत् ।
गुणाभिवादं दोषान् वा कार्यं तल्लक्षणं विदुः[1] ॥३७॥
अपूर्वक्रोधजनितमपराधं प्रमृज्य यत् ।
सेवार्थं मधुरं वाक्यमनुनीतिः प्रकीर्तिता ॥३८॥

इति पुनरिति पर्यालोचनादर्थान्तरस्यापत्तिः ॥३७॥

अथानुनीतिः—अपूर्वक्रोधजनितमिति । अपूर्वस्य सातिशयस्य क्रोधस्य जननाय योऽपराधस्तम् । यथा—

प्रसीदेति ब्रूयामिदमसति कोपे, न घटते । (रत्ना २-१९) अन्ये पठन्ति—

वाक्यैः सातिशयैर्युक्तो वाक्यार्थैः सप्रसाधकैः ।
लोकप्रसिद्धैर्बहुभिः प्रसिद्धिरिति कीर्तिता ॥ इति ॥३८॥

अथ परिदेवनं—दोषैर्यदन्यनामोक्तैरिति । यथा बालरामायणे दशरथनाम्ना ये दोषा युक्ता रामनिर्वासनादयस्तैरेव प्रसिद्धार्थैः सद्भिर्यत्प्रयोजितं वचनं तस्य परमार्थेन सम्बन्धो राक्षस एव युक्तो न तु दशरथे । तत्परिदेवितं:, नरेन्द्रे वृद्धे स्त्रीवशः न्यस्तमशः । इत्यादिना । अर्थेन प्रयोजनेन । येऽन्यनामोक्ता प्रसिद्धार्थाः दोषाः यत्प्रयोजितं संवादितमन्यहृदये संबद्धं संबन्धनं तच्चार्थेन परमार्थत उचितं तत्परिदेवितम् । यथा—

एनां पश्य पुरस्तटीमिह किल क्रीडाकिरातो हरो
गाण्डीवेन किरीटिना सरभसं चूडान्तरे ताडितः ।
इत्याकर्ण्य कथाद्भुतं हिमनिधावद्रौ सुभद्रापतेर्मन्दं
मन्दमकारि येन निजयोर्दोर्दण्डयोमण्डनम् ॥

तटावलोकनेन प्रयोजनेनात्र धनञ्जयव्यापारो य उक्तस्तेन राजनि कस्मिंश्चिद्दोषसंबन्धो हृदये जनितः "किं तुल्ये मानुषत्वेऽर्जुनपराक्रमन्यूनता मम तत्किं मण्डनया अधिकारस्थानां मद" इति तत्र परमौचित्यख्यापनं प्रयोजनम् । अन्ये पठन्ति—

परदोषैर्विचित्रार्थैर्यत्रात्मा परिकीर्त्यते ।
अनुक्तोऽन्योऽपि वा कश्चित्स तु क्षोभ इतोरितः ॥ इति ॥

परस्य दोषो येभ्यस्तादृशा ये विचित्रा अर्थाः परगुणास्तैर्हेतुभूतैरदृष्टोऽप्यथ आत्मा अन्य इति दृष्टत्वेन कीर्त्यते, अन्यो वा कश्चिदात्मव्यतिरिक्त इति क्षोभो हृदयसंचलनात् । इयमेवानुक्तसिद्धिः—

प्रस्तावेनैव शेषोऽर्थः कृत्स्नो यत्र प्रतीयते ।
वचनेन विना जातु सिद्धिः सा परिकीर्तिता ॥ इति ॥

---

१. 'तदिह कीर्तितमि'ति पाठान्तरम् ।

दोषैर्यदन्यनामोक्तैः प्रसिद्धार्थैः प्रयोजयेत् ।
अन्यत्रार्थेन सम्बद्धं ज्ञेयं तत् परिदेवनम् ।।३९।।
उपमा [1]रूपकं चैव दीपकं यमकं तथा ।
[2]अलङ्कारास्तु विज्ञेयाश्चत्वारो नाटकाश्रयाः ।।४०।।

दोर्दण्डमण्डनाकरणप्रस्तावादेव गम्यते पौरुषातिशयदर्पादि सर्वम् । एष चोत्कृष्टानामेवाभिप्रायो भवतीति प्राप्यत्वादन्ते लक्षणमिदमुक्तम् ।।३९।।

एवं कविव्यापारबलाद्यदर्थजातं लौकिकात्स्वभावाद्विद्यमानं तदेव लक्षणमित्युक्तम् । यत्र शरीरकल्पस्यालङ्कारा अधुना वक्तव्याः । तन्निरूपयितुमुद्दिशति उपमेत्यादि । काव्ये तावल्लक्षणं शरीरं, तस्योपमादयस्त्रयोऽर्थभागे, यथा हि पृथग्भूतेन हारेण रमणी विभूष्यते तथोपमानेन शशिना तत्सादृश्येन वा कविबुद्धौ चञ्चलतया परिवर्तमानत्वात्पृथक्सिद्धेनैव प्रकृतं वर्णनीयं वनितावदनादि सुन्दरीक्रियत इति तदेवालङ्कारः । तस्य च त्रिधाः स्थितिः संपूर्णेन स्फुटेन उपमानोपमेयत्वेन, यतोऽत्र वर्ण्यानां संनिधिरुपमानोपमेयद्योतकसाधारणधर्माणां तत्र उपमा । क्वचिदन्तर्लीनेन तेनोपमानोपमेयमेकीक्रियते तत्र रूपकव्यवहारः । तत्र हि पदार्थे प्रयुज्यमानः शब्द इवार्थं गर्भीकरोतीति न्यायः । क्वचित् एकप्रघट्टकावस्थानबलादुपमागतिः, यथा दीपके । उपलक्षणं चैतद्वैचित्र्यान्तराणाम् ।

उपाध्यायमतं तु—लक्षणबलादलङ्काराणां वैचित्र्यमागच्छति तथा हि—गुणानुवादनाम्ना लक्षणेन योगात्प्रशंसोपमा, अतिशयनाम्नातिशयोक्तिः, मनोरथाख्येनाप्रस्तुतप्रशंसा, मिथ्याध्यवसायेनापह्नुतिः, सिद्धया तुल्ययोगितेति, एवमन्यदुत्प्रेक्ष्यम् । लक्षणानां च परस्परवैचित्र्यादप्यनन्तो विचित्रभावः, यथा प्रतिषेधमनोरथयोः संमेलनादाक्षेप इति । उपमाप्रपचश्च सर्वोऽलंङ्कारः इति विद्वद्भिः । प्रतिपन्नमेव ।।४०।।

तत्रोपमां लक्षयति यत्किंचिदिति । काव्यबन्धेषु काव्यलक्षणेषु सत्स्वित्यनेन गौरिव गवय इति नायमलङ्कार इति दर्शितम् । बन्धो, गुम्फो, फणितिर्वक्रोक्तिः, कविव्यापार इति हि पर्यायाः । लक्षणं त्वलङ्कारशून्यमपि न निरर्थकम् । भूयांश्चात्रोदाहरणमार्गो दर्शितः ।

गुणशून्यं तु न काव्यं किंचिदपीयति च महापुरुषो दृष्टान्तः अहेयत्वप्रदर्शनार्थम्; एवं हि प्रसादादीनां गुणवाचोयुक्त्या व्यवहारः, तद्विना काव्यरूपत्वाभावात् । सुन्दरास्पदं तु शरीरमुपलक्षणम् उपमाद्यन्तरेण तु भवत्येव काव्यमिति प्रकटीकर्तुमुप-

---

१. GOS. दीपकं चैव रूपकं ।
२. GOS. NS. काव्यस्यैते ह्यलङ्कारस्त्चत्वारः परिकीर्तिताः ।

यत्किञ्चित् काव्यबन्धेषु सादृश्येनोपमीयते ।
उपमा नाम सा ज्ञेया गुणाकृतिसमाश्रया ॥४१॥
एकस्यैकेन सा कार्या ह्यनेकेनाथवा पुनः ।
अनेकस्य तथैकेन बहूनां बहुभिस्तथा ॥४२॥
तुल्यं ते शशिना वक्त्रमित्येकेनैकसंश्रया[1] ।
शशाङ्कवत् प्रकाशन्ते ज्योतिंषीति भवेत्तु या ॥४३॥
एकस्यानेकविषया सोपमा परिकीर्तिता ।
श्येनबर्हिणभासानां तुल्यार्थं इति या भवेत् ॥४४॥
एकस्य बहुभिः साम्यादुपमा नाटकाश्रया ।
बहूनां बहुभिर्ज्ञेया घना इव गजा इति ॥४५॥
प्रशंसा चैव निन्दा च कल्पिता सदृशी तथा ।
या किञ्चित्सदृशी ज्ञेया सोपमा पञ्चधा बुधैः ॥४६॥

प्रशंसा यथा—

दृष्ट्वा तु तां विशालाक्षीं तुतोष मनुजाधिपः ।
मुनिभिः साधितां कृच्छ्रात् सिद्धिं मूर्तिमतीमिव ॥४७॥

निन्दा यथा—

सा तं सर्वगुणैर्हीनं सस्वजे कर्कशच्छविम् ।
वने कण्टकिनं वल्ली दावदग्धमिव द्रुमम् ॥४८॥

मादीनामलङ्कारत्वेन व्यवहारः, न तु लोक इव स्फुटात्र पृथक् सिद्धिरस्ति । तथा हि दण्डिना काव्यशोभावहा धर्मा अलङ्कारा सर्वं उक्ता इति केचित् । यत्किचिदित्यनेनोपमीयत इति क्रियार्थः संबध्यते न कर्म । उप समीपे मानं प्रक्षेपणं निमित्तान्तरैरपि संभवतीत्यत आह सादृश्येनेति । उपमीयत इत्यनेनेति उपमानोपमेये उक्ते सादृश्येनेति साधारणो धर्मः, गुणः संबन्धः आक्रियते अनेनेति गुणाकृतिः इवादिः शब्दः आश्रीयमाणो यस्यामिति गुणाकृतिसमाश्रया ॥४१।४२॥

अत्रोदाहरणानि क्रमेण दर्शयति, तेषु लक्षणयोजनं तुल्यं ते इत्यादिना ॥४३॥

एवमुपमानोपमेयसंख्याभेदेन तद्भेदानुक्त्वा तद्गतशरीरभेदेन शरीरभेदानाह प्रशंसा चैवेत्यादिना । उपमानस्य प्राशस्त्यात्प्रशंसोपमा । एवं सर्वत्र ॥४३।४६॥

एवमत्र सदृशेन कल्पितः सः । असदृशीत्यन्ये पठन्ति, व्याचक्षते च सदृश इहोपमेय उच्यते, यथा च व्युत्पत्तिः समान इव दृश्यमानस्तमिवात्मानं पश्य-

---

1. KSS., NS. ह्येककृता भवेत् ।

कल्पिता यथा—

क्षरन्तो दानसलिलं लालामन्थरगामिनः ।
मतङ्गजा विराजन्ते जङ्गमा इव पर्वताः ॥४९॥

सदृशी यथा—

यत्त्वयाऽद्य कृतं कर्म परचित्तानुरोधिना ।
सदृशं तत्तवैव स्यादतिमानुषकर्मणः ॥५०॥

किञ्चित्सदृशी यथा—

संपूर्णचन्द्रवदना नीलोत्पलदलेक्षणा ।
मत्तमातङ्गगमना संप्राप्तेयं सखी मम ॥५१॥

उपमाया बुधैरेते भेदा ज्ञेयाः समासतः ।
[1]शेषा ये लक्षणैर्नोक्तास्ते ग्राह्याः काव्यलोकतः ॥५२॥

नानाधिकरणार्थानां शब्दानां संप्रदीपकम् ।
एकवाक्येन संयुक्तं तद्दीपकमुच्यते ॥५३॥

तीति । यत्रोपमेयस्यैवोपमानता । सेयं सदृशी । किंचित्सदृशमित्यमुपमानं भवति । यत्र सादृश्यगमकं स्फुटं पदं नास्ति । न च सर्वात्मना रूपक इव वस्तुद्वयमीलनं तेन समासव्यंग्या किंचित्सदृशीत्युक्ता ॥५०॥

तदुदाहरति संपूर्णेति । सप्तम्युपमानपूर्वपदस्येति समासबलादुपमानताप्रतिपत्तिः । तत्र ह्युत्तरपदलोपः सन्नियोगशिष्टत्वात् । क्यङि सलोप इव मत्तमातङ्गगमनमिव गमनमस्या इत्युत्तरपदलोपोऽपि ॥५१॥

शेषाः लोके काव्ये च ये तद्भेदाः दृश्यन्ते । ते लक्षणद्वारेणोक्ता इति ग्राह्याः स्वयं स्वीकर्तुं शक्याः । अस्मिन्ये नोक्तास्ते लोकात्काव्याच्च ग्राह्या इत्यन्ये, शेषा इत्यत्र पुनरुक्तम् ॥५२॥

अथ दीपकं नानाधिकरणार्थानामिति । नाना ये शब्दान्तरवाक्यपदात्मानस्तेषां, अधिकरणार्थानामाश्रये अर्थोऽर्थता येषां तथाभूतानां साकांक्षाणामिति तेषां यत्सम्यक् प्रकर्षेण दीपकमाकांक्षापूरकं क्रियागुणजात्यादि तद्दीपकं यत एकेनावान्तरवाक्येनासंयुक्तं सत्तथा करोति ततो दीपप्रकृतित्वात्तथोक्तमित्यर्थः ॥५३॥

अथ रूपकं—स्वविकल्पेन रचितमिति । स्वविकल्पेन यद्रूपं वदनस्य रचितं चन्द्रात्मकं तद्रूपयति परमिति रूपकम् । तस्य द्वौ भेदौ तुल्यैरवयवैः सर्वैरेवान्य-

---

१. NS. ये शेषा ।

[प्रसृतं मधुरं चापि गुणैः सर्वैरलंकृतम् ।
काव्ये यन्नाटके विप्रास्तद्दीपकमिति स्मृतम्] ॥५४॥

यथा—

सरांसि हंसैः कुसुमैश्च वृक्षा मत्तैर्द्विरेफैश्च सरोरुहाणि ।
गोष्ठीभिरुद्यानवनानि चैव तस्मिन्नशून्यानि सदा क्रियन्ते ॥५५॥

[1]स्वविकल्पेन रचितं तुल्यावयवलक्षणम् ।
किञ्चित्सादृश्यसम्पन्नं यद्रूपं रूपकं तु तत् ॥५६॥

[2][नानाद्रव्यानुरागाद्यैर्यदौपम्यगुणाश्रयम् ।
रूपनिर्वर्णनायुक्तं तद्रूपकमिति स्मृतम्] ॥५७॥

यथा—

पद्माननास्ताः कुमुदप्रहासा विकासिनीलोत्पलचारुनेत्राः ।
वापीस्त्रियो हंसकुलैर्नः स्वनद्भिर्विरेजुरन्योन्यमिवाह्वयन्त्यः ॥५८॥

रूपीकृतैर्युक्तं, यदि वा किंचित्सादृश्ययुक्तं रूपितम् । अत्रापि किंचिदन्यरूपसादृश्याद्युक्तं रूपान्तररूपितं यत्रैकदेशविवर्ति प्रसिद्धं द्रव्याद्यस्ति । या इति युक्तः पाठः ततो हि समासोपमात्वं पद्मानना इत्यादेर्निवार्यते । हंसकुलानां नर्मसचिवत्वमरूपितमपि गम्यत इत्ययमंशो द्वितीयस्योदाहरणम् । अन्योन्यमिहेति पाठः, इव शब्दे तूपमाशक्योत्प्रेक्षा वा । सा त्विह कल्पितोपमा । उपमांशस्यास्फुरणादाभिमानाख्यं लक्षणं सैवं यस्यालङ्कारकारैरलङ्कारतयोक्ता तत्रोपमोद्भेदश्च तद्युक्तालङ्कारता भूष्यभूषकयोः पृथग्भावात् । नो चेत्तल्लक्षणमेव । तत्केचित्पठन्ति—

नानाद्रव्यानुरागाद्यैर्यदौपम्यगुणाश्रयम् ।
रूपनिवर्णना युक्तं तद्रूपकमिति स्मृतम् ॥

व्याकुर्वते च—रूपकशब्दस्यान्वर्थाख्यायकमेतत्, औपम्यस्य गुणत्वेनाप्रधानतया संश्रयो यत्र तथा कृत्वा रूपस्य यान्यरूयेण निश्चित्य वर्णना तद्रूपकम् । कथं तन्निश्चय इत्याह नानाभूतेन पृथग्भूतेनापि द्रव्येण योऽनुरागः स्फटिकस्येव लाक्षया तत आदि ग्रहणाद् भ्रान्तिगौणलाक्षणिकादिभेदानां ग्रहणम् इति ॥५८॥

एवमर्थविषयलक्षप्रसङ्गेनार्थालङ्कारान् प्रदर्श्य शब्दालङ्कारस्वरूपमाह शब्दाभ्यासस्तु यमकमिति तुरर्थालङ्कारेभ्यो व्यतिरेकमाह । शब्दशब्देन वाक्यं पदं तदेकदेश वर्ण इति सर्वं ग्रह्यते तेनानुप्रासस्य लाटीयादेरनेनैर्वोपसंग्रहः । यमो द्वौ सम-

---

१. KSS., NS. स्वविकल्पैर्विरचितं ।
२. ग्रन्थान्तरेषु प्रथमं रूपकस्य लक्षणोदाहरणे ततश्च दीपकस्य ।

[1]शब्दाभ्यासस्तु यमकं पदादिषु विकल्पितम् ।
विशेषदर्शनञ्चास्य गदतो मे निबोधत ॥५९॥
[2]पादान्तयमकं चैव काञ्चीयमकमेव च ।
समुद्गयमकं चैव विक्रान्तयमकं तथा ॥६०॥
यमकं चक्रवालं च सन्दष्टयमकं तथा ।
[3]पदादियमकञ्चैव ह्याम्रेडितमथापि च ॥६१॥
चतुर्व्यवसितञ्चैव मालायमकमेव च ।
[4]एतादृशविधं ज्ञेयं यमकं नाटकाश्रयम् ॥६२॥
चतुर्णां यत्र पादानामन्ते स्यात्सममक्षरम् ।
तद्वै पादान्तयमकं विज्ञेयं नामतो यथा ॥६३॥

यथा—

दिनक्षयात् संहृतरश्मिमण्डलं
दिवीव लग्नं तपनीयमण्डलम् ।
विभाति ताम्रं दिवि सूर्यमण्डलं
यथा तरुण्याः स्तनभारमण्डलम् ॥६४॥
[लोकानां प्रभविष्णुर्दैत्येन्द्रगदानिपातनसहिष्णुः ।
जयति सुरदैत्यजिष्णुर्भगवानसुरवरमथनकारी विष्णुः] ॥६५॥
[5]पादस्यान्ते तथा चादौ स्यातां तत्र समे पदे ।
तत्काञ्चीयमकं चैव विज्ञेयं सूरिभिर्यथा ॥६६॥

जातावुच्येते तत्प्रकृतित्वाद्यमकम् । तेनेकस्याक्षरस्य पदस्य वा द्वितीयं सदृशं निरन्तरं सान्तरं वा शोभाजनकमलङ्कारः । यथा मुक्ताफलस्योचितमुक्ताफलान्तरं पद्मरागादेर्वोपाश्रयविशेषः समुचितसहासीनसत्पुरुषमध्यपतनं वा सत्पुरुषान्तरस्य । पादादिषु आदिग्रहणं तदा मध्यान्तरादिषु विकल्पितवचनान्नास्त्यपि स्थापननियमोऽनुप्रासलाटीयादिसंग्रहायेत्याह । विशेषदर्शनमिति विशेषाणामुद्देशलक्षणानामित्यर्थः ॥५९॥

अक्षरमिति एकमनेकं च संहृतम् ॥६३॥

रश्मीनां मण्डलमोघो यस्य । तपनीयमण्डलम् सौवर्णं चक्रम् ॥६४॥

---

१. KSS. शब्दाभ्यासं तु ।

२. KSS. पादान्य ।

३. NS. पादादि······।

४. NS. एतद्दृशविधं ।

५. NS. पादस्यादौ तथा चान्ते स्यातां यत्र ।

यामं यामं चन्द्रवतीनां द्रवतीनां
व्यक्ताव्यक्ता सारजनीनां रजनीनाम् ।
फुल्ले फुल्ले सम्भ्रमरे वाभ्रमरे वा
रामा रामा विस्मयते च स्मयते च ॥६७॥

[1]अर्धेनैकेन यद्वृत्तं सर्वमेव समाप्यते ।
समुद्गयमकं नाम तज्ज्ञेयं पण्डितैर्यथा ॥६८॥

केतकीकुसुमपाण्डुरदन्तः[2]
शोभते प्रवरकाननहस्ती ।
केतकीकुसुमपाण्डुरदन्तः
शोभते प्रवरकाननहस्ती ॥६९॥

एकैकं पादमुत्क्रम्य[3] द्वौ पादौ सदृशौ यदि ।
विक्रान्तयमकं नाम [4]तद्विज्ञेयमिदं यथा ॥७०॥

[5]स पूर्वं वारणो भूत्वा द्विशृङ्ग इव पर्वतः ।
अभवद्दन्तवैकल्याद्विशृङ्ग इव पर्वतः ॥७१॥

पूर्वस्यान्तेन पादस्य परस्यादिर्यदा समः ।
चक्रवच्चक्रवालं तु विज्ञेयं नामतो यथा ॥७२॥

[तुल्यात्पादद्वयादन्त्यादेकेनादिर्यदा समः ।
सर्वत्र चक्रवालन्तु तद्विज्ञेयं बुधैर्यथा] ॥७३॥

सारभूतानां जनीनां वधूनां युवतीनां संबन्धिनी। परिवारत्वेन स्थिता रामारामा सर्वैव स्त्री। व्यक्ता ईषत् स्फुटाकारा। चन्द्रवतीनां रजनीनां रात्रीणां संबन्धिनी। यामंयामं सर्वप्रहरम्। स्मयते यतः पुष्पे विकसिते सभ्रमरके। तद्विना वा विस्मयते ॥६७॥

केतकीकुसुमवद्भासुरौ दन्तावस्य सोऽयं। प्रकारकमाननं यस्य तादृक् शोभते हस्ती। तथा केतकीकुसुमात्मकौ पाण्डुरौ दन्तौ यस्य तत्प्रवरकाननं हस्तिरूपं शोभते। "अत्र चार्थभेदो मुनिना नादृत" इति तदप्रसिद्धम्। व्युत्पत्त्यादिना परहृदयं वेदितमस्माभिः ॥६९॥

द्वे शृङ्गे यस्य तथा विगतं शृङ्गं यस्य ॥७१॥

---

१. KSS. अर्थेनैकेन ।
२. KSS. पाण्डरदन्तः ।
३. NS. उत्क्षिप्य ।
४. NS. तज्ज्ञेयं नामतो यथा ।
५. NS. सम्पूर्णवानरो भूत्वा ।

शैला यथा शत्रुभिराहता हता
हताश्च [1]भूयस्त्वत्वनुपुङ्खपुगैः ।
खगैश्च सर्वैर्युधि सञ्चिताश्चिता[2]
श्चिताधिरूढा निहिता स्तलैस्तलैः[3] ॥७४॥

आदौ द्वौ यत्र पादौ तु भवेतामक्षरैः समौ ।
सन्दष्टयमकं नाम विज्ञेयं तद् बुधैर्यथा ॥७५॥

पश्य पश्य[4] रणमस्य मे गुणान्
येन येन वशगां करोति माम् ।
[5]येन येन हि समेति दर्शनं
तेन तेन वशगां करोति माम् ॥७६॥

आदौ पादस्य तु यत्र स्यात् समावेशः समाक्षरः ।
पादादियमकं नाम तद्विज्ञेयं बुधैर्यथा ॥७७॥

विष्णुः सृजति भूतानि विष्णुः [6]संहरते प्रजाः ।
[7]विष्णुः प्रसूते त्रैलोक्यं विष्णुर्लोकाधिदैवतम् ॥७८॥

पादस्यान्तं पदं यत्र द्विर्द्विरेकमिहोच्यते ।
ज्ञेयमाम्रेडितं नाम यमकं तत्र सूरिभिः ॥७९॥

एते युधि संचिताः सङ्घीभूताः चितामधिरूढाः । शत्रुभिः कर्तृभिः खगैः शरैः अनुपुङ्खगैः पुङ्खान्तमग्नैः आहताः हताः । आहतप्रकारमाह—ताः छिन्नपक्षाः शैला इव खगैः गृध्रादिभिः तलैः पक्षबाहुभिः निहताः भूयः एतैरेव चिता व्याप्ताः । "निहतानामस्तं मरणं लान्ति तैर्निहतास्तलैः" इति क्लिष्टत्वादुपेक्ष्यम् ॥७४॥

---

१. KSS., बाणैरनुपुंखपुंखैः । NS. भूयोऽप्यनुपुंखगैः ।

२. KSS., सञ्चिताञ्चिताः । NS. संचिताश्चिताः ।

३. KSS., हता हतानराः । NS. निहता फलैः फलैः ।

४. KSS., NS. रमणस्य ।

५. NS. येन येन दिनमेति ।

६. KSS. संहरति ।

७. NS. विष्णुप्रसूतं ।

विजृम्भितं निःश्वसितं मुहुर्मुहुः
कथं विधेयं स्मरणं पदे पदे ।
यथा च ते ध्यानमिदं पुनः पुन-
[1]र्ध्रुवंगता ते रजनी विना विना ॥८०॥
सर्वे पादाः समा यत्र भवन्ति नियताक्षराः ।
चतुर्व्यवसितं[2] नाम तद्विज्ञेयं बुधैर्यथा ॥८१॥

यथा—

[3]वारणानामयमेव कालो
वारणानामयमेव कालः ।
वारणानामयमेव कालो
वारणानामयमेव कालः ॥८२॥

नानारूपैः स्वरैर्यत्र[4] यत्रैकं व्यञ्जनं भवेत् ।
तन्मालायमकं नाम विज्ञेयं [5]पण्डितैर्यथा ॥८३॥
न्नली बली हली माली खेली माली सली जली ।
खलो बलोऽबलो माली मुसली त्वाभिरक्षतु ॥८४॥
असौ हि रामा रतिविग्रहप्रिया
रहःप्रगल्भा रमणं मनोगतम् ।
रतेन रात्रिं रमयेत् परेण वा
न चेदुदेष्यत्यरुणः पुरो रिपुः ॥८५॥
स पुष्कराक्षः क्षतजोक्षिताक्षः क्षरत्क्षतेभ्यः क्षतजंबुरीक्षः ।
क्षतैर्गवाक्षैरिव संवृताङ्गः साक्षात् सहस्राक्ष इवावभाति ॥८६॥

वारणपुष्पाणां संबन्ध्ययं कालः शरल्लक्षणः । वारणानां हस्तिनाम् । अनामये आमयाभावे सति समदत्वे सति वारणानां वारणं निवारणं विद्यते येषां तेषां शत्रूणामयं कालः कृतान्तोऽथवा समयः । रणानां संग्रामाणां कालः क्षेपः चिन्ताप्रवर्तयितेत्यर्थः ॥८२॥

---

१. KSS., NS. तथागता ।
२. KSS. न्यवसितं ।
३. सावारणानामिति चतुर्ष्वपि पादेषु वर्तते ।
४. NS. युक्तं ।
५. NS. पाठकैः ।
६. KSS., NS. vary.

एभिरर्थक्रियापेक्षै:[1] कार्यं काव्यं तु लक्षणै: ।
अत: परं प्रवक्ष्यामि काव्ये दोषान् गुणांस्तथा[2] ॥८७॥
गूढार्थमर्थान्तरमर्थहीनं भिन्नार्थमेकार्थमभिप्लुतार्थम् ।
न्यायादपेतं विषमं विसन्धि शब्दच्युतं वै दश काव्यदोषा: ॥८८॥
[3]पर्यायशब्दाभिहितं गूढार्थमभिसंज्ञितम् ।
अवर्ण्यं वर्ण्यते यत्र तदर्थान्तरमिष्यते ॥८९॥
अर्थहीनं त्वसम्बद्धं सावशेषार्थमेव च ।
भिन्नार्थमभिविज्ञेयमसभ्यं ग्राम्यमेव च ॥९०॥

लक्षणानां प्राधान्यमित्युक्तपूर्वं तत्तथैवोपसंहरति एभिर्लक्षणैरिति । अर्थ-क्रियायां रसचर्वणायां युक्तं योगो येषां, विभावादित्वं ह्यतत् प्रसादादीत्युक्तमधस्तात् । अत: परमिति वक्तव्यान्तरमाह । केषुचित्पुस्तकेषु चैतद्ग्रन्थ: पश्चादृश्यते, बाहुल्येन प्रथमं दृश्यत इति तथैव व्याचक्ष्महे ॥८७॥

गूढार्थं यथा—पर्यायशब्देति तत्र शब्दानां पदानां वाक्यस्य तदर्थानां च यथा दशरथ इति वक्तव्ये बलात्परिकल्पितेन वस्तुन: पर्याय-शब्देनाभिधानं 'अधिक नवविमान' इति । न हि यदृच्छाशब्दा: पर्यायभाज: ।

अर्थान्तरं यथा—"चिन्तामोहमनङ्गमङ्ग तनुते विप्रेक्षितं सुभ्रुव:" इति अत्र काम: स्वीकृत: । चिन्तादिशब्देनावर्णनीयमपि वर्णितम् । यत्तु प्रसक्तानुप्रसक्तिकया बहुतराप्रकृतवर्णनं तत्प्रबन्धदोषरूपं सन्धितदङ्गविधानेन पराकृतमिति नेह निरू-पर्णाहम् ।।८९॥

अर्थहीनं यथा—अद्यापि स्मरसि रसालसं मनो मे मुग्धाया: स्मरचतुराणि । अत्र पूर्वापरव्याघातादसंबन्धता । यथा वा "स महात्मा भाग्यवशान्महापथमुपागत:" इति । अत्र हि सावशेष: प्रकरणापेक्षो वस्तुनिश्चय:, अभाग्यवशादित्यपि संभाव्यत्वात् ॥९०॥

भिन्नार्थं त्रिधा यथा—तत्र मृष्यो दूरसंबन्धव्यवधाने सति यत्रार्थो यथा—

ज्वरं भुञ्जीत सञ्जातमलपाकं चिरस्थितम् ।
अजादुग्धोदनं हन्यात् त्रिदोषोत्कापसंभवम् ॥ इति ॥

---

१. NS. पेक्षं ।
२. KSS., काव्यदोषांस्तथाविधान् NS. काव्यदोषा समासत: ;
३. इतोऽग्रेतनं सार्धश्लोकपञ्चकं काशीसीरिजपुस्तके नास्ति ।

विवक्षितोऽन्य एवार्थो यत्रान्यार्थेन भिद्यते ।
भिन्नार्थं तदपि प्राहुः काव्यं काव्यविचक्षणाः ॥६१॥
अविशेषाभिधानं यत् तदेकार्थमिति स्मृतम् ।
अभिप्लुतार्थं विज्ञेयं यत् पदेन समस्यते ॥६२॥
न्यायादपेतं विज्ञेयं प्रमाणपरिवर्जितम् ।
[1]वृत्तभेदो भवेद्यत्र विषमं नाम तद्भवेत् ॥६३॥

ग्राम्यं यथा—"भद्रं भजस्व मामिदं ते दास्यामि" इति। तृतीयं भिन्नार्थं यथा—"स्याच्चेदेष न रावणः" इत्युक्त्वा, "क्व नु पुनः सर्वत्र सर्वे गुणाः" इति। उद्दिष्टं ह्यत्र रावणस्यानुपादेयत्वं; क्व नु पुनरत्येननान्यथाकरणाद्भेदितम् ॥६१॥

एकार्थं यथा—कुन्देन्दुहारहरहाससितमिति। एकप्रयोजनं हि सर्वमेतत्। न काव्यं शास्त्रवदुपदेश्यं किञ्चित्कश्चिज्जानीयादिति प्रवर्तते।

अभिप्लुतार्थं यथा—

स राजा नीतिकुशलाः, सरः कुमुदशोभितम् ।
सर्वप्रिया वसन्तश्रीर्ग्रीष्मे मालतिकागमः ॥

अत्र प्रतिपादमर्थस्य परिसमाप्तत्वादभिप्लुतत्वं, एकवाक्यत्वेन निमज्जनाभावात् ॥६२॥

न्यायादपेतं देशकालविरुद्धं कलाशास्त्रादिविरुद्धं च यथा—

सुवीरेष्वस्ति नगरी मथुरा नाम विश्रुता ।
अक्षोटनालिकेराढ्या यस्याः पर्यन्तभूमयः ॥ इत्यादि

विषमं यथा—"अयि पश्यसि सौधमाश्रितामविरलसुमनोमालभारिणीम्" इत्यादि ॥६३॥ विसन्धिदोषोऽनेनैव संगृहीतः। सन्धानं, द्वयोर्नैरन्तर्यं विचारयोगः अन्योन्यलयो वेति त्रिधा। तदनुपारूढमयुक्तं पारुष्याद्युत्पादकं वा यत्रापशब्दः स्मृतो मुनित्रयेणादृतः। एते दोषाः; एतन्मध्ये तु केचित् नित्यदोषाः, यथा अपशब्दः। केचिदनित्या यथा—ग्राम्यं; हास्यादौ तस्येष्टतमत्वात्। एतदाह यथास्थूलमिति आनुपूर्व्यमिति चात्र अव्ययेनाव्ययीभावः। तेनोत्तरोत्तरं स्थूलाः। यथा च गूढार्थं गूढलेखप्रहेलिकादि पताकास्थानकादिषु प्रयोज्यम्; अर्थान्तरमनुवादे, अर्थहीनादि हास्ये, भिन्नार्थं श्रोत्रियादौ वक्तरि, एकार्थं परप्रस्यायने, अभिप्लुतार्थमुन्मादादौ,

---

1. KSS., NS. वृत्तदोषो

[1]अनुपश्लिष्टशब्दं यत् तद्विसन्धीति कीर्तितम् ।
शब्दच्युतञ्च विज्ञेयमशब्दस्वरयोजनात् ॥९४॥

एते दोषास्तु विज्ञेयाः सूरिभिर्नाटिकाश्रयाः ।
[2]गुणा विपर्ययादेषां माधुर्यौदार्यलक्षणाः ॥९५॥

श्लेषः प्रसादः समता समाधिः माधुर्यमोजः पदसौकुमार्यम् ।
अर्थस्य च व्यक्तिरुदारता च कान्तिश्च [3]काव्यस्य गुणा दशैते ॥९६॥

[4][ईप्सितेनार्थजातेन सम्बद्धानां परस्परम् ।
श्लिष्टता या पदानां हि श्लेष इत्यभिधीयते] ॥९७॥

भिन्नवृत्तं विसन्धि च स्वविषये । एवमेते दोषाः क्रमेणापातत्रिषयाः । इह यतोऽर्थप्रतीतिस्तावदस्ति । अपशब्दस्तु दोष एव ततः कस्याश्चिदर्थप्रतीतेरभावात् । स हि न कांचिद्भाषामनु पतति संकेताभावात्तमर्थं प्रतिपादयेत् ॥९४॥

अथ गुणेषु प्रतिजानीते—एषां विपर्ययाद् गुणा भवन्ति, एतद्दोषविघात एव गुणो भवतीत्यर्थः । किमविशेषेण, नेत्याह—माधुर्यौदार्यलक्षणमङ्को येषाम् । एतदुक्तं भवति—एतद्दोषविहीनं श्रुतिसुखं दीप्तरसं च यदि भवति तावता गुणान्तरैरलङ्कारैश्च हीनमपि काव्यं लक्षणयोगाव्यभिचारीत्युक्तम् ॥९५॥

अन्येऽपि गुणाः सन्तीति दर्शयति श्लेषः प्रसाद इत्यादि । काव्यस्येति पदस्य वाक्यस्य तदुभयगतस्यार्थस्य वेत्यर्थः ॥९६॥

तत्र श्लेषमाह ईप्सितेनार्थजातेनेति अर्थभागानां कविसमुत्प्रेक्षिततया परस्परसंबद्धया योजनया संपन्नं यदीप्सितमर्थजातं तेनोपलक्षितार्थत्योपपद्यमानस्योपपद्यमानतात्मा गुणः श्लेषः । यथोदाहृतं वामनेन—

दृष्ट्वैकासनसंस्थिते प्रियतमे पश्चादुपेत्यादरा
देकस्या नयने निमील्य पिहितक्रीडानुबन्धच्छलः ।
ईषद्वक्रितकन्धरः सपुलकप्रेमोल्लसन्मानसा
मन्तर्हासलसत्कपोलफलकां धूर्तोऽपरां चुम्बति ॥

अत्र मनोरथातीतोऽप्येककालनायिकायुगलहृदयग्रहणलक्षणार्थस्तथोपपादितो येनासंभावनास्पदं न भवति । तेन कुटिलोऽप्ययं क्रमो न हृदये उल्वणत्वं भजते । मज्जति हृदये यतः सर्वस्येति ॥९७॥

---

१. KSS., NS. अनुतिप्रतिष्ठाशब्दं······काशितम् । शब्दहीनं च विज्ञेयमशब्दस्य च योजनात् ।

२. KSS. एत एव विपर्यस्ता गुणाः काव्येषु दर्शिताः ।

३. NS. काव्यार्थगुणा ।

४. पद्यमेतत् काशीसीरिज पुस्तके नास्तीति ।

[1]विचारगहनं यत्स्यात् स्फुटञ्चैव स्वभावतः।
स्वतः सुप्रतिबद्धञ्च[2] श्लिष्टं तत्परिकीर्त्यते ॥९८॥

अथ शब्दगुणमाह—ईप्सितार्थ योनिः पदानां श्लिष्टता परस्परं सन्धिबन्धनतया ऽनेकमेकपदमिव भाति तदेव मासृण्यमुच्यते। अतश्च पदान्तरपाठस्यावश्यापेक्षतायां यथा ब्रह्मसूत्रमिति। उक्तं चैतच्छन्दोऽध्याये। तथा सन्धीयमानयोस्तथासन्धेः साजात्यं सावर्ण्यं च संपद्यते वस्त्रखण्डयोरिव सूत्रस्येव च। यथा—

"अस्त्युत्तरस्यां दिशि देवतात्मा" (कुमा १-१)

अस्ति शब्दस्योत्तरशब्दस्य सन्धीयमानयोस्तकारस्य तकारेण संयोगे तयोश्च साजात्यं 'स्यान्दिशि' इत्यनयोः सन्धेर्नकारस्य वर्ग्यत्वाद्दकारेण सावर्ण्यं, दिशि देवता' इति सान्तर्यसन्धौ दकारेण दकारस्य साजात्यं, इकारैकारयोस्तालव्यांशत्वेन सादृश्यं, देवतात्मा इत्यत्र तकारेणाकारोत्तरतकारस्य च। न चानुप्रासमात्रमेतत् एकपदानुप्रासेऽपि प्रामाण्यभावात्—'इन्दिन्दिराणां ललितो निनादः' इत्यनुप्रासे च सावर्ण्येनोपयोगीति। अन्ये पठन्ति—विचारगहनं यत्स्यात् स्फुटं चैव स्वभावतः। इत्यर्थश्लेषः वक्रघटना वेत्यर्थः सुप्रतिबद्धश्च श्लेष इति पद श्लेषः ॥९८॥

प्रसादमाह—अप्यनुक्तो बुधैरिति। यत्रार्थे अनुक्ते ऽपि धुधैः कष्टकल्पनया अव्याख्यातस्याऽप्यर्थस्य प्रयोजनं स्वयं भासते सोऽर्थो वैमल्याश्रयोऽपि वैमल्यमुपचारात् सोर्थो वा काव्यस्य वैमल्यं स्वयं जानंश्चानुपयोगिपरिवर्जनात्। वैमल्यशब्द वाच्याज्जलस्येव पांसुभिरसंपर्काद्भवतीति वैमल्यमर्थस्य प्रसादः। तथा—'सवर्णा कन्यका रूपयौवनारम्भशालिनी' इति विवाह्यत्वं प्रापणीयता हृद्यत्वं संभोगयोग्यता गृहस्थसहधर्मचारिणीत्वमित्युपयोगी सर्वोऽयमर्थः। तेनाबुध्वैतदुदाहरणान्तरं वृथा भ्रमणम्—"आविलपयोधराग्र" मिति (विक्रमो० ५-८) एतदपि तूदाहरणं, पददूषणं तु सम्यगज्ञाने प्रयुक्तम्। अप्रसादस्तु "उपास्तां हस्तो मे विमलमणिकाञ्चीपदमिदम्" अत्र विमलमन्यथोपयोगात् पांसुरिव जलेऽप्रसन्नतां करोति। सुख इति न प्रयत्नमपेक्षते यः शब्दो, योऽर्थो, यः संयोगः शब्दविषय इत्यर्थः, कलामात्ररूप एव यत्र सन्धिः; अत एव शैथिल्यात्मा स शब्दगुणः प्रसादः। प्रसन्नता स्फुटत्वं लक्षणीयविभागता पदानाम् यथा—

अथ स विषयव्यावृत्तात्मा यथाविधि सूनवे
नृपतिककुदं दत्त्वा यूने सितातपवारणम्।

---

१. KSS. विचारग्रहणं वृत्या।
२. KSS. सुप्रतिबद्धश्च।

[1]अप्यनुक्तो बुधैर्यत्र शब्दोऽर्थो वा प्रतीयते।
[2]सुखशब्दार्थसंयोगात् प्रसादः परिकीर्त्यते ॥६६॥

इत्यादि। अत्र निरन्तरतां मुक्त्वा नान्योन्यलयो नान्योन्यापत्तिसन्धिरस्तीति शिथिलता। एकश्च गुणः क्वाऽपि शोभत इति स्वानुभवसिद्धः; तेन व्यावृत्तात्मेति गाढ़ता कृता, ककुदं दत्त्वेति चापरः सवर्णपक्षे ॥६६॥

समतामाह—नातिचूर्णपदैरिति। शब्दानां समत्वात्समः चूर्णपदैरसमासरचना यत्र सातिशया न भवति। अतिशयश्च प्रतियोगिनमपेक्षते इति। दीर्घसमासोऽत्यन्तसमासश्च विषमता, तद्विपर्ययेण समता उपक्रान्तमार्गापरित्यागरूपेत्युक्तं भवति। यथा—

गाहन्तां महिषा निपानसलिलैः शृङ्गैर्मुहुस्ताडितं
छायाबद्धकदम्बकं मृगकुलं रोमन्थमभ्यस्यतु।
विस्रब्धैः क्रियतां वराहपतिभिर्मुस्ताक्षतिः पल्वले
विश्रान्तिं लभतामिदं च शिथिलज्याबन्धमस्मद्धनुः॥

अत्र अवान्तरवाक्ये समस्तद्विपदा हि नातिदीर्घा वृत्तिः।

प्रसीद चण्डि! त्यज मन्युमञ्जसा जनस्तवायं दुरतः कृताञ्जलिः। किमित्थं—

इति चूर्णपदैरुपक्रम्यासमाप्त एव वाक्यार्थे; वाक्यान्तरे दीर्घः समासः कृतः—

उत्कम्पितपीवरस्तनद्वयोन्मिषत्सुप्तविलासमास्यते।

पूर्वत्र ('गाहन्ता' मित्यत्र त्ववान्तरार्थसमाप्तावर्थान्तरोपक्रम एव समासेन 'छायाबद्धकदम्बक' मित्युपक्रान्तोऽपि न चैत्यात्कूपपतनमिव चूर्णपदं प्रयुक्तं 'मृगकुल' मिति। सेयं समता जाता शब्दगुणः। अर्थेऽपि समत्वात्सा। किं तत्समत्वं आह व्यर्थाभिधायिभिरिति निष्प्रयोजनमर्थंऽभिदधति ते व्यर्थाभिधायिनस्तेषां शब्दानां न त्वेतदवैमल्यमिति प्रसादेन निरस्तत्वात्। नैतत्, नहि सर्वथा निष्प्रयोजनता, अपि तु सदपि प्रयोजनं दुर्बोधं, तदाह—दुर्बोधनैरिति। अभिधीयतेऽस्मै इत्यभिधानं प्रयोजनम्। यथा—

च्युतसुमनसः कुन्दा पुष्पोद्गमेष्वलसा द्रुमाः
मलयमरुतः सर्पन्तीमे वियुक्तधृतिच्छिदः।
अथ च सवितुः शीतोल्लासं लुनन्ति मरीचयो
न च जरठतामालम्बन्ते क्लमोदयदायिनीम्॥

१. NS. अथानुक्तो बुधैर्यत्र शब्दार्थः।
२. NS., मुख्यशब्दार्थसंयोगात् KSS. सुखशब्दार्थसंबोधात्।

[1]नातिचूर्णपदैर्युक्ता न च व्यर्थाभिधायिभिः ।
दुर्बोधनैश्च न कृता समत्वात् समता मता ॥१००॥
[2][अन्योन्यसदृशा यत्र तथा ह्यन्योन्यभूषणाः ।
अलङ्कारा गुणाश्चैव समाः स्युः समतां मताः ॥१०१॥

इत्यत्र ऋतुसन्धिवर्णनप्रक्रमे मलयमारुतः प्रक्रमं भिनत्ति न च सर्वथा निरर्थको विप्रलम्भोद्दीपनत्वात् । किन्तु प्रक्रमं स्फुटं न पुष्णातीति विषमता । समता तु "मनांसि च गिरं गृह्णन्तीमे किरन्ति न कोकिलाः" इति द्वितीयपादस्थाने यदि पठेत् ॥१००—१०१॥

समाधिमाह—अभियुक्तैर्विशेषस्त्विति । यस्या द्वितीयस्यार्थस्य अभियुक्तैः प्रतिभातिशयवद्भिः विशेषो अपूर्वः स्वोल्लिखित उपपद्यते स समाहितमनः संपाद्यविशेषत्वादर्थो विशिष्टः समाधिः, यत्र कवेः स्वप्रतिभयोल्लेखस्तत्सर्वमिहोदाहरणम् । यथा—

आश्वपैहि मम सीधुभाजनाद्यावदग्रदशनैर्न दश्यते ।
चन्द्र ! मद्दशनमण्डलाङ्कितः त्वं न यास्यसि हि रोहिणीभयात् ॥

अयोनिरन्यच्छायायोनिश्चेति, एतदेव ज्ञानं प्रातिभं यस्य विषयः अयोनिः । सारस्वतस्य हि सर्वोऽयमनिमित्तत एव । तदन्यस्य सर्वोऽन्यच्छायायोनिः । व्यक्तभव्यभावनावास्यत्वादपि कविहृदयगतप्रतिभातिशयतारतम्यादनवस्थितम् ।

शब्दगुणश्च समाधिः, तमाह—**तेन चेति** । समाधिशब्दस्य योऽर्थः परिहारलक्षणस्तेन यः परिकीर्तितः परितः समन्तादाक्रान्त्या उच्चारणे संपन्नः । स च समाधिः । आक्रान्त्या उच्चारणे आरोहावरोहक्रमः आक्रमणेन गतितुल्यः । आरोहश्चोर्ध्वगमनद्वारः प्राणरूपमारुतस्य उच्चरूपः, अपक्रमणमवरोहो विपर्ययः । उच्चत्वं स्थानकरणवशात् बाह्याभ्यतरप्रयत्नवशाच्च । तथा हि—

निरानन्दः कौन्दे मधुनि परिमुक्तोज्झितरसे
न साले सालम्बो लवमपि लवङ्गे न रमते ।
प्रियङ्गौ नासङ्गं रचयति न चूतेऽपि चरति
स्मरँल्लक्ष्मीलीलाकमलमधुपानं मधुकरः ॥

तत्र नकाराद्दन्त्यान्मूर्धन्यो रेफ उच्चस्थानस्थितो यद्यपि, नकारदकारयोः तथापि दन्त्यसंयोगः निरन्तरप्रयत्नाधिक्येन न विवृततमेन चाकारद्वयेन द्विवारप्रयत्नकेन च

---

१. KSS. does not read.
२. काशीमुद्रित पुस्तकेऽपि एतादृश पाठो गृहीतः ।

अभियुक्तैर्विशेषस्तु योऽर्थस्येहोपलक्ष्यते।
तेन चार्थेन सम्पन्नः समाधिः परिकीर्त्यते ॥१०२॥

जिह्वामूलीयेन चोच्चत्वभाजा आरोहणमस्फुटीकरणमिति नशब्देनारोहणं संपन्नमप्यसंपन्नकल्पम्। आरोहणसौकर्यायैव प्रत्युत मध्ये ह्यत्र का विश्रान्तिः। अभावे उच्चतमसङ्कलनसोपानारोहखेदायैव भवति निरास्वाद्यः कौन्द इति। यथा वा निरानन्द इत्यत्र यावन्महाप्राणो जिह्वामूलीयश्च श्वासानुप्रदानो द्विवारयुक्तस्तावदारोहयत औकार आकारमवेक्ष्य विवृतरूप औकारतोऽपि नकारः ततोऽपीकारोकारयोः ऊनं विवृतत्वं, अकारस्तु संवृतः इत्यवरोहः। औकारस्तु मध्येऽवरोहसौकर्यायैव दूरारोहाद्धि दूरावरोहणं चेति चूलिकायाः कूपपतनकल्पम्। खेदो यथा—

"कुर्वाणाः परमं महच्च मनस" इति आकारोपध्मानीयेभ्यो झटिति संवृतेऽकारे निपातनात्। "निवेशः स्वः सिन्धोः"—इत्यत्र क्रमेण विवृततरः स्पर्श इति क्रमेणारोहः। "तुहिनगिरिवीथीषु जयति" अत्र विवृतेभ्यः उकारादिभ्यः संवृतेऽकारद्वये पातः इकारस्त्वन्यत्वान्न च विश्रान्तिस्थानमिति नारोहः। यदि वा सिन्धोरिति विवृततरापेक्षया आरोहसंस्कारे उकारेऽवरोहबुद्धिरेव स्फुटत्वेऽवरोहः। जयतिमपास्य तदयमिति पाठः। अनुस्वारो हि संवारप्रयत्नः। 'नराः शीलभ्रष्टा व्यसन इव मज्जन्ति तरवः' इति अकार+इकार+अकारेभ्योऽवरोहमयेभ्यो विवृते इकारे आरोहः, अन्ते च विसर्जनीये आरोह एव। तेन स्वभावप्रतिभादर्शनानुविद्धा भगवती वाणी स्वरसोपनिपतिता स्वरसंभारप्रभावानुरोधेनैवारोहावरोहक्रमं भजते प्रतिभादृष्टिशून्यत्वात् अन्धपदवदारोहादि न भजेत्।

नन्वियता पाठसौकर्यं स्यात्, श्रोतुस्तु किमायातम्, अनभिज्ञो देवानां प्रियः, यथा हि कर्कशशर्करानिकरकण्टकिते देशे दुस्सञ्जरे संचरज्जनं पश्यन्त्या अपि सुकुमारहृदयायाः प्रमदायास्तदात्मानुप्रवेश इव जायमानं खेदमतितरामादत्ते प्रहारखेदो वा, यथा सहृदयस्य स एव मार्गः, सुकुमारता हि वैमल्यापरपर्याया, सहृदयत्वं हृदयस्य हि कविहृदयतादात्म्यापत्तियोग्यतैव उत्कर्षः। तत एवोक्तं।

शब्दार्थशासन-ज्ञानमात्रेणैव न वेद्यते।

वेद्यते स हि काव्यार्थतत्त्वज्ञैरेव केवलम् ॥ (ध्वन्या १-७) इति

अभिधानकोशमपि हि पठतां सुप्तिङ्विभक्तीश्च विदुषामपि न काव्यतत्त्वावबोधः तस्माद्वर्णोच्चारणप्रयत्नेन परुषस्पर्शपठनजनितो यः खेद उच्चारयितुः स एव श्रोतुरपि पारुष्यमाधत्ते। "सैरन्ध्र्यध्वबधूनिबन्ध्यनुगतप्राणैकबन्धक्रमः" इत्यादौ। वर्णगतं च लालित्यपारुष्यादि पुष्कराध्यायेऽपि (अ—३४) वक्ष्यते। अन्यैरप्युक्तं "तेन वर्णा रसच्युतः" इत्यादि। स्वभावतो हि केचन वर्णाः सन्तापयन्तीव निकृन्त-

[[1]उपमास्विह दृष्टानामर्थानां यत्नतस्तथा ।
[2]प्राप्तानां चातिसंक्षेपात् समाधिर्निणयो यतः] ॥१०३॥
बहुशो [3]यच्छ्रुतं वाक्यमुक्तं वापि पुनः पुनः ।
नोद्वेजयति यस्माद्धि तन्माधुर्यमिति स्मृतम्[4] ॥१०४॥

न्तीव रेफककारादय इव परुषवृत्तिपूर्वकाः; अन्ये तु निर्वापयन्तीवोपनागरिकोचिताः। लोकगोचर एवायमर्थः स्वसंवेद्योऽपीति न वितत इत्यास्तां तावत् ।१०२।१०३॥

माधुर्यमाह—बहुशो यच्छ्रुतमित्यादि। यदिति यस्माद्धेतोर्याक्यं श्रुतं संशयविपर्ययोरास्पदं न भवतीति तन्माधुर्यम्। द्राघीयसि समासे तावदवश्यं भवत इति तद्विरह एव माधुर्यं शब्दगुण इत्युक्तं भवति। यथा—"गाहन्तां महिषा निपानसलिलं" (शाकु ३-६) इत्यादि। पुनः पुनरप्युक्तमर्थजातं यस्माद्धेतोरपनीतमवगाहनेन वैरस्यं तद्वचनवैचित्र्यात्मकं माधुर्यमर्थगुणः वचनान्तराभिधेयतया हि स एवार्थो विचित्रो भवति। यथा—

रसवदमृतं कः सन्देहो मधून्यपि नान्यथा
मधुरमधुरं चूतस्यापि प्रसन्नरसं फलम्।
सकृदपि पुनर्मध्यस्थः सन् रसान्तरविज्जनो
वदतु यदिहान्यत्स्वादु स्यात्प्रियादशनच्छदात् ॥

अत्र रसवदमृतमिति य एवार्थः स एव कः सन्देह इत्युक्तया विचित्रया परिनिश्चयस्थैर्याभिधायिन्या निश्चयीकृतः। निश्चयस्थैर्यमेव च नान्यथेति वचनान्तरेण विपर्ययनिराकरणसंभावनान्तरनिरासं च क्रमेण विदधता विचित्रीकृतमिति मधुरोऽयमर्थः ॥१०४॥

ओजो लक्षयति—समासवद्भिर्बहुभिरिति। बहुभिरेकसमाससंज्ञायुक्तैरथ च विचित्रैर्यमकैः पदैर्यदुक्तं यो बन्धस्तदोजः। यथा—

मन्थायस्तातर्णवाम्भः प्लुतिकुहरवलन्मन्दरध्वानधीरः।
कोणाघातेषु गर्जत्प्रलयघनघटान्योन्यसंघट्टचण्डः॥
कृष्णाक्रोधाग्रदूतः कुरुकुलनिधनोत्पातनिर्घातवातः
केनास्मत्सिंहनादप्रतिरसितसखो दुन्दुभिस्ताडितोऽसौ

यथा सानुरागः अनुरक्तं तथा वर्णो वर्णान्तरमपेक्षते तत्र सानुरागत्वम्।

---

१. GOS. उपमास्वुपदिष्टानां ।
२. KSS. प्राप्तानां चातिसंयोगः समाधिः परिकीर्त्यते ।
३. NS. यत्कृतं ।
४. NS. उदाहृतम् ।

[1][समासवद्भिर्विविधैर्विचित्रैश्च पदैर्युतम् ।
सानुस्वारैरुदारैश्च तदोजः परिकीर्त्यते] ॥१०५॥

[अवगीतोपि हीनोपि स्यादुदात्तावभासकः ।
यत्र शब्दार्थसम्पत्तिस्तदोजः परिकीर्तितम्] ॥१०६॥

सुखप्रयोज्यैर्यच्छब्दैर्युक्तं सुश्लिष्टसन्धिभिः ।
सुकुमारार्थसंयुक्तं सौकुमार्यं तदुच्यते ॥१०७॥

विलुलितमकरन्दा मञ्जरीर्नर्तयन्तो"

अत्र र इति शब्दो न्दशब्दं स्वगुरुत्वायापेक्षते न इत्ययंशब्दः र्तशब्दं य इत्ययं च न्तोशब्दं न्तो इत्ययं शब्दोऽन्ते गुरुत्वात् स्वविश्रान्तिजनितकालोपचयलभ्यं गुरुत्वं नाकांक्षतीति द्वितीयपादपाठं समनन्तरमेवापेक्षते ।

"विलुलितमधुधारा मञ्जरीर्लोलयन्तः ।"

इति पाठे लिशब्दो धाशब्दो लोशब्दश्च जात्यापेक्षत इति । तदेव गाढत्वमुन्यते **निबिडावयवतैव** सा । यत्र खलु समासेन संक्षेपेण युक्तानि पदानि, यत्रार्थो भूयानिति संक्षेपो नामार्थगुण ओजः । ओजस्वी किमतोऽपि यः खलु युवा भूत्वा समापेक्षते, तथा एकमपि वस्तु उदारैर्बहुभिः पदैरुपनिबध्यते विस्तरात्मकत्वमप्योजोऽर्थगुणः । संक्षेपो यथा—

ते हिमालयमामन्त्र्य पुनः प्रेक्ष्य च शूलिनम् ।
सिद्धं चास्मै निवेद्यार्थं तद्विसृष्टाः खमुद्ययुः ॥ (कुमा ६-९३)

विस्तरस्तु

अथ नयनसमुत्थं ज्योतिरत्रेरिव द्यौः
सुरसरिदिव तेजो वह्निनिष्ठ्यूतमैशम् । (रघु २-७५) १०५।१०६॥

सौकुमार्यमाह—सुखप्रयोज्यैरिति । क्वचित्पदस्य स्वयं पारुष्यं भवति यथा द्राढा, अजड्ढा निर्द्धेतं, सद्दक्त्वं व्यवसितिः, इति । क्वचित्संहितया—दर्व्यास्र्योर्वीविधूयते । तदुभयरहितत्वं सौकुमार्यं शब्दगुणः । यथा—"गाहन्ता"—मित्यादि । अत्र च यद्वक्तव्यं तत्समाधिलक्षणे निर्णीतम् । परुषेऽपि चार्थे सुकुमारेणार्थेन या संपत्तिस्तदर्थगुणः सौकुमार्यमपारुष्यरूपम् । एकाकिनि देवतासहाय इति, मृते यशःशेष इति, जडे देवानां प्रिय इति ॥१०७॥

अर्थव्यक्तिमाह—सुप्रसिद्धाभिधानेति । प्रसिद्धमभिधानमभिधाव्यापारो यस्यां काव्यक्रियायां सार्थव्यक्तिः शब्दगुणः । यथा "गाहन्ता" मिति । विपर्यये तु

---

१. KSS. does not read.

[1]सुप्रसिद्धाभिधाना तु लोककर्मव्यवस्थिता ।
या क्रिया क्रियते काव्ये सार्थव्यक्तिः प्रकीर्त्यते ॥१०८॥
[यस्यार्थानुप्रवेशेन मनसा परिकल्प्यते ।
अनन्तरं प्रयोगस्तु साऽर्थव्यक्तिरुदाहृता] ॥१०९॥

किरातादिनिदर्शनं यच्चार्थे वर्ण्यते स तथैव लोके प्रसिद्ध इत्यर्थस्य गुणोऽर्थव्यक्तिः यथा—

पृष्ठेषु शङ्खशकलच्छविषु च्छदानां
राजीभिरञ्जितमलक्तकलोहिनीभिः ।
गोरोचनाहरितबभ्रुवहिः पलाश-
मामोदते कुमुदमम्भसि पल्वलस्य ॥१०८—१०९॥

उदारतामाह—दिव्यभावपरीतं यदिति। यत्रमानुषोचितमपि दिव्यतया, करुणादियुक्तमपि शृङ्गारेण, वीरतास्थानमप्यद्भुतेन युक्तं वर्ण्यते । तद्गतैर्वा विभावानुभावादिभिः यदुदीरितं तत्रौदार्यमर्थगुणः । एतदेवाग्राम्यत्वमित्यन्यैरुक्तम् । ग्राम्यं हि वस्तु यथास्थितमयोजितरचनाविशेषं प्रसिद्धिमात्रप्रमाणमुच्यते, ततोऽन्यदग्राम्यम् । यथा—

त्वमेवं सौन्दर्या स च रुचिरतायाः परिचितः
कलानां सीमानं परमिह युवामेव भजथः ।
अपि द्वन्द्वं दिष्टया तदिति सुभगे ! संवदति वां
अतः शेषं चेत्स्याज्जितमथ तदानीं गुणितया ॥ इति ॥

यत्राद्भुतत्वेन चमत्कृतोऽर्थः । अनेकभावसंयुक्तमिति । शब्दगुणस्य लक्षणम् । एकभाषाचित्रत्वस्यानेकताचित्रत्वं पदस्यैकस्यानेकपदव्यक्तिरक्षरसंख्यावैचित्र्यं सन्धान साजात्यं च पिण्डीबन्धनृत्तसादृश्येन, तत्र हि गुल्मजातशृङ्खलिकादिभेदेनेत्थंभूतो नर्तकीसंनिवेशो भरते तदुक्तं विकटत्वं नरीनृत्यमानत्वमिति पदानामौदार्यमिति । यथा

स्वचरणविनिविष्टैर्नूपुरैर्नर्तकीनां
झटिति रणितमासीत्तत्र चित्रं कलं च ॥

अत्र प्रथमपादे एकाक्षरत्र्यक्षरचतुरक्षरमिति विचित्राणि पदानि, रेफे तद्द्वितीयपदाक्रमणाद्व्याप्तिः तकारयोः सन्धानात्सन्धिसाजात्यं, तकारसकारयोः संस्थाननैकट्यं च । **विपर्ययस्तु—**

"चरणकमललग्नैर्नूपुरैर्नर्तकीनां झटिति रणितमासीन्मञ्जु चित्रं च तत्र"
अत्र द्वे अपि पदे त्र्यक्षरे । तावेव पादौ । इदं भाषितविचित्रत्वम् । यथा—

---

१. NS., सुप्रसिद्धा धातुना तु । KSS. does not read.

[1]दिव्यभावपरीतं यच्छृङ्गाराद्भुतयोजितम् ।
अनेकभावसंयुक्तमुदारत्वं प्रकीर्तितम् ॥११०॥
[अनेकार्थविशेषैर्यत् सूक्तैः सौष्ठवसंयुतैः ।
उपेतमतिचित्रार्थैः उदात्तं तच्च कीर्त्यते] ॥१११॥
यन्मनः श्रोत्रविषयमाह्लादयति हीन्दुवत् ।
लीलाद्यर्थोपपन्नां वा तां कान्ति कवयो विदुः ॥११२॥
[यो मनश्श्रोत्रविषयः प्रसादजनको भवेत् ।
शब्दबन्धः प्रयोगेण स कान्त इति भण्यते] ॥११३॥
एवमेते ह्यलङ्कारा गुणा दोषाश्च कीर्तिताः ।
प्रयोगमेषां च पुनः वक्ष्यामि रससंश्रयम् ॥११४॥

"अथ यदि तव वक्त्रं चण्डि ! भूयोऽपि नाम"
इति न हृद्यं "क्वणित रणितमासीन्मञ्जु चित्रं च तत्र" इति तकारमकारयोरसाजात्यं सकारमकारयोश्च संस्थानमिति ॥१११॥

कान्तिमाह—यन्मनः श्रोत्रविषयमिति । यन्मनोविषयमाह्लादयति यथा शृङ्गारविभावरूवं लीलादिचेष्टालङ्कारसुन्दरं काव्यार्थरूपं तत्कान्तिगुणयुक्तं तदेव दीप्तरसत्वमित्युक्तमन्यैः । विभावादीनां दीप्तत्वमिति यावत् । यथा—

प्रेयान् सोयमपाकृतः सशपथं पादानतः कान्तया
द्वित्राण्येव पदानि वासभवनाद्यावन्न यात्मात्मना
तावत्प्रत्युत पाणिसंपुटगलन्नीवीनिबन्धं धृतो
धावित्वैव कृतप्रमाणकमहो प्रेम्णो विचित्रा गतिः ।

अत्र हीर्ष्याख्यस्य रत्यनुभावस्य, औत्सुक्य स्यभावस्य च दीप्तत्वमित्यर्थगुणः । श्रोत्रविषयीभूतमिव यदाह्लादि काव्यं तत्कान्तिर्नाम शब्दगुणः ।

कुरङ्गीनेत्रालीस्तबकितवनालीपरिसरः—

अत्र हि समासवत्यपि रचना श्रोत्रेन्द्रियैकतानतामावहति । तदेतल्लोके मधुरकाव्यमिति प्रसिद्धम् । माधुर्यमभ्यस्तपदत्वमुक्तम् । अन्ये त्वौदार्यकान्त्योर्लक्षणद्वयं विपर्यासेन पठन्ति ॥११२॥

एतदुपसंहरति—**एवमेत** इति । चकाराच्छन्दांसि वृत्तानि जातयश्च । एषामिति । वृत्तच्छन्दःप्रभृतीनां दोषान्तानाम् । अनित्यदोषा हि विनियुज्यन्तेऽपीत्युक्तम् ॥११४॥

---

१. KSS. do not read.

लघ्वक्षरप्रायकृतमुपमारूपकाश्रयम् ।
काव्यं कार्यं तु नाट्यज्ञैः वीररौद्राद्भुताश्रयम् ॥११५॥

गुर्वक्षरप्रायकृतं बीभत्से करुणे तथा ।
कदाचिद्रौद्रवीराभ्यां यदाधर्षणजं भवेत् ॥११६॥

रूपदीपक[1]संयुक्तमार्यावृत्तसमाश्रयम् ।
[2]शृंगारे च रसे वीरे काव्यं स्यान्नाटकाश्रयम् ॥११७॥

उत्तरोत्तरसंयुक्तं वीरे काव्यं तु यद्भवेत् ।
जगत्यतिजगत्यां[3] वा संकृत्यां वापि तद्भवेत् ॥११८॥

तथैव युद्धसम्फेटा[4] उत्कृत्यां सम्प्रकीर्तितौ ।
करुणे शक्वरी ज्ञेया तथैवातिधृतिर्भवेत्[5] ॥११९॥

यद्वीरे [6]कीर्तितं च्छन्दः तद्रौद्रेऽपि प्रयोजयेत्[7] ।
शेषाणामर्थयोगेन च्छन्दः कार्यं प्रयोक्तृभिः[8] ॥१२०॥

[यच्छन्दः पूर्वमुद्दिष्टं विषमार्धसमे समम् ।
उदारमधुरैः शब्दैस्तत्कार्यं तु रसानुगम् ॥१२१॥

लघ्वक्षरप्रायेति । यत्र अतनुवाही चित्तवृत्तिपरिस्पन्दः, तत्र लघ्वक्षरप्रधानं वृत्तं वीरादावुपमारूपके ॥११५॥

मसृणवाहिनि तु हृदयस्पन्दे गुर्वक्षरप्रायं करुणादौ । रौद्रादावपि कदाचित्तद्भवति । यदा विलम्ब्य परखलीकारं स्मृत्वा ब्रवीति 'कर्ता द्यूतच्छलानां' इति तथा 'यो यः शस्त्रं बिभर्ति' इत्यादौ । अत एव भयानके हास्ये शान्ते वा यथायोगं संवेदनस्पन्दता-चर्व्यमाणता-स्वाद्यताश्चर्यकृतो विभागो वृत्तानां मन्तव्यः ॥११९॥१२०॥

उदारमधुरैरिति । औदार्यं शब्दगुणो दीप्तेषु प्राधान्येन तदनुयायि च गुणान्तरं माधुर्यं, स्वानुयायि गुणसंहितमसृणेषु रसेषु ॥१२१॥

---

१. NS. सयुक्तं नार्यावृत्त·······।
२. KSS. शृंगारे रसकार्यं तु ।
३. NS. जगत्या ।
४. NS. सम्फेटौ प्रकृत्यां सम्प्रयोजितौ ।
५. NS. तथा चातिधृतः स्मृता ।
६. NS. कीर्त्यते ।
७. NS. सम्प्रयोजयेत् ।
८. NS. तथा रसः ।

शब्दानुदारमधुरान् प्रमदाभिधेयान्
नाट्याश्रयेषु कृतिषु प्रययेत कर्त्तुम् ।
तैर्भूषिता बहु विभान्ति हि काव्यबन्धाः
पद्माकरा विकसिता इव राजहंसैः] ॥१२२॥

त्रिविधं ह्यक्षरं [1]कार्यं कविभिर्नाटकाश्रयम् ।
ह्रस्वं दीर्घं प्लुतञ्चैव रसभावविभावकम् ॥१२३॥

एकमात्रं भवेद् ह्रस्वं द्विमात्रं दीर्घमिष्यते ।
प्लुतं चैव त्रिमात्रं स्यादक्षरं स्वरयोजनात् ॥१२४॥

स्मृते [2]चासूयिते चैव तथा च परिदेविते ।
पठतां ब्राह्मणानाञ्च प्लुतमक्षरमिष्यते ॥१२५॥

[3]अकारस्तु स्मृते कार्यं ऊकारश्चाप्यसूयिते ।
परिदेविते तु हाकार[4] ओङ्कारोऽध्ययने तथा ॥१२६॥

ह्रस्वदीर्घप्लुतानीह यथाभावं यथारसम् ।
[5]काव्ययोगेषु सर्वेषु [6]ह्यक्षराणि प्रयोजयेत् ॥१२७॥

अर्थगुणास्तु यथायोगं सर्वत्र, तदाह प्रमदाभिधेयानिति । प्रमदो हर्षः हर्षजनको गुणसाकल्यवानभिधेयोऽर्थो येषाम् ॥१२२॥

भावार्थो हृदयगतोऽभिप्रायः क्रियाविशेषश्च तं दर्शयति स्मृते चेत्यादि ॥१२५॥

एतदेव च क्रमेण विभजति आकार इत्यादि । द्वावेतावनुस्वारेणानुनासिक्येन वा युक्तौ कार्यौ आण्डदण्डादि ॥१२६॥

ह्रस्वदीर्घप्लुतानीह यथाभावं यथारसम् काव्यबन्धष्वेषेशेष्विति वचनादन्यत्र विषये दूराहूत्यादिषु प्लुप्त उक्तः यत्रासौ प्रयोज्य एवेति दर्शितम् ॥१२७॥

---

१. KSS., NS. काव्ये विज्ञेयं ।

२. NS. वासूचिते ।

३. NS. आकारस्तु ।

४. NS. हुंकार ।

५. NS. काव्ययोगेष्वक्षराणि यथाशोभं निवेशयेत् ।

६. KSS. ह्याकाराणि कृतो जयेत् ।

चेक्रीडितप्रभृतिभिर्विकृतैस्तु शब्दै-
युक्ता न भान्ति ललिता भरतप्रयोगाः ।
[1]यज्ञक्रियेव रुरुचर्मधुरैः कृताक्तै-
र्वेश्या द्विजैरिव कमण्डलुदण्डहस्तैः ।।१२८।।

[मृदुललित[2]पदार्थं गूढशब्दार्थहीनं
[3]बुधजनसुखभोग्यं [4]युक्तिमन्नृत्तयोग्यम् ।
बहुरसकृतमार्गं सन्धिसन्धानयुक्तं
भवति जगति योग्यं नाटकं प्रेक्षकाणाम्][5] ।।१२९।।

चेक्रीडितं यङन्तम् । आदिग्रहणेन ण्यन्ताः सन्नन्ता एते नटौचिताः प्रयोगाः न भान्ति ।।१२८।।

ते यतो ललिता । यथा वेश्यापरिग्रहे द्विजैर्मृगाजिनदण्डकमण्डलुघृताभ्यङ्गादिधरैः संभवद्भिरपि यज्ञक्रिया न भाति । एवं तद्व्याख्याने रौद्रादिस्वविषये यत्पुरुषस्याभ्यनुज्ञानं तद्वियुक्तं स्यादितीत्थं व्याख्या—ललिताः सुकुमारप्रयोगास्ते परुषैः पदैर्न भान्तीति विशेषनिषेधः शेषाभ्यनुज्ञापक इति न्यायादन्यत्र तत्प्रयोग इत्युक्तं भवति । तथाहि—"चयोद्वितीयाः शरि पौष्करसादेरिति वाच्यम् इत्येवमादिरपि विधिः प्रयोज्य एव, (आख्यातामर्षं तर्ष्यं" इत्यादौ(?) एतदेव साधर्म्यवैधर्म्यद्वारेणोपपादयति यथा तैरेव यज्ञक्रिया भाति न तैस्तथा वेश्या, तदनङ्गत्वात् । बहुव्रीहेर्वा यज्ञक्रिया पत्न्यप्युच्यते । इति शिवम् ।।१२९।।

---

१. KSS. कृष्णाजिनाक्षरुरुचर्मधरैर्घृताक्तै·····।
२. NS. पदाढ्यं ।
३. NS. जनपदसुखबोध्यं ।
४. KSS. बुद्धिमत् ।
५. ग्रन्थान्तरेषु अत्रैवाध्यायसमाप्तिः । काशीमुद्रितपुस्तके वागाभिनयो नाम सप्तदशोऽध्याय इति ।

अनुबन्धः

भूषणाक्षरसङ्घातौ शोभोदाहरणे तथा ।
हेतुसंशयदृष्टान्ताः प्राप्ताभिप्राय एव च ॥१३०॥
निदर्शनं निरुक्तं च सिद्धिश्चाथ विशेषणम् ।
गुणातिपातातिशयौ तुल्यतर्कः पदोच्चयः ॥१३१॥
[1]दृष्टं चैवोपदिष्टं च विचारस्तद्विपर्ययः ।
भ्रंशश्चानुनयो माला दाक्षिण्यं गर्हणं तथा ॥१३२॥
अर्थापत्तिः प्रसिद्धिश्च पृच्छा सारूप्यमेव च ।
मनोरथश्च लेशश्च क्षोभोऽथ गुणकीर्तनम् ॥१३३॥
ज्ञेयान्यनुक्तसिद्धिश्च प्रियं वचनमेव च ।
षट्त्रिंशल्लक्षणान्येव काव्यबन्धेषु निर्दिशेत् ॥१३४॥

समस्तार्थालङ्कारवर्गस्य बीजभूताश्चमत्काराः कथाशरीरवैचित्र्यदायिनो वक्रोक्तिरूपा लक्षणशब्देन व्यवह्रियन्ते । लक्षणानि गुणालङ्कारमहिमानमनपेक्ष्य स्वसौभाग्येनैव शोभन्ते । लक्षणं महापुरुषस्य पद्मादिरेखादिवत्काव्यशरीरस्य सौन्दर्यदायि । अलंकारस्तु रत्नाभरणादिवदेव, येन विनापि स्वसौन्दर्येणैव पुरुषः प्रविभासते ॥१३०॥

गुणस्तु प्रवृत्तिद्योतितो धैर्यादिवत्काव्यस्य शब्दार्थरचनामाश्रयति । यथा लक्षणरहितः पुरुषो न सुन्दरशब्दवाच्यस्तथा लक्षणवर्जं कथाशरीरं गुणालङ्कारोज्ज्वलमपि नीरसत्वं भजत्प्रौढकाव्याभिधानं नार्हति कथाशरीरसंपन्नेषु काव्येष्वेव लक्षणानि निर्वर्त्यन्ते न तु मुक्तकादिषु खण्डकाव्येषु । अतएव 'काव्यबन्धास्तु कर्तव्या' इति मुनिनैव मुक्तकादिवारणपरमुक्तम् ॥१३१॥

लक्षणान्यसंख्येयानि, तेषां चमत्कृतिविशेषगरिष्ठानि षट्त्रिंशदेव मुनिना संगृहीतानि । कोहलादिभिस्तच्छिष्यैः प्रकीर्तितान्यपराणि कानिचिल्लक्षणत्वेन प्रसिद्धिमुपगतानि कालप्रवाहेन भरतग्रन्थ एव पाठान्तरनिबन्धरूपेण प्रक्षिप्तानि स्युः । सौन्दर्यजनकत्वकारणेन भोजादिभिरुभयपाठगतान्यपि लक्षणानि स्वीकृत्यान्यैरपि कैश्चिच्चमत्कृतिभूतैर्लक्षणैः सह चतुःषष्टित्वेन प्रकटितानि ॥१३२॥

यद्विवेचितमतिगम्भीरप्रौढवाचा भगवता वृत्तिकारेण लक्षणान्यसंख्यानीति तदुपष्टम्भ्यैव भिन्नपाठोऽपि बालानां समुपवेद्य इत्यभ्यूह्य तन्मध्य एव संक्षेपेण प्रकाशितः ॥१३३—१३४॥

---

१. GOS. दिष्टं ।

अलङ्कारैर्गुणैश्चैव बहुभिः समलंकृतम् ।
भूषणैरिव चित्रार्थैस्तद् भूषणमिति स्मृतम् ॥१३५॥

भूषणं लक्षयति—अलंकारैरिति। भरतोक्तैरुपमादिभिर्गुणैश्च यत्र कथा-शरीररचना समुल्लासिता तद् भूषणं नाम लक्षणम्। चित्रार्थैरिति विभावादिसामग्री-प्रत्यायकतया रसोद्द्योतकैरर्थविशेषैः मतान्तरे वक्रोक्तिरूपैः। यथा कृत्यारावणे सप्तमेऽङ्के कञ्चुकिनं दृष्ट्वा लक्ष्मणविभीषणौ—आर्य, कथय कथय।

काञ्चु—का गतिः श्रूयतां—आर्या खलु सीता रावणाज्ञया किङ्करोपनीतं भर्तु-र्मायाशिरोऽवलोक्य सखीभिराश्वास्यमानापि निवृत्तप्रयोजना नाहमात्मानं क्लेशयामि। इति (इत्यर्धोक्तौ तिष्ठति)।

सर्वे—किं कृतवती।

काञ्चु—यन्न शक्यते वक्तुम्।

शशिन इव कला दिनावसाने कमलवनोदरमुत्सुकेव हंसी
पतिमरणरसेन राजपुत्री स्फुरितकरालशिखं विवेश वह्निम्।

यथा वा रत्नावल्यां प्रथमेऽङ्के यौगन्धरायणस्य वचनं विश्रान्तविग्रहेति श्लोकः भूषणाख्यलक्षणेन काव्यं सामान्यवचसो भिद्यते,

"तात्पर्यमेव वचसि ध्वनिरेव काव्ये,"
"यत्रालङ्कारवर्गोऽयं सर्वोऽप्यन्तर्भविष्यति"
शब्दप्राधान्यमाश्रित्य तत्र शास्त्रं पृथग्विदुः"
"अर्थे तत्त्वेन युक्ते तु वदन्त्याख्यानमेतयोः।
द्वयोर्गुणत्वे व्यापारप्राधान्ये काव्यगीर्भवेत्"
"द्वे वर्त्मनी गिरो देव्याः शास्त्रं च कविकर्म च।
प्रज्ञोपज्ञन्तयोराद्यं प्रतिभोद्भवमन्तिमम्"

इत्यादिना भोजकुन्तलकभट्टनायकतौतादिभिरुक्तरीत्या गुणालङ्कारवर्गः सर्व एव लक्षणशब्देन परिगृहीतः। गुणालङ्कारैरेव यत्र कथारूपा वक्रोक्तिरतिशयिता तत्र भूषणम् ॥१३५॥

अक्षरसंघातो—विविधश्लेषोक्तया वा अक्षरविपर्यासेन वोक्तिप्रत्युक्तिवैचित्र्य यथा उभयाभिसारिकायां।

विटः—भगवति ! वैशिकाचलोऽहमभिवादये।

परिव्राजिका—न वैशिकाचलेन प्रयोजनं न च वैशेषिकाचलेन।

विटः—अस्त्येतत्कारणं······

परि—षट्पदार्थबहिष्कृतैः सह संभाषणमस्मद्गुरुभिर्निरुद्धम्।

यत्राल्पैरक्षरैः श्लिष्टैर्विचित्रमुपवर्ण्यते ।
तमप्यक्षरसङ्घातं विद्युल्लक्षणसंज्ञितम् ॥१३६॥
सिद्धैरर्थैः समं कृत्वा ह्यसिद्धोऽर्थः प्रयुज्यते ।
यत्र श्लिष्टा विशिष्टार्था सा शोभेत्यभिधीयते ॥१३७॥

विटः—युक्तमेवैतत् । कुतः—

द्रव्यं ते तनुरायताक्षि ! दयिता रूपादयस्ते गुणाः
सामान्यं तव यौवनं युवजनः संस्तौति कर्माणि ते ।
त्वय्यर्थे समवायमिच्छति जनो यस्माद्विशेषोऽस्ति ते
योगस्ते तरुणैर्मनोऽभिलषितैर्मोक्षोऽप्यनिष्टाज्जनात् ॥

परि—सांख्यमस्माभिर्ज्ञायते अलेपको निर्गुणः क्षेत्रज्ञः पुरुषः ।

विटः—हन्त निरुत्तराः स्मः ।

यथा वा शाकुन्तले सप्तमेऽङ्के "तापसी—सर्वदमन ! शकुन्तलावण्यं पश्य" इत्यत्र शकुन्तलाशब्दः सूचितः ॥१३६॥

शोभा—सिद्धैः प्रयोजनैरसिद्धस्य ध्रुभसंघटनं यत्र निर्णीयते सूच्यते वा श्लेष-वक्रोक्तिध्वनिविशेषमहिम्ना चमत्कृतोऽर्थः । केचित्स्वभावस्य प्रकटनमित्याहुः, अपरे तु यूनोः प्रभावप्रकटनमित्याचक्षते । अर्थप्रधाने वस्तुन्येषा परं शोभते । यथा रत्नावल्यां प्रथमेऽङ्के योगन्धरायणः—(द्वीपादित्यादि पठित्वा) कः सन्देहः ।

प्रारम्भेऽस्मिन् स्वामिनो वृद्धिहेतौ दैवेनेत्थं दत्तहस्तावलम्बे ।
सिद्धेर्भ्रान्तिर्नास्ति सत्यं तथापि स्वेच्छाचारी भीत एवास्मि भर्तुः ॥

यथा वा कथाशरीरसंघटनवैचित्र्यरूपशोभया अभिज्ञानशकुन्तलायां मधुररसप्रसक्तिः ॥१३७॥

उदाहरणम्—

परेषां दुर्भेद्यपरमार्थेन तुल्यार्थप्रयुक्तेन वाक्येन निगूढाशयः कस्मैचिन्निपुणैर्यत्र प्रकाश्यते तदुदाहरणं, यथा देवीचन्द्रगुप्ते प्रावेशिकी ध्रुवा कुमारचन्द्रगुप्तस्य संशयाकुलमानसस्य प्रवेशावसरसूचकमर्थमुद्द्योतयति—

एसो सिअकरवित्थरपणासिआसेसवेरितिमिरोहो ।
निअविहवरोणचन्दो मअणगिहं लंधिऊं विसई ॥

यथा वा प्रद्युम्नाभ्युदये तृतीयेऽङ्केऽन्तर्नाटिकायां सूत्रधारवचनम्—

देव ! दनुजाधिप ! त्वां त्रिभुवनलक्ष्मीरिव स्वयं रागात् ।
अभिरूपमभिसृतवती नलकूवरमत्र नाटके रम्भा ॥

यत्र तुल्यार्थयुक्तेन वाक्येनाभिप्रदर्शनात् ।
साध्यन्ते निपुणैरर्थास्तदुदाहरणं स्मृतम् ॥१३८॥
यत् प्रयोजनसामर्थ्यात् वाक्यमिष्टार्थसाधकम् ।
समासोक्तं मनोग्राहि स हेतुरिति संज्ञितः ॥१३९॥
अपरिज्ञाततत्त्वार्थं वाक्यं यत्र समाप्यते ।
अनेकत्वाद्विचाराणां स संशय इति स्मृतः ॥१४०॥

सामाजिकीभूतयोः सखीप्रभावत्योः सखी "पिअसहि एसो एव्व मग्गो मअणपरवसाणं इत्थिआणं" इत्युपदिशति । अत्राभिसरणमेव प्रद्युम्नसङ्गमोपाय इत्यर्थः साध्यते ॥१३८॥

हेतुः—फलसाधनशक्तियुक्तं मितशब्दार्थं विचित्रभङ्ग्युक्तं वचनम् । यथा तापसवत्सराजे षष्ठेऽङ्के कृतमरणनिश्चयां वासवदत्तां परिबोधयम् यौगन्धरायण आह—देवि ! प्रसीद,

आसृष्टेः प्रतिपार्थिवं युवतयो जाता मनोवल्लभाः
मग्नास्ते व्यसनार्णवे च बहवस्ताभिः सहैवेश्वराः ।
देव्या यत्तु कृतं तदाविकलतामुत्सृज्य लोकोत्तरं
तस्यैषा कृपणोचितेन विधिना किं ग्लानिरुत्पद्यते ॥

देव्या यत्कृतं तदिष्टार्थसाधनमेव अचिरेणैव शुभफलमनुभवसीति ॥१३९॥

संशयोऽसमाप्तवाक्यत्वात्साधनीयविषयस्वरूपे सन्दिग्धावस्था । एषोऽर्थकामप्रधानेषु रूपकेषु निपुणं प्रयुज्यते । कुन्दमालायां षष्ठेऽङ्के रामायणकथावाचकौ कुशलवौ सीतावृत्तान्तं पठन्तौ—

सीतां निर्जनसंपाते चण्डश्वापदसङ्कुले ।
परित्यज्य महारण्ये लक्ष्मणोऽपि न्यवर्तत ।
ततः प्राणैः परित्यक्ता निराशा जनकात्मजा ।

इति तूष्णींभवतः ।

अप्रियाख्यानभीतेन कविना संहृता कथा ।

किमितः कल्याणमावेदयति । एवं तावदनुयोक्ष्ये इति पृच्छतः । संशयालङ्कारस्तु संशयाख्यलक्षणाद् भिन्नचमत्कारतया भिद्यते ।

संक्रुद्धस्य ललाटलोचनभुवा सप्तार्चिषा धूर्जटे
निर्दग्धे मकरध्वजे रतिरसौ किं स्याद् गृहीतव्रता ।
संवादाद्वनदेवता मुनिवधूवेषप्रपञ्चे मनः
कृत्वेत्थं रमतेऽत्र विग्रहवती किं वा तपश्श्रीरियम् ॥

इत्यादिषु संशयोऽलङ्कार एव न तु संशयाख्यलक्षणम् ॥१४०॥

सर्वलोकमनोग्राहि यस्तु पक्षार्थसाधकः ।
हेतोर्निदर्शनकृतः स दृष्टान्त इति स्मृतः ॥१४१॥
दृष्ट्वैवावयवान् कांश्चिद् भावो यत्रानुमीयते ।
प्राप्तिं तामपि जानीयाल्लक्षणं नाटकाश्रयम् ॥१४२॥

दृष्टान्तः—

धर्माविरुद्धतया सर्वलोकमनोग्राहि वचनं निदर्शनोपष्टम्भं दृष्टान्तसंज्ञकं लक्षणम् । यथा धूर्तविटे "स्त्रीषु प्रसङ्गो न कर्तव्यः" इत्यत्र "भावः किं पश्यतीत्युक्ते "विटः—भोः उपदेशमात्रं खल्वेतत् । तमहं न पश्यामि यः स्त्रीषु प्रसङ्गं न गच्छेत्, श्रूयन्ते हि महेन्द्रादयोऽप्यहल्याद्यासु विकृतिमापन्नाः" इति ।

यथा वा पद्मप्राभृतके स्वसोदरीप्रेयसोऽनुयोगे संदिग्धमानसां देवसेनामाह शशः—

दक्षात्मजाः सुन्दरि ! योगताराः किं नैकजाताः शशिनं भजन्ते ।
आरुह्यते वा सहकारवृक्षः किं नैकमूलेन लताद्वयेन ॥१४१॥

प्राप्तिर्यथा—कुन्दमालायां तृतीयेऽङ्के लक्ष्मणः कानिचित्पदचिन्हानि सैकते दृष्ट्वा राममाह—

विलासयोगेन परिश्रमेण वा स्वभावतो वा निभृतानि मन्थरम् ।
पदानि कस्याश्चिदिमानि सैकते प्रयान्ति तुल्यं कलहंसविभ्रमम् ॥

रामः—(निर्वर्ण्य सहर्षं) किमुच्यते कस्याश्चिदिति, ननु वक्तव्यं सीतायाः पदानीति । पश्य—

समानं संस्थानं निभृतललिता सैव रचना
तदेवैतद्रेखा कमलरचितं चारुतिलकम् ।
यथा चेयं दृष्ट्वा हरति हृदयं शोकविधुरं
तथा ह्यस्मिन् देव्या सपदि पदपङ्क्तिर्विनिहिता ॥ इति॥ १४२ ॥

अभिप्रायः—

अभूतपूर्वं इत्यसत्पदार्थः केवलकल्पितः । केचित्स्वाद्यवस्तुन्यभिमान इत्याहुः तद्वैचित्र्यरहितत्वादुपेक्ष्यम् । यथा तापसवत्सराजे चतुर्थेऽङ्के सांकृत्यायनी यौगन्धरायणोद्योगं विमृश्य प्रणिधिं प्राह—

दूरमुदीर्णे रिपावेवमकिञ्चित्करे च विजिगीषौ ।
भवता तु नयगुणशतैः सोऽयमसूत्रः पटः क्रियते ॥

यथा वा वत्सराजचरिते द्वितीयेऽङ्के चोरः—

अभूतपूर्वो योऽप्यर्थः सादृश्यात्परिकल्पितः ।
लोकस्य हृदयग्राही सोऽभिप्राय इति स्मृतः ॥१४३॥

यत्रार्थानां प्रसिद्धानां क्रियते परिकीर्तनम् ।
परापेक्षाव्युदासार्थं तन्निदर्शनमुच्यते ॥१४४॥

निरवद्यस्य वाक्यस्य पूर्वोक्ताऽर्थप्रसिद्धये ।
यदुच्यते तु वचनं निरुक्तं तदुदाहृतम् ॥१४५॥

बहूनां च प्रधानानां नाम यत्राभिकीर्त्यते ।
अभिप्रेतार्थसिद्ध्यर्थं सा सिद्धिरभिधीयते ॥१४६॥

भूमिः कराग्रेण विवर्तिताद्य श्वासेन भग्नो हिमवान्महाद्रिः
आसारवृष्ट्या शमितोऽग्निरौर्वो विनिर्हृतः कीटशतैरनन्तः ॥१४३॥

निदर्शनं—प्रसिद्धानां देवतादीनां, तत्सम्पत्त्या परापेक्षा साध्याकांक्षा, तस्माद् व्युदासः । अत एव दृष्टान्तादस्य भेदः यथा उभयाभिसारिकायां—

शान्ति याति शनैर्महौषधिबलादाशीविषाणां विषं
शक्यो मोचयितुं मदोत्कटकटादात्मा गजेन्द्राद्वने ।
ग्राहस्यापि मुखान्महार्णवजले मोक्षः कदाचिद्भवेद्
वेशस्त्रीवडवामुखानलगतो नैवोत्थितो दृश्यते ॥ १४४ ॥

निरुक्तं—यथा वत्सराजचरिते प्रथमेऽङ्के भरतरोहकः

राजानमाह—प्रसह्य हरणे केवलं प्रमादिताख्यातिः ।

राजा—किमेतत् ।

भर—सदोषेषु कार्येषु यदल्पदोषं तत्प्रारब्धव्यम् ।

वसुवर्मा—स्वामिन् ! तत्राप्यहं वाच्यदोषं न पश्यामि । कुतः

नीता बलात्प्रकृतिभद्रतरा सुभद्रा
यद्वासुभद्रभगिनी कपिकेतनेन ।
देवस्य तेन समभूद्वचनीयता किं
तेजःप्रकाशयशसां यदुदन्तिनां वा ॥

शालं—साधु; निरुक्तमभिहितं वसुवर्मणा ॥१४५॥

सिद्धिः—प्रधानानां स्पृहणीयानां प्रयोजनान्तराणामतर्कितोपलब्धानां परिकीर्तनम् । यथा कौमुदीमहोत्सवे चतुर्थेऽङ्के मन्त्रगुप्तवचनं—

सङ्गतिश्चिरमचिन्तितपूर्वा निर्वृतप्रणयिनी मिथुनानाम् ।
आधिराज्यमधिरोहति तस्याः षोडशीमपि कलां न मघोनः ॥१४६॥

सिद्धान् बहून् प्रधानार्थान् उक्त्वा यत्र प्रयुज्यते ।
विशेषयुक्तं वचनं विज्ञेयं तद्विशेषणम् ॥१४७॥

गुणाभिधानैर्विविधैर्विपरीतार्थयोजितैः ।
गुणातिपातो मधुरैर्निष्ठुरार्थैर्भवेदथ ॥१४८॥

बहून् गुणान् कीर्तयित्वा सामान्यजनसम्भवान् ।
विशेषः कीर्त्यते यस्तु ज्ञेयः सोऽतिशयो बुधैः ॥१४९॥

रूपकैरुपमाभिर्वा तुल्यार्थैः सुप्रयोजितैः ।
अप्रत्यक्षार्थसंस्पर्शस्तुल्यतर्कः प्रकीर्तितः ॥१५०॥

विशेषणं—यथा तापसवत्सराजे तृतीयेऽङ्के राजा विदूषकमाह-अयि मूढ !—

वृत्तिर्मूलफलादिभिः क्षितितले शय्या जटाधारणं
वासो वल्कलमीदृशं कृतमिदं सामान्यमन्यैरपि ।
संवेगाभिभवे विमूढमनसा यन्नानुयाया प्रिया
तन्मिथ्यापरिबोधितेन न कृतं स्नेहानुरूपं मया ॥इति॥१४७॥

गुणातिपातो—यथा धूर्तविटे विटः—

जात्यन्धां सुरतेषु दीनवदनामन्तर्मुखाभाषिणीं
हृष्टस्यापि जनस्य शोकजननीं लज्जापटेनावृताम् ।
निर्व्याजं स्वयमप्यदृष्टजघनां स्त्रीरूपबद्धां पशुं
कर्तव्यं खलु नैव भोः कुलवधूकारां प्रवेष्टुं मनः ॥

अत्र कुलस्त्रीसमुचिता विनयलज्जादयो गुणा विपरीतार्थयोजिताः ॥१४८॥

अतिशयो विलक्षकुरुपतौ धृतराष्ट्रं प्रति भीष्मः—

एतत्ते हृदयं स्पृशामि यदि वा साक्षी तवैवात्मजः
संप्रत्येव तु गोग्रहे यदभवत्तत्तावदाकर्ण्यताम् ।
एकः पूर्वमुदायुधैः स बहुभिर्दृष्टस्ततोऽनन्तरं
यावन्तो वयमाहवप्रणयिनस्तावन्त एवार्जुनाः ॥ इति १४९ ॥

तुल्यतर्को—यथा वत्सराजचरितेऽष्टमेऽङ्के राजा—

नवार्कभापल्लवितामलोदरे सुगन्धिरेणूत्करकेसरोज्ज्वले
रसामृतज्ञो भ्रमरः सरोरुहे किमर्कपुष्पे प्रणयं करिष्यति ॥इति१५०॥

पदोच्चयो—यथा वत्सराजचरिते षष्ठेऽङ्के राजोत्तमसचिवं वर्णयति—

बहूनां च प्रयुक्तानां पदानां बहुभिः पदैः ।
उच्चयः सदृशार्थो यः स विज्ञेयः पदोच्चयः ॥१५१॥

यथादेशं यथाकालं यथारूपं च वर्ण्यते ।
यत्प्रत्यक्षं परोक्षं वा दृष्टं तद्वर्णतोऽपि वा ॥१५२॥

परिगृह्य तु शास्त्रार्थं यद्वाक्यमभिधीयते ।
विद्वन्मनोहरं स्वन्तमुपदिष्टं तदुच्यते ॥१५३॥

खड्गो रक्षान्धकारैः रविररितिमिरे कार्यभारेषु धुर्यः
दीपो मन्त्रान्धकारे सुरगुरुरनये सङ्क्रमो व्यापदोघे ।
उत्कण्ठायां सभागी गतिरनवसरे चन्दनं शोकतापे
संक्षेपान्मानुषाभो हितशिवसुखदो भव्यचिन्तामणिर्मे ॥१५१॥

दृष्टं प्रत्यक्षं यथा मालविकाग्निमित्रे—

वामं सन्धिस्तिमितवलयं न्यस्य हस्तं नितम्बे
कृत्वा श्यामाविटपसदृशं स्रस्तमुक्तं द्वितीयम् ।
पादाङ्गुष्ठालुलितकुसुमे कुट्टिमे पातिताक्षं
नृत्तादस्याः स्थितमतितरां कान्तमृज्वायताक्षम् ॥ इति

परोक्षं यथा पादताडितके मदनसेनाया वर्णनं—

उत्क्षिप्तालकमीक्षणान्तगलितं कोपाञ्चितान्तभ्रुवा
दष्टाधरोष्ठमधीरदन्तकिरणं प्रोत्कम्पयन्त्या मुखम् ।
शिञ्जन्नूपुरया विकृष्य विगलद्रक्तांशुकं पाणिना
मूर्धन्यस्य सनूपुरः स मदया पादोऽर्पितः कान्तया ॥इति १५२॥

उपदिष्टं—यथाविमारके प्रथमेऽङ्के राजा—

धर्मः प्रागेष चिन्त्यः सचिवमतिगतिः प्रेक्षितव्या स्वबुध्या
प्रच्छाद्यौ रागरोषौ मृदुपरुषगुणौ कालयोगेन कार्यौ ।
ज्ञेयं लोकानुवृत्तं परचरनयनैर्मण्डलं प्रेक्षितव्यं
रक्ष्यो यत्नादिहात्मा रणशिरसि पुनः सोऽपि नावेक्षितव्यः ॥

यथा वा तन्त्रान्तरविषये धूर्तविटे—

शून्ये वासं प्रमद्य द्विरद इव लतां यो हरत्याशु नारीं
वामां वा यो विदित्वा ह्यभिभवति शनै रञ्जयन्वाक्यलेशैः ।
अन्यं कृत्वोपधिं वा छलयति कुरुते भावसङ्गूहनं वा ।
तस्यैतच्चेष्टितं भो न भवति विफलं वामशीला हि नार्यः ॥१५३॥

प्रवृत्तार्थानुसारि परोक्षार्थसाधकं बहूपायोपाधिदर्शनं वाक्यं विचारः—

पूर्वाशयसमानार्थैरप्रत्यक्षार्थसाधनं ।
अनेकोपाधिसंयुक्तो विचारः परिकीर्तितः ॥१५४॥

विचारस्यान्यथाभावस्तथा दृष्टोपविष्टयो।
सन्देहात्कल्प्यते यस्तु स विज्ञेयो विपर्ययः ॥१५५॥

वाच्यमर्थं परित्यज्य दृष्टाविभिरनेकधा ।
अन्यस्मिन्नेव पतनाविह भ्रंशः स इष्यते ॥१५६॥

यथा मुद्राराक्षसे पञ्चमेऽङ्के राक्षसवाक्यं—

साध्ये निश्चितमन्वयेन घटितं बिभ्रत्सपक्षे स्थितिं
व्यावृत्तं च विपक्षतो भवति यत्तत्साधनं सिद्धये ।
यत्साध्यं स्वयमेव तुल्यमुभयोः पक्षे विरुद्धं च य
त्तस्याङ्गीकरणेन वादिन इव स्यात्स्वामिनो निग्रहः

अथवा विज्ञातापरागहेतुभिः प्राक्परिगृहीतोपजापैरापूर्णमिति न विकल्पयितुमर्हामि ॥ इति ॥ १५४ ॥

विपर्ययो—यथा रावणं प्रति सचिवः—

उदर्कसिद्धिमिच्छद्भिः सद्भिर्न खलु दृश्यते ।
चतुर्थीचन्द्रलेखेव परस्त्रीफालपट्टिका ।

रावण :—

परस्त्रीकुचकुम्भेषु कुम्भेषु वरदन्तिनाम् ।
निपतन्ति न भीरूणां दृष्टयः शरवृष्टयः ।

यथा वा मत्तविलासे शाक्यभिक्षुः परमकारुणिएण भअवदा तहागएण पासादेसु वासो पज्जंकेसु सअणं पुव्वण्हे भोअणं एदेहिं उवदेसेहिं भिक्खुसङ्घस्स अणुग्गहं करन्तेण किं णु हु इत्थिआपरिग्गहो सुरापाणविहाणं अणादिहं। अहवा सव्वञ्जो एदंउणपेक्खदि। अवस्सं एदेहि दुट्ठबुद्धत्थविरेहि णिरूच्छा अह्माणं तरूणजणाणं मच्छरेण पिऽअपुत्थएसु इत्थिआसुरापाणविहाणाणि पव्ठामुहाणि इति तक्केमि ॥ १५५ ॥

भ्रंशो—यथा वेणीसंहारे द्वितीयेऽङ्के कञ्चुकिनमाह—दुर्योधनः

सहभृत्यगणं सबान्धवं सहमित्रं ससुतं सहानुजम् ।
स्वबलेन निहन्ति संयुगे न चिरात्पाण्डुसुतः सुयोधनम्

कञ्चु—कर्णौ पिधाय सभयं शान्तं पापं प्रतिहतममङ्गलम् ॥ १५६ ॥

अनुनयो—यथा रामाभ्युदये द्वितीयेऽङ्के रामपराक्रमस्तुतिव्यग्रं मारीचमाह रावणः—आः प्रतिपक्षपक्षपातिन् ! क्षुद्र ! राक्षसापशद; किं बहुना—

उभयोः प्रीतिजननो विरुद्धाभिनिविष्टयोः ।
अर्थस्य साधकश्चैव विज्ञेयोऽनुनयो बुधैः ॥१५७॥

ईप्सितार्थप्रसिध्यर्थं कीर्त्यन्ते यत्र सूरिभिः ।
प्रयोजनान्यनेकानि सा मालेत्यभिसंज्ञिता ॥१५८॥

हृष्टैः प्रसन्नवदनैर्यत्परस्यानुवर्तनम् ।
क्रियते वाक्यचेष्टाभिस्तद्दाक्षिण्यमिति स्मृतम् ॥१५९॥

तवैव रुधिराम्बुभिः क्षतकठोरकण्ठस्रुतैः
रिपुस्तुतिभवो मम प्रशममेतु कोपानलः ।
सुरद्विपशिरस्स्थलीदलनदष्टमुक्ताफलः
स्वसुः परिभवोचितं पुनरसौ विधास्यत्यसिः ॥

इति खड्गमाकर्षति । तदा प्रहस्तः (उभयोर्मध्ये निपत्य)—प्रसीदतु प्रसीदतु महाराजः, नेदमनुरूपं स्वामिनः । देव—

लोकत्रयक्षयोद्वृत्तप्रकोपाग्रेसरस्य ते ।
ईदृशश्चन्द्रहासस्य मृत्येष्वनुचितः क्रमः ॥ इति ॥ १५७ ॥

माला—यथा तापसवत्सराजे राजा—

दृष्टा यूयं निर्जिता विद्विषन्तः प्राप्ता देवी भूतधात्री च भूयः
संबन्धोऽभूद्दर्शकेनापि सार्धं किं दुष्प्रापं यन्न लब्धं भवद्भ्यः ॥१५८॥

दाक्षिण्यं यथा रत्नावल्यां द्वितीयेऽङ्के शीर्षवेदनाव्याजेन गन्तुमुद्यतां वासवदत्तां पटान्तेन गृहीत्वा निरुन्धन् वत्सराजः "प्रिये, प्रसीदेति ब्रूयाम्" इत्यादि वदन्निष्क्रान्तायां प्रेयस्यां "अलमरण्यरुदितेन" इति ब्रुवन्तं विदूषकमाह—"मूढ ! न लक्षितस्त्वया देव्याः कोपः तत्सर्वथा देवीप्रसादनं मुक्त्वा नान्यमत्रोपायमाकलयामि । तदेहि देवीं प्रसादयितुमभ्यन्तरमेव प्रविशावः" इति ।

अत्र राज्ञोऽनुवर्तनं दाक्षिण्यम् ॥ १५९ ॥

गर्हणं—दोषस्य गुणीकृतत्वं यथा धूर्तविटे—

प्रणष्टा न व्यक्तिर्भवति वचसा सैव मृदुता
न रागो नेत्राब्जे त्यजति न च लज्जा व्यपगता ।
स्मृतिः प्रत्यायाता परिहृषितमद्यापि च मुखं
मधौ दोषास्त्वेवंस्था त्वयि परिणतस्तिष्ठति गुणः ॥

गुणातिपाते दोषा यथा वत्सराजचरिते द्वितीयेऽङ्के विष्णुत्रातः

नृपः प्रत्युत्पन्नमतिरेकप्रमा जिह्मो विनिस्तापमर्ति कार्यम् ।
नाभिध्यती तापसमसि पुंसां विषादकृन्मायया सां निदानम् ॥

यत्र संकीर्तयन् दोषं गुणमर्थेन दर्शयेत् ।
गुणातिपाताद् दोषाद्वा गर्हणं नाम तद्भवेत् ।।१६०।।
अर्थान्तरस्य कथने यत्रान्योऽर्थः प्रतीयते ।
वाक्यमाधुर्यसम्पन्ना सार्थापत्तिरुदाहृता ।।१६१।।
वाक्यैः सातिशयैरुक्ता वाक्यार्थस्य प्रसाधकैः ।
लोकप्रसिद्धैर्बहुभिः प्रसिद्धिरिति कीर्तिता ।।१६२।।

यथा वा तापसवत्सराजे तृतीयेऽङ्के लामकायनः—

पूर्वाह्णे कृतभोजनव्यतिकरान्नित्यैव नीरोगिता
कण्डूतिर्वपनादपैति शिरसः स्नानं यदा रोचते ।
जात्याचारकदर्थनाविरहितं ब्राह्मण्यमात्मेच्छया
धूर्तैः सत्त्वहिताय कैरपि कृतं साधुव्रतं सौगतम् ।। १६० ।।

अर्थापत्तिर्यथा धूर्तविटे—

आदष्टस्फुरिताधरे भवति यो वक्त्रारविन्दे रसः
प्रीतिर्या च हृतांशुके च जघने काञ्चीप्रभोद्द्योतिते ।
लक्ष्मीर्या च नखक्षताङ्कुरघरे पीने कपोले स्त्रियो ।
रक्तं तेन विरज्यते न हृदयं जात्यन्तरेऽपि ध्रुवम् ।।

अत्र जन्मान्तरेऽपि तस्या अनुरक्तिरनुवर्तत एवेत्युक्ते जन्मान्तरेष्वपि विरागो न प्रभवति तस्माद्भवबन्धविमुक्तिर्न स्यादित्यर्थापत्तिर्नाम लक्षणम् ।। १६१ ।।

प्रसिद्धिः—प्रसाधकैः प्रकृष्टसाधकैः, प्रसिद्धैः पूर्वमेव सिद्धैः । यथा गदा युद्धे बलदेवः दुर्योधनमाह—भीमसेन इदानीं तव युद्धवञ्चनामुत्पाद्य स्थास्यति ।

दुर्यो—न चाहं भीमसेनेन वञ्चितः ।

बल—अथ केन भवानेवंविधः कृतः ।

दुर्यो—श्रूयतां,

येनेन्द्रस्य च पारिजातकतरुर्मानेन तुल्यं हृतो
दिव्यं वर्षसहस्रमर्णवजले सुप्तश्च यो लीलया ।
दीप्त्या भीमगदां प्रविश्य सहसा निर्व्याजयुद्धप्रियः
तेनाहं जगतां प्रियेण हरिणा मृत्योः प्रतिग्राहितः ।।

अत्र वाक्यार्थस्य साधका एव भगवतो विष्णोः पारिजाताहरणलीलावटपत्रशयनादयः । अन्ये तु प्रसाधकैरलङ्कारैरिति गृह्णन्ति ।। १६२ ।।

पृच्छा=शोकादिपरवशतयात्मानं वा परं वा परोक्षे संबोध्य पृच्छन्निवाभिधानम् । तन्नोत्तरमतेक्षते तस्यैव प्रत्यायकत्वात् ।

यत्राकारोद्भवैर्वाक्यैरात्मानमथवा परम् ।
पृच्छ्यते चाभिधत्तेऽर्थं सा पृच्छेत्यभिसंज्ञिता ॥१६३॥

दृष्टश्रुतानुभूतार्थकथनादिसमुद्भवम् ।
सादृश्यं क्षोभजननं सारूप्यमिति संज्ञितम् ॥१६४॥

हृदयस्थस्य वाक्यस्य गूढार्थस्य विभावकम् ।
अन्यापदेशैः कथनं मनोरथ इति स्मृतः ॥१६५॥

यथा रामचरिते हनुमान् सीतां दृष्टवाह—

स्थानेऽवसीदसि रघूद्वह ! किं विधातः !
अस्यास्त्वयेक्षितमलक्षणमङ्गकेषु ।
अद्यापि जीवसि दशानन ! हें हनुमन् !
केयं तवाभिमुखवर्तिरिपोः प्रतीक्षा ॥ इति ॥ १६३ ॥

सारूप्यं—आदिशब्देन दर्शनश्रवणानुभवनान्युपलक्षितानि । अत्र रूपविभ्रान्त्या न क्षोभजननमेव लक्षणस्य चमत्कृतिः । यथा छलितरामे लक्ष्मणेन बध्वानीतो लवो रामयज्ञशालायां हिरण्मयीं सीतां दृष्ट्वाह—"अये कथमियमम्बा राजद्वारमागता" इति सहसोत्थाय प्रणम्य तदनन्तरं काञ्चनमयीति निर्वर्ण्योपसृत्योपविशति ॥

यथा वा वेणीसंहारे—दुर्योधनं हत्वागच्छन्तं भीमसेनं दुर्योधनमिति चार्वाकवार्तयैव भ्रान्त्वा धर्मसूनुस्तं गाढं गृहीत्वाह······

आशैशवादनुदिनं जनितापराधो
मत्तो बलेन भुजयोर्हतराजपुत्रः ।
आसाद्य मेऽन्तरमिदं भुजपञ्जरस्य
जीवन् प्रयासि न पदात्पदमद्य पापः ॥इति॥१६४॥

मनोरथो—यथा विकटनितम्बाप्रहसने विकटनितम्बाह

अन्यासु तावदुपमर्दसहासु भृङ्ग !
लोलं विनोदय मनः सुमनोलतासु ।
मुग्धामजातरजसं कलिकामकाले
बालां कदर्थयसि किं नवमालिकायाः ॥
अत्रात्मानमेव सुमनोलतात्वेनापदिशति ॥१६५॥

लेशो यथाविमारके द्वितीयेऽङ्के धात्री नायकमाह—अय्य किं चिंतीअदि ।

अविमारकः—भवति । शास्त्रं चिन्त्यते ।

धात्री—किं णाम एदं रमणिज्जं सत्थं चिंतीअदि

अवि—भवति ! योगशास्त्रं चिन्त्यते ।

यद्वाक्यं वाक्यकुशलैरुपायेनाभिधीयते।
सदृशार्थाभिनिष्पत्त्याः स लेश इति कीर्तितः ॥१६६॥
परदोषैर्विचित्रार्थैर्यत्रात्मा परिकीर्त्यते।
अवृष्टोऽन्योऽपि वा कश्चित् स तु क्षोभ इति स्मृतः ॥१६७॥
लोके गुणातिरिक्तानां गुणानां यत्र नामभिः।
एकोऽपि शब्द्यते तत्तु विज्ञेयं गुणकीर्त्तनम् ॥१६८॥

धात्री—(सस्मितं) पडिग्गहीदं मंगलवअणं ओअसत्थं एव होदु।

अवि—को नु खलु वाक्यार्थः। अन्यदप्यभिलाषवशादन्यथा संकल्पयामि। इत्यादि।

अन्ये तु लेख इति पठन्निङ्गितज्ञानाभिधानमिति च लक्षयन्ति ॥१६६॥

क्षोभो-यथा रत्नावल्यां तृतीयेऽङ्के सागरिकैवेति मत्वा वासवदत्तामुपलालयतो राज्ञः सा स्वावगुण्ठनमपनीय वैलक्ष्यमुत्पादितवती।

राजा (अञ्जलिं बध्वा)—प्रिये! वासवदत्ते! प्रसीद प्रसीद।

वास (अश्रु निपातयन्ती) मा एव्वं भण। अण्णगदाइ एदाइ अक्खराइ।

विदू—भोदि, महाणुभावा खु तुमं ता क्खमीअदु दाव एक्को अवराहो पिअवअस्सस्स।

वास—णं पुढमसंगमे विग्घं करन्तीए मए जेव्व एदस्स अवरद्धं ण अज्जउत्तस्स।

अन्ये तु "आत्मन्यभूततद्भावभावन" मिति, परे तु "अन्यगते हेतावन्यस्मिन् कार्यकल्पनम्" इति च लक्षयन्ति ॥१६७॥

गुणकीर्तनं—यथा वत्सराजचरिते चतुर्थेऽङ्के शालङ्कायनः—नीलनागव्यपदेशेन समन्ततः शस्त्रप्रभाभासुरैरस्मद्योधैः परीतेन महति भयस्थाने विगतसंभ्रमं—

तेन प्रोक्तं धैर्यगाम्भीर्यशौर्यप्रज्ञातेजोनीतिदाक्षिण्यगर्भम्।
वाक्यं सामाद्यं सोर्जितं श्रोत्ररम्यं शास्त्रीकर्तव्यं तद् बुधैः स्वार्थकामैः॥

भरतरोहकः—एसो संक्षिप्तविस्तरो नाम।

राजा—ततस्ततः—

शाल—देव, यस्तस्य युद्धे महति प्रवृत्ते पराक्रमः साहसलाञ्छनः सः।
प्रद्युम्नरामार्जुनभीमकर्णसाम्बाभिमन्युष्वविचिन्त्य एव॥ इत्यादि

राजा—अहो नु खलु स्वभावसिद्धानां गुणानामव्यभिचारिता। कुतः—

अविदित इति नैकधा प्रयत्नाद् बहुदिवसं बहुधापरीक्षमाण।
द्विगुणमभिविराजते गुणैः स्वैर्मणिरिव जातिविशेषवान्महार्हः ॥१६८॥

प्रस्तावेनैव शेषोऽर्थः कृत्स्नो यत्र प्रतीयते।
वचनेन विनानुक्तसिद्धिः सा परिकीर्तिता ॥१६९॥
यत्प्रसन्नेन मनसा पूज्यं पूजयितुं वचः।
हर्षप्रकाशनार्थं तु सा प्रियोक्तिरुदाहृता ॥१७०॥
एतानि काव्यस्य च लक्षणानि
षट्त्रिंशदुद्देशनिदर्शनानि।
प्रबन्धशोभाकरणानि तज्ज्ञैः
सम्यक् प्रयोज्यानि रसायनानि ॥१७१॥

इति भरतीये नाट्यशास्त्रे वागाभिमये काव्यलक्षणो नाम षोडशोऽध्यायः।

अनुक्तसिद्धिर्यथा तापसवत्सराजे योगन्धरायणो डोलयितचित्तां वासवदत्तामाह—

कौशाम्बीं परिभूय नः कृपणकैर्विद्वेषिभिः स्वीकृतां
जानास्येव तथा प्रमादपरतां पत्युर्नयद्वेषिणः।
स्त्रीणां च प्रियविप्रयोगविधुरं चेतः सदैवात्र मे
वक्तुं नोत्सहते मनः परमतो जानातु देवीं स्वयम् ॥

यथा वा तत्रैव द्वितीयेऽङ्के विनीतभद्रो देवीप्रस्थानं वर्णयन्नाह—

मामुद्दिश्य तथा देव्या वाष्पसंरुद्धकण्ठया।
आर्यपुत्रं प्रतीत्युक्तं वक्तव्यं न समाहितम् ॥१६९॥

प्रियोक्तिर्यथा वत्सराजचरिते सप्तमेऽङ्के भरतरोहको वत्सराजाय वासवदत्तां वीणाभ्यासार्थमर्पयितुकामस्तं दृष्ट्वाह—

या शेते कौस्तुभस्य द्युतिकिसलयिते शारदव्योमनीले
विष्णोर्वक्षस्युदारे रजनिकरकराकारहारोपहारे।
साभ्येत्यालिङ्गतु त्वां प्रशिथिलगलितेनोत्तरीयेण लक्ष्मी
र्हर्षादापीडयन्ती नवकमलरजोरोचनाभ्यां स्तनाभ्याम् ॥इति॥१७०॥

एवमेव श्रव्यप्रबन्धेष्वपि कथाशरीरसंविधानसंभा
षणवैदग्ध्यरूपः कविव्यापारो लक्षणाख्यो द्रष्टव्यः ॥१७१॥

इति षोडशमध्यायं ग्रन्थनिर्ग्रन्थिकं व्याधात्।
यशोराशेर्यशोरागनाम्नो दौहित्र—देहजः।

इति श्रीमहामाहेश्वराभिनवगुप्ताचार्यविरचितायां नाटयवेदविवृतावभिनयभारत्यां लक्षणालङ्कारदोषगुणाध्यायः षोडशः समाप्तः।

□□□

नाट्यशास्त्रम्

सप्तदशोऽध्यायः

एवं तु संस्कृतं पाठ्यं मया प्रोक्तं द्विजोत्तमाः[1] ।
[2]प्राकृतस्यापि पाठ्यस्य संप्रवक्ष्यामि लक्षणम् ॥१॥
एतदेव विपर्यस्तं संस्कारगुणवर्जितम् ।
विज्ञेयं प्राकृतं पाठ्यं नानावस्थान्तरात्मकम् ॥२॥

यदान्तररसास्वादकाकुविश्रान्ति सुन्दरम् ।
रसाज्ञपक्षगं वन्दे तद्वपुः पारमेश्वरम् ॥

चतुर्दशाध्याये वाचिकोक्तक्रमे संस्कृतं प्राकृतं च वाक्यमित्युक्तम् । तत्र संस्कृतप्रसङ्गेन छन्दोवृत्तलक्षणादि निरूपितम् । अनेन त्वध्यायेन प्राकृतस्य स्वरूपं निरूप्यते । शास्त्रप्रसिद्धसंस्कृतविपरीतप्राकृतप्रसङ्गेन नामधेयविभागरूपरूपणं शास्त्रविहितानां विपरीतरूपत्वात्, नाट्यसमयपातिनो भावमारिषादिनामसमूहस्य पठनधर्माश्च प्राकृतेऽपि किमन्यथा संस्कृतवद्वेति चिन्तायां प्रसङ्गेन काकुस्वरूपं निरूपितम् । दशरूपकनिर्णयानन्तरं समुचितनिर्णयमपि तथा—

अलङ्कारा विरामाश्च ये पाठ्ये संस्कृते मताः ।
त एव यत्नतः कार्या स्त्रीपाठ्येऽपि च संस्कृते ॥१७।१४७॥

इत्यध्यायोपान्ते प्राकृतपाठ्यमेवोपसंहरिष्यामीत्यध्यायसंङ्गतिः, एतामेव दर्शयति एवं तु संस्कृतमित्यादि । पाठविशेषमर्हति यत्नेन वा पठनीयं, विटिष्टेन रूपेण वा पठनार्हं आन्तरचित्तवृत्तिवशादेव वा तथा पठितुं शक्यम्, आचार्ययत्नेन वा पठनीय मिति पाठ्यम । तत्र प्राकृतस्य सामान्यलक्षणमाह-संस्कारेति । संस्कृतमेव संस्कार-गुणेत यत्नेन परिरक्षण रूपेण वर्जितं प्राकृतं, प्रकृतेरसंस्काररूपाया आगतम् ।

नन्वपभ्रंशानां को नियत इत्याह—नानानि यान्यवस्थान्तराणि देशविशेषास्ते-ष्वात्मा नियतस्वभावो यस्यां, देशविशेषेषु प्रसिद्ध्या नियमितमित्येवं संस्कृता एव वाचकाः अनुमानात्त्वन्ये ते त्वन्यत्वेन प्रसिद्धिं गता इत्युक्तम् । अवतिष्ठन्तेऽन्य-स्मिन्नित्यवस्थाः देशाः ॥२॥

---

१. NS. समासतः ।

२. NS. प्राकृतस्य तु ।

त्रिविधं तच्च विज्ञेयं नाट्ययोगे समासतः ।
समानशब्दं[1] विभ्रष्टं देशीगतमथापि च[2] ॥३॥
कमलामलरेणुतरङ्गलोलसलिलादिवाक्यसम्पन्नम् ।
प्राकृतबन्धेष्वेवं संस्कृतमपि योगमुपयाति[3] ॥४॥
ये वर्णाः संयोगात् स्वरवर्णान्यत्वं न्यूनतां चापि ।
[4]गच्छन्ति पदन्यस्तास्ते विभ्रष्टा इति ज्ञेयाः ॥५॥
[ये वर्णा वर्णगता व्यञ्जनयुक्ताश्च ये स्वरा नियताः ।
तानपरस्परवृत्ते प्राकृतयुक्त्या प्रवक्ष्यामि] ॥६॥

यथा—

[5]एओंआरपराणिअ अं आरपरं अ पाअए णत्थि ।
वसआरमज्झिमाइ अ कच वग्गतवाणिहणाइं ॥७॥

संस्कृते समेऽपि प्रातिपदिके विभक्तौ भवितव्यं विपर्यासेन स्वरे वा । देशीपदमपि स्वरस्यैव प्रयोगावसरे प्रयुज्यत इति तदपि प्राकृतमेव, अव्युत्पादितप्रकृतेस्तज्जनप्रयोज्यत्वात् प्राकृतमिति केचित् ॥३॥

संस्कृतेन समानशब्दानुदाहरति—कमला मलेति । विभक्तौ लिङ्गस्य प्राकृते स्वातन्त्र्यादवश्यं भेदेन भाव्यमित्याह वाक्ये समासोपपन्नं योजितम् ॥४॥

एतत्परिज्ञानस्य फलमाह—एवं संस्कृतमपि योगमिति । भाषाश्लेषे पताकास्थानकादौ चास्य प्रयोग उक्तः । अपिशब्देनदेमाह प्राकृतप्रयोगे समासेऽपि न संस्कृतसमतेति कमल अमल इन्दु इत्यादौ ॥५॥

विभ्रष्टमाह—ये वर्णा इत्यादि ॥६॥ एतदेव प्रपञ्चयते 'एओआरपराणि अ' इत्यादिना । एकारात्परः ऐ, ओकारात्परा औ, ऐकारैकारौ च, येभ्यस्तानि च । कियन्ति आह पाअए पादसंख्यया चत्वारीत्यर्थः ऋ ॠ ऌ ॡ । अंङ्कारपरो विसर्जनीयः । वसकारयोर्मध्ये शषौ । कचवग्गेति—कचतवर्गाणां अन्त्यवर्णाः ङ ञ न इति । द्वादशवर्णा न सन्ति ॥७॥ कगेति—कगाद्यो लुप्यन्ते तदीयश्चार्धः, स्वराणामेव ।

---

१. NS. शब्दैः ।
२. NS. देशीमतमथापि वा ।
३. KSS. संस्कृतमिव प्रयोगमुपयाति ।
GOS. पाठ्यमेकं तु विज्ञेयं संस्कृतं प्राकृतं यथा ।
४. GOS. यान्त्यपदादौ विभ्रष्टांस्तान् विदुर्विप्राः ।
५. इतः प्रारम्भ 'कार्यः प्रयोगेऽस्मिन्' इत्यन्तो ग्रन्थोऽतीवाशुद्ध आसीत् । अत एव निर्णयसागरमुद्रितपुस्तके अतीव पाठभेदो दृश्यते । क्वचिच्छन्दोभङ्गादिदोषवशेन काश्चनार्या अपि गद्यतामापन्नाः । पाठान्तरं तु तत्रैव द्रष्टव्यम् ।

वच्चंति कगतदयवा लोपं अत्थं च से वहंति सरा।
खघथधभा उण हत्तं उवेंति अत्थं अ मुंचंता ॥८॥
उप्परहुत्तरआरो हेट्ठाहुत्तो अ पाअए णत्थि।
मोत्तूण भद्दचोद्दह पद्दहृवचन्द्रजाई स ॥९॥
खघथधभाण हआरो मुहमेहकहावहूपहृएसु।
कगतदयवाण णिच्चं सीयम्मि ठिओ सरो होई ॥१०॥

छ इति षकारो नित्यं बोद्धव्य: षटपदादियोगेषु।
फिलशब्दान्त्यो रेफो भवति तथा खु त्ति खलुशब्द: ॥

ड इति ... दकारो भटकटककुटीतटाद्येषु।
सत्वं च भवति शषयो: सर्वत्र तथाहि स स आदेश: ॥१२॥

अष्टस्पश्च दकारो भवत्यनादौ तकार इतराद्य:।
बडवातडागतुल्यो भवति डकारोऽपि च [1]ककार: ॥१३॥

वर्षनगते च भावे धकारवर्णोऽपि ढत्वमुपयाति।
सर्वत्र च प्रयोगे भवति नकारोऽपि च णकार: ॥१४॥

आपानं आवाणं भवति पकारेण वत्वयुक्तेन।
अयथातथादिकेषु तु[2] भकारवर्णो व्रजीत हत्वम् ॥१५॥

परुषं फरुसं विद्यात्पकारवर्णोऽपि फत्वमुपयाति।
[3]यस्तु मृत: सोऽपि मओ यश्च मृग: सोऽपि हि तथैव ॥

ओकारत्वं गच्छेदौकारश्चौषधादिषु नियुक्त:।
[4]प्रचलाचिराचलादिषु भवति चकारोऽपि तु यकार: ॥

खघेति—खादीनां हत्वं, खेट, परिघ, अथ, धान्य भाव्यादीनां व्यञ्जनस्य न. भवति ॥८॥

भद्रादिषु न भवति। अपि च चोद्दहह्लददु:खादीनामिति अत्रोदाहरणानि मुखं मुहं इत्यादिकानि ॥९॥ अनादौ स्थाने टकारो डकारश्च अस्पष्टो लघुप्रयत्न: उच्चार्य:। येन क्रमाद्दकारश्च लकाराच्छायौ भवत:। यथा उदरं उदलं ॥१०॥

तथैवेति ॥१६॥

---

१. KSS., NS. लकार:।

२. KSS., NS. थकारवर्णो।

३. KSS., NS. यस्तु मृग: सोऽपि मओ यस्तु मृत:।

४. KSS., NS. प्रचयचिराचसादिषु चकारवर्णोऽपि च यकार:।

[1]अपरस्परनिष्पन्ना ह्येवं प्राकृतसमाश्रया वर्णाः ।
संयुक्तानां तु पुनर्वक्ष्ये परिवृत्तिसंयोगम् ॥१८॥
श्चप्सत्सथ्याः छ इति तथाम्यह्यध्या
भवन्ति तु झकाराः ।
ष्टः ठः, स्तः स्थः, ष्मो म्ह,
क्ष्णो ह्लः, ष्णो ण्हः, क्षः खकाररूपोऽपि ॥१९॥
आश्चर्यं अच्छरियं निश्चयमिच्छन्ति णिच्छयं च यथा ।
वत्सं वच्छं च यथा अप्सरसं तद्वदच्छरअं ॥
उत्साहो उच्छाहो पथ्यं च पच्छं विज्ञेयम् ।
तुभ्यं तुज्झं मह्यं मज्झं विन्ध्यश्च भवति विज्झोत्ति ।
वष्टो वट्ठोत्ति तहा हस्तोऽपि च भवति हत्थोत्ति ।
ग्रीष्मो गिम्होत्ति तथा श्लक्ष्णं सह्लं सदा तु विज्ञेयम् ॥
उष्णं उह्लं यक्षो जक्खो पर्यङ्को भवति पल्लंकु ।
[2]विपरीतं ह्मयोगे ब्रह्मादौ स्याद् बृहस्पतौ फत्वम् ॥
यज्ञो भवति न जन्नो भीष्मो भिम्होत्ति विज्ञेयः
उपरिगतोऽधस्ताद्वा भवेत्ककारादिकस्तु यो वर्णः ॥२४॥
स हि संयोगविहीनः शुद्धः कार्यः प्रयोगेऽस्मिन्
एवमेतत्तु विज्ञेयं प्राकृतं संस्कृतं तथा ॥२५॥
अत ऊर्ध्वं प्रवक्ष्यामि देशभाषाविकल्पनम् ।
भाषा चतुर्विधा ज्ञेया दशरूपे प्रयोगतः ॥२६॥

अपरस्परनिष्पन्ना इत्यन्योन्यमश्लिष्टा असंयोगरूपा इत्यर्थः । यत्र संयुक्तास्तेषामिति षष्ठीबहुवचनम् ॥१८॥ क्रमेण स्वयमुदाहरति वच्छं च इत्यादि ॥२०॥ विपरीत इति । ब्रह्मा बम्हावत् हत्वमिति, उपरिगतोऽधस्तादिति शक्र अर्कः इति ॥२३॥ द्वितीयं सयुज्यमानमपास्य स उपरिगत एव चादेशः क्रियते सक्को अक्को । मुनिना च दिग्दर्शिता, विस्तारविजिज्ञासुः प्राकृतदीपिकादिकमवलोकयेत् । उत्पलविरचितायां च सूत्रवृत्तौ पद्धतौ च स्फुटं पूर्णं च सर्वमस्तीति तत्रादरः कार्यः ॥२४॥

---

१. KSS., NS. अपरस्वरनिष्पन्नाः ।

२. KSS., NS. विपरीतमयोगेन ।

संस्कृतं प्राकृतं चैव यत्र पाठ्यं प्रयुज्यते ।
अतिभाषार्यभाषा च जातिभाषा तथैव च ॥२७॥

तथा योन्यन्तरी चैव भाषा नाट्ये प्रकीर्तिता ।
[1]अतिभाषा तु देवानामार्यभाषा तु भूभुजाम् ॥२८॥

संस्कारपाठ्यसंयुक्ता सम्यङ्[2]न्याय्यप्रतिष्ठिता ।
विविधा जातिभाषा च प्रयोगे समुदाहृता ॥२९॥

म्लेच्छशब्दोपचारा च भारतं वर्षमाश्रिता ।
अथ योन्यन्तरी भाषा [3]ग्राम्यारण्यपशूद्भवा ॥३०॥

[4]नानाविहङ्गजा चैव नाट्यधर्मीप्रतिष्ठिता ॥३१॥

जातिभाषाश्रयं पाठ्यं द्विविधं समुदाहृतम् ।
प्राकृतं संस्कृतं चैव चातुर्वर्ण्यसमाश्रयम् ।
धीरोद्धते [5]सललिते धीरोदात्ते तथैव च ॥३२॥

धीरप्रशान्ते च तथा पाठ्यं योज्यं तु संस्कृतम् ।
एषामेव तु सर्वेषां नायकानां प्रयोगतः ॥३३॥

कारणव्यपदेशेन प्राकृतं संप्रयोजयेत् ।
[6]दारिद्र्याध्ययनाभावयदृच्छादिभिरेव च ॥३४॥

संस्कृतप्राकृतरूपैव भाषा वक्तुभेदाच्चतुर्धा संपन्नेति दर्शयति **संस्कृत प्राकृतं च पाठ्यमिति** । संस्कृतैव भाषा स्वरभेदादिपूर्णसंस्कारोपेता संस्कृतभाषा भाषाभेदानां (मध्ये) उक्ता । वैदिकशब्दबाहुल्यादार्यभाषातो विलक्षणत्वमस्या इति ॥२७॥

उपचारो व्यवहारः ॥३०॥ पशुपक्षिप्रभृतीनां यद्रुतं तत् नाट्यप्रयोगे कुत्राप्यवसरे संभाव्यमित्याह **नाट्यधर्मीति** ॥३१॥

कारणव्यपदेशेनेति अवस्थादिवशात् तथा अर्जुनस्य बृहन्नलारूपेण प्रच्छन्नस्य कारणान्याहरते ॥३४॥

---

१. KSS. अभिभाषा ।

२. NS. ग्रामप्रतिष्ठिताः ।

३. NS. ग्रामारण्यः······।

४. KSS. नानाविहगजा ।

५. KSS., NS. धीरललिते ।

६. इतोऽग्रे सार्धषट्श्लोकेषु ग्रन्थान्तरयोः सर्वथैव भिद्यते ।

ऐश्वर्येण प्रमत्तानां दारिद्र्येण प्लुतात्मनाम् ।
अनधीतोत्तमानां च संस्कृतं न प्रयोजयेत् ॥३५॥

व्याजलिङ्गप्रविष्टानां श्रमणानां तपस्विनाम् ।

भिक्षुचक्रचराणां च प्राकृतं संप्रयोजयेत् ॥३६॥

भागवततापसोन्मत्तबालनीचग्रहोपसृष्टेषु ।

स्त्रीनीचजातिषु तथा नपुंसके प्राकृतं योज्यम् ॥३७॥

परिव्राण्मुनिशाक्येषु चोक्षेषु श्रोत्रियेषु च ।
शिष्टा ये चैव लिङ्गस्थाः संस्कृतं तेषु योजयेत् ॥३८॥

राज्ञ्याश्च, गणिकायाश्च शिल्पकार्यास्तथैव च ।

कलावस्थान्तरकृतं योज्यं पाठ्यं तु संस्कृतम् ॥३९॥

सन्धिविग्रहसंबन्धं तथा च प्राप्तवांग्गतिम् ।
ग्रहनक्षत्रचरितं खगानां रुतमेव च ॥४०॥
सर्वमेतत्तु विज्ञेयं काव्यबन्धे शुभाशुभम्[1] ॥४१॥
क्रीडार्थं सर्वलोकस्य प्रयोगे च सुखाश्रयम् ।
[2]कलाभ्यासाश्रयं चैव पाठ्यं वेश्यासु संस्कृतम् ॥४२॥

ऐश्वर्येणेति श्रुताध्ययनशून्यत्वमनेन लक्ष्यते । क्रीडापीत्यन्ये ॥३५॥ व्याजलिङ्गं ये प्रविष्टा जीविकार्थम् चक्रचरा चक्रेण जीवन्ति ॥३६॥ भागवता इह देवलकाः । उत्तमग्रहैः देवगन्धर्वादिभिराक्रान्तानां संस्कृतभाषेत्यभिप्रायेणाह नीचग्रहेति । नीचग्रहैः पिशाचादिभिरुपसृष्टेषु स्वीकृतेष्विति । नीचजातयश्च-ण्डालाद्याः । लिङ्गस्था यतिप्रभृतयः ॥३८॥ शिल्पकारिकाः कलासु विदग्धाः । राज्ञः स्त्री महादेवीरूपा उपचाराद्राजशब्द वाच्येति "अन उपधा लोपिन" इति ङीपि राज्ञी । यदि पुंयोगादित्यत्र अत इति वर्तते ॥३९॥ राज्याः संस्कृते निमित्तं दर्शयति सन्धिविग्रहेति यस्माद्राज्ञः सन्धिविग्रहसंबन्धं षाड्गुण्यादि तथाग्रह-नक्षत्रचेष्टितं, शुभाशुभरूपं पक्षिरुतं च शुभाशुभमितीयत्सर्वं नृपपत्न्या ज्ञेयं, तस्माद्राज्ञः सा प्रतिशरीरकल्पा कदाचित्संस्कृतयोग्यापि ॥४०—४१॥

सुखाश्रयमिति । अनेन विशेषलक्षप्रयोगादि निरस्यति ॥४२॥ आम्नायः

---

१. इतोऽग्रे गायकवाडसीरिज पुस्तके 'नृपपत्न्या स्मृतं तस्मात्काले पाठ्यं तु संस्कृतम् ।" इत्यधिकम् ।

२. NS. क्रीडालीलार्थकं चैव ।

[1]कलोपचारज्ञानार्थं क्रीडार्थं पार्थिवस्य च ।
निर्दिष्टं [2]शिल्पकार्यास्तु नाटके संस्कृतं वचः ॥४३॥
आम्नायसिद्धं सर्वासां शुभ[3]मप्सरसां वचः ।
संसर्गाद्देवतानां च तद्धि लोकोऽनुवर्तते ॥४४॥
छन्दतः प्राकृतं पाठ्यं [4]स्मृतमप्सरसां भुवि ।
मानुषाणां च कर्तव्यं कारणार्थव्यपेक्षया[5] ॥४५॥
[सर्वास्विह हि शुद्धासु जातिषु द्विजसत्तमाः !
[6]शौरसेनीं समाश्रित्य भाषां काव्येषु योजयेत् ॥४६॥
अथवा छन्दतः कार्या देशभाषा प्रयोक्तृभिः ।
नानादेशसमुत्थं हि काव्यं भवति नाटके ॥४७॥
मागध्यवन्तिजा प्राच्या शौरसेन्यर्धमागधी ।
बाह्लीका दक्षिणात्या च सप्तभाषाः प्रकीर्तिताः ॥४८॥
शकाराभीरचण्डालशवरद्रमिलान्ध्रजाः[7] ।
हीना वनेचराणां च विभाषा नाटके स्मृता] ॥४९॥
मागधी तु [8]नरेन्द्राणामन्तःपुरसमाश्रया[9] ।
चेटानां राजपुत्राणां श्रेष्ठिनां चार्धमागधी ॥५०॥

पुराणादिः लोकोऽनुवर्तते अनुमन्यत इति यावत् ॥४४॥ भवीति अवतीर्णानामिति शेषः ॥४५॥ शुद्धास्विति अनुलोमवशेन संस्कारवत्सु जातिष्वपीति पाठः ॥४६॥

देशभाषां संक्षिप्याह मागधीत्यादि । भाषा संस्कृतापभ्रंशः ॥४९॥ भाषापभ्रंशस्तु विभाषा सा तत्तद्देश एव गह्वरवासिनां प्राकृतवासिनां च, एता एव नाट्ये तु । अन्ये तु निदर्शनार्थत्वादस्य पैशाच्यादयोऽपि प्रयोज्या इत्याहुः ॥५०॥

---

१. KSS., NS. लोकोपचारज्ञानार्थं ।

२. KSS. NS. शिल्पकार्येषु ।

३. KSS. चाप्सरसां वचः ।

४. KSS. वाक्यं ।

५. GOS., NS. इतोऽग्रे न बर्बरकिरातान्ध्र द्रमिलाद्यासु जातिषु ।
नाट्यप्रयोगे कर्त्तव्यं पाठ्यं (काव्यं) भावा समाश्रयम् ॥

६. NS. सौरसेनं समाश्रित्य भाषा कार्या तु नाटके ।
काशीसीरिज पुस्तके तु इतः प्रभृति श्लोकचतुष्टयी नास्तीति ।

७. NS. शबराभीरचण्डालसचरद्रविडोद्रजाः ।

८. KSS. नराणां ।

९. NS., KSS. पुरनिवासिनाम् ।

प्राच्या विदूषकादीनां धूर्तानामप्यवन्तिजा[1] ।
नायिकानां सखीनां च शूरसेन्यविरोधिनी ॥५१॥

योधनागरकादीनां दक्षिणात्याथ दीव्यताम् ।
बाह्लीकभाषोदीच्यानां खसानां च स्वदेशजा ॥५२॥

[2]शकारघोषकादीनां तत्स्वभावश्च यो गणः ।
शकारभाषा योक्तव्या चाण्डाली पुल्कसादिषु ॥५३॥

अङ्गारकारकव्याधकाष्ठयन्त्रोपजीविनाम् ।
योज्या शकारभाषा तु किंचिद्वानौकसी तथा ॥५४॥

गजाश्वाजाविकोष्ट्रादिघोषस्थाननिवासिनाम् ।
[3]आभीरोक्तिः शावरी वा द्रामिडी वनचारिषु ॥५५॥

[4]सुरङ्गाखनकादीनां सन्धिकाराश्वरक्षताम् ।
व्यसने नायकानां चाप्यात्मरक्षासु मागधी ॥५६॥

[5][न बर्बरकिरातान्ध्रद्रमिलाद्यासु जातिषु ।
नाट्यप्रयोगे कर्तव्यं काव्यं भाषासमाश्रितम्] ॥५७॥
गङ्गासागरमध्ये तु ये देशाः संप्रकीर्तिताः ।
एकारबहुलां तेषु भाषां तज्ज्ञः प्रयोजयेत् ॥५८॥

नरेद्राणां यदन्तःपुरं तन्निवासिनामिति संबन्धः ॥५१॥ दीव्यतामिति कितवानाम् ॥५३॥

शकारा नीचाभिजनाः अर्थयुक्तत्वेन सदर्पाः । शकारबहुला भाषा शकारभाषा । पुल्कसो डोम्बः मृतप इत्यन्ये ॥५४॥ वनौकसामियं वनेचरीत्यर्थः ॥५५॥

सुरङ्गाखनकाः सन्धिच्छेदकृतः । **कारा** बन्धनगृहम् । **व्यसनं** कस्यांचिदापदि जातायां मा मां लोको ज्ञास्यतीतित्यभिप्रायेणात्मनो रक्षार्थं नायोऽपि मागध्या व्यवहरेत् ॥५७॥ द्रमिडकादि पूर्वविधानादिनिषेधो विशिष्टेष्विति पर्यन्तवासिषु द्रमिडेषु द्रष्टव्यो, बर्बरान्ध्रादिसाहचर्याद् जाङ्गलदेशादिगतेषु ॥५८॥ **गङ्गासागरमध्य** इति पूर्वदेश उपलक्षितः ॥५८॥

---

१. योज्या भाषा अवन्तिजा ।

२. KSS., NS. शबराणां शकादीनां ।

३, अत्र काशीसीरिज पुस्तके "विन्ध्यसागरमध्ये तु" इत्याद्यग्रतेनः श्लोकः पठितः ।

४. KSS., सुरङ्गवनकादीनां सौण्डीकाराश्च रक्षिणाम् । NS. सुरङ्गाखनकादीनां मौष्ट्रिकाणां च रक्षसाम् ।

५. KSS., NS. do not read.

विन्ध्यसागरमध्ये तु ये देशाः श्रुतिमागताः ।
नकारबहुलां तेषु भाषां तज्ज्ञः प्रयोजयेत् ॥५९॥

सुराष्ट्रावन्तिदेशेषु वेत्रवत्युत्तरेषु च[1] ।
ये देशास्तेषु कुर्वीत चकारप्रायसंश्रयाम्[2] ॥६०॥

हिमवत्सिन्धुसौवीरान्ये [3]जनाः समुपाश्रिताः ।
उकारबहुलां तज्ज्ञस्तेषु भाषां प्रयोजयेत् ॥६१॥

चर्मण्वतीनदीतीरे ये चार्बुदसमाश्रिताः ।
तकारबहुलां नित्यं तेषु भाषां प्रयोजयेत् ॥६२॥

एवं भाषाविधानं तु कर्तव्यं नाटकाश्रयम् ।
अत्र नोक्तं मया यत्तु लोकाद् ग्राह्यं बुधैस्तु तत्[4] ॥६३॥

एवं भाषाविधानं तु मया प्रोक्तं द्विजोत्तमाः !
पुनर्वाक्यविधानं[5] तु लौकिकं संनिबोधत ॥६४॥

उत्तमैर्मध्यमैर्नीचैर्ये संभाष्या यथा नराः ।
समानोत्कृष्टहीनाश्च नाटके तान्निबोधत ॥६५॥

देवानामपि ये देवा महात्मानो महर्षयः ।
भगवन्निति ते वाच्या यास्तेषां योषितस्तथा ॥६६॥
देवाश्च लिङ्गिनश्चैव [6]नानाश्रुतधराश्च ये ।
भगवन्निति ये वाच्याः पुरुषैः स्त्रीभिरेव च ॥६७॥

विन्ध्यसागरमध्य इति दक्षिणसौराष्ट्राः । **सुराष्ट्रावन्तिदेशेष्विति** पश्चिमः वेत्रवत्यादिनोत्तरः ॥६०॥

वाक्यविधानमित्येकेनापि पदेन सकलो वाक्यार्थः स्फुटीक्रियते, अन्योन्यरूपताऽऽनीयत इत्यभिप्रायेण वाक्यग्रहणं पदविधानं हि भविष्यति ॥ ६५ ॥ **देवानां** देवाः स्तुत्याः । तथेति स्त्रीत्वेन भगवतीति ॥ ६६ ॥ **नानाश्रुतधराः** बहुश्रुताः ॥ ६७ ॥

---

१. KSS. वेत्रवत्यन्तरेषु च ।
२. KSS., NS. चकारबहुलामिह ।
३. KSS., येन्यदेशान् समाश्रिताः । NS. च देशाः समाश्रिताः ।
४. KSS., NS. प्रचारं ।
५. काशीसीरिज पुस्तके अत्रैवाध्यायसमाप्तिः—भाषाविधानं नाम अष्टादशोऽध्यायः । एकोनविंशाध्यायप्रारम्भः । इत्यधिकम् ।
६. KSS. नानाश्रुतिधराश्च ।

आर्येति ब्राह्मणं ब्रूयान्महाराजेति पार्थिवम् ।
उपाध्यायेति चाचार्यं वृद्धं तातेति चैव हि ॥६८॥
[1]नाम्ना राजेति वा वाच्या ब्राह्मणैस्तु नराधिपाः ।
तत्क्षाम्यं हि महीपालैर्यस्मात्पूज्या द्विजाः स्मृताः ॥६९॥
ब्राह्मणैः सचिवो वाच्यो ह्यमात्यः सचिवेति[2] वा ।
शेषैरन्यैर्जनैर्वाच्यो हीनैरार्येति नित्यशः ॥७०॥
समैः संभाषणं कार्यं येन नाम्ना स संज्ञितः ।
हीनैः सपरिवारं तु नाम्ना संभाष्य उत्तमः ॥७१॥
नियोगाधिकृताश्चैव पुरुषा योषितस्तथा ।
[3]कारुकाः शिल्पिनश्चैव संभाष्यास्ते तथैव हि ॥७२॥
[4]मार्षो भावेति वक्तव्यः किंचिदूनस्तु मार्षकः[5] ।
समानोऽथ वयस्येति हं हो हण्डेति वाधमः[6] ॥७३॥
आयुष्मन्निति वाच्यस्तु रथी सूतेन सर्वदा ।
[7]तपस्वीति प्रशान्तस्तु साधो इति च शब्द्यते ॥७४॥
स्वामीति युवराजस्तु कुमारो भर्तृदारकः ।
सौम्य ! भद्रमुखेत्येवं हे पूर्वं चाधमं वदेत् ॥७५॥

क्षाम्यमित्यङ्गीकर्तव्यम् ॥ ६९ ॥

सचिव इति राज्ञो मन्त्री ॥ ७० ॥

सपरिवारं नाम्नेति उत्तमो राजा हीनैः स्वनाम परिगृह्य, यद्यन्नाम वत्सराज सोमवंश मौक्तिकमणे इत्यादि तेन भाष्यः । **सपरिहासमिति** वा पाठः परिहासः परितोषोपलक्षणं तेन चाटुकाराभिः परितोषावसरे हीनैरपि राजा नाम्ना संभाष्यः । "उदयने महीं शासति को विपदामवकाशः" इत्यादौ ॥ ७१ ॥ **कारुकाः** स्तूपकारादयः शिल्पिनश्चित्रकारादयः ॥७२ ॥ **भावेत्यामन्त्रणं** विवक्षितमित्यन्यविभक्त्यन्तो न प्रयोज्य इत्येतत्त्वयुक्तम् **वयस्येत्येवमादावपि** प्रसङ्गात्संभाषणोपक्रमकृताह्यामन्त्रणविभक्तिः सर्वत्र विवक्षितैव । अधमैर्जनैः समानोऽधम एव, हंहो हृण्डे इति वा संभाष्यः ॥ ७३ ॥ चकाराद् विनापि हेशब्देन ॥ ७५ ॥ कर्म पाकादि,

---

१. KSS., NS. छन्दतो नामभिर्वाच्या ।
२. KSS. ह्यमात्यसचिवेति ।
३. KSS. कारकाः ।
४. KSS., मर्षो NS. मान्यो ।
५. KSS., मर्षकः NS. मारिषः ।
६. KSS., ही हं वा इति वाधमः । NS. हं हो हन्तेति चाधमैः ।
७. KSS., तपस्वीव प्रशान्तः सन् NS. तपस्वी च प्रशान्तश्च ।

मध्यस्य कर्म शिल्पं वा विद्या वा जातिरेव वा ।
स तेन नाम्ना भाष्यो हि नाटकादौ प्रयोक्तृभिः ॥७६॥

वत्स ! पुत्रक ! तातेति नाम्ना गोत्रेण वा पुनः ।
वाच्यः शिष्यः सुतो वापि पित्रा वा गुरुणापि वा ॥७७॥

संभाष्या शाक्यनिर्ग्रन्था भवन्तेति प्रयोक्तृभिः ।
आमंत्रणैस्तु पाषण्डाः शेषाः स्वसमयाश्रितैः[1] ॥७८॥

देवेति नृपतिर्वाच्यो भृत्यैः प्रकृतिभिस्तथा ।
भट्टेति सार्वभौमस्तु नित्यं परिजनेन हि ॥७९॥

राजन्नित्यृषिभिर्वाच्यो ह्यपत्यप्रत्ययेन वा ।
वयस्य ! राजन्निति वा भवेद्वाच्यो महीपतिः ॥८०॥

विदूषकेण राज्ञी च [2]चेटी च भवतीत्यपि ।
नाम्ना वयस्येत्यपि वा राज्ञा वाच्यो विदूषकः ॥८१॥

सर्वस्त्रीभिः पतिर्वाच्य आर्यपुत्रेति यौवने ।
[अन्यदा पुनरार्येति महाराजेति भूपतिः] ॥८२॥

आर्येति पूर्वजो भ्राता वाच्यः पुत्र इवानुजः ।
[योषिद्भिरथ काम्येति राजपुत्रेति योधनैः] ॥८३॥

पुरुषाभाषणं ह्येव कार्यं नाट्ये प्रयोक्तृभिः ।
पुनः स्त्रीणां प्रवक्ष्यामि यथाभाष्यास्तु नाटके ॥८४॥

तपस्विन्यो देवताश्च वाच्या भगवतीति च ।
गुरुभार्या तु वक्तव्या स्थानीया भवतीति च ॥८५॥

विद्या त्रय्यादि । जातिर्गोत्रं देशो वा ॥ ७६ ॥ **शाक्याः** सौगताः । **निर्ग्रन्थाः** क्षपणकाः । **शेषाः** पाषण्डाति पाशुपतादयः । स्वसमयो यथा पाशुपतानां भापूषन्, भासर्वज्ञ, इत्यादि संभाषणम् तथा क्वचिद्वाक्यादिशब्देन ॥ ७९ ॥ अपत्यप्रत्ययेनेति कौरवेत्यादिना महाराजेति ॥ ८० ॥ यौवनादन्यत्रार्यपुत्रेति श्वशुरेण व्यपदेशः, तस्य यौवनं शृङ्गारोचितमुक्तं भवति ॥ ८२ ॥

अनुजो ज्येष्ठेन पुत्रवत् वत्स तात पुत्रकेति संभाष्यः ॥८३॥ **पुरुषाभाषण**मिति भूयस्त्वाक्षेप उपसंहारः ॥८४॥ स्त्रीसंभाषणं त्वपि मध्ये निरूपितं तपस्विन्य इति पूर्वं तेषां योषित इति अत्र स्वयमतपस्विन्योऽपीत्युक्तमिति न पुनरुक्तम् । **गुरुभार्या** मान्या अन्या वा स्त्री, **स्थानीया** पूज्या ईषद्वृद्धा ॥८५॥ **पत्नीति** सहधर्मचारिणी,

---

१. KSS., NS. शेषास्तु समयाश्रितैः ।

२. KSS., वेह्वी NS. चेट्या ।

गम्या भद्रेति वाच्या वै [1]वृद्धाम्बेति च नाटके ।
राजपत्न्यस्तु संभाष्याः सर्वाः परिजनेन वै ॥ ८६॥
भट्टिनी स्वामिनी देवीत्येवं वै नाटके बुधैः ।
देवीति महिषी वाच्या राज्ञा परिजनेन वा ॥८७॥
भोगिन्यः परिशिष्टास्तु स्वामिन्य इति वा पुनः ।
[कुमार्यश्चैव वक्तव्याः प्रेष्याभिर्भर्तृदारिकाः] ॥८८॥
स्वसेति भगिनी वाच्या वत्सेति च यवीयसी[2] ।
ब्राह्मण्यार्येति वक्तव्या लिङ्गस्था व्रतिनी च या ॥८९॥
पत्नी चार्येति संभाष्या पितृनाम्ना सुतस्य सा ।
समानाभिस्तथा सख्यो हलेति स्यात्परस्परम्[3] ॥९०॥
प्रेष्या हञ्जेति वक्तव्या स्त्रियो या तूत्तमा भवेत् ।
अज्जुकेति [4]च वक्तव्या वेश्या परिजनेन च ।९१।
[5]अत्तेति गणिका माता वाच्या परिजनेन हि ।
प्रियेति भार्या शृंगारे वाच्या राज्ञेतरेण वा ॥९२॥
पुरोधः सार्थवाहानां भार्यास्त्वार्येति सर्वदा ।
तल्लिङ्गार्थानि नामानि कार्याणि कविभिः सदा[6] ॥९३॥
औत्पत्तिकानि यानि स्युर्न प्रख्यातानि नाटके ।
[7]ब्रह्मक्षत्रस्य नामानि गोत्रकर्मानुरूपतः ॥९४॥

अत एव नटी नाट्यवेदमहासत्रदीक्षितेन सूत्रधारेणार्येणार्ये इत्यामन्त्र्यते । पितृनाम्नेति मारठपुत्री । सुस्तयेति सोमशर्मजननी ॥९०॥

वेश्या स्वेन परिजनेन अज्जुके इति संभाष्या ।।९१॥

सर्वदेति यौवनेऽपि पुरोहितादिभिरार्येति भार्या वाच्या ॥९३॥ औत्पत्तिकानीति स्वयं वा येन कल्प्यन्ते, अत एवाख्यातानि तल्लिङ्गार्थानि प्रकृतार्थसूचकाभिधेययुक्तानि कार्याणि। एतदेव निदर्शनेन स्फुटयति ब्रह्मक्षत्रस्येत्यादिना ॥९४॥

---

१. KSS. वृद्धा वाच्येति ।
२. KSS., NS. ज्येष्ठा वत्सेति चानुजा ।
३. KSS., NS. हला भाष्याः परस्परम् ।
४. NS., भवेद्वाच्याः । KSS. वेश्या वाच्या ।
५. KSS., NS. या त्वत्र वृद्धा सा त्वत्ता भाष्या नाट्यजनेन तु ।
६. KSS., NS. द्विजाः ।
७. KSS. ब्राह्मक्षत्रस्य ।

काव्ये कार्याणि कविभिः शर्मवर्मकृतानि हि ।
दत्तप्रायाणि नामानि वणिजां संप्रयोजयेत् ॥९५॥

[कापालिकास्तु घण्टान्तनामानः समुदाहृता ।]
शौर्योदात्तानि नामानि तथा शूरेषु योजयेत् ॥९६॥

विजयार्थानि नामानि राजस्त्रीणां तु नित्यशः[1] ।
दत्ता मित्रा सेनेति वेश्यानामानि योजयेत् ॥९७॥

नानाकुसुमनामानः प्रेष्याः कार्यास्तु नाटके ।
मङ्गलार्थानि नामानि चेष्टानामपि योजयेत् ॥९८॥

गम्भीरार्थानि नामानि ह्युत्तमानां प्रयोजयेत्[2] ।
यस्मान्नामानुसदृशं कर्म तेषां भविष्यति ॥९९॥

जातिचेष्टानुरूपाणि शेषाणामपि कारयेत् ।
नामानि पुरुषाणां तु स्त्रीणां चोक्तानि तत्त्वतः ॥१००॥

एवं नामविधानं तु कर्तव्यं कविभिः सदा ।
एवं भाषाविधानं तु ज्ञात्वा कर्माण्यशेषतः[3] ॥१०१॥

शौर्योदात्तानीति । **भीमपराक्रम** इति यथा ॥९६॥ **विजयार्थानीति** शुभलक्षणविजयवतीत्यादीनि । देवदत्तवसन्तसेनाविदग्धमित्रेत्यादि वेश्यानाम् ॥९७॥ **नानाकुसुमनामानीति** मालतीमल्लिकेत्यादि कुसुमग्रहणं तन्मञ्जर्याद्युपलक्षणं चूतलतिकेत्याद्यपि हि दृश्यते नाम । **मङ्गलार्थानीति** सिद्धार्थका इत्यादीनि ॥९८॥ **गम्भीरार्थानि** अक्षोभ्य इत्यादीनि । नास्ति संकेतको भार इत्याशयेन पृच्छति अत्रोत्तरं नामानुरूपमिति । नाम क्लिेश्वरेच्छावशात्स्वरूपक्रोडीकारेणैव जायते । तथा हि नामाक्षरे ग्रहाभिचारयन्त्रकर्मादिपीडिते शान्तिकपौष्टिकाद्युपचारभाजि वा तथैव पुरुषस्य फलोदय इत्यभिप्रायः ॥ ९९ ॥ कवित्वयुक्तो नट इत्यभिप्रायेणाह **भाषाविधानं ज्ञात्वा**, तत इति, तत्परिज्ञातपूर्वकं काव्यं कृत्वा प्रयोगे पाठ्यं प्रयुञ्जीतेत्यर्थः । यदि त्वन्यः कविस्तदा पाठ्यस्य संज्ञा च मूलभूतत्वात् प्रयोक्तृत्वेनोक्तो द्रष्टव्यः । **षडलङ्कारसंयुतमिति** स्वरस्थानवर्णकाक्वलङ्काराङ्गानि षट् अत्रालङ्कारशब्देन विवक्षितानि; एतैर्हि भूषितं काव्यं पाठ्यमुच्यते ॥१०१॥

एवं हि वक्ताव्यमुपादानस्य यदि सकलस्वविवक्षाविशिष्टार्थप्रतिपादकत्वं पठनार्हं च पाठ्यं तत्स्वराद्यायत्तं सर्वमिति । अत एवाह **पाठ्यगुणानिति** गुणाः उपकारकाः यदुपकृतं काव्यं पाठ्यं भवतीत्यर्थः ।

---

१. KSS. राज्ञां, स्त्रीणां च कारयेत् । NS. राजस्त्रीणां च कारयेत् ।

२. KSS., NS. योजयेदुत्तमेषु च ।

३. KSS, सर्वमशेषतः ।

पाठ्यगुणानिदानीं वक्ष्यामः। तद्यथा सप्तस्वराः, त्रीणि स्थानानि, चत्वारो वर्णाः द्विविधा काकुः, षडलङ्काराः, षडङ्गानीति। एषामिदानीं लक्षणमभिव्याख्यास्यामः। तत्र सप्तस्वरा नाम—षडजर्षभगान्धारमध्यमधैवत-निषादाः त एते रसेषूपपाद्याः ॥१०२॥ यथा—

उद्देशक्रमेण व्याचष्टे **तत्रे**त्यादि। स्वरगतं वितत्य गेयाधिकारे प्रकटयिष्यामः। इह काकुषु स्वरा एव वस्तुत उपकारिणः। तत्परिकरभूतं तु स्थानादि। स्वरेषु प्रकृतिभूतेषु काकुरूपता जन्यते। तत्र स्थानशब्देनैषां स्वरूपनिष्पत्तेराश्रयो दर्शितः। उदात्तानुदात्तस्वरितकम्पितरूपतया स्वराणां यद्रक्तिप्रधानत्वमनुरणनमयं तत्त्यागेनोच्चनीचमध्यमस्थानस्पर्शित्वमात्रं पाठ्योपयोगीति दर्शितम्। यदि हि स्वरगता रक्तिः पाठ्ये प्राधान्येनावलम्ब्येत तदा गानक्रियासौ स्यात्, न पाठः। पूर्णस्वरत्वाभावादङ्गानां भेद इति चेत्, न, अपूर्णस्वरत्वेऽपि गानत्वप्रतिज्ञानात्, षाडवौडुवितयोः त्रिचतुरस्वरत्वेऽपि गानप्रतीतिर्भवत्येव, यथा कृत्रिमवंशिकायां त्रैस्वर्ये, भिन्नषड्जभाषायां च कालिन्द्यां चातुस्वर्ये। तस्माद् गानवैलक्षण्याय रक्तिलक्षणं धर्ममनादृत्योच्चादिस्थानस्पर्श एवात्र प्रधानमिति वक्तुं वर्णोपादानम्। अन्यथा स्वरसप्तकातिरिक्तस्योदात्तादेर्भावादनर्थकं तदुपादानम्।

यत्तु किंचिदुदात्तादिधर्माणां गात्रस्य निग्रहः कण्ठविवरस्य संवृतेत्यादि शिक्षापठितोदात्तादि धर्मप्राप्तेरुच्चाद्यलङ्कारेषु यथा स्यादिति प्रयोजनमुक्तं, तत्राप्य-स्मदुक्तं चेन्न प्रयोजनं कि तद्धर्मप्राप्त्या कृतमिति न विद्मः॥

नन्वेवं **स्वराभिधाने किं प्रयोजनं**, उच्यते—प्राणभूतं तावद्ध्रुवागानं प्रयोगस्य, तत्र जात्यंशकविनियोगो भविष्यति तदिदानो पाठावसरे किं सर्वथैव त्यक्तव्यमित्याशङ्काशमनाय तत्स्थायिस्वराश्रयणं प्रमुखीकृत्य पाठः कर्तव्य इत्येत-त्स्वराभिधानस्येह प्रयोजनम्।

एवमुपगानवैलक्षण्ये संपन्ने बाह्यार्थसमर्पणेन चित्तवृत्तिसमर्पणया वाभिन-यानुभावरूपतालाभाय काकुरर्थरसभेदेनाभिधीयते। तत एव काकुरूपत्वमेव सर्वत्रानुयायि अतिशायित्वे मुख्योपयोगात्। तथा चोच्चदीप्ताद्यलङ्कारेष्वप्युत्तरत्र काकुशब्दैनैव मुनिर्व्यवहरिष्यति। काकोरेवोपकारसंपादकाः परिपूर्णतायायिनोऽ-लङ्काराः, अलमिति **पर्याप्त्यर्थः**, इह न भूषणार्थः। अङ्गानि तु विच्छेदादीनि रसमर्थम् शोभादि कर्म च पोषयितुं काकोरेवोपकारीणीति, एवं परमार्थतः काकुरे-वायं पञ्चमी रूपान्तरैः पूर्णीक्रियते। काक्वा च पठ्यमानस्य स्वोचितचिज्जडस्वरूपा-र्थाभिमुख्येन नयनेनाभिनयता नीयत इति काकुरेवात्र प्रधानम्। तथा चैतद-ध्यायान्ते चोपसंहरिष्यति "**उक्तं काकुविधान**" मिति। अन्यथाङ्गषट्कमध्यपति-तस्योपसंहारोऽन्याङ्गनिरूपणं चाभिधानमिति सर्वमसमञ्जसं स्यात्। तस्मात्काकुरेवात्र प्रधानमिति उपाध्याया हि वचनस्य संङ्केतितमर्थमन्यथाकारं समर्थयन्ति।

ननु श्रुतमर्थमनादृत्य कथं काकुरेवं कुर्यात्। तत्रोक्तमन्यैः वस्तुस्वभावोऽत्र द्रष्टव्यो न हि दृष्टेऽनुपपन्नं नामेति। वयं तु ब्रूमः—इह येयं प्रथमेन संवित्स्पन्देन

ततः पाठ्यं प्रयुञ्जीत षडलङ्कारसंयुतम् ।
हास्यशृंङ्गारयोः कार्यौ स्वरौ मध्यमपञ्चमौ ॥१०३॥

षडजर्षभौ तथा चैव वीररौद्राद्भुतेष्वथ ।
गान्धारश्च निषादश्च कर्तव्यौ करुणे रसे ॥१०४॥

धैवतश्चैव कर्तव्यो बीभत्से सभयानके ।

त्रीणिस्थानानि—उरः कण्ठः शिर इति । भवत्यपि च
शारीर्यामथ वीणायां त्रिभ्यः स्थानेभ्य एव तु ।
उरसः शिरसः कण्ठात्स्वरः काकुः प्रवर्तते ॥१०५॥

प्राणोल्लासनया वर्णादिरूपविशेषहीना वाग् जन्यते सा नादरूपा सती हर्षशोकादि-चित्तवृत्ति विधिनिषेधाद्यभिप्रायं वा तत्कार्यलिङ्गतया वा तादात्म्येन वा श्रुत्यन्तादि गमयतीति तावत्स्थितम् । यथा च प्राण्यन्तरस्य मृगसारमेयादेरपि नादमाकर्ण्य भयरोषशोकादि प्रतिपद्यते, तदयं नादाच्चित्तवृत्याद्यवगमोऽनुमानं तावत् । ये त्वेते वर्णविशेषास्ते तन्नादरूपसामान्यात्मकपदतन्तुग्रन्थिमया इव प्राच्यप्रयत्ना-तिरिक्तनिमित्तान्तरापेक्षाः, तत एवान्यत्रानभिप्रेतेऽन्यथापि प्रयोक्तुं शक्याः, अत एव दृष्टव्यभिचाराः । नादस्तु झटित्युद्भिन्नमुखरागपुलकस्थानीयो नान्यथासिद्धोऽन्य-थासिद्धं शब्दार्थं बाधत एव वा । यथोक्तं "भीरु न मे भयं" इति ब्रुवन्नाशयते भयमित्यन्यप्रकारतां वा वाक्यार्थस्य विशेषार्पणेन विधत्ते । एतच्च वक्ष्यामोऽग्र इत्यास्तां तावत् । सर्वथा पाठ्ये काकुः प्रधानमिति स्थितम् । अत्र हास्यशृङ्गार योरित्यादिना जात्यंशकविनियोगं भविष्यन्तमनुवदंस्तद्द्रुतस्थायिस्वरानुसारेण काकोः प्रयोग इति दर्शयति ॥१०३—१०४॥

अथैषां स्वराणामाश्रयान् दर्शयति **त्रीणि स्थानानीति** । ननु पाठावसरे वर्णा यत्र मूर्धन्यास्तत्र कथमुरः स्थानस्वरनिष्पत्तिः एवमन्यत्र वाच्यम् । उक्तं मन्द्रनादात्मिकाया वाचः स्वरसप्तकं रूपं; सा चोरःस्थाननिष्पन्ना सती मूर्धानम-भिघ्नन्ती मूर्धन्यं वर्णं तद्रूपं मन्द्रस्वरानुविद्धं दर्शयति । न च मूर्धस्थानत्वेऽपि तस्योच्चताकृतं तारत्वमापद्यते । अन्यदेव हि वर्णनिष्पत्तिस्थानं, मूर्धान्तर्वर्त्यनु-विवरमात्रं स्थानान्तरम् । स्वरनिष्पत्तिस्तु विततविवतते मूर्धकाये निष्पद्यमाना तारत्वं संपादयन्ती एव तारमन्द्रमध्यता सवर्णानां सर्व स्वरस्थानभेदसंपाद्य-मानवपुषामप्युपपद्यते तत्र स्वरग्रहणादेवाक्षिप्ते स्थानभेदे पुनः स्थानोपादानं षट्षष्टिस्थानभेदनिवृत्त्यर्थम् । तथा ह्युरःस्थाने द्वाविंशति स्थानानि यत्र श्रुतयः स्वराश्च । एवं कण्ठे मूर्ध्नि च । तावतां च स्पर्शे स्फुटं गानमेव स्यात्, न पाठ्यमित्यवोचाम । अत एव **गुणशब्दो न धर्मवचनः** पाठ्यगुणानिति, किं तु, उपकरणवचनः । स्थानं च तद् यदेवोपकरणं भवति ॥१०५॥ अपि च शारीर्यामथ

आभाषणं च दूरस्थे शिरसा संप्रयोजयेत् ।
[1]नातिदूरे च कण्ठेन ह्युरसा चैव पार्श्वतः ॥१०६॥
उरसोदाहृतं वाक्यं शिरसा दीपयेद् बुधः[2] ।
कण्ठेन शमनं कुर्यात्पाठ्ययोगेषु सर्वदा ॥१०७॥

वीणायामित्यादि केचिद् व्याचक्षते—इहार्थकाकुस्तात्रद्विधिनिषेधाद्यर्थावगमिका, स्वरकाकुस्तु चित्तवृत्तिसूचिका । एतद् व्यापारद्वयशून्या नेपथ्यपाठवैतालीयपाठादिविषया दूरस्थाभाषणादिविषया च शोभासंपादनदूरश्रवणादिप्रयोजना स्वरकाकुः सा तेन वक्ष्यत इति । एवं प्रष्टव्यास्तावत्—योऽयं स्वरकाकोर्विषय उक्तस्तत्र यद्यर्थरूपं किंचिदभिधेयं तत्रावश्यमर्थकाकोर्वा पृथक् स्वरकाकुः । तथा हि नेपथ्यपाठेऽपि कञ्चुकी पठति "वीरोऽयमङ्गदः पठति", यौगन्धरायणः पठति इति, एवंभूतवृत्तचित्तवृत्त्यादि विशेषप्रतिपादकेनैव पाठेन भवितव्यम् । वैतालीयपाठेऽपि समुचितावसरावेदनप्रधानेऽवश्यमर्थं आदातव्य एव । उक्तं चैतत्—अर्थानपेक्षया किमभिनयनमन्यचिन्तया, पुस्तकवाचकपाठो ह्यनुक्रियमाणोऽभिनयतामवलम्बते । अन्यथाभिनयरूपत्वाभावे तदुपकरणधर्म्यादितत्फलरसादिव्यतिरिक्तत्वे स्वरातोद्यगानादिवैलक्षण्ये च चिन्तयैव किं प्रयोजनमिति । न स्यात्काकुसामान्यलक्षणमेतेन किं घटत इत्यन्ये । एवमपि भवतीत्यसमर्थितं स्यात् तद्धि पूर्वप्रकान्तवस्तु समर्थनेन प्रयुज्यत इति मुनेः शैली । तस्मात्पूर्वोक्तस्थानत्रयसमर्थनार्थोऽयं श्लोकः । तदयमर्थः—शारीर्यां वीणायां केवलमुरःशिरकण्ठलक्षणेभ्यः त्रिभ्य एव स्थानेभ्यो, न तु षट्षष्टिस्वरपरिव्यक्तरञ्जनात्मकगानोपयोगिव्यापारः काकुभूतः सूचकरूपः संप्रवर्तते ।

अथ शब्दोऽवधारणे बाह्यायां हि प्रतिविम्बितायां वीणायां रञ्जनात्मकस्वरस्वरूपव्यतिरेकेण न काकुसंपत्तिः । वीणाग्रहणं शरीरगतविवृतमध्याकाशदेशपरिग्रहार्थं, न शरीरमात्रे स्वरनिष्पत्तिः अपि तु तत्रैव । येयं बाह्यवीणादण्डस्थानीया उत्तरोत्तरस्थानपरम्पराविशिष्टा, सा स्थानसोपानपंक्तिस्वरनिष्पत्तिस्थानम्, अत एव काकुस्वरमपि लक्षितम्—कक लौल्ये, लौल्यं च साकांक्षे यया स्वरवैचित्र्यं लक्ष्यते ईषद्यतो वाच्यभूमिः संपद्यते सा काकुः ईषदर्थे कुशब्दस्य कादेशः । काकुर्वा जिह्वा तद्व्यापारसंपाद्यत्वात् काकुः ॥१०६॥

एवं स्थानस्वरूपं विभज्य तस्य विषयभेदमादर्शयितुमाह **आभाषणं च दूरस्थ** इत्यादि । **शिरसेति** शिरोनिष्पन्नेन तारेण नादेनेत्यर्थः । नातिदूरेः कण्ठेनेति मध्येन, उरसा समीपे मन्द्रेणेति यावत् ॥१०७॥

---

१. KSS. नातिदूरेऽपि कण्ठेनाप्युरसा चापि पार्श्वतः ।
NS. नातिदूरेऽपि कण्ठे च ह्युरसा च समीपतः ।
२. NS. शिरसोद्दीपयेद्बुधः ।

[1]उदात्तश्चानुदात्तश्च स्वरितः कम्पितस्तथा ।
वर्णाश्चत्वार एव स्युः पाठ्ययोगे तपोधनाः ॥१०८॥

तत्र हास्यशृङ्गारयोः स्वरितोदात्तैर्वर्णैः पाठ्यमुपपाद्यं, वीररौद्राद्भुतेषूदात्तकम्पितैः करुण[2]वीभत्सभयानकेष्वनुदात्तस्वरितकम्पितै रिति[3]। द्विविधा काकुः साकांक्षा निराकांक्षा चेति वाक्यस्य साकांक्षनिराकांक्षत्वात् ॥१०९॥

एवं **स्थानत्रयस्य** पृथगुपयोगमभिधाय युगपद्दर्शयति उरसोदाहृतं वाक्यमित्यादिना। मन्द्रस्वरेण वा पाठमारभ्य क्रमेण तारं गत्वा मध्येन परिसमाप्नुयादिति श्लोकार्थः। यदा हि न दीप्तेन क्रोधादिना नापि मन्द्ररूपेण शोकादिना आविष्टहृदयो भवति तदा क्रमेण वक्तव्यवस्तुविषयोत्साहविस्फारणात् तारान्तं गच्छन्नुपसंहारे मध्य एव विश्राम्यतीत्यनवशिष्टस्यायं सामान्येन पाठधर्मः। अत एव शान्ते व्यभिचारिबलावेशशून्यतायामयमेव पाठधर्मः। वैतालीयपाठे चायमपि सामान्यधर्मोऽस्तु। न तद्विषये स्वरकाकुः। कस्तर्हि तस्या विषयः उच्यते—कदाचिदर्थस्य धर्मपुञ्जवाच्यस्य धर्मान्तराधानं काकुरुच्यते, कदाचित्स्वरजनकचित्तवृत्त्यर्पणं करोति। यत्र रसस्वरजनक काकुव्यवहारः कदाचिद्वा नादात्मनि स्वात्मसूत्रे सुगुम्फितस्य स्वग्रन्थ्यात्मनो वर्णराशेर्दरश्रवणं किंचिच्छ्रवणमश्रवणं वेत्यस्मिन्नर्थे व्याप्रियते। तत्रापि स्वरकाकुरुच्यते। तत्रोक्तमाभाषणं दूरस्थमित्यादि तदेवं व्यतिरिक्ते स्वसंवाव्यापाराद् व्यतिरिक्तजडचिद्भेदेन भेदात् तदर्थरसस्वरभेदात् त्रिधैव काकुः॥ १०८॥

एवं स्थानभेदमुक्त्वा क्रमप्राप्तं वर्णस्वरूपमाह—**उदात्तश्चेति**। उच्चता नीचता मध्यमता उच्चनीचोभयडोलावलम्बनमिति चत्वारः स्वरधर्माः। वर्णा गुणा यदि वा पाठक्रियाविस्तारका विवृण्वते प्रकटयन्ति स्वार्थविशेषमिति वा।

पाठ्ययोगे काव्ये स्वरस्य रक्तिभागमपहाय वर्णा एव वक्तव्याः। रक्तिभागाभिनिवेश तु गानयोगो, न पाठ्ययोगः स्यादित्यवादिषुः। तत्रान्वयव्यतिरेकाभ्यां रक्तिभागेऽनुदात्तादिवर्णभागः कादिवर्णभागः। तस्य स्फुटत्वास्फुटत्वमित्याह यो धर्मस्तन्त्र्यामनुरणनप्रधानायामरक्तकण्ठे गातरि यथाकथंचिद्वक्तुं प्रवृत्ते हुडुक्कामुरजादौ च पृथग्लक्ष्यत एव। एवं प्रधानतया धर्मान्तराणि मग्नत्वेन तत्रापि सत्येव अत एवाह तपोधनाः सूक्ष्मवेदिनो यूयमत्राधिकृता विचार इत्याशयः। एषां वर्णानां विषयमाह—**हास्यशृङ्गारयोरित्यादि**। मध्यमपञ्चमावित्यादौ प्रकरणे

---

१. KSS. उदात्ताः।

२. KSS., NS. वात्सल्य।

३. KSS, NS. कम्पितैर्वर्णैः पाठ्यमुपपादयेदिति।

अनियुक्तार्थकं वाक्यं [1]साकांक्षमिति संज्ञितम् ।
नियुक्तार्थं तु यद्वाक्यं निराकांक्षं तदुच्यते ॥११०॥

[2]तत्र साकांक्षं नाम तारादिमन्द्रान्तमनियुक्तार्थमनिर्यातितवर्णालङ्कारं कण्ठोरःस्थानगतम् । निराकांक्षं नाम नियुक्तार्थं निर्यातितवर्णालङ्कारं शिरःस्थानगतं मन्द्रादितारान्तमिति ॥१११॥

यथासंख्यं न विवक्षितमित्येवं हास्ये मध्यमायाः पञ्चम्या वा जातेः स्थायिस्वरत्वं गृहीत्वा तत्रैवोच्चमध्यमस्थानस्पर्शेन पठेत् एवं शृङ्गारवीरादिषु त्रिषु षाड्ज्या आर्षभ्या वा स्वांशं गृहीत्वा तत्रैवोदात्तकम्पितैः पाठः, करुणे निषादवत्या गान्धार्या वा स्थायिनमालम्ब्यानुदात्तेन पाठः, बीभत्से धैवत्यंशस्वराश्रयेण स्वरितकृतः पाठः । भयानके तत्स्वरावलम्बनेनैव धैवतांशकम्पितप्रधानः पाठः—इत्येवं भविष्यत् (अ-२९) जातिविनियोगानुसारिस्वरानुवादेन वर्णेषूदात्तादिषु तात्पर्यं, न तु स्वरेषु । तेषां तु पृथगुद्देशप्रयोजनं षष्ठे दर्शितमन्तरालापपरिग्रहमिति ।

एवं काकोः स्वरूपोत्पत्ति प्रतिपाद्य तस्या अर्थविषये व्यापारं दर्शयन्नुद्देशक्रममप्यनुसर्तुमाह—द्विविधा काकुरिति । वाक्यस्येति—साकांक्षं यत्र वाक्यं तत्र साकांक्षा काकुः, तथा वक्तृगता वाकांक्षा वाक्य उपचर्यते । सा च प्रकरणादिबलान्निश्चीयते । विशिष्टविषयत्वं चाकांक्षायास्तत एवावगम्यते । तदाह—अनियुक्तार्थकं वाक्यमिति । यादृशो वाक्यात्सङ्केतबलेनार्थः प्रतीयते तादृश एव यत्र न्यूनाधिकः प्रमाणबलेन निर्णययोग्यस्तद्वाक्यं निराकांक्षं, तद्विपरीतं साकाङ्क्षम् ।११०।

एवं वाक्यस्य स्वरूपं प्रतिपाद्य तन्निष्ठां काकुमभिधातुमाह तत्र साकाङ्क्षमित्यादि । अनियुक्तार्थं यत्साकांक्षमुक्तं तन्मन्द्रोपक्रमं तारसमाप्तिकं पठनीयमिति । सर्वाणि क्रियाविशेषणानि कियन्ति यत्र तारतेत्याह कण्ठोरःस्थानगतानीति । तथा वर्णा उदात्तादयोऽलङ्काराश्चोच्चनीचदीप्तादयो परिसमाप्ता अर्धस्पृष्टतयैव त्यक्ता यत्रेति क्रियाविशेषणम् । एवंभूतो यः क्रियाविशेषणत्वेन वाक्ये पठ्यमाने ध्वनिधर्मविशेषः सा काकुः । यदि वा सामाधिकरण्येनैव व्याख्येयम् । धर्मो हि न स्वतन्त्रो भाति अपि तु धर्मिनिष्ठ एवेति, तत्राकांक्षा अर्थान्तर एवातदर्थगत एव विशेषे तदर्थाभावे । तथा च—यद्रामेण कृतं तदेव कुरुते द्रोणात्मज क्रोधनः ।

अत्र काकुः । कृतमित्युदात्तकम्पितवर्णस्योच्चदीप्तालङ्कारस्य चासमाप्त्या अतोऽप्यधिकं कुरुत इति काकुप्रभावादर्थान्तरे गतिः । 'स एष दशकन्धर' मिति श्लोके 'तदात्मज इहाङ्गद' इत्यत्र साकांक्षा काकुः स्वगतान् वालिपुत्रोचितान्वि-

---

१. KSS. साकाङ्क्षकमिति ।
२. NS. अत्र साकाङ्क्षं मन्द्रादितारान्तम् ।

अथ षडलङ्कारा नाम—

उच्चो दीप्तश्च मन्द्रश्च नीचो द्रुतविलम्बितौ ।
पाठ्यस्यैते ह्यलङ्कारा लक्षणं च निबोधत ॥११२॥

उच्चो नाम शिरःस्थानगतस्तारस्वरः,[1] स च दूरस्थाभाषणविस्मयोत्तरोत्तरसंजल्पदूराह्वानत्रासनाबाधाद्येषु । दीप्तो नाम शिरःस्थानगतस्तारतरः, स चाक्षेपकलहविवादा[2]मर्षक्रुष्टाधर्षणक्रोधशौर्यदर्पतीक्ष्णरूक्षाभिधाननिर्भर्त्सना[3]क्रन्दितादिषु । मन्द्रो नाम उरःस्थानगतो निर्वेदग्लानि[4]चिन्तौत्सुक्यदैन्यव्याधिक्रीडागाढशस्त्रक्षतमूर्छामदगुह्यार्थवचनादिषु । नीचो नाम उरःस्थानगतो मन्द्रतरः, स च स्वभावाभाषणव्याधिश[5]मश्रमार्तत्रस्तपतितमूर्छितादिषु । [6]द्रुतो नाम कण्ठगतः स च त्वरितः, लल्लनमन्मन-

शेषानर्पयति । 'स्वस्था भवन्ति मयि जीवति' इत्यत्र साकांक्षा काकुर्भावनारूपं स्वभावमाह, वचनोच्चारणं त्वर्थे संभावनां विदधतावश्यं निषेधात्मनो विषयमर्पयति । तदियमर्थाभिप्रायसमर्पकाभिनयरूपार्थकाकुः साकांक्षा । एतद्विपरीता निराकांक्षा, तस्याः शिरस्थान एव मन्द्रत्वं तारताप्रतिस्थानं, ह्युत्तरोत्तरतारत्वमधराधरमन्द्रत्वं च वक्ष्यामः । अलं पर्याप्तं काकोः स्वरूपं येन संपाद्यते सोऽलङ्कारः । तत्स्वरूपं च स्थानत्रयस्य प्रत्येकमूर्ध्वाधोमध्यकल्पनया उदात्तानुदात्तस्वरिताकम्पितनिर्वाहात् । तत्र मध्यो भागस्तावदनावेशे सर्वत्र स्थित एव । इत्यावेशेनोर्ध्वमधरं वा स्थानत्रयस्य प्रत्येकमवलम्ब्यत इति षडलङ्कारा भवन्ति ॥ ११२ ॥

तत्र शिरस्यधोभागे तार उच्यते दूरस्थाभाषणादौ, स विषयोऽत्र स्वरकाकोरित्युक्तम् । विस्मयावगतौ तु सैव रसकाकुः, परस्य त्रासनाभिप्रायेण तु सैव विभावकाकुः ।

स्वरकाकोरेव श्रुतिकाकुश्चेति भेदेन शिरस्येव ऊर्ध्वस्तारतम आक्षेपादौ, तारशब्दः प्रकर्षोपलक्षणम् । अत्र ह्याक्षेपाद्रौ यथावस्थं श्रुतिविभावरसकाकुभेदत्रयं विभजनीयम् । उरस्यूर्ध्वभागे स मन्द्रः, उरस्येव नीचभागे मन्द्रतमो नीचः । दैन्ये काकुर्द्विरूपतामेति—स्वचित्तवृत्तचर्वणाद्रसकाकुः परस्य रूपोत्पादनाद्विभाव-

१. NS. तारः स्वरः ।
२. NS. मर्षोत्कुष्टा ।
३. KSS. निर्भत्सनादिषु ।
४. KSS., NS. शङ्काचिन्ता···।
५. KSS., NS. व्याधितपथिश्रान्तस्तपति···।
६. KSS., NS. vary absolutely.

भयशीतज्वरत्रासायस्तात्ययिककार्यविदनादिषु । विलम्बितो नाम कण्ठ-स्थानगतस्तनुमन्द्रः, स च शृङ्गारकरुणवितर्कितविचारामर्षासूयिताव्यक्तार्थ-प्रवादलज्जाचिन्तातर्जनविस्मयदोषानुकीर्तनदीर्घरोगनिपीडनादिषु अत्रानुवंश्या श्लोका भवन्ति—॥११३—११४॥

उत्तरोत्तरसंजल्प परुषाक्षेपणेषु च ।
तीक्ष्णरूक्षाभिनयने आवेगे क्रन्दिते तथा ॥११५॥

परोक्षस्य समाह्वाने तर्जने त्रासने तथा ।
दूरस्थाभाषणे चैव तथा निर्भर्त्सनेषु च ॥११६॥

भावेष्वेतेषु नित्यं हि नानारससमाश्रया[1] ।
उच्चा दीप्ता द्रुता चैव काकुः कार्या प्रयोक्तृभिः

व्याधिते च ज्वरार्ते च भयार्ते शीतविलुप्ते[2] ।
नियमस्थे वितर्के च गाढ़शस्त्रक्षतेषु च ॥११८॥

गुह्यार्थवचने चैव चिन्तायां तपसि स्थिते ।
मन्द्रा नीचा च कर्तव्या काकुर्नाट्यप्रयोक्तृभिः ॥११९॥

काकुः । उभयस्यापि तत्र प्राधान्येनादरणात्, अन्यत्र तूभयस्यानादरणात्प्रधानांशेनैव व्यपदेशः । स्वभावाभाषणं यत्र कश्चिदावृत्तकण्ठस्वर एव वक्ता भवति, त्रासेन पतितः त्रस्तपतितः त्रासावसरे तु दीप्तैव काकुर्भवति । कण्ठगत इति कण्ठस्थाने उर्ध्वभागे निष्पन्नः, तेन स्थानभेद एवालङ्कारत्वे प्रयोजकः । अत एव त्वरित इत्यनेन पुनर्लय-विधानम् ।

लल्लं सविलासं, लडं विलासं लातीति क्विबन्ते कर्मण्युपपदे लडयोरै-क्यमिति । मन्मनमव्यक्तं अहमेव मनो मन्ता यत्रेति, अनेनाश्रूयमाणानुनासिकोप-लक्षितमित्यपरे । "लल्लमन्मनौ नायिकागतौ बालविनोदनसान्त्वनादौ, मुञ्चेत्येवं प्रायपराभियोगानङ्गीकरणादौ च" इत्युपाध्यायाः । मन्द्रापि काकुश्चात्र भवतीति संग्रहश्लोके वक्ष्यते ।

आयस्तमावेगः । आत्ययिकं शीघ्रसंपाद्यं यत्कार्यम् । कण्ठस्थाने तु नीचभागे निष्पन्नो विलम्बितः । मन्द्रत्वमविवक्षितमेव । अव्यक्तार्थः प्रवादः—अन्तरङ्गत इति लोके प्रसिद्धो यत्र । परे बुध्यतां वा न बुध्यतां वेति वक्तुरभिप्रायो भवति यन्न स्वगतं न परगतमत्रेति ॥११४॥

---

१. KSS. समाश्रयात् ।

२. KSS. चित्तविप्लुते ।

सल्ले च मन्मने चैव भयार्ते शीतविलुप्ते।
मन्द्रा द्रुता च कर्तव्या काकुर्नाट्यप्रयोक्तृभिः ॥१२०॥

दृष्टनष्टानुसरणे इष्टानिष्टश्रुते तथा।
इष्टार्थख्यापने चैव [1]चिन्ताध्याने तथैव च ॥१२१॥

उन्मादेऽसूयिते चैव उपालम्भे तथैव हि।
[2]अव्यक्तार्थप्रवादे च कथायोगे तथैव च ॥१२२॥

उत्तरोत्तरसंजल्पे कार्येऽतिशयसंयुते।
विकृते व्याधिते क्रोधे दुःखे शोके तथैव च ॥१२३॥

विस्मयामर्षयोश्चैव प्रहर्षे परिदेविते।
विलम्बिता च दीप्ता च काकुर्मन्द्रा च वै भवेत् ॥१२४॥

लघ्वक्षरप्रायकृते दुर्वक्षरकृते तथा।
उच्चा दीप्ता च कर्तव्या काकुस्तत्र प्रयोक्तृभिः ॥१२५॥

यानि सौम्यार्थयुक्तानि सुखभावकृतानि च।
मन्द्रा विलम्बिता चैव तत्र काकुर्विधीयते ॥१२६॥

यानि स्युस्तीक्ष्णरूक्षाणि दीप्ता चोच्चा च तेष्वपि।
एवं नानाश्रयोपेतं पाठ्यं योज्यं प्रयोक्तृभिः ॥१२७॥

[3]हास्यशृंगारकरुणेष्विष्टा काकुर्विलम्बिता।
वीररौद्राद्भुतेषूच्चा दीप्ता वापि प्रशस्यते ॥१२८॥

भयानके सबीभत्से द्रुता नीचा च कीर्तिता।
एवं भावरसोपेता काकुः कार्या प्रयोक्तृभिः ॥१२९॥

अलङ्कारेषूच्चा दीप्ता द्रुता चेति यथायोगं स्थानत्रयमत्र स्वीकृतमित्यर्थः ॥१२५॥

अथ सर्वसंग्रहार्थमाह यानि सौम्यार्थयुक्तानीति। सोम इव ह्लादकः सौम्यः, शाखादित्वाद्यः। सुखस्य हेतवः कार्यश्चेति सुखभावकृतशब्देन सुखस्य भावैः हेतुभिः कृतो जन्यः। स येषु तानीति समासभेदात्संगृहीतम् ॥१२६॥

नानाश्रयोपेतमिति नानास्थाननिविष्टं कृत्वेत्यर्थः, स्थानभेदः काकूनां पर्याप्तताकारीत्युक्तम् ॥१२८॥१२९॥ अतः काकोरेव प्राधान्यात्तामेवोपसंहरति। अथाङ्गानीत्यादिना।

---

१. KSS., चिन्तयाने। NS. चिन्ताग्रस्ते।

२. KSS., NS. अव्यक्तार्थे प्रदात्ते (त्ने) च।

३. इतः पूर्वं ग्रन्थान्तरेषु सार्धं पद्यमधिकं वर्तते।

[1]अथाङ्गानि षट्—विच्छेदोऽर्पणं विसर्गोऽनुबन्धो दीपनं प्रशमनमिति। तत्र विच्छेदो नाम विरामकृतः। अर्पणं नाम लीलायमानमधुरवल्गुना स्वरेण पूरयतेव रङ्गं यत्पठ्यते तदर्पणम्। विसर्गो नाम वाक्यन्यासः। अनुबन्धो नाम पदान्तरेष्वपि विच्छेदः, अनुच्छ्वसनं वा। दीपनं नाम त्रिस्थानशोभि वर्धमानस्वरं चेति। प्रशमनं नाम तारगतानां स्वराणां प्रशाम्यतामवैस्वर्येणावतारणमिति। एषां च रसगतः प्रयोगः—तत्र हास्यशृंगारयोराकांक्षायामर्पणविच्छेददीपनप्रशमनयुक्तं पाठ्यं कार्यम्। दीपनप्रशमनयुक्तं करुणे। विच्छेदप्रशमनदीपनानुबन्धबहूलं वीररौद्रद्भुतेषु, विसर्गविच्छेदयुक्तं बीभत्सभयानकयोरिति। सर्वेषामप्येषां मन्द्रमध्य

प्रस्तावान्तरं दर्शयति तत्र वर्णोच्चारणे वर्णध्वनिशून्यो यः कालस्तदाश्रयोऽङ्गव्यवहार इति वृद्धाः, स हि षोढा कालः "ततश्च भूयान् पुनरादिमध्यौ" भूयान् पुनरित्ययं हि विच्छेदः। आदौ मध्यः स्वल्पो मध्यान्ते चार्पणं वाक्ये पूर्वं भूयान्मध्ये द्रुतश्च विपरीतको यः स विसर्गः। बहुषु द्रुतोऽथ मध्यो मनाग् द्रुतोऽन्तेऽनुबन्धः स्यात्। त्रिस्थाने द्रुतमध्यविलम्बितयुग् दीपन सदारोहि विपरीतं प्रशमनं स्यात्, लयत्रयं चैकरूपनिर्वाहादिति संग्रहकारः।

एतन्मतेनैव लक्षणानि व्याचक्षते। एतच्चासत्। द्रुतमध्यादिलयैरेवास्यार्थस्य न तत्त्वान्न च लयव्यवहारसाम्ये कालस्येति नियमकारणमस्ति। किं च लयवैषम्यस्य वाक्यचैतन्यापेक्षया च भागत्रयकल्पनयैव भेदा उक्ताः, भुजङ्गविजृम्भितादिवाक्येऽनन्तभागसंभावनात्। भागत्रये च द्रुतमध्यविलम्बितानां द्विभेदत्रिभेदत्वानन्त्ये षट्संख्यानियमविप्लवः। "क्वाकार्यं" इति हि श्लोकप्रथमखण्डेषु मध्यमलयो भूयोऽपि दृश्यते। सेत्यादिषु पश्चात्यखण्डेषु तत्स्मरणजनितसुखविश्रान्तिदायिषु विलम्बित इति द्विलयभेदः प्रयोगः। भागत्रयकलनायामपि साम्येन वैषम्येण चानन्तप्रकारता भवतीति कथं स्यात्। कस्मादेतत्सर्वं लयाभिधानेनैव संगृहीतम्। तस्मात्सूत्रस्थानीयपदरत्नानां पाठकाले त्वादावुक्ततद्धर्मषट्कमङ्गषट्कमुच्यते। तथा च मध्ये त्रुटितत्वमत्रुटितत्वं वा तावन्तौ विच्छेदानुबन्धौ वा, पीवरत्वमपीवरत्वं वा, इमावर्पणविसर्गौ वा, आरोहणमवरोहणं वा, एते दीपनप्रशमने। एवं भावाभावतः, उपचयापचयतः, आरोहावरोहतश्च षड्भेदो नादः। वाक्यस्य न्यासं त्यजनमनादरणं तन्नादस्येति यावत्। वैस्वर्यं स्वरत्वेन विहितेषु अन्तरालश्रुतिविशेषेषु ध्वनिविसंवादनाद्भवतीति सर्वत्राभ्यूह्यम्। हास्यादयः शब्दास्तद्व्यभिचारिणोऽपि स्वीकुर्वते। ततश्च तद्व्यभिचारिणोऽन्यरसान्, रसान्तरेऽपि तदा व्यभिचार्याश्रये वा काकुरिति

---

१. गद्यात्मकपाठस्तु ग्रन्थान्तरे भिद्यते।

तारकृतः प्रयोगस्त्रिस्थानगतः। तत्र दूरस्थाभाषणे तारं शिरसा, नातिदूरे मध्यं कण्ठेन, पार्श्वतो मन्द्रमुरसा प्रयोजयेत्यपाठ्यमिति। मन्द्रात्तारं न गच्छेत्, ताराद्वा मन्द्रमिति ॥१३०॥

एषां च द्रुतमध्यविलम्बितास्त्रयो लया रसेषूपपाद्याः। तत्र हास्यशृंङ्गार-योर्मध्यलयः, करुणे विलम्बितो, वीररौद्राद्भुतवीभत्सभयानकेषु द्रुत इति।

अथ विरामः अर्थसमाप्तौ कार्यवशान्न छन्दोवशात्। कस्मात्, [1]दृश्यन्ते ह्येकद्वित्रिचतुरक्षरा विरामाः। यथा—

मन्तव्यम्। सर्वेषामित्यादिनाङ्गानां मूलभूतं स्थानभेद स्मारयति। तत्र दूरस्थ इत्यादिना विनियोगवाक्यानां लक्ष्ये एकवाक्यतां सूचयति। तथा ही शृङ्गारे यदुदात्तस्वरितमुक्तमर्पणविच्छेदाद्यङ्गजातं विलम्बित चालङ्कारः तद् दूरस्थाभाषणे कर्तव्ये शिरस्थाने षड्पञ्चमयोरन्यतरस्थायिस्वराश्रयेणांशस्वरविभागचतुश्चतुष्क सम्मिश्रं कर्तव्यमित्येवं तात्पर्येणेदं व्याख्येयम्। अन्यथा भाषणं दूरस्थे शिरसेत्या-दिना पौनरुक्तय स्यात्!

अथ दीपनप्रशमनयोर्वक्तव्यशेषमाह मन्द्रात्तारं न गच्छेदित्यादि। मन्द्रत-रात्तारं तारतमान्मन्द्रं चेत्यर्थः।

उद्देशग्रन्थ एव केचिल्लया विरामाश्चेत्यभिधीयन्ते।

अन्ये त्वाहुः—कालस्य सर्वस्यापरिभाव्यत्वान्नोद्देशेन प्रयोजनं मतिमन्तस्तु मन्यन्ते। विच्छेदेनैव च एष लय एतत्स्वीकृतः। विच्छेदो विरामः, स च कियन्तं कालं यावदिति लयोऽपि तेनैव स्वीकृतः। तेन विच्छेदस्य परीक्षेयं कथितेति। तत्रेति विच्छेदे अर्थसमाप्तिनिमित्तं विरामो वास्य कार्यः। अर्थोऽवान्तरवाक्यार्थः। न च्छन्दोवशादित्यनेन कविना प्रयोगपरतन्त्रेण भाव्यम्। तदा तेन स तदवसरोचित-विरामवति वृत्ते ग्रहणप्रयत्नः कार्यः। प्रयोगेन कविपरतन्त्रेण न भाव्यमित्यत्रापि तेनार्थवशाद्विरामः कार्य इत्याख्यातम्। संख्यात्र नियमोपलक्षणं एकद्वित्रीति। किमित्येतावत्यपान्तरवाक्यार्थे विच्छेदः। किं गच्छेति।

---

१. KSS. दृश्यते।

कि ! गच्छ, मा विश सुदुर्जन ! वारितोऽसि
कार्यं त्वया न मम सर्वजनोपयुक्तं ।

[1]सूचासु चाङ्कुरगते च तथोपचारे-
ष्वल्पाक्षराणि हि पदानि भवन्ति काव्ये[2] ॥१३२॥

एवं [3]विरामे प्रयत्नोऽनुष्ठेयः। कस्मात्, [4]विरामो ह्यर्थानुदर्शकः, सः अत्र श्लोकौ—

[5]विरामेषु प्रयत्नो हि नित्यं कार्यः प्रयोक्तृभिः ।
[6]कस्मादभिनयो ह्यस्मिन्नर्थापेक्षी यतः स्मृतः[7] ॥१३३॥

नन्वेवमेकवाक्यत्वाभावो दूषणमित्याशंक्य प्रत्युत भूषणमेतदित्युपपादयन्नाह— **"सूचासु चाङ्कुरगते च तथोपचारेष्वल्पाक्षराणि हि पदानि भवन्ति काव्ये"** इति। बहुप्रकारैः सूचाभिनयैः अङ्कुरप्रकारैश्च युक्तमित्थं काव्यं भवति यदि स्वल्पाक्षराणि पदान्यसमस्तानि भवन्ति। बह्वक्षरपदे, दरिद्राश्च कियन्तस्ते इत्यादौ न मध्ये सूचाङ्कुरयोरुपपत्तिः ॥१३२॥

"तस्यास्तन्मुखमस्ति सौम्यसुभगं किं पार्वणेनेन्दुना" इत्यादौ तु तस्या इत्युक्तया मध्ये सूचया तदित्यसाधारणविशेषस्मरणं स्वात्मनि तच्चावलोकने तथाकर्णने च प्रच्छन्नस्थितताया नायिकाया निवृत्त्यङ्कुरे वैचित्र्यं पुनः परिचुम्बनाभिलाषसूचायोगपूर्वकं मुखमिति पाठस्तत्कृतो नायिकाया रणरणकादरदर्शको निवृत्त्यङ्कुर इत्यादिवैचित्र्ये उत्प्रेक्षणीयम्। अङ्कुरस्त्वनिर्वचन एवेति निवृत्त्यङ्कुर एवात्र मन्तव्यः। यत्राङ्कुरो भविष्यति तद्विषयमेतदिति त्वसत्, पुष्पापचयनाटने यदोचितपरिक्रमणादौ पूर्वभाविना स्वल्पाक्षरेण पदयोगेन वैचित्र्याभावात्।

अथास्य विच्छेदस्याङ्गस्य प्राधान्यं दर्शयति—**एवं विराम** इत्यादि। अस्मिन्निति विरामे सत्यभिनयस्थितो यथाविषयं प्रयोक्तुं शक्यः। स च विरामाद् गम्यते। विरामे सत्यर्थं दर्शयति अभिनयेऽन्यथा असमञ्जसत्वं स्यादिति तात्पर्यम् ॥१३३॥ यदि वाभिनयो विरामे स्थित इत्यभिनयकार्यं विराम एवोद्ब-

---

१. NS. शोकं शुचं कुरु गते च तथोपचारे।
२. NS. कार्ये।
३. KSS. विरामः प्रयत्नतोऽनुष्ठेयः।
४. NS., विराम इहार्थानुदर्शको भवति। अपि च KSS. विरामार्थानुदर्शकः भवति। अपि च श्लोकः।
५. KSS. रामे तु प्रयत्नस्तु।
६. KSS. तस्मादभिनये ह्यस्मात्।
७. KSS., NS. स्थितः।

यत्र व्यग्रावुभौ हस्तौ तत्र वृत्तिसमन्वितः ।
वाचिकाभिनयः कार्यो विरामैरर्थदर्शकैः[1] ॥१३४॥

प्रायो वीरे च रौद्रे च करौ प्रहरणाकुलौ ।
बीभत्से कुत्सितत्वाच्च भवतः कुञ्चितौ करौ ॥१३५॥

हास्ये चोद्देशमात्रेण करुणे च प्रलम्बितौ ।
अद्भुते [2]विस्मयात्स्तब्धौ भयाच्चैव भयानके ॥१३६॥

एवमादिषु [3]चान्येषु [4]प्रविचारेऽत्र हस्तयोः ।
अलङ्कारविरामाभ्यां [5]साध्यते ह्यर्थनिश्चयः ॥१३७॥

ये विरामाः स्मृता [6]वृत्ते तेष्वलङ्कार इष्यते ।
समाप्तेऽर्थे पदे वापि तदा प्राणवशेन वा ॥१३८॥

पदवर्णसमासे च द्रुते बह्वर्थसंकटे ।
कार्यो विरामः पादान्ते तथा प्राणवशेन वा ॥१३९॥

इतीति तात्पर्यम् । तदाह व्यग्राविति । पूर्वं दृष्टिप्राधान्यतात्पर्येणेत्यपौनरुक्त्यम् ॥१३४॥ व्यापकत्वमस्या दर्शयति—प्रायो वीरे च रौद्रे चेति । कुञ्चिताविति संकोचवन्तावित्यर्थः ॥१३५॥

भयाच्चेति श्लथावेव ॥१३६॥ स च वृत्तविरामेषु यथा "यो यः शस्त्रं बिभर्ति" इत्यत्रोच्चदीप्तकाकुः पदान्तेन, वीररौद्रयोरपि स्रग्धरादिवृत्ते अर्धादौ विरामो न कार्यः, अपि तु पादान्ते पठितस्तावत् प्राणसंवेदाभावात् । प्राणवशेन वेत्यगतिका गतिरिति वृद्धाः । तच्चासत् । शिक्षावशेनाहरणीयो हि तत्राविच्छेदः ॥१३८॥ तस्मादयमर्थः—पदान्ते विच्छेदः कार्यो, यदि वा प्राणवशेन प्राणा रसभावाद्याः, तदौचित्येन छेदः । पादादावपि तावदनेनानुबन्धोऽपि विच्छेद उपयोगीति दर्शितम् ॥१३९॥ शेषमिति न यत्र चित्तवृत्तेः प्राधान्यं अपि तु विभावादेः,

---

१. KSS. दर्शिभिः ।

२. NS. विस्मयाविष्टौ ।

३. KSS. सर्वेषु ।

४. NS. प्रविचारेषु ।

५. KSS. साध्यन्ते ह्यर्थनिश्चयाः ।

६. KSS. एते ।

शेषमर्थवशेनैव विरामं संप्रयोजयेत् ।

[1]अत्र च भावगतानि [2]रसगतानि च कृष्याक्षराणि बोद्धव्यानि, तद्यथा—

[3]आकारैकारसंयुक्तमैकारौकारसंयुतम् ।
व्यञ्जनं यद्भवेद्दीर्घं कृष्यं तत्तु विधीयते[4] ।१४०।।
विषादे च [5]वितर्के च प्रश्नेऽयामर्ष एव च ।
कलाकालप्रमाणेन पाठ्यं कार्यं प्रयोक्तृभिः ।।१४१।।
[6]शेषाणामर्थयोगेन विरामे विरमेदिह ।
एकद्वित्रिचतुःपञ्चषट्कलं च विलम्बितम् ।।१४२।।
[7]विलम्बिते विरामे हि सदा गुर्वक्षरं भवेत् ।
षण्णां कलानां परतो [8]विलम्बो च विधीयते ।।१४३।।

तत्रार्थवशेनैव विरामः ।।१४०।।

कृष्याक्षराणीति कृषतीति कृषो विलम्बितो लयः तत्र साधूनि कृष्याणि सन्ध्यक्षराणि, यथा आ, ई, ऊ इति दीर्घाः । कलालक्षणो यः कालः तत्प्रमाणेन विलम्बितेन पाठ्यं कार्यमिति विच्छेदस्यैव प्रमाणं दर्शितम् ।।१४१।। शेषाणामिति ह्रस्वानाम् । अर्थयोगेनेति यथा स्फुटा प्रतीतिर्भवति तथा विच्छेदः कार्यो न त्वतिविलम्बितं पठेदित्यर्थः ।।१४२।।

ननु कियत्कलाप्रमाणमित्याह विलम्बितमिति । गुर्वक्षरमिति कृष्यं । वा शब्दादधिकमनुजानाति कारणोपेतमिति कारणं दीर्घकालं स्मरणमिति चिन्तना-

---

१. KSS. अत्रानुगतानि चत्वार्यक्षराणि रसभावानुगतानि कृष्टान्यक्षराणि बोद्बोध्यानि ।
२ NS. रसजातानि कृष्याण्यक्षराणि ।
३. KSS., अकारे करसंयुक्तमेकारे कारसंयुतम् । NS. एकारैकारसंयुक्तमोकारौकार-संयुतम् ।
४. KSS., NS. भवेदिह ।
५. KSS. विवर्त्ते च ।
६. KSS. शेषाणामर्थयोगेन विरामो ।
७. NS. विरामे च विलम्बे च ।
८. NS. सम्बनं ।

अथवा कारणोपेतं प्रयोगं कार्यमेव च ।
समीक्ष्य वृत्ते कर्तव्यो विरामो रसभावतः ॥१४४॥

ये विरामाः स्मृताः [1]पाठ्ये वृत्तपादसमुद्भवाः ।
उत्क्रम्यापि क्रमं तज्ज्ञैः कार्यास्तेऽर्थवशानुगाः[2] ॥१४५॥

[नापशब्दं पठेत्तज्ज्ञो भिन्नवृत्तं तथैव हि ।
विश्रमेन्नाविरामेषु दैन्ये काकुं न दीपयेत् ॥१४६॥

वर्जितं काव्यदोषैस्तु लक्षणाढ्यं गुणान्वितम् ।
स्वरालङ्कारसंयुक्तं पठेत्पाठ्यं[3] यथाविधि ॥१४७॥

दिभिः, व्याध्यपस्मारादिभिर्वा कारणैरुपेतं, स्पष्टास्पष्टादिभिरित्यन्ये ॥१४४॥ वृत्तविरामादर्थविरामः प्रथममिति दर्शयितुमाह ये विरामा इति । तज्ज्ञैस्तद्विरामात्मकं वृत्तगतं वस्तु । उत्क्रम्यापीति विशेषोपक्रमेऽपीति सामान्योपसंहारः । तादृशा विरामेण पठेत्, येनावगतो विवक्षितः शब्दो भवति 'वरदं ध्यायति' इत्यत्र वरद शब्दे यदा विच्छेदः क्रियते तदा मध्य इतिशब्दान्तरप्रतिभया ध्यायति शब्दोऽवगतो भवतीति ॥१४५॥ भिन्नवृत्तं च कृत्वा न पठेत् तथा विच्छेदं न कुर्याद्येनान्यवृत्तभ्रान्तिर्भवति । तथा हि—'भव शंकर भाजनं ये जगतीह भवन्ति केचन' इत्यत्र ये इति शब्दस्य पूर्वपादेन सह पाठे उपवेद उपजातिवृत्तभेदो यद्यपि भवति तथापि द्वितीयपादे वृत्तभङ्गः । तेन भिन्नवृत्तं न पठेदिति विच्छेदस्यैव प्राधान्यज्ञापनार्थमेतदुक्तमिति शब्दच्युतभिन्नवृत्तदोषाभिधाने न पौनरुक्त्यम् । इह वस्तुतस्तदभावेऽपि विच्छेदवशेन तत्प्रतिभोदयात् ।

एतदेव तात्पर्येणाह—विश्रमेन्नाविरामेष्विति । एवं विच्छेदस्य भूयो विषयव्यापकत्वमभिधाय तन्यूनां दीप्तां दर्शयितुमाह दैन्ये काकुं न दीपयेदिति शोकादिमग्नचित्तवृत्तिं विमुच्यान्यत्र दीपनं सर्वत्र शोभावहमिति भावः ॥१४६॥

एवं स्वराः क्रमो मर्यादा स्थानत्रयमाश्रयः उदात्तादयः स्वरूपं अलङ्काराः स्वरूपपरिपूरकाः इति कर्तव्यतारूपाण्यङ्गानि । स्वरभेदाच्च काकोर्विशेषः स्वरभेदो हि तस्यामेव काकौ विवक्षितायां रसभावादिधर्मान्तरोदयो, न हि स्वराणां स्थानभेदोऽलङ्कारोऽङ्गादिकृतः । वर्जितं काव्यदोषैरित्यादिना प्राक्तनाध्यायार्थेन सह सङ्गतिमस्याध्यायस्य दर्शयति ॥१४७॥

एवं संस्कृते काकुविधानं प्राकृताध्यायप्रमेयभूते प्राकृतेऽप्यतिदिशति अलङ्कारा विरामाश्चेत्यादिना । अध्यायार्थमुपसंहरन् भाविनोऽध्यायस्यार्थमासूत्रयति दश-

---

१. KSS., NS. काव्ये ।

२. KSS., तेऽर्थवशास्तदा । NS. अर्थवशाश्रयाः ।

३. KSS., NS. काव्यं ।

अलङ्कारा विरामाश्च ये पाठ्ये संस्कृते स्मृताः[1] ।
[2]त एव सर्वे कर्तव्या स्त्रीणां पाठ्ये त्वसंस्कृते ॥१४८॥

एवमेतत्स्वरकृतं[3] कलाताललयान्वितम् ।
दशरूपविधाने तु पाठ्यं योज्यं प्रयोक्तृभिः ॥१४९॥

[4]उक्तं काकुविधानं तु यथावदनुपूर्वशः ।
अत ऊर्ध्वं प्रवक्ष्यामि दशरूपविकल्पनम् ॥१५०॥

इति भरतीये नाट्यशास्त्रे वागभिनये काकुस्वरव्यञ्जनो नाम सप्तदशोऽध्यायः

रूपेति दशरूपविधाने यत्पाठ्यं तदनेन त्रिप्रकारेण योज्यमित्युपसंहारः । तु शब्दो व्युत्क्रमं सूचयति । प्रसङ्गादक्रमप्राप्तमपि काकुविधानमुक्तम् । अनुपूर्वश इत्यादि । यत्तु क्रमापन्नं तद्दशरूपं विकल्प्यमानं वक्ष्यामीति शिवम् ॥१४८—१५०॥

इति काकुविकल्पलक्षणेऽस्मिन्नध्याये मुनिनिर्दिक्समर्थितेऽर्थम् ।
प्रकटीकुरुते स्म चन्द्रमौलेरभिनवगुप्तसमाख्य एकदेशम् ।

इति श्रीमन्महामाहेश्वराभिनवगुप्ताचार्यविरचितायां नाट्यवेद-
विवृतावभिनवभारत्यां काकुविधानं नाम
सप्तदशोऽध्यायः ॥

□□□

---

१. KSS., NS. पाठ्यसंस्कृतसंश्रयाः ।
२. KSS. ते सर्वे संप्रवर्तव्या स्त्रीणां पाठ्ये तु संस्कृते ।
३. KSS. स्वरयुतं ।
४. NS. यथा ।

नाट्यशास्त्रम्

अष्टादशोऽध्यायः

[1]वर्त्तयिष्याम्यहं विप्रा ! दशरूपविकल्पनम् ।
नामतः कर्मतश्चैव तथा चैव प्रयोगतः ॥१॥

अभिनवभारती

रूपं यदेतद्बहुधा चकास्ति तद्येन भावी भविता न जातु
तच्चक्षुरकृत्रिमकमीश्वरस्य वन्दे वपुस्तैजससारधाम्नः ।

दशरूपोपकारिकाक्वादियोजनमिति तत्स्वरूपं वक्तव्यमिति सङ्गतिरुक्तैव तद्वर्तयिष्यामीति किमनेनोच्यते, तदस्य प्रयोजनं प्रदर्श्यते । कश्चिदेवमाशङ्कते, "रसा भावा" (अ—६—१०) इत्यादि सूत्रसारसङ्ग्रहे दशरूपशब्दस्य नामापि न श्रुतं, तत्कथमुक्तं दशरूपविधाने पाठ्यमिति तं प्रत्याह **वर्तयिष्यामीति** । रूप्यते प्रत्यक्षीक्रियते योऽर्थः तद्वाचकत्वात्काव्यानि रूपाणि दशानां रूपाणां विभागः कल्प्यते अस्मादिति दशरूपविकल्पनं सूत्रं तेनायं षष्ठी समासः दशरूपमिति । तेन बहुव्रीहौ दशरूपं काव्यमिति भेदान्तरापाकरणं स्वादित्याशंक्य द्विगुः, पात्रादिप्रक्षेपश्च यो व्याख्यातस्तत्प्रयासमात्रमेव । तदयमर्थः—यतः सूत्रादाङ्गिको वाचिकशब्दे प्रकृतिप्रत्ययार्थविभागः कल्प्यते तत्र वाग्भाग एवायं वितत्य वर्ण्यते, तेन तदेव सूत्रं वर्णितम् । विवरणेन प्रपञ्चितं भवतीति नानिर्दिष्टं निरूप्यते किञ्चिदिति । नामत इत्युद्देशेन, कर्मत इति लक्षणेन, क्रियते, तेन विजातीयाद्व्यावृत्तिः, कर्मलक्षणं, प्रकृष्ट उचितो योगः परस्परसंबन्धो यथा प्रकरणनाटकलक्षणयोगात् नाटिकेतिवृत्तिविभागस्तु लक्षण एवानुप्रविष्ट इति । नासौ प्रयोगः । तथा चेति तेनैव प्रयोगप्रकारेणान्योऽपि परस्परसंबन्धवैचित्र्यकृतो भेदः उत्प्रेक्ष्य इत्यर्थः । प्रयोगाय प्रयोगत इति व्याख्याने प्रयोगत इति विफलमेव । उक्तव्याख्याने तु कोहलादिलक्षिततोटकसट्टकरासकादिसंग्रहः फलं, नाटिकायाः उदाहरणत्वादिति ॥१॥ तत्रोद्देशं तावदाह **नाटकमित्यादि** । सप्रकरणमिति सहशब्देनाङ्कप्रवेशकसन्ध्यादिसाम्यं नाटकेन प्रकरणस्याह । नाम्नामर्थो लक्षण एव व्याख्यास्यते । सत्यपि च पुराणादावुपदेशदायिनि कर्मफलसंबन्धप्रदर्शके तत्रोच्चावचमनियतकविकथाप्रायमिह तु किञ्चित्त्याज्यं किञ्चित् सूच्यं किञ्चिदूह्यं किञ्चिदुपेक्ष्यमित्येवं वैचित्र्ययोगः । "सन्ध्यादि-

---

1. KSS., NS. कथयिष्यामि ।

नाटकं सप्रकरणमङ्को व्यायोग एव च।
भाणः समवकारश्च वीथी प्रहसनं डिमः ॥२॥
ईहामृगश्च [1]विज्ञेया दशेमे नाट्यलक्षणे।
एतेषां लक्षणमहं व्याख्यास्याम्यनुपूर्वशः ॥३॥

व्यवस्थे"ति "दशरूपं सप्रयोजन" मिति—एतत्तु फल्गुप्रायं, फलं तत्पूर्वमेवोक्तम्। प्रत्यक्षभावनोदितरसावेशजनितनिर्वृतिसारत्वादस्येतिहासादेर्विशेष इत्यूह्यम्। सूच्यादिविभागस्त्वितिहासादावप्यस्त्येवेति न च पाठफलं दशरूपकमपि तु प्रयोगपर्यन्त मेतदित्युक्तप्रायम्। तत्र महासामान्यरूपं काव्यलक्षणेऽध्याये कृतमित्यवान्तर-सामान्यलक्षणमुद्देशानन्तरं वक्तव्यमिति दर्शयति। प्राक् च सामान्यलक्षणं ततो विशेषलक्षणानि उद्देशक्रमेणेति चानुपूर्व्यार्थः ॥२—३॥

तत्र सामान्यलक्षणमाह **सर्वेषामेव काव्यानां मातृका** इति।

तत्र केचिदाहुः—वृत्तिप्रभवत्वं दशरूपकस्य सामान्यलक्षणं, वृत्तीनां तदङ्गानां चाभिनयो न, काव्येष्वसंभवात्। एतच्चासत्। आस्तां काव्यार्थः। सर्वो हि संसारो वृत्तिचतु[illegible]व्याप्त इत्युक्तं प्रथम एवाध्यायेऽस्माभिः। यदि चाभिनेयविषय एव वृत्तिव्यवहारस्तदा वृत्त्यध्याये यद्वृत्तीनां समुत्थाननिरूपणं "यां यां वृत्तिषु संश्रिता" (२०-१५) मित्यादि तत्सर्वमसङ्गतं, भगवतो हि नाभिनेतृता, किन्तु स्वचेष्टावेशमात्रम्। सर्वशब्दे च प्रकृतनाटकादिविषये वर्ण्यमाने प्रथमश्लोकार्धं पुनरुक्तार्थमेव। यत्तु "स्वनामधेयैर्भरतैः" (२०-१५) इति "बहुगीतनृत्तवाद्ये" ति (२०-४७) "वागङ्गाभिनयवतीति (२०-३६) च भरतव्यवहारो गीताभिनयाभियोगश्च नानाभिनये इति तदप्यकिञ्चित्करम्। तावद्धि वृत्तीनां लक्षणं "या वाक्प्रधाना" (अ-२०) इत्येतावदेव भारत्या लक्षणम्। अन्यत्र प्रयोगप्रदर्शनमिति तत्रैव व्याख्यास्यामः। वृत्त्यङ्गान्यपि सर्वकाव्येषु सन्त्येव।

नन्वेवं वृत्तिजत्वं कथं **दशरूपकलक्षणम्**, उच्यते, प्रयोगत इत्येतदर्थकमेव। तदयमर्थः—यद्यपि सर्वेषामभिनेयानभिनेयानां च काव्यानां वृत्तय इष्टा मातर इव, ताभ्योऽपि वाच्यरूपत्वेन कविहृदये व्यवस्थिताभ्यः काव्यमुत्पद्यते। तथापि प्रयोगं प्रयुज्यमानत्वात्प्रयोगयोग्यत्वमभिसन्धाय वृत्तिभ्यो विनिस्सृतमभिनेयकाव्यं प्रत्यक्षभावनायोग्यवृत्तिचतुष्टयाभिधायकत्वं दशरूपसामान्यलक्षणमित्यर्थः। दशानां नाटकादीनां रूपमिति षष्ठीसमासः।

अन्ये त्वाहुः। एकैकस्य रूपकस्य दश दश रूपाणि संभवन्ति। तथा च वीथ्यङ्गानां सर्वत्र संभवः। परगतवचनानुरूपभाषणरूपभाणयोगश्च किं ब्रवीषी-

1. KSS., NS. विज्ञेयो दशमो……। 'दशमे' डा० हाल मुद्रितः पाठः।

सर्वेषामेव [1]काव्यानां मातृका वृत्तयः स्मृताः ।
आभ्यो [2]विनिसृतं ह्येतद्दशरूपं प्रयोगतः ॥४॥

[3]जातिभिः श्रुतिभिश्चैव स्वरा ग्रामत्वमागताः ।
यथा तथा वृत्तिभेदैः काव्यबन्धा भवन्ति हि ॥५॥

त्याकाशभाषिते। एवमन्यदपि। तेन दश रूपाणि यस्य तादृशरूपं काव्यमित्यर्थः। अत एव न सकलः प्रबन्धो नाटकम्, अपितु प्रबन्धस्य किञ्चिद्रूपं, तल्लक्षणांशबाहुल्यात्तु तव्द्यपदेशयोगः। अत एव न दशसंख्याविभागार्थो येन सट्टकादीनां त्यागः स्यात्। तत्रापि हि दशरूपलक्षणयोगोऽस्त्येव। एतच्च स्वावसरेषु वितनिष्यामः ॥४॥

ननु प्रयोगयोग्यचेष्टाप्रतिपादकत्वं चेत् सामान्यलक्षणं, तर्हि चेष्टातिरिक्तस्य कस्यचिदसंभाव्यत्वान्नास्त्येव **विशेषलक्षणमेषा**मित्याशङ्काशमनं विशेषलक्षणावकाशं दर्शयितुमाह **जातिभिः श्रुतिभिश्चे**त्यादि। दृष्टान्तेन प्रकृतं घटयन् व्युत्पादनीयमपि व्युत्पादयतीति समानतन्त्रसिद्धमेव दृष्टान्तमदीदृशत्। स्वरेषु ग्रहादिदशकविभागनियता जातिः। रक्तोऽरक्तो वा ध्वनि। ध्वनिः स्थानं तदन्तरालं च श्रुतिः, कर्माधिकरणकरणव्युत्पत्त्याश्रयात्। स्त्रियाः खलनाविति हि नादृतं लक्ष्ये। तत्र षाड्जीप्रभृतयो जातयः सप्त, पञ्चमस्य चतस्रः श्रुतयो, धैवतस्य तिस्रः, इति षड्जग्रामः। गान्धार्याद्या एकादश जातयः, पञ्चमस्त्रिश्रुतिः धैवतस्तु चतुःश्रुतिरिति मध्यमग्रामः।

वस्तुतस्तु षड्जादिस्वरसमुदायो ग्रामः। तत्र स्वरा इति श्रुतिपक्षे बहुवचनं लक्ष्यविदः समर्थयन्ति—मध्यमग्रामे पञ्चमपरित्यक्तां श्रुति धैवत एवोपभुङ्क्त इत्यत्र प्रमाणाभावात् सर्व एव दित्रिश्रुतिकाः (श्रुत्युत्कृष्टत) या समधिकश्रुतयः क्रियन्ते, काकल्यन्तराभ्यां च चतुस्त्रिश्रुतयो न्यूनश्रुतय इति सर्वस्वराणां श्रुतिकृतं वैचित्र्यमस्तीति। एतच्च स्वावसरे वक्ष्याम इत्यास्ताम्। इह त्वनेन दृष्टान्तेन तदुक्तं भवति—स्वरसमुदायरूपत्वाविशेषेऽपि स्वराणां पर्यायतः प्राथम्यप्राधान्याल्पत्वभूयस्त्वपूर्णत्वापूर्णत्वारोहत्वारोहत्वान्त्यत्वमध्यत्वादिप्रविभागभेदैः, यथान्यः षड्जग्रामोऽन्यो मध्यमग्रामः, तथैव वृत्तीनां स्वरस्थानीयानां प्राथम्यप्राधान्यादिना दशकेन रूपकं रूपकान्तराद्भिद्यते। यथा चतुश्रुतिः पञ्चमस्त्रिश्रुतिश्च भवन् ग्रामान्यत्वं करोति तथा सैव वृत्तिः श्रुतिस्थानीयैरङ्गैः क्वचित्संपूर्णा क्वचिन्न्यूनेत्येवमपि रूपकविभाग इत्येतज्जातिभिः श्रुतिभिरिति द्वयेन दर्शितम् ॥५॥

---

१. 'काम्यानां' मुद्रितः पाठः।
२. KSS. विनिसृता।
३. NS. एतेषां चातिभिः।

ग्रामौ पूर्णस्वरौ द्वौ तु यथा वै षड्जमध्यमौ ।
सर्ववृत्तिविनिष्पन्नौ काव्यबन्धौ तथा त्विमौ ॥६॥
ज्ञेयं प्रकरणं चैव तथा नाटकमेव च ।
[1]सर्ववृत्तिविनिष्पन्नं [2]नानाबन्धसमाश्रयम् ॥७॥
[3]वीथी समवकारश्च [4]तथेहामृग एव च ।
उत्सृष्टिकाङ्को व्यायोगो [5]भाणः प्रहसनं डिमः ॥८॥

अथ वृत्तिविभागं संक्षेपतोऽभिधत्ते ग्रामौ पूर्णस्वराविति । जात्याश्रययोर्जातिद्वारेण षाडवौडुविकांशयोगे न्यूनस्वरताप्यस्तीति षडजग्रामरागो मध्यमग्रामरागश्चेह ग्रामशब्देन व्यपदिष्ट इति केचित् । तदसत् । इह हि ग्रामशब्देन जातिसमुदायोऽभिधीयते । तत्र यद्यप्यंशके न्यूनस्वरतापि भवति, तथापि समुदायस्य पूर्णतायाः का हानिः । तस्मादयमत्रार्थः—यथा विचित्रसन्निवेशतालम्बनसुन्दरतमसंपूर्णस्वरसमुदायरूपात् ग्रामद्वयाद्विभागकल्पनया जात्यंशकानां पूर्णापूर्णादिस्वरभेदभाजां प्रसवः, एवं नाटकप्रकरणाभ्यां पूर्णवृत्तिवृत्त्यङ्गाभ्यां वृत्तिन्यूनानां च रूपकभेदानां परिकल्पनम् ॥७॥ तत्र वृत्तिन्यूनानि रूपकाण्याह वीथीत्यादि । शेषाणि रूपाणीति वक्तव्ये प्रतिपदं नामग्रहणं ज्ञापयति । एतदनुक्तान्यपि रूपकाणि संभवन्ति, अत एव रूपकविशेषगणनमाभ्यो विनिस्सृतमिति लक्षणस्योदाहरणमात्रम् । तेन वृत्तीनां विनियोगविकल्पसमुच्चयैः वृत्त्यङ्गानां च बहवो रूपकभेदा भवन्ति । तेषां परं कोहलादिभिर्नाममात्रं प्रणीतम् । लक्षणेन त्विह संगृहीता एव ते । तत्र नाटकप्रकरणे एव सर्ववृत्तिपूर्णे इति नियमः, न तु विपर्ययः । मुद्राराक्षसस्य कैशिकीहीनस्य कृत्यारावणस्य च नाटकस्य दर्शनात्, वेणीसंहारे च सात्त्वत्यारभटीमात्रं दृश्यत इति केचित् ।

अन्ये तु तत्राप्यवश्यं वृत्त्यन्तरानुप्रवेशोऽस्ति । यदि परिमितवृत्तिव्यापकत्वात् लक्ष्यते, अपूर्णवृत्तित्वेऽपि विरूपकतैव स्यात् । सकलाङ्गप्रक्रियापरिपूर्णत्वादेव नाटकात्प्रकरणं च प्रधानम् । तथा हि कश्चिद्विनेयः प्रसिद्धिमनुरुध्यमानो दृष्ट इति सप्रसिद्धेतिवृत्ते नाटके विनेयः । कश्चित्तु किमेतदपूर्वमिति प्रसिद्धे वस्तुनि रूपकान्तरमेव तु तदाभासं तत्सर्वविनेयोऽभिनववस्तुवृत्तकौतुकपरतन्त्र इति समुत्पाद्यवस्तुना प्रकरणेन विनीयते । विनयश्चास्य धर्मार्थकामेषु सर्वपुरुषार्थेष्वपवर्गेऽपि च तथाभवति, यदि सकलं तदुपयोगिव्यापाराश्रयणं सर्वव्यापाराक्षिप्तं पूर्णवृत्तिकत्वमिति । द्विवृत्तित्रिवृत्त्यादिकं न नाटकं भवति । रूपान्तरमेव तु तदाभासं, तत्कैशिकीविहीनत्वेऽपि यथा शृङ्गारयोगस्तथा समवकारे तथा तल्लक्षणं वर्णयिष्यामः ॥८॥

---

१. NS. पूर्ववृत्तविनिष्पन्नं ।
२. KSS. नाट्यावस्थासमाश्रयम् । "नानावस्थान्तराश्रयम्' इति मुद्रितपाठः ॥
३. KSS. NS. भाणः ।
४. KSS. वीथीचेहामृगस्तथा ।
५. NS., वीथी···KSS. भाणः प्रहसनं तथा ।

कैशिकीवृत्तिहीनानि रूपाण्येतानि कारयेत् ।
अत ऊर्ध्वं प्रवक्ष्यामि काव्यबन्धविकल्पनम् ॥६॥

ननु पूर्णवृत्तिकत्वाविशेषे नाटकप्रकरणयोः को भेदः, कैशिकीहीनत्वे चाविशिष्टे वीथ्यादेः मिथः को विशेष इत्याशङ्कां वारयन् कमं (श्लो १) शब्दाक्षिप्तविशेष-लक्षणार्थं **दर्शयति अत उर्ध्वं**मित्यादिना काव्यस्य बन्धनं परस्पराश्रयसंबन्धेनैव एक वाक्यताकरणसंबन्धः स विकल्प्यते येन तद्विशेषलक्षणं वक्ष्यामीति ॥६॥

नाटकं प्रकरणादपि प्रधानं प्रसिद्ध्युपजीविनी हि कल्पना वस्तुसंभावना, अनु-भवमूलत्वात् तस्या, उत्प्रेक्षा अपि हि प्रमाणागतेष्वेव वस्तुषु स्वातन्त्र्येण योजनामात्रेण व्याप्रियन्ते, षड्दन्तो हस्ती खे धावतीति तेनेतिहासादिप्रमाणवस्तुसिद्धप्रदर्शकं नाटकं तावल्लक्षयितुमाह **प्रख्यातवस्तुविषय**मित्यादि । प्रख्याते भारतादौ यद्वस्तु तद्विषयोऽस्य, तत्रापि किञ्चिदप्रसिद्धं भवति, तन्निराकरणाय प्रख्यातोदात्तेति **श्रीशङ्कुकः** । एतत्तु प्रख्यातं वस्तु विषयोऽस्येति इयता गतार्थमित्युपाध्याया इत्थमाहुः । इह त्रिविधया प्रसिद्ध्या प्रसिद्धत्वं भवति, अमुक एवंकारी अमुत्र देश इति । तत्र प्रकर्षेण ख्यातं वस्तु तथा विषयी मालवपाञ्चालादिदेशो यस्मिन् चक्रवर्तिनोऽपि हि वत्सराजस्य कौशाम्बीव्यतिरिक्ते विषये कार्यान्तरोपक्षेपेण विना यन्निरन्तरं निर्वर्णनं तद्वैरस्याय भवति, तत्र प्रसिद्धिखण्डनेन प्रतीतिविघातात्, का कथा रसचर्वणायाः । एवं तावद् द्वे प्रसिद्धी उक्ते, प्रख्यातोदात्तेत्यनेन तृतीया प्रसिद्धिरुक्ता । **उदात्त इति** वीररसयोग्य उक्तः । तेन धीरललितधीरप्रशान्तधीरोद्धतधीरोदात्ताः चत्वारोऽपि गृह्यन्ते । **राजर्षिवंश्ये**त्यनेन प्रख्यातमपि यद्वस्तु ऋषितुल्यानां राज्ञां वंशेन साधु-नोचितं, तथा प्रख्यातत्वेऽपि देवचरितं वरप्रभावादिबहुलतयोपायोपदेशायायोग्य-मिति नैतदुभयं निबन्धनीयमिति फलतः प्रतिषेधो दर्शितः । राजानः ऋषय इवेत्युपमितसमासः । तद्वंशे साधु चरितं यस्मिन्निति बहुव्रीहिः । न च सर्वथा देवचरितं तथाऽवर्णनीयम् । किन्तु दिव्यानामाश्रयत्वेन प्रकरीपताकानायकादि-रूपेण, उपेतमुपगतोऽङ्गीकरणं यत्र । तथा हि नागानन्दे भगवत्याः पूर्णकरुणा-निर्भरायाः साक्षात्करणे व्युत्पत्तिर्जायते । निरन्तरभक्तिभावितानामेतन्नाम देवताः प्रसीदन्ति, तस्माद्देवताराधनपुरस्सरमुपायानुष्ठानं कार्यमिति । यदि तु मुख्यत्वे-न देवचरितं वर्ण्यते तत्तावद्विप्रलम्भकरुणाद्भुतभयानकरसोचितं चेन्निबध्यते तन्मानुषचरितमेव संपद्यते, प्रत्युत देवानामधियाधानं प्रसिद्धिविघातकम् । तत्र चोक्तो दोषः, विप्रलंभाद्यभावे तु का तत्र विचित्रता रञ्जनाया एतत्प्रमाण-त्वात् । अत एव हृदयसंवादोऽपि देवचरिते दुर्लभः, न च तेषां दुःखमस्ति ।

प्रख्यातवस्तुविषयं[1] प्रख्यातोदात्तनायकं चैव ।
राजर्षिवंश्यचरितं [2]तथैव दिव्याश्रयोपेतम् ॥१०॥
नानाविभूतिभि[3]र्युतमृद्धिविलासादिभिर्गुणैश्चैव ।
अङ्कप्रवेशकाढ्यं भवति हि तन्नाटकं नाम ॥११॥

यत्प्रतीकारोपाये व्युत्पादनं स्यात् । नायिका तु दिव्याप्यविरोधिनी यथोर्वशी नायकचरितेनैव तद्वृत्तस्याक्षेपात् ॥१०॥

डिमादौ तु दिव्यानां नायकत्वेऽभिप्रायमावेदयिष्यामः इति प्रसिद्धित्रययुक्तमपि वस्तु न निष्फलं व्युत्पत्तये भवतीत्यत आह **नानाविभूतिभिर्युतं** धर्मार्थकाममोक्षविभवैः फलभूतैर्विचित्ररूपैर्युक्तम् । तत्राप्यर्थकामौ सर्वजनाभिलषणीयाविति तद्बाहुल्ये दर्शनीयमिति कथयति ऋद्धिविलासादिभिरिति ऋद्धिरर्थस्य राज्यादि समृद्धिः विलासेन कामो लक्ष्यते, आदिशब्दः प्रधानवाची, तत्प्रधानाभिः फलसंपत्तिभिः युक्तमित्यर्थः । तेन राज्ञा सर्वं राज्यं ब्राह्मणेभ्यो दत्त्वा वानप्रस्थं गृहीतव्यमित्येवंप्रायं फलं नोपनिबन्धनीयम् । तत्फलमपि इष्टसुखार्थी हि लोको बाहुल्येनेति तत्रास्य प्रतीतिर्विरसीभवेत् । गुणैरित्यप्रधानभूतानि चेष्टितानि हेयानि प्रतिनायकगतानि अपायप्रधानानि तैर्युक्तम् । तेषां पूर्वपक्षस्थानीयानां प्रतिक्षेपेण सिद्धान्तकल्पस्य नायकचरितस्य निर्वाहात्जनपदकोशादिसंपत्ति **समृद्धिः** कौमुदीमहोत्सवादयो **विलासाः** सन्धिविग्रहादयो **गुणा** इति व्याख्यानं चाणक्यशास्त्रपरिचयवेदनमात्रफलं, वस्तुशब्देन राजर्षिवंश्यचरितशब्देन च सर्वस्यार्थराशेः संग्रहात् । अवान्तरवस्तुसमाप्तौ विश्रान्तये ये विच्छेदा अङ्काः, ये च निमित्तवलात् अप्रत्यक्षदृष्टानां चेष्टितानामावेदकाः प्रवेशकाः तैराढ्यं नाटकं नाम **रूपकम्** ॥११॥

तस्मादस्य तन्नामेत्याह **नृपतीनां यच्चरितमिति** यद्यस्मान्नृपतीनां संबन्धि व्युत्पाद्यानां सामर्थ्यात् नृपतीनामेव नाटकन्नाम तच्चेष्टितं प्रह्वीभावदायकं भवति, तथा हृदयानुप्रवेशरञ्जनोल्लासनया हृदयं शरीरं चोपायव्युत्पत्तिपरिघट्टितया चेष्टया नर्त्तयति । **नट** नृतौ नृत्ते इत्युभयथा हि स्मरन्ति । तदिति तस्माद्धेतोः नामास्य **नाटकमिति** ।

ननु पुराणाद्युपनिबद्धोऽपि तदर्थः कस्मान्नटानेवेदं भावयतीत्याह **नानेति** । बहुप्रकाराः । अत्र संभावयन्ति संपादयन्ति यानि चेष्टितानि नटव्यापारात्मानोऽभिनयाः

---

१. NS. विषये ।
२. KSS. तथा च ।
३. NS. संयुतं…।

नृपतीनां यच्चरितं नानारसभावचेष्टितं[1] बहुधा ।
सुखदुःखोत्पत्तिकृतं [2]भवति हि तन्नाटकं नाम ॥१२॥

तैरेतत्प्रह्वीभावदायकं हृद्यतमरसास्वादसूचीद्वारप्रवेशितं तत्कर्तव्यसूत्रं हृदयारोहणरूढ-शौर्यादिधर्मरत्नग्रथनकारि भवतीति ह्य क्तमसकृत् ।

ननु नृपतिचरित एव किमित्ययमास्वादो न देवचरित इत्याह बहुधेति । बहुप्रकाराः उपायवैचित्र्याद्याः सुखदुःखोत्पत्तयस्तासां कृतं संपादनं यत्र, देवचरिते तु तन्नास्तीत्युक्तम् । अत एव प्रतीतिविघातस्य वैरस्यदायिनः संभवो यत्र यत्र तन्नाटके नोपनिबद्धव्यम् । तेन वर्तमानराजचरितं चावर्णनीयमेव, तत्र विपरीत-प्रसिद्धिबाधया अध्यारोपस्याकिञ्चित्करत्वात्, योगानन्दरावणादिविषयचरिताध्या-रोपवत् । एतदर्थमेव प्रख्यातग्रहणं प्रकर्षद्योतकं पुनः पुनरुपात्तम् । अत एव वेद शास्त्रं न नाटकं, नियोगेन हि तत्र पुमान् प्रवर्त्तते, न फलोत्पत्त्या । फलप्राधान्य-पक्षेऽपि तत्र सन्देहः । एवं पुराणादावपि । इह तु बाधोदयासहिष्णुप्रत्यक्षायमाणा चिरविलम्बितप्रतीतिसिद्धा सुखदुःखोत्पत्तिरिति । अनेन वाक्येनैतदुक्तं भवति— यद्यपि सर्वरूपकाणामर्थो हृदये प्रविष्टो विनेयांश्च विनीतान् करोति । तत एव नाटक-शब्दः सामान्यवचन इति "कार्योत्पन्नानि नाटके" इत्यादिषु स्थानेषु दर्शितः । तथापि ह्यवश्यव्युत्पाद्या राजानो यद्व्युत्पत्तिद्वारेण विश्वं व्युत्पन्नं, तेन तदीय-हृदयसंवादयोग्यनृपतिचरितप्रदर्शनेन प्रधानतया प्रधानेऽर्थे व्युत्पाद्यन्ते, अमात्यादयः तदङ्गत्वेनैव प्रयोगस्य च यथोचित समुद्गकस्थगनवद्व्युत्पादकव्युत्पाद्यभावात्तेन प्रधानपुरुषार्थे प्रधानविनेयानामन्यत्रान्येषां वेदयतोऽवर्नति व्युत्पत्ति ददाति तत एव नाटकमुच्यते ।

श्री शङ्कुकस्तु व्याचष्टे विजिगीषुररिर्मध्यमोदासीनो मित्रं मित्रमित्रमिति । एषां चरितमिति बहुवचनेन लभ्यते । अन्ये त्वाहुः—पूर्वं राजर्षिवंशप्रभवा नायका उक्ता अनया त्वार्यया चन्द्रगुप्तबिन्दुसारादयोऽपि संगृह्यन्त इति । व्याख्यात-मर्थद्वयमेतत्पूर्वयार्ययैवं सङ्गृहीतमिति प्रथमव्याख्यात एव युक्तोऽर्थः ।

यत्तु कैश्चिदभिधीयते—

देवा धीरोद्धता ज्ञेयाः स्युर्धीरललिता नृपाः ।
सेनापतिरमात्यश्च धीरोदात्तौ प्रकीर्तितौ ।
धीरप्रशान्ता विज्ञेयाः ब्राह्मणा वणिजस्तथा ॥

१. KSS. चेष्टितैः NS. सम्भृतं ।
२. KSS. तज्ज्ञेयं नाटकं नाम ।

[1]अस्यावस्थोपेतं कार्यं प्रसमीक्ष्य बिन्दुविस्तारात् ।
[2]कर्तव्योऽङ्कः सोऽपि तु गुणान्वितं नाट्यतत्त्वज्ञैः ॥१३॥

इति वचने पर्यालोच्यमाने देवादीनां नाटकनायकत्वानुपपत्तेः, धीरललित एक एव नायक इति। तदसत्, न हि जनकप्रभृतीनां रामादीनामपि वा धीरललितत्वम्, यदाह—"**धीरोदात्तं जयति चरितं रामनाम्नश्च विष्णोः**" इति।

यत्तु पठित तत्र धीरललितत्वं राज्ञ एव वर्णनीयं नान्यस्य, सेनापत्यमात्ययोर्धीरोदात्तत्वमेव, देवानां धीरोद्धतत्वमेव, द्विजातीनां धीरप्रशान्तत्वमेवेति, एवं परं द्रष्टव्यं—अत एव प्रख्यातोदात्तेत्यत्र चत्वारोऽपि नायकाः स्वीकृता इति व्याख्येयम्।

एवं निर्वचनमनयार्यया दर्शितं, प्रख्यातवस्तुप्रभृतिरर्थोऽन्यत्र सुप्रसिद्धः अङ्कप्रवेशकौ त्वप्रसिद्धौ इत्यङ्कस्वरूपं तावद्वितत्य कथयति अस्यावस्थोपेतमिति। अस्य नाटकस्य यत्कार्यं बिन्दुकृतया विस्तारणया विततीकरणरूपया अननुसन्धानजननबलादेकावस्थानुरूपमाधिकारिकमितिवृत्तं सम्पाद्यम्, तदवस्थया प्रारम्भादिकयोपेतं परिपूर्णं प्रकर्षेण संबन्धं प्रेक्ष्य अङ्कः कर्तव्यः। एतदुक्तम्—इतिवृत्तस्य बिन्दुसूत्रस्यूतस्य प्रारम्भाद्यवस्थापञ्चकचारिणो यदा प्रारम्भावस्थापूर्णत्वमेति तदा अङ्कच्छेदो बिन्दुद्वारानुसन्धीयमानद्वितीयाङ्काभिधेयरूपो विधेयः। एवं प्रयत्नाद्यवस्थाचतुष्टयेऽपि वाच्यमिति पञ्च तावदङ्का इति मुख्यः कल्पः।

नन्वेवं न्यूनत्वे आधिक्ये वाङ्कानां कथं निर्बन्ध इत्याह नाट्यतत्त्वज्ञैरनयैव दिशा सोऽङ्कः, अपिशब्दादन्यथा कर्तव्यः। तुर्विशेषं द्योतयति। यदा प्रारम्भावधिप्रधानं भवतीति तदा तस्या एवोपक्रमोपसंहारावस्थाद्वयापेक्षया द्वावङ्कौ, अन्यासामेकैकाङ्कतेति यावत् सर्वासामवस्थाद्वययोगेन संपादनमिति षडङ्कात् प्रभृति सप्ताष्टप्राप्तौ दशाङ्कत्वम्। काञ्चिदवस्थां प्रधानीकृत्य यदा अवस्थान्तरेण मिश्रीकृत्य वघ्नाति तदा नाटिकाया न्यूनाङ्कत्वमिति। एतत्तुशब्देन तत्त्वज्ञशब्देन च दर्शितम्। तत्रावस्थाः "प्रारम्भश्च प्रयत्न' श्चेत्यादिना वक्ष्यन्ते (अ—१९) "प्रयोजनानां विच्छेदे यदाविच्छेदकारण" मिति बिन्दुः वक्ष्यते, "यदाधिकारिकं सम्य" गिति (अ—१९) कार्यम् ॥१३॥

अथ कस्मादङ्क इत्याह अङ्क इति रूढिशब्द इति। भावैः रसैश्च गूढश्छन्नः व्याप्तोऽर्थोऽङ्कशब्देन यादृच्छिकेनोच्यत इति भट्टलोल्लटाद्याः गूढ इति पाठं व्याचक्षिरे। अन्ये रोहयत्यर्थानिति पठन्ति, व्याचक्षते च रूढी रोहणं तेनोत्सङ्ग

---

१. KSS., varies. NS. अङ्कावस्थोपेतं।

२. NS. कर्तव्योऽङ्कस्तज्ज्ञैः स तु सम्यङ नाटके विधिवत्।

अङ्क इति रूढिशब्दो भवैश्च रसैश्च रोहयत्यर्थान् ।
नानाविधानयुक्तो यस्मात्तस्माद्भवेदङ्कः ॥१४॥

उच्यते यो नाटकांशः शृङ्गारादिरसैर्विभावव्यभिचारिणोऽर्थान् तथा भावैर्विभावाद्यैः यथास्वं भावादीनर्थान् हृदयमारोपयति अर्थात् वहति, नानाप्रकारैश्च वक्ष्यमाणैः 'ये नायका निगदिता' इत्यादिभिः विधानैरुपेतः तस्मादुत्सङ्गवदारोहण संबन्धादङ्क इत्युच्यते । एतत्पुष्कलमिव अजावि ना रूढ़ रत्रार्थैवं त्यदर्शनात् । तस्मादयमत्रार्थः—अङ्क इत्ययं लक्षणे रूढ़ः शब्दः; अन्यतो व्यवच्छेदकं लक्षणम् । एतदपि च नाट्यरूपकस्य नानात्वमन्यतो भेदं विधत्ते अनभिनेयात्, अभिनेये हि य एकदेशः स रसभावैरुपलक्षितानप्यर्थान् रोहयति हृदयसंवादसाधारणताकरणेन प्रत्यक्षीभावनया रसाध्यायोक्तयाभिरोहणं बीजस्येवाङ्कुराकारतया रसाकारोदप्ररोहो भवति । स चानभिनेयरूपकांशैरेव संपाद्यत इत्यनभिनेयात् भेदमादधानोऽभिनेयस्य रूपकस्य लक्षणं भवत्येव । एवमङ्कशब्दस्यान्वर्थो व्याख्यातः ॥१४॥

स्वरूपन्तु वक्तव्यं तद्दर्शयन्ति—यत्रार्थस्य समाप्तिरिति । प्रारम्भाद्यवस्थालक्षणोऽर्थो यत्र समाप्यते सोऽङ्कः । अङ्कसमाप्तायामपि वा अवस्थायां यदा बीजस्य संहरणं यथास्वं सन्धिभेदेनोचितं भवति तदाप्यङ्कच्छेदः । तत्रोत्पत्तिरुद्घाटनमुद्भेदो गर्भनिर्भेदः फलसमानयनमिति मुखादिषु यथाक्रमं बीजस्य दशाविशेषाः संहारशब्दवाच्याः । अङ्कविच्छेदे चार्थाविच्छेदो माभूदित्यवलग्नः संबन्धो बिन्दुर्यत्र ..ऽङ्क कर्तव्यः । यथा तापसवत्सराजे तृतीयाङ्कसमाप्तौ—

आदौ मानपरिग्रहेण गुरुणा दूरं समारोपितां
पश्चात्तापभरेण तानवकृता नीतां परं लाघवम् ।
उत्सङ्गान्तरवर्तिनीमनुगमात्संपिण्डिताङ्गीमिमां
सर्वाङ्गप्रणयप्रियामिव तरुच्छायां समालम्बते ।

इति राज्ञः उक्तया पद्मावत्याः परिणयाभ्युपगममनुसन्दधत्या प्राप्तिसंभवाख्य तृतीयावस्थाप्रदर्शिनि भाविनि चतुर्थेऽङ्के बिन्दुर्योजितः ।

एवमङ्कस्वरूपमनेन निरूपितमिति चिरन्तनाः । तच्चैतत्पुनरुक्तं "अस्यावस्थोपेतं कार्यं प्रसमीक्ष्ये" त्येतेन हि कियन्नोक्तं यदनेन लक्षणेनाभिधीयते । तस्मादिदमत्रार्थतत्त्वं—अङ्कस्वरूपं तावदस्यावस्थोपेतमित्यनेनैवोक्तं नामनिर्वचनं च "अङ्क इति रूढिशब्द" इत्यनेन दर्शितम् । अनया त्वार्यया अङ्कस्य त्रैविध्यमुच्यते तथा चोक्तं कोहलेन—

त्रिधाङ्कोऽङ्कावतारेण चूडयाङ्कमुखेन वा ।
अर्थोपक्षेपणं चूडा बह्वर्थैः सूतवन्दिभिः ।

[अङ्कसमाप्तिः कार्या काव्यच्छेदेन बीजसंहारः ।
वस्तुव्यापी बिन्दुः काव्यसमुत्थोऽत्र नित्यं स्यात्] ॥१५॥
यत्रार्थस्य समाप्तिर्यत्र च बीजस्य भवति संहारः ।
किञ्चिदवलग्नबिन्दुः सोऽङ्क इति सदावगन्तव्यः ॥१६॥

अङ्कस्याङ्कान्तरे योगस्त्ववतारः प्रकीर्तितः ।
विश्लिष्टमुखमङ्कस्य स्त्रिया वा पुरुषेण वा ।
यदुपक्षिप्यते पूर्वं तदङ्कमुखमिष्यते ॥

अत्रार्थस्य कस्यचित् सम्यगन्यत एवानभिसन्धानपूर्विकाप्तिः प्राप्तिरिति चूडा दर्शिता । तद्यथा **रत्नावल्यां** वैतालिकपाठाद् **'द्दशामुदनयनस्य'** इत्यन्तः उपयोगी सम्यगर्थः प्राप्त तत्प्रत्यभिज्ञामूलत्वात् सागरिकानुरागस्य, तथा चाह 'अअं सो राआ उदअणो (अयं स राजा उदयनः) (१-२३) इत्यादि । तदर्थमेव च वसन्त क्रीडादिसर्वमुपक्षिप्तम् । तदेव च राजानुरागस्य शय्याफलकादिकृतस्य मूलमिति चूलिकेत्युक्तम् । तेन प्रथमः चूलिकाङ्कः । यत्र त्वङ्के सर्वेषामङ्कानां योऽर्थो बीजलक्षण-स्तस्य संहारः संमिलितत्वेन प्राप्तिर्भवति सोऽवताराङ्कः, यथा रत्नावल्यां द्वितीयोऽङ्कः । तत्र हि 'ईरिसस्स कण्णआजणस्स ईरिस एव वरे अहिलासेण होदव्वम् । (ईदृशस्य कन्यकाजनस्येदृश एव वरे अभिलाषेण भवितव्यम् ।) इत्यादि प्रकृत-मेव सर्वं वर्ण्यते । यत्र त्वनुसन्धानमात्रप्राणत्वेन तदुपयोगितया वृत्तान्तमुच्यते तदुपश्लिष्टमङ्कमुखम् । स एवेह किञ्चिदवलग्नाबिन्दुरित्यनेन तृतीयो भेद उक्तः । यथा रत्नावल्यां तृतीयेऽङ्के ऐन्द्रजालवृत्तान्तनिरूपणं चूलिका तस्याश्च भेदः, चूलिका-ङ्कस्यापि तदभिसन्धानाभावात् । इह त्वभिसन्धानं यौगन्धरायणादीनामस्त्येव । तेनायं संक्षेपः—अङ्के यद्वर्णनीयं वस्तु तत्तावत् द्विधा, प्रधानं तदुपयोगि च; तदुप-योग्यपि किञ्चिद्दैववशादुपयोगं याति किञ्चिदभिसन्धिबलादिति त्रिविधोऽङ्कार्थः । स कदाचिदेकस्मिन्नङ्के मिश्रभावेनापि निबध्यत इति चूलिकाङ्कमुखयोरङ्कभेदयोः प्रधानार्थस्पर्शो नैवास्तीति ॥१५—१६॥

तथा प्रवेशकद्वारेण मुख्यचरितमपि शङ्कां वारयितुमाह ये नायका इति । धीरोदात्तादयो विजिगीषुतन्मित्रप्रभृतयो वा ये नायकाः प्रतिनायकाश्च तेषां चरितं, तदुपायानुष्ठानं तथा संभोगः प्रत्यक्षः सन्निहितः साक्षाद् दृश्यमानो, न तु सूच्यमानो, यत्र तादृगङ्कः । नयति प्राप्नोतीतिवृत्तं फलं वेति नायकचरितप्रत्यक्षतया व्युत्पत्तिः प्रेक्षकाणां संभोगाप्रत्यक्षत्वे च तद्गतकेवलक्लेशदर्शनात् वैरस्यं सामाजि-कस्य स्यात् । किमनेन महता कष्टेनेति तत एवोक्तं न निस्सुखः स्यादिति । नानाप्रकारावस्थौ प्रतिनायकगतौ चरितसंभोगावनुपादेयावविषये चेति हेयावस्थौ,

ये नायका निगदितास्तेषां प्रत्यक्षचरितसम्भोग:[1] ।
[2]नानावस्थोपेत: कार्यस्त्वङ्कोऽविप्रकृष्टस्तु ॥१७॥
नायकदेवीगुरुजनपुरोहितामात्यसार्थवाहानाम् ।
[3]नैकरसान्तरविहितो ह्यङ्क इति स वेदितव्यस्तु ॥१८॥
[पञ्चाक्षरा दशपरा ह्यङ्काः स्युर्नाटके प्रकरणे च ।
निष्क्राम: सर्वेषां यस्मिन्नङ्क: स विज्ञेय:] ॥१९॥
क्रोध[4]प्रसादशोका: शापोत्सर्गोऽथ[5] विद्रवोद्वाहौ ।
[6]अद्भुतसंभवदर्शनमङ्के प्रत्यक्षजानि स्युः ॥२०॥

नायकगतौ तु तद्वपरीत्यादुपादेयावस्थाविति तुशब्दस्यार्थः । अविप्रष्ट इत्यदीर्घः । दीर्घो हि प्रयोक्तृप्रेक्षकाणां खेदाय स्यात् ॥१७॥

एवं प्रधानवर्णनीयस्य वृत्तमुक्त्वा तदुपयोगि वृत्तस्य दिशं दर्शयितुमाह—**नायकदेवीत्यादि** । नायका मुख्याः नायिका: देव्यो महादेवीभोगिनीप्रभृतयः । गुरुजनो मातृपितृभ्रात्राचार्यादि: । सार्थवाहोऽत्र सेनापति: । इतिवृत्तवशाद्वणिगेव वा, एषां संबन्धी अङ्क एतदर्थाभिधायक इति यावत् । अत एव नैकेन विचित्रेण रसविशेषेण युक्तस्तथा हि देवीयोगे शृङ्गार:, नायके वीर इत्येवमन्यदुत्प्रेक्ष्यम् । नाटकानां देव्यादय इत्यन्ये । अङ्क इति । अनेकरसाङ्कितत्वादपि अङ्क इति नामेत्यर्थः ॥१८—१९॥

न केवलं चरितसंभोगावेव प्रत्यक्षौ किन्त्वन्यदपि यत्र रञ्जनातिशयोऽस्तीति दर्शयन्नाह **क्रोधप्रसादशोका** इति । शापोत्सर्ग: शापकृतस्यानर्थस्य नाश:, यथोक्तस्यानर्थकाभावस्य शङ्काभयत्रासकृतो विद्रव इति गर्भसन्धौ वक्ष्यते । उद्वाहो विवाह: । अद्भुतस्य संभवोऽभ्युपगम: । उपक्रमो दर्शनं न निर्वाह इत्येतच्चान्यस्यापि रञ्जकवर्गस्योपलक्षणम् । अक्षजं ज्ञानं प्रति गतानीति प्रत्यक्षजानि । प्रत्यक्षशब्देन तदेकदेश उच्यते तत्र जातानीत्यन्येन्द्रियवर्गस्य प्रत्यक्षता तावद्भवति, कदाचित्त्वप्रत्यक्षमपि ॥२०॥

अथाङ्कस्य प्रयोगकालपरिमाणमियदिति दर्शयति **एकदिवसप्रवृत्त**मिति । तादृशमवान्तरेणार्थेन प्रयोजनेन युक्तं बीजमुपायानुष्ठानं वर्णनीयतया अधिकृत्याङ्क:

---

१. KSS., NS. संयोग: ।
२. KSS., NS. नानावस्थान्तरित: ।
३. नैकरसाम्बर इति मुद्रितपाठ: ।
४. KSS., NS. प्रमाद:······।
५. NS. अध्व:······।
६. KSS., NS. अद्भुतसंश्रय:······।

एकदिवसप्रवृत्तः कार्यस्त्वङ्कोऽर्थबीजमधिकृत्य[1] ।
आवश्यककार्याणामविरोधेन प्रयोगेषु ॥२१॥

एकाङ्केन कदाचिद्बहूनि कार्याणि योजयेद्धीमान् ।
आवश्यकविरोधेन तत्र काव्यानि कार्याणि ॥२२॥

रङ्गं तु ये प्रविष्टाः सर्वेषां भवति तत्र निष्क्रामः ।
बीजार्थयुक्तियुक्तं[2] कृत्वा काव्यं यथार्थरसम् ॥२३॥

[न बहूनीह कार्याणि त्वेकाङ्के विनियोजयेत् ।
आवश्यकानां कार्याणां विरोधो हि तथा भवेत्] ॥२४॥

ज्ञात्वा [3]दिवसावस्थां क्षणयाममुहूर्तलक्षणोपेताम्[4] ।
विभजेत्सर्वमशेषं पृथक्पृथक्काव्यमङ्केषु ॥२५॥

कर्तव्यो यस्य प्रकृष्टं च यद्वर्तनं प्रयोगरूपं तदेकदिवसेनेनि मुहूर्तपञ्चदशकेनैव, यतस्तावन्तं कालमावश्यकानि भोजनादीनि अशक्यनिरोधनानि। ततः परन्तु प्रयोगकालश्चेत् तत्प्रेक्षकप्रयोक्तृणां तदाप्यावश्यकस्य सन्ध्यावन्दनभोजनादेरविरोधेनेत्येवं कार्यानेकत्वमेकत्राङ्के निषिद्धम्। क्वचित्त्वभ्युपगतमपि। अन्ये तु सर्वामिवार्या निषेधपरत्वेनाहुः अन्ये त्वेकाङ्केनेति तृतीयां मन्यमानाः सर्वेयमार्या विधिपरेत्याहुः ॥२१—२२॥

यान्यवश्यंभावेन कार्याणि भोजनादीनि तानि किं प्रत्यक्षेणैव दर्शनीयानीति यः शङ्कते तं प्रत्याह रङ्गन्त्विति। तत्रेत्यावश्यके कर्तव्ये न चासमाप्तावुपक्षिप्तावान्तरकार्ये पात्रनिष्क्रमणमिति दर्शयति। बीजार्थेति उपक्षेपात्मनो बीजस्य यत्प्रयोजनं तेन या युक्तिः संबन्धस्तत्र युक्तमुपायभूतं कार्यं प्रयोजनानुसारि विशिष्टरससम्पदोपेतं विधाय तत्परिसमाप्तौ यवनिकया तिरोधानरूपं निष्क्रमणं दर्शनीयम्। बीजार्थयुक्तिरुत्पत्त्युद्घाटनोद्भेदगर्भनिर्भेदफलसमानयनात्मेत्यन्ये ॥२३॥

एवमितिवृत्तनियममङ्के प्रदर्श्य तदितिवृत्तकालनियमं दर्शयति, क्षणयाममुहूर्तानां यानि लक्षणानि कर्तव्यान्यस्मिन् क्षणे सन्ध्यानुष्ठेयेत्यादीनि तैरुपेतां दिवसस्यावस्थां ज्ञात्वा सर्वं कार्यं प्रत्येकं सर्वात्मना परिपूर्णरूपमत एवाशेषं विभजेत् विभागेन दर्शयेत्। नाडिकाभरिष्टधा दिनं रात्रिं विभज्य छायाप्रमाणेन वेति तेन एकदिवससंपादितमुपयोगि चेष्टितमङ्के बध्नीयादिति तात्पर्यम् ॥२५॥

---

१. NS. आश्रित्य।
२. KSS., NS. मुक्तं।
३. KSS. दिवसांस्तान्।
४. KSS. उपेतान्।

दिवसावसानकार्यं यद्यङ्के नोपपद्यते सर्वम् ।
अङ्कच्छेदं कृत्वा प्रवेशकैस्तद्विधातव्यम्[1] ॥२६॥

[विप्रकृष्टं तु यो देशं गच्छेत्कार्यवशानुगः ।
अङ्कच्छेदेऽथ संक्षेपान्निर्दिशेत्तं प्रवेशकैः] ॥२७॥
[2]सन्निहितनायकोऽङ्कः कर्तव्यो नाटके प्रकरणे वा ।
परिजनकथानुबन्धः प्रवेशको नाम विज्ञेयः ॥२८॥

ननु तन्मध्ये तत्कार्यं मध्याह्नस्नानभोजनादि तद्दिवसमध्य एव वा यद्वृत्तं दूरस्थं दशरथमरणादि तत्कथं वाच्यमित्याह—**दिवसावसानकार्य**मिति दिवसेऽवसानं समाप्तिर्यस्य तत् सर्वं कार्यं यद्यङ्के प्रत्यक्षेण प्रदर्शयितुं न युज्यते तदाङ्कच्छेदं कृत्वा प्रवेशकैः चूलिकाङ्कावताराङ्कमुखप्रवेशकविष्कंभका इहाभिप्रेताः । तथा च कोहलोऽर्थोपक्षेपपञ्चकमुक्तवान् ॥२६—२७॥

एवमङ्कलक्षणं वितत्याभिहितमर्धेनोपसंहरन्नर्धान्तरेणाङ्कसन्धानरूपस्य प्रवेशकस्य सामान्यलक्षणं दर्शयन्नार्यां पठति **सन्निहितनायक** इत्यादि । नायकशब्देन तच्चरितसंभोगौ तौ सन्निहितौ प्रत्यक्षौ यत्रैकाङ्केऽपि रूपकेऽङ्को नायकचरितप्रत्यक्षताशून्यः कार्यः, किंपुनरन्यत्रेति प्रकरणे नाटके वेत्युक्तम् ।

अन्ये त्वेतदुत्तरार्धेन संबन्धयन्तो रूपकान्तराणि प्रवेशकशून्यानि भवन्तीत्याचक्षते । परिजनकथानुबन्ध इति चतुर्णां लक्षणं सूतमागधादेश्चूलिकाङ्कस्य स्त्रीपुरुषादेर्वाङ्कमुखोपकरणस्य चेटीकञ्चुकादेर्वा प्रवेशकविष्कम्भोपयोगिनः परिजनस्याकथयैव परस्परश्लिष्टयानुबद्धोऽङ्कावतारः । यथोक्तम् ।

अङ्कान्तर एवाङ्को निपतति यस्मिन्प्रयोगमासाद्य ।
नाट्यार्थकश्चायोगाद् विज्ञेयोऽङ्कावतरोऽसौ ॥ इति । २८॥

तत्रायं प्रवेशकोऽङ्कार्थसन्धानाय भवतीति पूर्वोपक्षिप्तमङ्कं संख्यानुवादद्वारेण दर्शयति **प्रकरणनाटकविषय** इति । सन्ध्यवस्थानपरिपूर्णोपनिबद्धा एवाङ्का उपक्रमोपसंहारवंतत्ये दश, कस्यचित्संक्षेपेण षडित्येवम्, अन्यतो न्यूनाधिकत्वमनुचितमित्यर्थः । अङ्कमध्येषु तु सन्धानानि षट् चित्राणि संपादयितुं पञ्चविधः प्रवेशकः

---

१. NS. तद्विधेयं हि ।
२. 'सविरहितनायकैकम्' मुद्रितपुस्तकस्य पाठः ।
३. KSS. प्रवेशके वापि कर्त्तव्यः ।

[1][प्रकरणनाटकविषये पञ्चाद्या दशपरा भवन्त्यङ्का।
अङ्कान्तरसन्धिषु च प्रवेशकास्तेषु तावन्तः ॥२९॥

अनयोरन्तरविहितः प्रवेशकोऽर्थक्रियां समभिवीक्ष्य।
संक्षेपार्थः सन्धिष्वर्थानां संविधातव्यः] ॥३०॥

कार्यः अङ्कान्तरसन्धिष्विति निमित्तात् कर्मसंयोगे सप्तमी। अपिशब्देन प्रवेशक शब्दस्यावृत्तिः सूच्यते। चो हेतौ। प्रवेशकशब्दश्च महासामान्यवचनः पञ्चसु वृत्तः, इह तु मध्यमसामान्ये प्रवेशकविष्कम्भकद्वये वर्तते ॥२९॥

तदयमर्थः—यस्मान्मासकृतं वर्षसञ्चितं वा यच्च तत्कार्यं सामाजिकानां हृदयगतं तस्मात् प्रवेशकविष्कम्भकौ कर्तव्यौ। परिमितन्तु यदनुसन्धेयं तत्राङ्क-मुखमल्पानुसन्धेये चूलिका, अल्पतमे अङ्कावतारः। तत्र केचित् वनवासादयो-द्धयाप्रवेशानन्तरं रामानुसन्धानमनुसन्धानीयं मा भूदित्याशयेन व्याचक्षते मासेन मासाभ्यां मासैर्वर्षेण वर्षाभ्यां वर्षैः इति। कदाचित्तु वर्षादूर्ध्वन्तु ये महाप्रभावा-श्चिरातीतमप्यनुसन्दधते रामादेस्तेषां बहुतरो हि कालः प्रवेशकैर्वर्णनीयः। ये तु पुरुषप्रायास्तेषां वर्षादूर्ध्वमनुसन्धानं नैवास्ति तथा च मार्गशीर्षी तैषी चान्तरेण दीर्घकालयात्रा आवर्षारात्रान्मासाष्टकमुक्तेति संगिरन्ते।

एतच्चासत्, मासवर्षादीनां स्वीकृतनियतपरिमाणानां द्विवचनबहुवचनान्तत्वे वृत्त्ययोगस्य दर्शितत्वात्।

सौर्यके मासजाते च परिमाणं स्वभावतः।
उपाधिभूतमाश्रित्य संख्याभेदेन वर्तते।
वयस्त्विति परिच्छेदः क्रियतेऽपि न गम्यते।
इष्टो भेदादृते तत्र परिमाणमनर्थकम्।

इत्यादिबहु च वर्षादूर्ध्वमिति च निषेधः फल्गुफल एव स्यात्। तस्मादेक-वचनान्तेनैव समासः। न च रामायणभारतादिचरितत्यागप्रसङ्गः कार्यग्रहणं ह्येतदर्थं मुनिना कृतं, यत्र हि यत्ननिष्पाद्यं सञ्चितं तदेव वर्षं गण्यते वर्षान्तराणि तु तत्र विद्यमानान्यपि अविद्यमानकल्पानि। रामचरिते हि चतुर्दशवर्षाण्यरण्यनि-वासो यद्यपि कार्यः, वर्षाणि त्रिचतुराणि भवन्ति यत्र मारीचवधसुग्रीवराज्यदाना

---

१. इतः प्रारभ्य पद्यद्वयं का० पुस्तके नास्ति।

NS. प्रकरणविषये······ दशपरास्तथा चैव।
अङ्काः कर्तव्याः स्युर्नानारसभावसंयुक्ताः॥

अङ्कच्छेदं [1]कृत्वा मासकृतं वर्षसंचितं वापि।
तत्सर्वं कर्तव्यं वर्षादूर्ध्वं न तु कदाचित्] ॥३१॥

यः कश्चित्कार्यवशाद्गच्छति पुरुषः प्रकृष्टमध्वानम्।
तत्राप्यङ्कच्छेदः कर्तव्यः पूर्ववत्तज्ज्ञैः ॥३२॥

अङ्कान्तरानुसारी संक्षेपार्थमधिकृत्य बिन्दूनाम्।
प्रकरणनाटकविषये प्रवेशकः संविधातव्यः[2] ॥३३॥

त्ववान्तरकार्यं संभवति। तस्माद्वर्षादूर्ध्वमित्यनेन कार्यं वर्षद्वयादि निषिध्यत इत्येवं वर्षसहस्रायुषोऽपि वर्षशतान्तरालवृत्तचरितव्याख्यानेऽपि न किञ्चिद् दुष्यति। तेन पञ्चाङ्के नाटके पञ्च कार्यदिनानीति संक्षेपः, दशाङ्के तु दशेति विस्तरः ॥३१॥

अङ्कच्छेदे निमित्तान्तरमप्याह—**यः कश्चित्कार्यवशादिति**। कार्यवशात्कार्यस्य तत्रायतत्वात् यः पुरुषो नायकः सोऽनेकयोजनव्यहितमध्वानं यदा गच्छति तदा प्रतिदिनं गमनं विश्रान्तिः शय्येत्येवमादि कथं रङ्गे प्रदर्श्याः, तदन्तेनाङ्कच्छेदः कार्यः। डिमादिनायकस्य तु दिव्यस्याकाशयानकादिना सर्वं युज्यते। अनायकपुरुषस्त्वविच्छिन्न एवाङ्के निष्क्रामति। ननु दिवसावसानकार्यं केनोपपद्यत इति आवश्यकाविरोधेनेत्यादिना यदुक्तं ततस्तिलमात्रेणाप्यधिकं वाच्यमस्य न लभ्यते वाक्यस्य। अत एवैतत् भट्टलोल्लटाद्यैर्न पठितमेव।

उपाध्यायास्त्वाहुः—नेदं निमित्तान्तरं अपि तु पूर्वं तावत्कथितं यद्यङ्केनोपपद्यत इति तस्यैवोदाहरणमनयैवार्यया दर्शितम्। यथा नायकस्य प्रकृष्टाध्वगमनमिति पूर्ववदिति तदर्हमिति भवति पूर्वलक्षणार्होऽङ्कच्छेदोऽयमिति यावत्। अपि शब्द उदाहरणान्तरमपि सूचयति। अङ्कार्थसन्धानप्रयोजनस्य प्रवेशकस्य स्थानं वाच्यम्। विषयं चाह अङ्कान्तरानुसारीति अङ्कमध्ये भवतीति यावत्। अङ्कान्तरं पूर्वाङ्कान्तरमनुसरति तस्य पश्चाद्भवतीत्यर्थः। प्रत्यङ्कान्तं यो बिन्दुः अनुसन्धानाभिधायिवाक्यं यत्संक्षिप्तं प्रयोजनं तदधिकृत्याकरणं विस्तारमुद्दिश्येति वाच्यमुक्तं, प्रकरणे नाटके चावश्यं प्रवेशकस्तस्यावश्यमुत्तमकृनिविषये उपदेशाय प्रवृत्तोऽपरिमितेनोपायेन भूयस्तरावान्तरकार्ये प्रत्युत्पत्तिबहूनां चामात्यादीनामपि स्वकार्यनिरूपणाय प्रवेशकः, अन्यत्र रूपके परिमितकार्योपदेशात् न तथा प्रवेशकोपयोग इति वितनिष्यामः ॥३२॥

अथ विष्कम्भकाद्भेदमस्य दर्शयन् प्रवेशकशब्दोऽतिविशेषशब्दवाच्यपि भवतीति दर्शयति नोत्तममध्यमपुरुषैरिति। उत्तमादयोऽपि भवन्ति परिजनास्तन्नि-

---

१. KSS. कुर्यात् नामकृतं।
२. KSS. विषये प्रवेशको भवति काव्येषु।

नोत्तममध्यमपुरुषैराचरितो नाप्युदात्तवचनकृतः ।
प्राकृतभाषाचारः प्रयोगमाश्रित्य कर्तव्यः[1] ॥३४॥

[2]कालोत्थानगतिरसो व्याख्यासंरम्भकार्यविषयाणाम् ।
अर्थाभिधानयुक्तः[3] प्रवेशकः स्यादनेकार्थः ॥३५॥

वृत्त्यर्थमेतत् । उदात्तं संस्कृतवचनं तस्य निषेधः । अन्ये त्वाहुः—उदात्तं स्वात्मकार्यविश्रान्तं वचनं निषिध्यते, "आणत्तंमि भट्टिदारि आए" इत्यादिना हि स्वकृत्यं प्रधानोपयोग्येव दृश्यते, न स्वतन्त्र । तत्र प्राकृती भाषा आचारश्च व्यवहारः प्राकृत एव । प्रयोगमाश्रित्येति क्वचित्तु प्रयोगवशात्संस्कृतभाषाचारो विष्कम्भकेऽपि कर्तव्य इति दर्शयति ॥३४॥

संक्षेपार्थमधिकृत्येति यदुक्तं तदेव विभजति कालोत्थानगतिरसाविति । कालोदयस्य गतिरवगमो यतः कालोदयसूचकः कश्चित् प्रवेशकः । यथा—"अज्ज वसन्दमहूसवे सबहुमाणमाहूय" इत्यादि (रत्नाः १) । अर्थाभिधानेति प्रत्येकं संबध्यते, तेन व्याख्यादीनां विषयान्तानां चतुर्णां योऽर्थस्तदभिधाने युक्तस्तदुद्देशेन-प्रवृत्त इति पञ्चप्रकारः प्रवेशकः इति यावत् । व्याख्यायत इति व्याख्या । तथाहि—केनचित्प्रवेशकेन गूढो व्याख्यायत इत्यर्थः । यथा तापसवत्सराजे अमात्य प्रणिधिः "मामिज्जई असवासएहि हालाहलस्स पमादसंकिदा (भ्राम्यते पार्श्वकैः प्रमादशङ्कितैः ।)" तापस-अ-४ (इत्यादि), अनेन हि नातिव्यवधानोक्तं पद्मावतीगृहे च यद्वासवदत्तास्थापनं तस्य गूढं प्रयोजनं व्याख्यातम् । संरम्भः कार्यनिशेष विषयः अभिप्रायस्तस्यार्थं उपायान्वेषणादि तदभिधानयुक्तः प्रवेशको, यथा नृत्तपा(वा)रे गति······उपस्थितमिदं तत्प्रयोजन" मित्यादि । अनेन वासवदत्तामपहृत्योज्जीयनीं निनीषोर्वत्सराजस्य प्रयोजकत्वं प्राप्तानाममात्यानां संरम्भः शालङ्कायनेनोक्तः ।

कार्यं तु यदाधिकारिकमित्यादि (१९-३), तस्यार्थः पञ्चाङ्गस्यानुष्ठानम् । तद्यथा—कर्मणामारम्भोपायः, पुरुषद्रव्यसंपद्, देशकालविभागः, विनिपातप्रतीकारः, कार्यसिद्धिरिति । तथाभूताभिधानयुक्तश्च प्रवेशको बाहुल्येन तापसवत्सराजप्रतिभा-चाणक्यमुद्राराक्षसादिषु । विषयस्तु भाविनोऽङ्कावतारस्येतिवृत्तं तस्यार्थो, विशेषरूपः, तदभिधानेन युक्तः प्रवेशको यथा नागानन्दे द्वितीयेऽङ्के चेटिकाद्वयेन मदनावस्थेतिवृत्तस्य विशेषवर्णनं चन्दनलतागृहादि दर्शितम् । अन्यान्यपि प्रवेशकस्य प्रयोजनानि सन्ति । न त्वेतत्परिगणनमित्याह—अनेकार्थं इति ॥३५॥

---

१. NS. प्रवेशकां नाम विज्ञेयः ।
२. KSS. कालार्थान्तरसङ्गव्यत्यासारम्भः······।
३. NS. पूर्वः ।

[1]बह्वाश्रयमपि [2]कार्यं प्रवेशकैः संक्षिपेच्च सन्धिषु वा ।
बहुचूर्णपदैर्युक्तं जनयति खेदं प्रयोगस्य ॥३६॥
यत्रार्थस्य समाप्तिर्न [3]भवत्यङ्के प्रयोगबाहुल्यात् ।
[4]वृत्तान्तस्वल्पकथैः प्रवेशकैः सोऽभिधातव्यः[5] ॥३७॥

नन्वेवंभूतोऽर्थो यः प्रवेशके प्रदर्श्यते समासेन विस्तरेण वेत्याशंक्याह बह्वाश्रयमपीति । सन्धि चिकीर्षव इति अङ्कार्थसन्निवेशनिमित्तं ये प्रवेशकाः पञ्चाप्युक्ताः चूलिकादयस्तैर्वाङ्काश्रयं बहुवक्तव्यं विततमपि कार्यं संक्षिपेत् यावत्सन्धानोपयोगि तावत्तत्र ब्रूयात् । यतो, बहुभिर्गद्यगतैरसमस्तैः पदैरसंस्कृतप्रायैः खेदो भवति । अनेन प्रवेशकादौ उत्कलिकाप्रायं बहुतरसमाससङ्कीर्णमभिनयशाखाङ्गत्रोटनकारित्वात् समाससंशयेनार्थानिश्चायकत्वाच्च न कर्तव्यमित्यपि दर्शयति ।

दिवसावसानकार्यं यद्यङ्के नोपपद्यते सर्वम् ।
अङ्कच्छेदं कृत्वा प्रवेशकैस्तद्विधातव्यम् ॥१८-२६॥

इति यदुक्तं तत्रानुपपत्तिर्बहुप्रकारा भवतीति दर्शयितुमाह-यत्रार्थस्य समाप्तिरिति । यत्प्रत्यक्षप्रयोज्यमपि प्रयोगवशादङ्केऽसमाप्तं भवति तत्प्रवेशकेन कर्तव्यम्, बहुतरत्वं प्रयोगस्य बहुमानास्पदत्वम् ॥३६॥

तदयमत्रार्थः—यत्र दिवसकार्याण्यनेकानि तत्र तन्मध्ये यत्सुन्दरप्रयोगकमुपदेशोपयोगि च तत्प्रत्यक्षेण दर्शनीयम् । अन्यत्सर्वं प्रवेशकेन वृत्तान्तार्था तदवशिष्टेनेति वृत्तनिर्वाहफला अल्पा संक्षिप्ता कथा यस्य प्रवेशकस्य ॥३७॥ एवं प्रत्यक्षप्रयोज्यप्रवेशकोपयोगो दर्शितः, अन्यत्रापि दर्शयति युद्धं राज्यभ्रंश इत्यादि । युद्धे शस्त्रसंपातस्य बाहुल्यं, राज्यभ्रंशेऽपि पतनमरणादेः, नगरोपरोधे बलस्य यन्त्रसुरङ्गादिदानस्य । इह केचिदाहुः मरणं द्विविधम् । किञ्चिदन्यसंबन्धिन्या क्रियया संपाद्यं यथा चक्रेण दैत्यस्य शिरश्छेदं, किञ्चिदन्यसंबन्धिक्रियानैरपेक्ष्येणैव व्याध्यभिघातादिप्रभवम् । तत्राद्यस्यैव निषेधः क्रियते । एतदर्थमेव कृतग्रहणं तद्ध्यन्यक्रियावाचकम्; न च तद्युद्धेन संगृहीतम् । अयुद्धे पूर्वस्याप्यशङ्कितशिरश्छेदस्य दर्शितत्वादिति । त एवं प्रष्टव्याः—इदं मरणं प्रयोज्यमिदमप्रयोज्यमिति न तावदत्र विषयविभागे निदानमुत्पश्यामः । मृतस्य कथं निष्क्रमणं कथं वावस्थानं, ततो नाट्योपयोगिसमस्तध्रुवा–

---

१. इतः पूर्वमष्टचत्वारिंशच्छ्लोकाः काशीमुद्रितपुस्तके क्वचित् त्रुटिता सन्ति ।
२. KSS. मप्यर्थं······।
३. KSS. भवेदङ्के ।
४. KSS. बहुवृत्तान्तोऽल्पकथैः प्रवेशकैः संविधातव्यः ।
५. इत्यनन्तरं श्लोकत्रयी काशी० पुस्तके अधिका ।

[1][युद्धं राज्यभ्रंशो मरणं नगरोपरोधनं चैव।
प्रत्यक्षाणि तु नाङ्के प्रवेशकैः संविधेयानि ॥३८॥

अङ्के प्रवेशके च प्रकरणमाश्रित्य नाटके वापि।
न वधः कर्तव्यः स्याद्योऽभ्युदयी नायकः ख्यातः ॥३९॥

गानादिप्रक्रियाविलोपः सामाजिकानां विरसताप्रतिपत्तिरिति तु सर्वत्र मरणं समानं तस्माद्रङ्गे मरणमप्रयोज्यमेव। ननु मरणानुभाववर्णनेनेदानीं किं कृत्यं, युद्धवीररौद्रादावप्येतदनुभाववर्णने किं प्रयोजनं तदनुभावापरिज्ञाने प्रवेशकैरपि कथं वर्णनं स्यादिति चेन्मरणेऽपि समः समाधिः।

किञ्च यत्र प्रत्यापत्तिशून्यं मरणं तत्प्रक्रियाविलोपकत्वान्न प्रयोज्यम्। यत्तु क्वचित्तत्प्रत्यापत्तिः यथा जीमूतवाहनस्य तदेव क्षणमात्रानिश्चितचेष्टात्मकं प्रयोज्यमेवेति सोऽपि मरणानुभावसाक्षात्करणस्य विषयः। यद्वाहिनीनामपि साटोपपरिक्रमणं शस्त्रवर्णनादिप्रारम्भरूपमदः प्रयोज्यमपि तु तन्निर्वाहो न प्रदर्शनीयः। एतदेव कारणे स्फुटीकृतं युद्धमेव यन्निर्वाहपर्यन्तं यावन्मरणमेव यदचिरप्रत्यापत्तिर्न भवति तन्न प्रत्यक्षेण प्रयोज्यं, प्रवेशकैरिति उपक्षेपपञ्चकमध्यादन्यतमेनोपक्षेपेणेत्यर्थः। अन्ये त्वाहुः—व्याधिजमभिघातजं च मरणं रङ्गे प्रयोज्यं, अपुनर्जनिनिष्क्रान्तिरहितप्रकृतिर्विधेयेति ॥३८॥

अथ सर्वथा यद्विषयं मरणं नाख्येयं, तद्दर्शयति अङ्के प्रवेशके चेति। प्रकरणे नाटके वा नायकस्य प्रत्यक्षेण वा वर्णनया वा न मरणं वर्णनीयम्। अङ्क इति प्रत्यक्षेण, प्रवेशक इति वर्णनया।

ननु प्रत्यक्षेण ये न कस्यचिन्मरणं प्रयोज्यमिच्छन्ति तन्मते अङ्कग्रहणं किमर्थं, तत्राहुः वधशब्देन (न) मरणमुच्यते, अपि तु परकृतघातदानादि तत्रान्यघातदानाद्यपि प्रत्यक्षेण रङ्गे प्रदर्श्यते। अचिरप्रत्यापत्तौ समाश्वासे यस्तु नायकस्तस्य ख्यातस्य न घातदानादि प्रदर्शनीयम्। अन्ये तु ख्यातं नायकं पताकानायकादिकमिच्छन्ति ।३९॥

अपसरणमिति पलायनम् यथोक्तं—अशक्ये सर्वमुत्सृज्यापगच्छेत् अदृष्टा हि जीवतः पुनरावृत्तिः इति। ग्रहणं वा कार्यं सनिबन्धनबन्धनमिति। यथा वासवदत्तानृत्तधारे (पारे?) वत्सराजस्य। सन्धिरेवेति सन्धानं, यदुक्तम्—

प्रवृत्तचक्रेणाक्रान्तो राज्ञः बलवताऽबलः।
सन्धिनोपनमेत्...........। (अर्थशास्त्रे ७-३ अध्या)

---

१. KSS., NS. omit these.

अपसरणमेव कार्यं ग्रहणं वा सन्धिरेव वा योज्यः ।
काव्यश्लेषैर्बहुभिर्यथारसं नाट्यतत्त्वज्ञैः] ॥४०॥

न महाजनपरिवारं कर्तव्यं नाटकं प्रकरणं वा ।
[1]ये तत्र कार्यपुरुषाश्चत्वारः पञ्च वा ते स्युः ॥४१॥

कार्यं गोपुच्छाग्रं कर्तव्यं काव्यबन्धमासाद्य ।
ये चोदात्ता भावास्ते सर्वे पृष्ठतः कार्याः ॥४२॥

अपसरणबन्धनसन्धीनां विषयविभागसूचनायाह । प्रधानरसानुसारेण यत्काव्यं यत्काव्यार्थस्तस्य श्लेषा बन्धनाद्युपपत्तयः तैरुपलक्षितमपसरणादिकार्यमिति यावत् । कार्यविशेषैरिति केषांचित्पाठः ॥४०॥

अथ यद्यदप्रयोज्यं प्रत्यक्षेण तस्य सामान्यद्वारकं संग्रहं दर्शयितुमाह—**न महाजनपरिवार**मिति । महाजनः संख्यया तेन परिवारः परिवारणं यत्र यत्र वस्तुनि तन्नाटकमिति तद्युक्तं तत् प्रकरणम् । वाग्रहणादन्यदपि न कार्यम् । एतदुक्तं भवति—बहुतरपुरुषसाध्यं यत्किञ्चित्तद्यथा समुद्रे सेतुबन्धनमित्यादि तत्सर्वं प्रत्यक्षेण न प्रदर्शनीयम् तथा महतो जनस्य पितापुत्रश्वश्रूस्नुषागुरुशिष्यादेः परितो वरणं व्रीडातङ्कादियोगेन यत्र जायते वैरस्यं वा महाजनस्य सभ्यस्य च यत्र परिवरणं चित्तसंकोचः तत्सर्वं परिचुम्बनाद्यपि न प्रत्यक्षं प्रयोज्यम् । यदि च प्रत्यक्षप्रयोज्यं तत्र पञ्च कार्यपुरुषाः यदि चत्वारः प्रकरीपतकादिरूपा तेषां च परिवारस्वभावास्तावन्त एवेति । यदि प्रकर्षस्तदा दशाष्टौ वा रङ्गे प्रविष्टा भवन्ति । ततोऽधिकेषु त्वभिनयचतुष्टयं सम्यगविभावनीय स्यात्, देवयात्रापरिदृश्यमानजनसमाजवत् ॥४१॥

एवमङ्के प्रवेशकस्वरूपं विततयाभिहितम्, अधुना तत्समुदायस्य नाटकस्य यादृग्रूपं तद्दर्शयति **कार्यं गोपुच्छाग्र**मिति । **क्रमसूक्ष्माङ्ग**मिति केचित् । अन्ये तु यथा गोपुच्छे केचिद्वालाः ह्रस्वाः केचिद्दीर्घाः एवं कानिचित्कार्याणि मुखसन्धौ परिसमाप्तानि कानिचित् प्रतिमुखपर्यन्तानि कानिचिदवमर्शावसानानि पराणि निर्वहणपर्यवसायीनि, तद्यथा रत्नावल्यां प्रमोदोत्सवो मुखसन्धावेव निष्ठित इत्यादि यावत् बाभ्रव्यवृत्तान्तो मुखोपक्षिप्तो निर्वहणनिष्ठां प्राप्तः । साररूपाश्च पदार्थाः पर्यन्ते कर्तव्याः ॥४२॥

अत्र हेतुमाह **सर्वेषां काव्याना**मिति । नाटकादीनां निर्वहणेऽद्भुतरसः कर्तव्यः । एवं हि तानि काव्यानि रसभावानां युक्त्या परस्परसंबद्धानि युक्तानि भवन्ति नान्यथा एकवाक्यतां च विना कः प्रबन्धार्थः । तथा च शृङ्गारवीररौद्रैः स्त्रीरत्नपृथिवीलाभशत्रुक्षयाः करुणादिभिस्तन्निवृत्तिरितीर्थता क्रमेण लोकोत्तरसंभा-

---

१. NS., येनात्र KSS. ये तत्र कार्याः ।

सर्वेषां काव्यानां नानारसभावयुक्तियुक्तानाम् ।
निर्वहणे कर्तव्यो नित्यं हि रसोऽद्भुतस्तज्ज्ञैः ॥४३॥

नाटकलक्षणमेतन्मया समासेन कीर्तितं विधिवत् ।
प्रकरणमतः परमहं लक्षणयुक्त्या प्रवक्ष्यामि ॥४४॥

यत्र कविरात्मशक्त्या[1] वस्तु शरीरं च [2]नायकं चैव ।
औत्पत्तिकं प्रकुरुते प्रकरणमिति तद् बुधैर्ज्ञेयम्[3] ॥४५॥

[4]यदनार्षमथाहार्यं काव्यं प्रकरोत्यभूतगुणयुक्तम् ।
उत्पन्नबीजवस्तु प्रकरणमिति तदपि विज्ञेयम् ॥४६॥

व्यमनोरथप्राप्तौ भवतिव्यमद्भुतेन। असाधारणलाभो हि यदि फलत्वेन कल्प्यतेऽवश्यं क्रियायाः किञ्चिदस्त्येव फलमात्रमिति किं तत्रोपायव्युत्पादनायत्तेनेत्यद्भुतावसानत्वमकार्यम्, केन व्युत्पाद्यजनस्यैवं बुद्धिर्जायते—अहो दुष्करमप्युपायक्रमेण सिद्ध्यति" इति, "उपायेन वर्तितव्यं" इति ॥४३॥

पूर्वोक्तमुपसंहरति वक्तव्यान्तरं **नाटकलक्षणमेत**दित्यादि। क्वचिल्लक्ष्यं प्रसिद्धम्, इह तु लक्षणबलेन तस्यैव यत्नप्रसाध्यत्वमिति दर्शयति। लक्षणयुक्त्या लक्षणद्वारेण युक्तिस्तया हृदयानुप्रवेशनया हेतुभूतया संपाद्ययेत्यर्थः ॥४४॥ तत्र प्रकरणस्य सभेदस्य सलक्षणं नामनिर्वचनं चाह **यत्र कविरात्मशक्त्येति**। वस्त्विति साध्यं फलं, शरीरमिति तदुपायं वस्त्वादिकं काव्याभिधेयमात्मशक्त्या प्रकुरुते यत्काव्येन तत्प्रकरणमिति बुधैर्ज्ञेयमिति संबन्धः ॥४५॥ यत्र समुत्पाद्यं न भवति तत्र योऽनुत्पाद्योंऽशः न कुत्रस्थो ग्राह्य इति दर्शयितुमाह यदनार्षमित्यादि। अनार्षमिति पुराणादिव्यतिरिक्तबृहत्कथाद्युपनिबद्धं मूलदेवचरितादि। आहार्यमिति पूर्वकाव-काव्याद्वाहरणीयं समुद्रदत्तचेष्टितादि।

ननु च तत्रांशे कविकृतत्वाभावात्कथं **प्रकरण**वाचोयुक्तिरित्याह उत्पन्ने पूर्वसिद्धे बीजं वस्तु च यत्र तादृशमपि तत्, यदिति वस्तुभूतैः बृहत्कथादौ काव्यान्तरे वा प्रसिद्धैर्गुणैर्युक्तं प्रकरोति तदिति तस्माद्धेतोरेतदपि प्रकरणम्। तेन बृहत्कथादिसिद्धस्य मूलदेवादेरधिकावापं कविशक्तिर्यदा विधत्ते तदा प्रकरणम्। एवं पूर्वकविसमुत्प्रेक्षितसमुद्रदत्तचेष्टितादिवर्णनेऽपि अधिकावापं विदधत्कविः प्रकरणं कुर्यादिति तात्पर्यम् ॥४६॥ नन्वस्येति वृत्तस्य कथं योजनेत्याशंक्य पूर्वोक्तमेवातिदेशद्वारेण

---

१. KSS., NS. बुद्ध्या ।
२. KSS., NS. नाटकं ।
३. KSS. प्रकरणमेतद् बुधैर्ज्ञेयम् ।
४. NS., यदनर्थमपाहार्यं काव्यं कुरुते प्रभूतगुणयुक्तम् । KSS. यदनायकहार्यकार्यं प्रकरोत्यद्भुतगुणयुक्तम् ।

यन्नाटके मयोक्तं वस्तु शरीरं च वृत्तिभेदाश्च ।
तत्प्रकरणेऽपि [1]योज्यं सलक्षणं सर्वसन्धिषु तु ॥४७॥
विप्रवणिक्सचिवानां पुरोहितामात्यसार्थवाहानाम् ।
चरितं [2]यन्नैकविधं ज्ञेयं तत्प्रकरणं नाम ॥४८॥
नोदात्तनायककृतं न दिव्यचरितं न राजसम्भोगम्[3] ।
बाह्यजनसंप्रयुक्तं [4]तज्ज्ञेयं प्रकरणं तज्ज्ञैः ॥४९॥

स्मारयितुमाह **यन्नाटके मयोक्त**मिति । नानाविभूतियुक्तमृद्धिविलासादिभिरित्यादिनायकफलवत्वमुक्तं तत्, वस्तुशरीरमिति "अङ्कप्रवेशकाढ्य" "वृत्तिभेदाश्चेति" "नानारसभावचेष्टितैर्बहुधा । सुखदुःखोत्पत्तिकृत" मिति, सलक्षणमित्यङ्कप्रवेशकयोर्लक्षणयुक्तमिति ॥४७॥

केचित्तु शरीरग्रहणेन गतार्थं तस्माल्लक्षणमित्यङ्कपरिमाणमङ्कान्तरसन्धानहेतुषु च प्रवेशकेषु यत्प्रयोज्यमुक्तं 'दिवसावसानकार्यं यद्यङ्के नोपपद्येत' । यद्यङ्केनोपपद्येत इत्यादि तत्सर्वं प्रकरणेऽपि योज्यम् इति । अतिदेशायातमतिप्रसङ्गं वारयत्यार्याद्वयेन **विप्रवणिगित्या**दिना । सचिवो मन्त्री, अमात्योऽधिकृतः सार्थवाहस्ताव-स्पण्यानामाहर्ता तद्देशक्रयविक्रयकृतो वणिजोऽन्य एव । नैकविधमित्यनेकरसयुक्त-मित्यर्थः । 'नैकरसान्तरविहित' इति तदतिदेशमात्रमिति सूचितम् ॥४८॥ प्रख्यातोदात्तेति प्रसक्तं निषेधति **नोदात्तेति** । तन्निषेधे चार्थान्नाटके वैपरीत्यमायातम् । नाटके च देवो नायकत्वेन निषिद्ध इति प्रकरणे कर्तव्यत्वेनापाद्यत इत्याह **न दिव्यचरित**मिति । तथा न दिव्याश्रयमिति यदनादेशाद् देवानां प्रयोज्यत्वं प्रसक्तं तदप्यनेन निषिद्धम् । नाटके देवानामिवेहापि राज्ञः प्रवेशे शङ्कमाने निराकरोति **न राजसंभोग**मिति । यदि वा औत्पत्तिकत्वेऽपि न राजोचितसंभोगोत्प्रेक्षा विप्रादिषु करणीयेत्यनेन शिक्षयति, अतएव राजनियमः । उचितोऽन्तःपुरजनः कञ्चकिप्रभृतिः तद्व्यतिरिक्तो बाह्यजनोऽत्र चेटदासादिः प्रवेशकादौ कार्य इत्यर्थः ॥४९॥

एतदेव दर्शयति **दासविटश्रेष्ठियुत**मिति कञ्चुकिस्थाने दासः विदूषकस्थाने विटः अमात्यस्थाने श्रेष्ठीत्यर्थः । वेश्यावाटो वेश, तत्र या स्त्री तस्याः य उपचारो वैशिक (अ—२३) वक्ष्यते सकारणं यस्य शृङ्गारस्य तेनोपेतं, कुलस्त्रीविषयं चेष्टितं मन्दं यत्रेति । उपाध्यायास्तु मन्दकुलानां स्त्रीणां चरितं यत्रेत्याहुः, तेन कुलाङ्गनापि तत्र मन्दकुलैवेति दर्शितं भवति । एतदेवाभिमन्यमानेन पुष्पदूषितकेऽशोकदत्तादि-

---

१. NS. कार्यं केवलमुत्पाद्यवस्तु स्यात् ।
२. KSS. यदनेकविधं तज्ज्ञेयं प्रकरणं नाम ।
३. NS. सम्भोगः ।
४. KSS. विज्ञेयं NS. ज्ञेयं तत्प्रकरणं नाम ।

दासविटश्रेष्ठियुतं वेशस्त्र्युपचारकारणोपेतम् ।
मन्दकुलस्त्रीचरितं काव्यं कार्यं प्रकरणे तु[1] ॥५०॥

सचिवश्रेष्ठिब्राह्मणपुरोहितामात्यसार्थवाहानाम् ।
गृहवार्ता यत्र भवेन्न तत्र वेश्याङ्गना कार्या ॥५१॥

यदि वेशयुवतियुक्तं न [2]कुलस्त्रीसङ्गमोऽपि स्यात् ।
अथ कुलजनप्रयुक्तं न वेशयुवतिर्भवेत्तत्र ॥५२॥

शब्दाकर्णनेन समुद्रदत्तस्य शङ्केवोपनिबद्धा सा न दोषाय निर्वहणान्तोपयोगिनी हि नन्दयन्तीनिर्वासनं तस्याश्च गृहान्तरावस्था। इदमेव मुखसन्धौ मूलं परपुरुषसंभावनामूलत्वात् एवमनभ्युपगमे तु श्वशुरेण वध्वा असन्निहिते पुत्रे निर्वासनं शबरसेनापतिगृहेऽवस्थानमित्युत्तमप्रकृतीनामनुपपन्नमेव। तस्मात् स्ववर्गापेक्षयेदमुत्तमत्वमद्यतने राजोचितानामुत्तमप्रकृतीनां वणिङ्मात्रे समारोप्य तद्दूषणं यत्कृतं न तेन ब्रह्मयशः स्वामियशः खण्डितं अपि तु स्वयश एव। ये हि मिथ्यायशो मिथ्याकलङ्कयितुमुद्यतास्तेषां स्वयश एवेति यशोमात्रावशेषता न हि नायकशब्दमात्रादेव दुर्योधनवदेव शङ्काद्यनुचितम्। प्रकरणे हि तादृश एव नायकः केवलमन्यवणिगपेक्षया स उत्तमोऽस्तु, व्युत्पाद्यश्च तत्रैवंविध एवेत्यलमवान्तरेण।

अथास्य सप्तविधस्यापि प्रकरणस्य प्रत्येकं भेदत्रयं दर्शयितुमार्यात्रयं पठति **सचिवेत्यादि**। सचिवादीनां सम्बन्धिनी यत्र गार्हस्थ्योचिता वार्ता पुरुषार्थसाधकमितिवृत्तं न तत्र वेश्याङ्गना नायिकात्वेन निबन्धनीया, विटादीनां तु नायकत्वेन कृता या गार्हस्थ्यचिन्ता सापि निबन्धनीयेत्युक्तं भवति। यदि गृहस्थचिन्तावर्णनं न भवति श्रेष्ठिसार्थवाहादीनां च विप्रादिवदविरुद्धो वेश्यायोग इति सापि प्रदर्शनीयेति लब्धमर्थात्। तत्र न तु कुलस्त्रीसंगमः कर्तव्यः। तदाह यदि वेशयुवतीति। अथ कुलजनप्रयुक्तमिति। एवं श्रेष्ठिसचिवादिविषयं शुद्धं भेदद्वयमुक्तं, विटादिविषयस्तु सङ्कीर्ण एव वेश्याकुलजाभ्यां भवति।

तदाह **यदि वा कारणयुक्तयेति**। विटे वेशस्त्री प्रधानत्वात् पूर्वमुक्ता कुलस्त्री तु तत्रापि पितृपितामहाद्यनुरोधादिति कारणशब्देनोक्तम्। अविकृता भाषा कुलस्त्रियाः शौरसेनी, वेश्यायाः संस्कृता, आचारः कुलस्त्रियां विनयप्रधानः, अन्यस्यां तद्विपरीतः। तथा च **देवीचन्द्रगुप्ते** माधवसेनामुद्दिश्य चन्द्रगुप्तस्योक्तिः—

आनन्दाश्रु सितेतरोत्पलरुचोराबध्नता नेत्रयोः
प्रत्यङ्गेषु वरानने पुलकिषु स्वेदं समातन्वता।

---

१. KSS., NS. प्रयोगे तु।

२. KSS,. कुलस्त्रीसंगमो भवेत्तत्र। NS. कुलस्त्रीसङ्गमर्हति ततः।

यदि वा कारणयुक्त्या [1]वेशकुलस्त्रीकृतोपचारः स्यात् ।
अविकृतभाषाचारं तत्र तु पाठ्यं प्रयोक्तव्यम् ॥५३॥
मध्यमपुरुषैर्नित्यं योज्यो विष्कम्भकोऽत्र तत्त्वज्ञैः[2] ।
संस्कृतवचनानुगतः संक्षेपार्थः प्रवेशकवत् ॥५४॥

शुद्धः संकीर्णो वा द्विविधो विष्कम्भकोऽपि कर्तव्यः ।
[3]मध्यमपात्रः शुद्धः संकीर्णो नीचमध्यकृतः] ॥५५॥

अङ्कान्तरालविहितः [4]प्रवेशकोऽर्थक्रियां समभिवीक्ष्य ।
[5]संक्षेपात्सन्धीनामर्थानां चैव कर्तव्यः ॥५६॥

कुर्वाणेन नितम्बयोरुपचयं संपूर्णयोरप्यसौ
केनाप्यस्पृशताप्यधोनिवसनग्रन्थिस्तवोच्छ्वासितः ॥इति॥

अत्र हि व्युत्पाद्यस्तथाविध एव तादृश एव च वृत्तान्तोऽङ्के एवमेतत् ॥५३॥ एकविंशतिः प्रकरणे भेदाः। प्रकरणे नायकापेक्षया प्रायशः उपयोगिनोऽपि मध्यमा एव संभवन्तीति तत्र विष्कम्भकं लक्षयति मध्यमपुरुषैरिति। विष्कम्भयत्युपस्तम्भयतीति विष्कम्भकः। संस्कृतेन वचनेनानुगतं च सङ्कीर्णोऽप्यस्त्येवेति प्रवेशकेन वार्थक्रियाकर्तव्यतामेव कर्तव्यत्वेनाभिसन्धाय विष्कम्भकः कार्यः ॥५४॥ तामेवार्थक्रियां स्पष्टयति संक्षेपात्सन्धीनामर्थानां चेति। सन्धीनां यः संक्षेपो युद्धराज्यभ्रन्शादीनां चार्थानां यः संक्षेपस्तमभिसन्धाय अङ्कस्याङ्कयोर्वान्तराले मध्ये विष्कम्भको योज्यः ॥५६॥

ननु कोहलेन मुखसन्धेरङ्कस्य चायमन्तराले विहितः।

"मध्यमपुरुषनियोज्यो नाटकमुखसन्धिमात्रसञ्चारः।
विष्कंभको हि कार्यो नाटकयोगे प्रवेशकवत्।" इति।

तत्कथमुक्तमङ्कान्तरानुसारीति, उपलक्षणार्थमेतदित्यदोषः। तथाहि वीजं विन्दुश्च प्रथममुपक्षिप्येते, तत्र च पृथग्जनस्यालब्धनिवेशत्वात् सचिवादिगोचरत्वाच्च तदुपक्षेपे विष्कम्भकस्यैवावसर इति यदुच्यते तदङ्कान्तरेष्वपि मन्त्रगुप्ततायां तुल्यमिति तत्राप्यनिवारितो विष्कम्भकप्रवेशः। पृथग्जनोऽपि वा यत्र मन्त्रचिन्तायामनुप्रवेश्यते तत्र प्रवेशकोऽपि प्रथमोपक्षेपे न योग्य इति युक्तम्। सामान्येनाङ्कान्त-

१. KSS. वेशकुलस्त्रीसंगमो न स्यात्।
२. NS. अपि विज्ञेयः।
३. NS. मध्यमपात्रैः।
४. NS., प्रवेशकार्थक्रिया KSS. प्रवेशिकार्थंक्रियामभिवीक्ष्य।
५. KSS. संक्षेपार्थः सन्धिष्वर्थानां संविधातव्यः।

अनयोश्च बन्धयोगादन्यो भेदः[1] प्रयोक्तृभिः कार्यः ।
[2]प्रख्यातस्त्वितरो वा [3]नाटकयोगे प्रकरणे वा ॥५७॥

रानुसारीति अङ्कस्य मध्य इत्यनेन प्रस्तावनाङ्कमध्यवर्तिताप्युक्तैव । प्रवेशक-विष्कम्भकविषये लिङ्गवचनयोरतन्त्रत्वात् स्त्रीणामप्यनुप्रवेशः संख्याधिक्यं च ।

एवं सकलपुरुषार्थविषया व्युत्पत्तिः नाटकेन प्रधानस्य राजप्रायस्य क्रियते, प्रकरणेन च मध्यमप्रायस्य, अपूर्वकुतुहलवतस्तत्रापि चैकविंशकस्याभिधानात् चित्र-व्युत्पत्तिः । तत्र रूपकलक्षणस्य संकीर्णतया बहवो भेदाः सन्तीत्युक्तं सामान्यलक्षणे । तत्र प्रधानभूतयोः सर्वरूपकप्रसरणकारिणोः नाटकप्रकरणयोर्लक्षणसाङ्कर्ये दर्शिते सर्वरूपकाणां दर्शनं तद्भवतीत्यभिप्रायेण तदेव दर्शनीयम् । उद्देशक्रमानुसारेण तु तल्लक्षणविस्तरणं पुनस्तल्लक्षणपरामर्शे च गौरवमित्यभिप्रायेणार्यात्रयं पठति प्रकरण-नाटकभेदादित्यादि । प्रकरणनाटकाभ्यां भेदात् लक्षणान्यत्वान्नाटिका ज्ञेयेतिदूरेण संबन्धः । उत्पाद्यं वस्तु चरितं च नायकं च नृपतिमन्तःपुरकन्यां सङ्गीतशालाकन्यां वाधिकृत्य प्राप्यत्वेन अभिसन्धाय कर्तव्या । स्त्रियः प्रायेण बाहुल्येन यत्र । चत्वा-रोऽङ्काः यस्याः कस्याश्चिदवस्थायकः सरसोऽवस्थासमे विपः कार्य इति यावत् । ललिताभिनयात्मिकेति कैशिकीयं बद्धेत्यर्थः । सुष्ठु पूर्णतया विहितानि चत्वार्यपि कैशिक्यङ्गानि यत्र । "अङ्गगात्रकण्ठेभ्य" इत्यत्र स्वाङ्गविशेषणभावात् वाङ्गेषु प्रयोगः । एतदपि न मुनित्रयमतमित्यनादृत्यमिति त्वन्ये । रतिपुरस्सरः संभोगो राज्यप्राप्त्या-दिलक्षण आत्मा प्रधानभूतं फलं यस्याम् । अत एवाह राजगतैरुपचारैः व्यवहारै-र्युक्ता, अन्यां चेदुद्दिश्य तत्र व्यवहारः, तत्पूर्वनायिकागतैः क्रोधप्रसादवञ्चनैरवश्यं भाव्यमिति दर्शयति प्रसादनेति, आर्यानुरोधात्क्रोधस्य पश्चात्पाठः ।

ननु यस्याः क्रोधो भवति सा न काचिदुक्तेत्याशंक्याह नायकेति । नायकस्य येयं देव्याद्या नायिका तथाभिलषितनायिकान्तरविषये दूतीकृतं सपरिजनं परिजन-समृद्धिर्यस्यां । एतदुभयप्रधानं सर्वं तत्रेत्यर्थः । अन्यत्सन्ध्यङ्गादि सर्वं पूर्ववदेव । तत्रैका नायिका तावद् व्याख्याता भवति । षट्पदेयं नाटिकेति संग्रहानुसारिणो भट्ट-लोल्लटाद्या । श्रीशङ्कुकस्त्वयुक्तमेतदित्यभिधायाष्टधेति व्याचष्टे तथा हि देवी कन्या चे ख्याताख्यातभेदेन चतुर्धा, कन्यात्वन्तः पुरसङ्गीतकभेदेन द्विधेति । घण्टकादय-स्त्वाहुः—नायको नृपतिरित्येतावन्मात्रं नाटकादावुपजीवितः न तु प्रख्यातत्वमपि तद्भेदद्वयादन्येऽष्टाविति षोडशभेदा इति । नायको नृपतिरिति ये प्रथमां पठन्ति

---

१. KSS. एको प्रयोक्तृभिः ज्ञेयः ।
२. KSS. प्रत्याख्यातस्त्वितरो वा ।
३. NS. नाटीसंज्ञाश्रिते काव्ये ।

[प्रकरणनाटकभेदादुत्पाद्यं वस्तु नायकं नृपतिम् ।
अन्तःपुरसङ्गीतककन्यामधिकृत्य कर्तव्या] ॥५८॥

स्त्रीप्राया चतुरङ्का ललिताभिनयात्मिका सुविहिताङ्गी[1] ।
[2]बहुनृत्तगीतपाठ्या रतिसम्भोगात्मिका चैव ॥५९॥

[3]राजोपचारयुक्ता प्रसादनक्रोधदम्भसंयुक्ता ।
नायकदेवीदूती सपरिजना नाटिका ज्ञेया ॥६०॥

[अन्तर्भावगता ह्येषा भावयोरुभयोर्यतः ।
अत एव दशैतानि रूपाणीत्युदितानि वै] ॥६१॥

तैर्यत्रेत्यध्याहृत्यैकवाक्यतायां तूभयस्य कार्यम् । अन्ये प्रथममार्यार्धं पृथगेव च वाक्यं योजयन्ति ॥५८—५९॥

प्रकरणभेदात्प्रकरणलक्षणांशात् उत्पाद्यं वस्तु नाटकलक्षणांशाच्च नृपतिर्नायकः स्थिते यत्रेत्यभिप्राये नाटिकैवंभूतेति ॥६०॥

अन्ये तु प्रकरणनाटकभेदात् नाटिका भिद्यते नाटकशब्देनाभिनेयं रूपकमात्रं तस्यां सौकुमार्यप्रदर्शनाय स्त्रीत्वेन निर्देश इति प्रकरणिकापि सार्थवाहादिनायकयोगेन कैशिकीप्रधाना लभ्यत इत्याहुः । यद्यपि च नाटिकैवमुक्ता, तथापि प्रकरणनाटक लक्षणे एव तथा स्थिते तत्रेत्यभिप्रायेण उपसंहरति प्रकरणनाटकलक्षणमिति अन्यदा-सूत्रयति वक्ष्याम्यतः परमिति ।

ननूद्देशक्रमत्यागे किं फलं; उद्देशस्तावदत्र न परिगणनार्थं इत्युक्तं, तेनास्य प्राधान्यान्नाटिकया च विच्छिन्नोऽसावुद्देशक्रमः । यथा च नाटकप्रकरणयो र्व्युत्पाद्यभूयस्त्वं तथा समवकारेऽपि तत्र त्रिवर्गोपायप्रदर्शनात् । केवलं तत्तद्देवता-भक्तानां तच्चरितपुरस्सरतया तस्य तस्योपायस्यादरणीयत्वं भवतीत्यनेनाभिप्रायेण दिव्योऽत्र नायकत्वेन निषिध्यते । तदीयं च भूयस्तरं न भूयस्तरं विततवृत्तमनु-क्रियया प्रदर्श्यते, तेन तन्मध्यपतितानां भवति निर्वेदादीनामभावे प्रयोगस्यारञ्जकत्वं नाटकगताङ्कैकदेशवत्, नाटकादौ तु भूयस्तरं चरितमनेकाङ्करञ्जकवर्गेण विना न रञ्जकमेवेति नाटकादौ दिव्यनायकनिषेध उक्तः । (नोक्त ?) तत्र हि राजप्रभृतयो वहुतरफलानुबन्धिनि महति फले संप्रयाससाध्ये व्युत्पाद्यन्ते, न तथेह किन्तु त्रिवर्गो-पायमात्रे ।

---

१. KSS. सुविहितार्था ।

२. KSS. प्रवृत्तगीतपाठ्या ।

३. KSS. कामोपचारयुक्ता प्रसाधनक्रोधसंयुताऽपि ।

प्रकरण[1]नाटकलक्षणमुक्तं विप्रा ! मया समासेन ।
वक्ष्याम्यतः परमहं [2]लक्षणं युक्त्या समवकारम् ॥६२॥

देवासुरबीजकृतः[3] प्रख्यातोदात्तनायक[4]श्चैव ।
त्र्यङ्कस्तथा त्रिकपटस्त्रिविद्रवः स्यात्त्रिशृङ्गारः ॥६३॥

द्वादशनायकबहुलो ह्यष्टादशनाडिका[5]प्रमाणश्च ।
वक्ष्याम्यस्या[6]ङ्कविधिं यावत्यो नाडिका यत्र[7] ॥६४॥

अङ्कस्तु सप्रहसनः सविद्रवः सकपटः सवीथीकः ।
द्वादशनाडीविहितः प्रथमः कार्यः क्रियोपेतः ॥६५॥

अन्यरूपकाणां तु त्रिवर्गोपायत्वं नास्ति एकाङ्कत्वात्, डिमस्तु चतुरङ्कोऽपि पश्चान्निर्दिष्ट इत्यत्र तल्लक्षणे कारणं वक्ष्यामः। तस्मात् त्रिवर्गव्युत्पादकत्वादनेकाङ्कत्वाच्च तादृशरूपकानन्तरमेवाभिधानं युक्तमित्यलं बहुना ॥६२॥

देवासुरस्य यद्बीजं फलसंपादनोपायस्तेन कृतो विरचितः। देवासुरा अपि चाप्रख्याता बृहत्कथादौ श्रूयन्ते स्वयं वा केनचिदूह्यन्त इति तन्निरासार्थं प्रख्यातपदम्। यद्यपि देवा पुरुषापेक्षयोद्धतास्तथापि स्वापेक्षया गाम्भीर्यप्रधानतयोदात्ता उच्यन्ते भगवस्त्रिपुररिपुप्रभृतयः। प्रशान्ताः ब्रह्मादयः। उद्धताः नृसिंहादयः। अत्र यत्र तावत्येव समापन्नं त्र्यङ्क इत्युक्तम्। अर्थत्रयं च कपटविद्रवशृङ्गाराः प्रत्येकं त्रिविधास्तत्र प्रत्यङ्कम् विद्रवादयस्त्रयस्तथाहि कपट उपायांशे विद्रवो व्यापत्तिसंभावनांशे शृङ्गार फलांशे, एवं द्वितीयेऽङ्के तृतीये च ॥६३॥ **द्वादशनायकबहुल** इति प्रत्यङ्कमिति केचित्। अन्ये तु प्रत्यङ्कम् नायकप्रतिनायकौ तत्सहायौ चेति चतुराहुः, समुदायापेक्षया हि **द्वादशे**ति ॥६४॥ **सप्रहसन** इति वचनात् प्रथमेऽङ्के कामशृङ्गारः प्रयोज्य इत्याह तत्रैव हास्यस्यागमनात्। स्त्र (क्रि?) योपेत इति काम शृङ्गारात्मकं द्वादशघटिकामध्यसंपाद्यैः कपटविद्रव प्रहसनलक्षणैरुपायैः प्राप्ते प्रथमाङ्के निबध्नीयादिति तात्पर्यम् ॥६५॥ द्वितीये त्वङ्के घटिकाचतुष्टयगामिभिः कपटादिभिरुपायैः, तृतीये त्वङ्के सर्वं वस्तुसमाप्यते द्विघटिकान्तरसंपाद्यैरुपायैः यद्यपि प्रत्यङ्कम् वस्तु-

---

१. KSS., NS. नाटकनाटीलक्षणः···।
२. KSS., लक्षणयुक्तं NS. लक्षणयुक्त्या ।
३. KSS. कृतं ।
४. KSS. नायकं ।
५. KSS., प्रमाणं ।
६. अङ्कमिति त्रुटितं का. पुस्तके ।
७. इतोऽग्रे पद्यद्वयी ग्रन्थान्तरे अधिका ।

कार्यस्तथा द्वितीयः समाश्रितो नाडिकाश्चतस्रस्तु ।
वस्तु[1]समापनविहितो द्विनाडिकः स्यात्तृतीयस्तु ॥६६॥

[2]नाडीसंज्ञा ज्ञेया मानं कालस्य यन्मुहूर्तार्धम् ।
तन्नाडिकाप्रमाणं यथोक्तमङ्केषु संयोज्यम् ॥६७॥

या नाडिकेति संज्ञा कालविभागे क्रियाभिसंपन्ना ।
कार्या च सा प्रयत्नात्तथा क्रमेणैव शास्त्रोक्ता ॥६८॥

अङ्कोऽङ्कस्त्वन्यार्थः कर्तव्यः काव्यबन्धमासाद्य ।
अर्थं हि समवकारे ह्यप्रति[3]संबन्धमिच्छन्ति ॥६९॥

युद्धजलसंभवो वा वाय्वग्निगजेन्द्रसंभ्रमकृतो वा ।
नगरोपरोधजो वा विज्ञेयो विद्रवस्त्रिविधः ॥७०॥

परिसमाप्तिरस्ति तथापि तृतीये वस्तुसमाप्तिग्रहणेनेदमाह बीजे तावदङ्कत्रयार्थं उपक्षेप्तव्यः, तदनन्तरमङ्कद्वयेऽवान्तरवाक्यार्थसमाप्तिरन्योन्यविशिष्टैव विधेया । तृतीये त्वङ्केवान्तरवाक्यार्थः। तृतीयस्ताभ्यां प्रतिसंबद्धः। एवं महावाक्यार्थ-निर्वाहहेतुसंबद्धतैव सर्वस्य जायते । एवं हि सानुसन्धाना विततदशोऽपि त्रिवर्ग-सिद्ध्युपायव्युत्पत्त्यनुगृहीता भवति, निरनुसन्धानापि तावत्तावत् परिसमाप्त्या तावत्युपाये निजहृदयसंवादबलादिति ॥६६॥ अत एव संबद्धोऽवकीर्णश्च यत्रार्थः समवकारस्तदाह अङ्कोऽङ्क इति, तुर्व्यतिरेके अङ्कत्रयसंबन्धो भवति, न त्वङ्कोऽङ्कः परस्परमित्यर्थः। **काव्यबन्धमिति**। सर्वं वस्तु काव्यबन्धोपश्लिष्टमित्यर्थः अन्यथा हि समवकार एकं कार्यमिति केयं फणितिः ।

एतदेव निर्वचनेनाह **अर्थं हि समवकार** इति । समवकार इत्यस्मिन् शब्देऽर्थं वाच्यमप्रतिसंबन्धमिति नातिसंबद्धं किञ्चित्संबद्धं वस्त्विच्छन्ति । संशब्दबलादवशब्द-बलाच्च । प्रतिशब्देनातिशय उक्तः स निषिद्धः । त्रिविद्रव इत्युक्तं तत्त्रयं वक्तव्यमचे-तनकृतमन्यकृतमुभयकृतं वा यदनर्थात्मकं वस्तु, यतो विद्रवन्ति जनाः स विद्रव इति त्रिविधः । तत्राचेतनकृतमुदाहर्तुं जलवाय्वादिग्रहणम् । चेतनकृते गजेन्द्र उदाहरणम् । द्वयकृते नगरोपरोधस्तस्य युद्धाग्निदानादिसंपाद्यत्वात् ॥७०॥ कपटो वञ्चना तस्याश्रयणमङ्गीकरणम् । त्रिधा तत्र वञ्चना, बुद्ध्यैव कदाचित्केवलया कपटो भवति स हि वस्तुगतक्रमविहितः वस्तु फलं तत्प्राप्तौ वस्तुगतः फलसाधकः कर्ता तस्य यः क्रम उपायचिन्तनादिः तेन विहितः यत्रानपराद्ध एव वञ्चकेन वञ्च्यते स एव-

---

१. KSS. प्रमाणविहितो ।
२. KSS. ज्ञेयं तु नडिकाख्यं ।
३. KSS., NS. सन्धानं ।

वस्तुगतक्रमविहितो दैववशाद्वा परप्रयुक्तो वा ।
सुखदुःखोत्पत्तिकृतस्त्रिविधः [1]कपटोऽत्र विज्ञेयः ॥७१॥

त्रिविधश्चात्र विधिज्ञैः पृथक्पृथक्कार्ययोगविहितार्थः ।
[2]शृङ्गारः कर्तव्यो धर्मे चार्थे च कामे च ॥७२॥

[3]यस्मिन् धर्मप्रापकमात्महितं भवति साधनं बहुधा ।
[4]व्रतनियमतपोयुक्तो ज्ञेयोऽसौ धर्मशृङ्गारः ॥७३॥

अर्थस्येच्छायोगाद्बहुधा चैवार्थतोऽर्थशृङ्गारः ।
स्त्रीसंप्रयोगविषयेष्वर्थार्था वा रतिर्यत्र ॥७४॥

मुक्तः । यत्र तु वञ्चनीयोऽपि सापराधः स परयुक्तः कपटः तदपराधे तु वञ्चकस्य वञ्चनेच्छा नास्तीति नायं भेदः संभवति वञ्चनेच्छाभावे वञ्चनायाः संपत्त्ययोगात् । यत्र तु द्वयोरपि न कश्चिदभिसन्धिदोषः काकतालीयेन तुल्यफलाभिसन्धानवतोरप्येक उपचयेनापरस्त्वपचयेन युज्यते तत्र वञ्चना सा दैवकृता । न च कस्याचित्सुखमन्यस्य दुःखमुत्पादयतीति ॥७१॥

धर्मेऽर्थे काम इति सप्तम्या कार्यत्वं कारणत्वं चोच्यते । तेन धर्मो यत्र हेतुर्वा साध्यो वा नायिकालाभे स धर्मशृंगारः । एवमर्थकामयोर्वाच्यम् ॥७२॥ यत्र शृङ्गार इति तद्विषयः प्रमदा व्यपदिश्यते, व्रतादियुक्त्या प्राप्यो यत्र च प्राप्ते धर्मप्रार्थनारूपमात्महितं यज्ञादि पत्नीसंयोगकृतं सिध्यतीति संबन्धः अनेकधेति राज्यभूमिगोसुवर्णादिभेदेनेत्यर्थः । रतिबहुमानोऽर्थार्थमिति योषितां पुरुषाणां च ॥७३॥

ननु च देवेषु कथमर्थार्थित्वं गन्धर्वयक्षादिषु संभवत्येवेति केचित् । यदर्थनीयं तदर्थो देवेष्वपि चैतत्संभवतीत्यन्ते । उपाध्यायास्त्वाहुः—तत्र नायकयोरनुप्राप्तिरप्यन्यगतैव । यथा भगवतो भवानीपतेः गिरिराजपुत्रीसङ्गमनमिन्द्रादीनां तारकाक्रान्तनिजराज्यसमुन्मोचनाय भवतीति ॥७४॥ कन्यायां विलोभो नायकस्य तस्याश्च तस्मिन्निति परस्परानुरागकृत इत्यर्थः । स्त्रीपुंसयोरुद्यानस्थानादि प्राप्तौ निभृत इति प्रच्छादनपूर्वकं यदि चासावेवास्मीति प्रकटं कृत्वा यः शृंगार स कामप्रयुक्त एव । स्त्री परस्त्री पुनरत्र विवक्षिता, यथा शक्रस्याहल्या ।

---

१. KSS., NS. कपटाश्रयो ज्ञेयः ।

२. KSS, त्रिविधाकृतिशृंगारो ज्ञेयो धर्मार्थकामकृतः ।

३. NS., यत्र तु धर्मसमापक ! KSS. यत्र तु धर्मं प्रार्थिनमात्रं हितं भवति साधितं बहुधा ।

४. KSS. प्रतिनियमतपोयुक्तं ।

कन्या[1]विलोभनकृतं प्राप्तौ स्त्रीपुंसयोस्तु रम्यं वा ।
निभृतं सावेगं वा [2]यस्य भवेत्कामभृङ्गारः ॥७५॥

[3]उष्णिग्गायत्र्यादीन्यन्यानि च यानि बन्धकुटिलानि ।
[4]वृत्तानि समवकारे कविभिस्तानि[5] प्रयोज्यानि ॥७६॥

एवं कार्यस्तज्ज्ञै[6]र्नानारससंश्रयः समवकारः ।
वक्ष्याम्यतः परमहं लक्षणमीहामृगस्यापि ॥७७॥

दिव्यापुरुषाश्रयकृतो दिव्यस्त्रीकारणोपगतयुद्धः ।
सुविहितवस्तुनिबद्धो[7] विप्रत्ययकारकश्चैव ॥७८॥

नन्वेवं शृङ्गारयोगे काव्ये कैशिकीहीनता । कैशिक्यां वृत्तौ हीनतेति तत्र समासः, तेन नर्माद्यङ्गचतुष्कतदुपरञ्जकगीतनृत्यवाद्याद्यभावात् कैशिक्या हीनात्र भवति । उपाध्यायास्त्वाहुः न कामसद्भावमात्रादेव कैशिकीसंभवः, रौद्रप्रकृतीनां तदभावात् । विलासप्रधानं यद्रूपं सा कैशिकी, न च चरितम् तद्रूपानुप्रवेशेऽपि तद्व्यवहारः, प्राधान्यकृतो ह्यसावित्युक्तम् । तेन तत्र विषये भारत्यादिवृत्त्यन्तराभिधानमेव युक्तमिति ॥७५॥ उष्णिक्सप्तभिः, गायत्री षड्भिः । बन्धकुटिलानि विषमार्धसमानि तान्यत्र समवकारे सम्यग्योज्यानीति । नैव प्रयोज्यानीत्युद्भटः पठति, स्रग्धरादीन्येव प्रयोज्यानि नाल्पाक्षराणीति स व्याचष्टे । एवं श्रद्धालवो देवताभक्ताः तद्देवयात्रादावनेन प्रयोगेणानुगृह्यन्ते, निरनुसन्धानहृदयाः स्त्रीबालमूर्खाश्च विद्रवादिनाहृतहृदयाः क्रियन्ते इत्युक्तः समवकारः । ॥७६—७७॥

अथेहामृगमाह—दिव्येति । दिव्यानां पुरुषाणां आश्रयणं नायकतया तेन कृतः दिव्यस्त्रीनिमित्तमुपगतं युद्धं यत्र । दिव्यानुप्रवेशात्समवकारवत् असंबद्धार्थता मा प्रसांक्षीदित्याह सुविहितेन संश्लिष्टेन वस्तुना निबद्धः, विगतानि प्रत्ययकारणानि विश्वासहेतवो यत्र ॥७८॥ मध्ये च तत्र दिव्यानामपि प्रवेशो भवतीति दर्शयति-

---

१. KSS. विलोभनं वा प्राप्तं ।

२. KSS. जानीयात् कामशृंगारम् ।

३. NS., उष्णिग्गायत्री वा वृत्तानि । KSS. उष्णिग्गायत्री वा यानि तथान्यानि ।

४. NS. तान्यत्र ।

५. KSS., नैव NS. सम्यक् ।

६. KSS., NS. सुखदुःखसमाश्रयः ।

७. KSS., NS. निबन्धो ।

उद्धतपुरुषप्रायः स्त्रीरोषप्रथितकाव्यबन्धश्च ।
संक्षोभविद्रवकृतः संफेटकृतस्तथा चैव ॥७९॥
स्त्रीभेदनापहरणाव[1]मर्दनप्राप्तवस्तुशृङ्गारः ।
ईहामृगस्तु कार्यः [2]सुसमाहितकाव्यबन्धश्च ॥८०॥
[3]यद्व्यायोगे कार्यं ये पुरुषा वृत्तयो रसाश्चैव ।
ईहामृगेऽपि [4]ते स्युः केवलममरस्त्रिया योगः ॥८१॥
यत्र तु वधेप्सितानां वधो ह्युद्यो भवेद्धि पुरुषाणाम् ।
किञ्चिद्व्याजं कृत्वा तेषां युद्धं शमयितव्यम् ॥८२॥
ईहामृगस्य [6]लक्षणमुक्तं विप्राः ! समासयोगेन ।
[7]डिमलक्षणं तु भूयो लक्षणयुक्त्या प्रवक्ष्यामि ॥८३॥
प्रख्यातवस्तुविषयः प्रख्यातोदात्तनायकश्चैव ।
षड्रसलक्षणयुक्तश्चतुरङ्को वै डिमः कार्यः ॥८४॥

उद्धतपुरुषेति स्त्रीनिमित्तको रोषः संक्षोभ आवेगः ॥७९॥ स्त्रीनिमित्तानि यानि भेदनाहरणावमर्दनानि यथायोगं स्त्रीविषयाणि अन्यविषयाणि तैः प्राप्तं वस्त्वधिष्ठानं प्रमदालक्षणं यस्य तादृशः शृङ्गारो यस्मिन् । अवमर्दनं दण्डः । सुसमाहितः काव्यबन्ध इत्यनेन वीथ्यङ्गान्यत्र योज्यानीति दर्शयति ॥८०॥ अङ्कपरिमाणं नायकसंख्यां वृत्तिरसविभागं च व्यायोगातिदेशेनाह यद्व्यायोग इति । कार्यशब्देनाङ्क उच्यते । तेनैक एवाङ्कः नायकास्तु द्वादश समवकारातिदेशेन व्यायोगे तल्लाभात् । अत्र तु समवकारातिदेशेन सर्वसंपत्तेर्गौरवं स्यात् ॥८१॥

ननु युद्धमवमर्दनं चेत्युक्तं तत्रास्य प्रत्यक्षप्रयोज्यता मा भूदिति दर्शयति यत्र त्विति । वधेप्सितानां वाध्यानां भवेदिति संभाव्यत इत्यर्थः । तत्रेति येषामिति चार्थमाहार्यं । व्याजमिति पलायनादि ॥८२॥ ईहा चेष्टा मृगस्येव स्त्रीमात्रार्थं यत्र स ईहामृगः ॥८३॥

अथ डिममाह—प्रख्यातवस्तुविषय इति । नाटकतुल्यं सर्वमन्यत्केवलं सन्धीनां रसानां चासमग्रता च शृङ्गारहास्यवर्जं षड्रसत्वम् ॥८४॥ पर्यायेण शान्तस्य प्रयोगः

---

१. KSS. व्यमर्दसंप्राप्त ।
२. NS. चतुरङ्कविभूषितश्चैव ।
३. KSS. यद्वा योगे कार्यं ये पुरुषा ये रसाश्च निर्दिष्टाः ।
४. NS. तत्स्यात् ।
५. KSS. केवलममरस्त्रियो ह्यस्मिन् । NS. केवलमत्र स्त्रिया योगः ।
६. KSS. लक्षणमिदमित्युक्तं समासयोगेन ।
७. NS. अथ वै डिमस्य लक्षणमतः प्रवक्ष्यामि ।

शृङ्गारहास्यवर्जं शेषैः सर्वै रसैः समायुक्तः ।
दीप्तरसकाव्ययोनिर्नानाभावोपसम्पन्नः[1] ॥८५॥
निर्घातोल्कापातैरुपरागेणेन्दुसूर्ययोर्युक्तः ।
युद्धनियुद्धाधर्षण[2]संफेटकृतश्च कर्तव्यः ॥८६॥
मायेन्द्रजालबहुलो [3]बहुपुस्तोत्थानयोगयुक्तश्च ।
देवभुजगेन्द्रराक्षसयक्षपिशाचावकीर्णश्च ॥८७॥
षोडशनायकबहुलः सात्त्वत्यारभटीवृत्तिसम्पन्नः[4] ।
कार्यो डिमः [5]प्रयत्नान्नानाश्रयभावसम्पन्नः ॥८८॥
[डिमलक्षणमित्युक्तं मया समासेन लक्षणानुगतम् ।
व्यायोगस्य तु लक्षणमतः परं संप्रवक्ष्यामि] ॥८९॥

स्यादित्याह दीप्तरसेति । काव्ययोनिः काव्यवस्तु ॥८५॥ देवादयो बाहुल्येनात्र सात्त्वत्यारभटीति । "जातिरप्राणिनाम्" इति क्वचित् । सात्त्वत्यारभटीवृत्तिसंपन्नं वृत्तिद्वयं यत्र वृत्तिसमूहे वा वृत्तिशब्दः सात्त्वत्यारभटोलक्षणव्यावृत्त्या संपन्नः । डिमो डिम्बो विद्रव इति पर्यायाः तद्योगादयं डिमः । अन्ये तु डयन्त इति डिमः उद्धतनायकास्तेषामात्मनां वृत्तिर्यत्रेति । "इको ह्रस्वोऽङ्यो गालवस्य" इति ह्रस्वः । नानाश्रयभावसंपन्न इत्यनेन सर्वभावयुक्तत्वादिति वृत्तवैचित्र्यमाह ।

नाटकादनन्तरं डिमलक्षणं यद्यप्युचितं तथापि तद्गतप्रवेशिकादिसंभवनिराकरणार्थं तत्प्रकरणादपकृष्यास्याभिधानं, तेन दिनचतुष्टयवृत्तमेवात्र प्रयोज्यम् । अङ्कावतारः एव चात्र भवति । चूलिकाङ्कमुखयोस्त्वत्रापि युद्धादिवर्णने समुपयोगोऽस्त्येव । ततश्च वस्तुतः प्रवेशकाद्यनिषिद्धमेव, प्रवेशकस्य ह्यसंभव एव । सरसेतिवृत्तवशाद्वा यथाङ्केष्वन्योन्यासंबन्धात् यथा समवकारे बह्वङ्केऽपि तस्मात्प्रकरणोत्कर्षोऽस्य तस्यावसरभावात् । तत्र हि नाटकान्तरमस्याभिधाने प्रकरणस्य न तत्स्पर्धित्वमुक्तं भवेत् । तदनन्तराभिधाने नाटिकादिभेदः कथं स्याप्यः । नाटिकायां च स्त्रीप्रधानत्वात्, त्रिशृङ्गारसमवकाराभिधानमेव ततः परं न्याय्यम् । तत्प्रसङ्गेन च दिव्यपुरुषसंबन्धादीहामृग उक्तः, तदन्तरं च दिव्यपुरुषाधिकारेण रूपकाणीति पूर्वमनेकरसयुक्तत्वेन विततेतिवृत्तत्वादयमभिधातुं युक्तमित्यलं बहुना ॥८८॥

---

१. KSS. नानाभावान्वितश्चैव ।
२. KSS., NS. प्रहरण ।
३. KSS. NS. बहुपुरुषोत्थानयुक्तश्च ।
४. KSS. संयुक्तः ।
५. KSS. तज्ज्ञैर्नानाश्रयविशेषेण ।

व्यायोगस्तु विधिज्ञैः [1]कार्यः प्रख्यातनायकशरीरः ।
अल्पस्त्रीजनयुक्तस्त्वेकाहकृतस्तथा चैव ॥९०॥

बहवश्च तत्र पुरुषा [2]व्यायच्छन्ते यथा समवकारे ।
[3]न च दिव्यनायकयुक्तः कार्यस्त्वेकाङ्क एवायम् ॥९१॥

न च दिव्यनायककृतः कार्यो राजर्षिनायकनिबद्धः ।
युद्धनियुद्धाधर्षणसंघर्षकृतश्च कर्तव्यः ॥९२॥

एवंविधस्तु कार्यो व्यायोगो दीप्तकाव्यरसयोनिः ।
वक्ष्याम्यतः परमहं लक्षणमुत्सृष्टिकाङ्कस्य ॥९३॥

प्रख्यातवस्तुविषयस्त्वप्रख्यातः कदाचिदेव स्यात् ।
दिव्यपुरुषैर्वियुक्तः शेषैर्युक्तो भवेत्पुंभिः ॥९४॥

व्यायोगस्तु डिमस्यैव शेषभूतो, दिव्यनायकाभावात् केवलमत्रोदात्तस्य राजादेः नायकता, अपि त्वमात्यसेनापतिप्रभृतेर्दीप्तरसस्य, अत एवाह **प्रख्यातनायके**ति उदात्तग्रहणमपाकर्तव्यमित्यर्थः ॥९०॥ यथा समवकार इति द्वादशेत्यर्थः । तावदङ्कपरिमाणशङ्कामतिदेशात् प्रत्यासत्त्या प्रसक्तां वारयितुमाह **एकाङ्क** एवेति । एवकारेणैकाहचरितविषयत्वान्न्यायप्राप्तमेवात्रैकाङ्कत्वमित्याह ॥९१॥

ननु प्रख्यातनायकशब्देन किमत्र गृहीतमित्यप्रतिप्रसङ्गं शमयति न चेति । चो भिन्नक्रमः । दिव्यैर्देवैः नृपैः ऋषिभिश्च नायकैः न निबद्धोऽयं भवतीत्यर्थः ।

ननु कस्मादयं व्यायोग इत्याह—**युद्ध नियुद्धे**ति व्यायामे युद्धप्राये नियुध्यन्ते पुरुषा यत्रेति व्यायोगः इत्यर्थः । नियुद्धं बाहुयुद्धं संघर्षः शौर्यविद्याकुलरूपादिकृता स्पर्धा ॥९२॥ दीप्तं काव्यमोजोगुणयुक्तं, दीप्तरसाद्या वीररौद्राद्याः तदुभयं योनिः कारणमस्य ॥९३॥

रौद्राद्यनन्तरं "रौद्रस्य चैव यत्कर्म स ज्ञेयः करुणः (६-४५)" इत्युक्तत्वात्तत्प्रधानमुत्सृष्टिकाङ्कमेतदनन्तरमाह । **प्रख्यातवस्तु विषय** इति । प्रख्यातं भारतादियुद्धे विषये निमित्ते सति यत्तत्करुणबहुलं चेष्टितं वर्ण्यते तत्ख्यातं स्त्रीपर्ववृत्तान्तवत्, माभूदित्यप्रख्यातग्रहणेनोक्तम् । तेनोभयोपादानस्य परस्परविरुद्धार्थत्वादकिञ्चित्करत्वं नाशङ्कनीयम् ॥९४॥ निवृत्त युद्धा उद्धतप्रहाराः पुरुषा यस्मिन् । परिदेवितं दैवोपाल-

---

१. KSS. कर्तव्यः ख्यातनायकशरीरः ।
२. KSS., NS. कविभिः कार्या ।
३. KSS., न च तत्प्रमाणस्तु तदेकाङ्कः संविधातव्यः । NS. न च तत्प्रमाणयुक्ताः कार्या एकाङ्क एवायम् ।

करुणरसप्रायकृतो निवृत्तयुद्धोद्धतप्रहारश्च ।
स्त्रीपरि[1]देवितबहुलो निर्वेदितभाषितश्चैव ॥९५॥

नानाव्याकुलचेष्टः सात्त्वत्यारभटिकैशिकीहीनः ।
[2]कार्यः काव्यविधिज्ञैः सततं ह्युत्सृष्टिकाङ्कस्तु ॥९६॥

यद्दिव्यनायककृतं काव्यं संग्रामबन्धवधयुक्तम् ।
तद्भारते तु वर्षे कर्तव्यं काव्यबन्धेषु ॥९७॥
[3]कस्माद्भारतमिष्टं वर्षेष्वन्येपु देवविहितेषु[4] ।
हृद्या सर्वा भूमिः शुभगन्धा काञ्चनी यस्मात् ॥९८॥

उपवनगमनक्रीड़ा विहारनारीरतिप्रमोदाः स्युः ।
तेषु हि वर्षेषु सदा न तत्र दुःखं न वा शोकः[5] ॥९९॥

म्भात्मनिन्दारूपमनुशोचनं यत्र। निर्वेदितानि श्रुतेषु निर्वेदो जायते तादृशि भाषितानि यत्र ॥९५॥ व्याकुला चेष्टा भूमिनिपातविवर्तिताद्याः। **सात्त्वत्यारभटीकैशिकीहीन** इति समाहारद्वन्द्वान्तरद्वन्द्वगर्भस्तृतीयासमासः। उत्क्रमणीया सृष्टिर्जीवितं प्राणा यासां ता उत्सृष्टिकाः शोचन्त्यः स्त्रियस्ताभिरङ्कित इति तथोक्ताः। वृत्तिभिरुत्सृष्टत्वादित्यन्ये तदा द्वित्वं च त्रित्वमुद्देशस्यैकदेशेन। अयमङ्क इति निर्दिष्टो वृत्तानुरोधात्। इह च करुणरसबाहुल्यादेव देवैर्वियोगः रौद्रबीभत्सभयानकसंबन्धो दिव्ययोगे न भवत्यपि तु करुणयोगः ॥९६॥ नन्वेवं देवानां युद्धमप्यनुचितमित्याशंक्य प्रसङ्गात्समवकारादौ देशविशेषोपयोगं दर्शयति **दिव्यनायककृतमिति**। तेषां भारतवर्षावतीर्णानां युद्धादिकं प्रदर्शयेदित्यर्थः ॥९७॥ अत्र राज्ञः पृच्छति कस्माद्भारतमिष्टमिति। अत्र प्रयोगे प्रतिवक्ति वर्षेष्वन्येष्विति देशत्वेन भोगभूमित्वेन विहितेष्वपीत्यर्थः ॥९८॥ उपवनं गत्वा क्रीडा जलक्रीडादिकाः विहरणमुपवन एव सञ्चरणं नार्या सह रतिः संभोगः प्रमोदो दिव्यपानादिकृतम् ॥९९॥ नन्वेव मिलावृतकुरुप्रभृतिषु वर्षेषु मा तेषां देवानां वृत्तं व्याख्यायि तथापि स्वनिवासेषु व्यावर्ण्यतामित्यत आह **ये तेषामधिवासा** इति वसन्ति तेष्विति वासाः। पर्वता इति कैलासादयः, संभोग इति सा हि तेषां भूमिः भोगस्थानं, अस्मिन्निति भारतवर्षे कर्मारम्भः आरम्भग्रहणेनेदमाह न तेषां दुःखं पूर्णं कदाचिद्भवति। दुखपूर्णतायां

---

१. KSS. देवन···।
२. KSS. कर्त्तव्योऽभ्युदयान्तस्तज्ज्ञैरुत्सृष्टिकाङ्कस्तु।
३. KSS. तस्मात्।
४. KSS. नित्यकालं हि।
५. KSS. शोकम्।

ये तेषामधिवासाः पुराणवादेषु पर्वताः प्रोक्ताः[1] ।
सम्भोगस्तेषु भवेत्कर्मारम्भो भवेदस्मिन् ॥१००॥
प्रहसनमपि विज्ञेयं द्विविधं शुद्धं [2]तथा च सङ्कीर्णम् ।
[अङ्कस्य लक्षणमिदं व्याख्यातमशेषयोगमात्रगतम् ॥१०१॥
प्रहसनमतः परमहं सलक्षणं संप्रवक्ष्यामि] ।
वक्ष्यामि तयोर्युक्त्या पृथक्पृथग्लक्षणविशेषम् ॥१०२॥
[3]भगवत्तापसविप्रैरन्यैरपि हास्यवादसंबद्धम् ।
[4]कापुरुषसंप्रयुक्तं परिहासाभाषणप्रायम् ॥१०३॥
अविकृतभाषाचारं विशेष[5]भावोपपन्नचरितपदम् ।
नियतगतिवस्तुविषयं शुद्धं ज्ञेयं प्रहसनं तु ॥१०४॥

देवत्वस्यैव विघातोऽनवस्थानप्राप्त्या स्वरूपलोप इति युक्तमुक्तम् । करुणारसबाहुल्या-दुत्सृष्टिकाङ्कः दिव्यैर्वियोग एव तेषां सुखबाहुल्यात्तत्सन्निधाने अन्यस्यापि शोकावसर पराकृतेरिति गाढदुःखाभिभूता, एवंभूतप्रयोगदर्शने सति 'दुःखी दुःखाधिकान् पश्ये' दिति नीत्या प्रतनूभूतदुःखभाराः सुखेन विनेया भवन्ति, यथोक्तं प्राक् स्थैर्यं दुःखार्दितस्य च (१-१११) इत्युत्सृष्टिकाङ्कप्रयोगः ॥१००॥

एवं रञ्जनाप्रधानेन करुणेन युक्तं रूपकमभिधाय रञ्जनप्रधानं हास्यप्राप्यं प्रहसनं लक्षयति विभागमुखेन **प्रहसनमपि विज्ञेयमिति द्विविधमिति** । विभागः शुद्धं संङ्कीर्णं चापीति । अपिशब्दोऽतिक्रमार्थः । तथेति सामान्यलक्षणम् । तदयमर्थः लक्षणविशेषं विशेषलक्षणम् । भगवत्तापसविप्राः यतिवानप्रस्थगृहस्थाः, अन्ये शाक्यादयस्तैरुपलक्षितम् । हास्यप्रधानवचनसंबन्धशीलनादिना कुत्सितैः पुरुषैरत एव प्रहस्यमानैः सामर्थ्यात्तैरेव भगवदादिभिर्युक्तम् ॥१०३॥ तथापि च भाषाचारौ यत्र न विकृतावसत्याश्लीलरूपौ तथा विशेषेण भावैः व्यभिचारिभिरुपपन्नानि पदानि कथाखण्डानि यस्मिन् । नियतगतिः एकप्रचारं यद्वस्तु तद्विषयः प्रहसनीयलक्षणो यत्र, तच्छुद्धं प्रहसनम् । अत्र निर्वचनं यतः परिहासप्रधानान्याभापणान्यत्र बाहुल्येन भवन्ति तेन यत्रैकस्यैव कस्यचित् चरितं दुष्टत्वात्प्राधान्येन प्रहस्ते तच्छुद्ध-मित्यर्थः ॥१०४॥ यत्र तु वेश्यादिभिर्योगोऽप्युल्वणं चाकल्पादि तदेकद्वारेणानेक

---

१. KSS. पर्वता गदिता ।
२. KSS. तथैव ।
३. KSS. भगवत्तापसभिक्षुश्रोत्रियविप्रातिहाससंयुक्तम् ।
४. KSS. नीचजन…।
५. KSS. भावोपहास…।

वेश्याचेटनपुंसकविटधूर्ता[1] बन्धकी च यत्र स्युः ।
अनिभृतवेषपरिच्छदचेष्टितकरणैस्तु[2] संकीर्णम् ॥१०५॥

लोकोपचारयुक्ता या वार्ता यश्च दम्भसंयोगः ।
[3]स प्रहसने प्रयोज्यो धूर्तप्रविवादसम्पन्नः ॥१०६॥

[4]वीथ्यङ्गैः संयुक्तं कर्तव्यं प्रहसनं यथायोगम् ।
भाणस्यापि तु लक्षणमतः परं संप्रवक्ष्यामि ॥१०७॥

वेश्यादिचरितेन हसनीयेन सङ्कीर्णत्वात् सङ्कीर्णणम् । अन्ये त्वाहुः—येषां स्वभावत एव चरितं शिष्टमध्ये सम्येतरतमत्वेन प्रहसनार्हं तरविशुद्धत्वात्सङ्कीर्णम् तद्योगाच्च रूपकम् । ये तु स्वभावतो न गर्हिता भगवत्तापसादिचेष्टाविशेषास्तेषां प्राकृतपुरुष-संक्रान्तिदौरात्म्योदितामन्यसंबन्धदूष्यमाणतया प्रहसनीयतां यातास्ते स्वभावशुद्धाः तद्योगाद्रूपकं शुद्धमिति ॥१०५॥ उभयसाधारणीमपि कवेः शिक्षामाह—लोकोपचारेति । वार्ता प्रसिद्धिर्यदि सा लोकव्यवहारसिद्धा भवति, यथा शाक्यानां स्त्रीसंपर्कः प्रहसनीयो भवति, न चौर्यम् । एवंभाविप्रसिद्ध एवोपहसनीयः । अत्राधिकरणं स्वयमेवाह धूर्तप्रविवादेति । धूर्ताः कृत्रिमतापसादयः विटादयश्च । तद्विषयो यः प्रकृष्टो विवादः विरुद्धतयावभासस्तेन फलभूतेन संपाद्यतया यदुक्तं प्रहस्यमानं तथाभूत-चरितावलोकनेन हि संस्कृतमिति व्युत्पाद्यो न भूयस्तान्वञ्चकानुपसर्पतीति ॥१०६॥ वीथ्यङ्गैरिति वक्ष्यमाणैः यथायोगमिति तेषां संप्रयोगे संख्यायाः क्रमस्य तु न कश्चिन्नियम इति दर्शयति । प्रहसनस्याङ्कनियमानभिधानात् शुद्धमेकाङ्कं, सङ्कीर्णं त्वनेकाङ्कम् वेश्यादिचरितसंख्याबलादिति केचित् ।

अन्ये त्वेकाङ्कप्रकरणमध्यपातित्वादेकाङ्कमिति मन्यन्ते प्रथमसंख्यातिक्रमे भेदाभावपरित्यागे च प्रमाणाभावात् ॥१०७॥

अथ हास्यरसोचितविटधूर्ताद्यनुप्रवेशेन समानयोगक्षेमं भाणं लक्षयितुमाह आत्मानुभूतशंसीति । एकेन पात्रेण हरणीयः समाजिकहृदयं प्रापयितव्योऽर्थो यत्र स भाणः । एकमुखेनैव भाण्यन्ते उक्तिमन्तः क्रियन्ते अप्रविष्टा अपि पात्रविशेषा यत्रेति भाणः । तत्र स प्रविष्टः पात्रविशेषः आत्मानुभूतं वा शंसति परगतं वा

---

१. KSS. धूर्तविटा ।

२. KSS. करणात्तु ।

३. KSS. तत्प्रहसने प्रयोज्य NS. तत्प्रहसनेषु योज्यं ।

४. KSS. उद्घात्यकादिभिरिदं वीथ्यङ्गे मिश्रितं भवेन्मिश्रम् ।

आत्मानुभूतशंसी परसंश्रयवर्णनाविशेषस्तु[1] ।
[2]विविधाश्रयो हि भाणो विज्ञेयस्त्वेकहार्यश्च ॥१०८॥

परवचनमात्मसंस्थं प्रतिवचनैरुत्तरोत्तरग्रथितैः ।
आकाशपुरुषकथितैरङ्गविकारैरभिनयंश्चैव[3] ॥१०९॥

धूर्तविटसंप्रयोज्यो नानावस्थान्तरात्मकश्चैव ।
[4]एकाङ्को बहुचेष्टः सततं कार्यो बुधैर्भाणः ॥११०॥

वर्णयति ॥१०८॥ तत्र च प्रयोगप्रयुक्तिमाह परवचनमिति । परसन्धिवचनं स्वयमङ्गविकारैरभिनयेत् ।

ननु तत्परवचनमयुक्तं कथमभिनयेत् आह आकामे शून्ये यानि पुरुषकथितानि दृष्टानि यत्र शून्ये तेन वर्ण्यन्ते वा कश्चित्पश्यत्याकर्णयति च तत्र च तद्वचनं स एवानुवदन् सामाजिकान् बोधयति । यथा "भो बाडब ! अले किं ब्रवीषि" इत्यादौ न केवलं परवचनमभिनयेत्, किन्तु प्रतिवचनैः स्वोक्तैः सह, अत एवोत्तरोत्तरग्रथितयोजनाभिरुपलक्षितैः ॥१०९॥ ननु योऽसावेकोऽत्र प्रविशति स क इत्याह धूर्तविटेति । नानाप्रकारावस्थाविशेषात् लोकोपयोगिव्यवहार एव आत्मा वाच्यं यस्य, अत एव बहुचेष्टः सततं कार्य इति सकलसामान्यपृथग्गतोपयोग्यस्तु लोकव्यवहारो वेश्याविटादिवृत्तान्तात्मा निरूप्यत इति बाहुल्येन पृथग्जनव्युत्पत्तियोनिरूपकमिदं राजपुत्रादीनामपि शंभलीवृत्तान्तो ज्ञेय एवावञ्चनार्थमिति संप्रयोज्य इत्यर्थः ॥११०॥

इदमिह मीमांस्यं—य एते उत्सृष्टिकादयो रूपकभेदाः ते तावदेकरसा एव यद्यपि नाटकादयोऽप्येवमेव । तथाहि सर्वरसयोग्यतायामपि नाटके प्रकरणे च धर्मार्थादिवीर एव प्रधानं परमार्थतः सर्वेषु नायकभेदेषु वीरत्वानुगमदर्शनात् । समवकारे तु यद्यपि हि शृङ्गारादित्वमुक्तं तथापि वीर एव प्रधानं रौद्रो वा । डिमव्यायोगयोरप्येवम् । ईहामृगेऽपि रौद्रप्राधान्यमेव, नाटिकायां तु शृङ्गार एव प्रधानम् । एवं तावद् वीररौद्रशृङ्गारा यथास्वं पुमर्थत्रयप्राणभूतत्वेन वर्तमाना एतेषु प्रयोगेषु शान्तबीभत्सरसौ तु चरमपुमर्थयोगात्तत्र च सर्वस्य नाधिकारोऽपि कस्यचिदपश्चिमजन्मनोऽधिकारान्नाटके यद्यपि तत्फलप्रधानतया प्राधान्यमवलम्बेयातां तथापि नासौ प्रचुरप्रयोग इति तयोः पुरुषार्थप्रवरप्राणितयोरपि वीरादिरसान्तराध्यावापेनावस्थापनम् । एवं तावत्पुमर्थविषयो रूपकरसविषय एव परमार्थतः,

---

१. NS. विशेषेषु ।
२. NS. द्विविधाश्रयो···।
३. KSS. अभिनयेत्तत् ।
४. KSS., NS. एकाङ्गो ।

तथापि त्वितिवृत्तवैतत्याद्रसान्तरप्रयोगोऽपि तदङ्गतया तत्र भवति। एवं तत्प्रधानचेष्टायोगाद् वृत्तिवैचित्र्यमत्रोचितमेव। उत्सृष्टिकाङ्कप्रहसनभावास्तु करुणहास्यविस्मयप्रधानत्वाद् रञ्जकरसप्रधानाः, तत एवात्र स्त्रीबालमूर्खादिरधिकारी। न च विततमत्रेतिवृत्तम्, इतिवृत्तवैचित्र्यमपि तत्र नास्ति। तथाहि—उत्सृष्टिकाङ्के तु वृत्तित्रयं तावद्वचसा निषिद्धं, भारती चात्र कथं वृत्ति, चेष्टा हि करुणेऽप्रधानं, तदुपकरणं तु परिदेवितात्मिका भारती, तस्मात् फलसंवित्त्याख्या वृत्तिः, वाक्चेष्टयोः फलानुभव इति यस्या लक्षणं, साभ्युपगन्तव्या। अवश्यं चैतत्, अन्यथा मूर्छामरणादौ वाक्चेष्टयोरभावे निर्वृत्तिकतैव स्यात्। किञ्च यदि तावत्पुमर्थकामोद्देशेन कैशिक्यभिधीयते धर्ममर्थं चोद्दिश्य वृत्तिद्वयं वक्तव्यम्। तस्माच्चेष्टात्मिका न्यायवृत्तिरन्यायवृत्तिर्वाग्रूपा तत्फलभूता फलसंवित्तिरिति वृत्तित्रयमेव युक्तमिति भट्टोद्भटो मन्यते।

यदाह—

आद्ये वाक्चेष्टाभ्यां पुरुषार्थचतुष्टयेन चाष्टविधे।

षोडशधा फलवृत्तिस्तद्द्वयतोऽनेकधा तु रसभेदात्॥

तदत्र केचिदाहुः—सात्त्वत्यां यद्यपि कैशिकी शक्यान्तर्भावा तथापि रञ्जकत्वातिशयात् पृथगुपात्तात्, स्वरवन्मुखजाभिनयतश्च, न चान्यायवृत्ती (वृत्तित्वं) पुमर्थचतुष्कयोगोपपत्तिविप्रतिषेधात्, फलवृत्तौ च वृत्तिसामान्यलक्षणं व्यापाररूपत्वं यदि नास्ति तत्कथं वृत्तित्वम्। अस्ति चेद्वाक्चेष्टातिरिक्तो मानसो व्यापारो न कश्चित् लोकसिद्ध इति सूक्ष्मो वाक्चेष्टागत एवोपेत्यः। ततश्च मरणमूर्छादावपि प्राणात्मकायीयव्यापारसंभव एव यदनुस्मरणे लयतालगानानि प्रवर्तन्ते संवेदनमपि च मूर्छादौ नास्तीति शक्यं वक्तुमिति फलवृत्तिरपि तत्र कथम्। तस्मात्तत्र सात्त्वत्येव वृत्तिः। यदि बाहुल्यापेक्षया वृत्तिमयं काव्यमिति व्यवहारो रूपकसमुदायापेक्षया खण्डस्यावृत्तिकत्वेऽपि समुदितस्य रूपकस्य वृत्तिमयत्वात्। यच्छाकलीगर्भमतानुसारिणो मूर्छादावात्मसंवित्तिलक्षणां पञ्चमीं वृत्तिं सकलकार्यनिवृत्त्यनुमेयां मूर्छाकर्मानुभावेन च फलेनावच्छिन्नामात्मव्यापाररूपां मन्यन्ते, न च परिस्पन्द एवैको व्यापार इति मनसिकृत्य तन्मतं भावानां बाह्यग्रहणस्वभावत्वमुपपादयद्भिः भट्टलोल्लटप्रभृतिभिः पराकृतमिति न फलवृत्तिर्वा काचिदिति चतस्र एव वृत्तयः इति।

वयन्तु ब्रूमः। कोऽयमस्थानसन्त्रासः। यत्किञ्चिदिह नाट्ये समस्ति तच्चेद् वृत्तिष्वन्तर्भाव्यं तदा भवेदेतत्—न चैवम्। रङ्गो हि नाम का वृत्तिः, मृदङ्गपणववंशाद्या का वृत्तिरपि हि भवेत्। तस्माद् व्यापारः पुमर्थसाधको वृत्तिः। स च सर्वत्रैव वर्ण्यत इत्यतो वृत्तयः। काव्यस्य मातृका इति न हि किञ्चिद्व्यापारशून्यं वर्णनीयमस्ति। मदमूर्छादिवर्णनायामपि मनोव्यापारस्य सात्त्वत्याख्यस्य संभवात्,

[भाणस्यापि हि निखिलं लक्षणमुक्तं तथागमानुगतम् ।
वीथ्याः संप्रति निखिलं कथयामि यथाक्रमं विप्राः !] ॥१११॥

सर्वरसलक्षणाढ्या युक्ता ह्यङ्गैस्त्रयोदशभिः ।
वीथी स्यादेकाङ्का [1]तथैकहार्या द्विहार्या वा ॥११२॥

अधमोत्तममध्याभिर्युक्ता स्यात्प्रकृतिभिस्तिसृभिः ।
[2]उद्घात्यकावलगितावस्पन्दितनाल्यसत्प्रलापाश्च ॥११३॥

वाक्केल्यथ प्रपञ्चो मृदवाधिवले छलं त्रिगतम् ।
व्याहारो गण्डश्च त्रयोदशाङ्गान्युदाहृतान्यस्याः ॥११४॥

करुणादावपि च मनोदेहव्यापारसंभवेऽपि बाहुल्येन वाग्व्यापारसंभवाद् भारतीवृत्तिरुच्यते। वृत्त्यन्तरनिषेधस्तु तदङ्गानामपरिपूर्णत्वात्। न च कायवाङ्मानसव्यापारं तद्वैचित्र्यं वान्तरेणान्यः कश्चिद् व्यापारः संभवतीत्यसकृदुक्तम्। तस्मात्करुणप्रधाने भारती वृत्तिः परिदेवितबाहुल्यात्।

यत्तु 'शृङ्गारहास्यकरुणैरिह कैशिकी स्यात्' इति कोहलेनोक्तं तन्मुनिमतविरोधादुपेक्ष्यमेव, तस्य यत्र यत्रानुल्वणा चित्तवृत्तिः सा सा कैशिकीत्याशयः। एवं प्रहसनभाणयोरपि वाग्व्यापारप्राधान्यादेव भारती वृत्तिः, मूर्छादौ तु व्यापाराभावे वृत्त्यभाव एव। न हि सर्वं नाट्यं वृत्तिमयन्त्रतया समर्थनीयमित्यलमतिप्रसक्त्या।११२।

अथ सर्वान्ते सर्वरसमयत्वादविततस्वभावत्वाच्च संक्षेपेण शक्यव्युत्पत्तिदायिनीत्वेन प्रधानभूतत्वात्तदङ्गानां च नाटिकादिभाणान्तसमस्तरूपकोपजीव्यत्वाद् वीथीं लक्षयति। एकहार्येरित्याकाशपुरुषभाषितैरित्यर्थः। द्विहार्येति उक्तिप्रत्युक्तिवैचित्र्येणेत्यर्थः। अङ्गान्युद्दिशति—

उद्घात्यकावलगितावस्पन्दितनाल्यसत्प्रलापाश्च ।
वाक्वेल्यथ प्रपञ्चो मृदवाधिवले छलं त्रिगतम् ।
व्याहारो गण्डश्च त्रयोदशाङ्गान्युदाहृतानीति ।

इत्युदाहरणमात्रमेतदिति यावत् ॥११३॥११४॥ एतानि क्रमेण लक्षयति पदानि त्वगतार्थानीति।

नन्वेषामुक्तिवैचित्र्यरूपत्वं चेल्लक्षणालङ्कारादिभ्यः को भेद, इतिवृत्तोपकरणरूपत्वे तु सन्ध्यङ्गेभ्यः कथमन्यता, रसोपकरणतायां वृत्त्यङ्गेष्वन्तर्भावः।

---

१. KSS. द्विपात्रहार्यातथैकहार्या वा ।
२. KSS. varies absolutely.

[अथ वीथी संप्रोक्ता लक्षणमेषां प्रवक्ष्यामि] ।
पदानि त्वगतार्थानि ये नराः[1] पुनरादरात् ॥११५॥
योजयन्ति पदैरन्यैस्तदुद्घात्यकमुच्यते ।
यत्रान्यस्मिन् समावेश्य कार्यमन्यत्प्रसाध्यते[2] ॥११६॥

न चैतद् व्यतिरिक्तमेषां सामान्यलक्षणमस्ति । तत्र केचिदुक्तलक्षणादिविशेषरूपत्वमेवैषां प्रतिपादयन्ति, विवेचकास्तु तद्व्यतिरिक्तान्येवैतानीत्याहुः :

तथाहि प्रश्नप्रतिवचनयोरन्याभिप्रायरूपेण योगेन यद्वैचित्र्यं तद्वीथ्यङ्गम्, अत एवोदाहृतानीत्येषां सामान्यलक्षणम् । उदाहृतानि प्रतिवचनानीत्यर्थः । तानि च सर्वाणि प्रतिवचनशून्यस्य काव्यस्याभावात् तेन विचित्राणीति लभ्यन्ते । अत एव वीथी पङ्क्तिरन्योत्तरासहिष्णुत्वात् विचित्रोक्तिप्रत्युक्तिगर्भत्वात्, लक्षणालङ्कारादीनां तु नोक्तिनियतं रूपमिति विशेषः । तत्र यदा विवक्षितमुत्तरं दातुं शक्तोऽयं स्यादिति यन्मम मनसि वर्तते तदेव वक्ति न वेन्त्येवमादिना निमित्तेन यदा प्रष्टैव प्रतिवचनं वैचित्र्यमभिसन्धाय पृच्छति, प्रतिवक्तोचितमभिधत्ते तदा तदुत्तरमुद्घात्यकम् । प्रश्नात्मके उद्घाते साध्विति यत्, तत्राज्ञातार्थे कन् । पदान्यगतार्थानि प्रश्नरूपाण्यादरात्कृतानि पर्यायैः पदान्तरैरुत्तररूपैः नराः सुधियो योजयन्ति । तदुत्तरपदसमूहात्मकमुद्घात्यकम् । यथा पाण्डवानन्दे—

का भूषा बलिनां क्षमा, परिभवः कोऽयं सकुल्यैः कृतः,
किं दुःखं परसंश्रयो, जगति कः श्लाघ्यो य आश्रीयते ।
को मृत्युर्व्यसनं, शुचं जहति के यैर्निर्जिताः शत्रवः,
कैर्विज्ञातमिदं विराटनगरे च्छन्नस्थितैः पाण्डवैः ॥११५॥

यत्रान्यस्मिन्निति । यत्रोत्तरे दीयमाने अन्यानुसन्धानपूर्वकेऽप्यन्यत्कार्यं सिध्यति तान्यन्यकार्यावलगनादवलगितम् । यथा "अवि सुहाअदि दे लोअणाणा" मिति विदूषकेण पृष्टे (राज्ञः) "सुखयतीति किमुच्यते" इति "कृच्छ्रेणोरूयुग" मित्याद्युत्तरं वसन्तकप्रत्यायनोद्देश्येन प्रवृत्तमपि सागरिकागतमास्थाबन्धजीवितं मुख्यं शृङ्गाराख्यं कार्यं साधयतीति ॥११६॥

आक्षिप्ते त्विति । शुभाशुभं दैवं तेनाबुद्धिपूर्वकं कुत्रचिदर्थे आक्षिप्तेऽपि कौशलात्तत्प्रच्छादनेच्छया यत्रोत्तरोऽन्योऽर्थ उच्यते तदवस्पन्दितं चक्षुःस्पन्दनादिवदन्तर्गतसूचनीयसंभवात् । यथा—

---

१. KSS. यैर्नराः NS. यत्तरां ।
२. KSS. प्रशस्यते ।

तच्चावलगितं नाम विज्ञेयं नाट्ययोक्तृभिः ।
[1]आक्षिप्तेऽर्थे तु कस्मिंश्चिच्छुभाशुभसमुत्थिते ॥११७॥

[2]कौशलादुच्यतेऽन्योऽर्थस्तदवस्पन्दितं भवेत्[3] ।
हास्येनोपगतार्थप्रहेलिका नालिकेति विज्ञेया ॥११८॥

मूर्खजनसन्निकर्षे हितमपि यत्र प्रभाषते विद्वान् ।
[4]न च गृह्यतेऽस्य वचनं विज्ञेयोऽसत्प्रलापोऽसौ ॥११९॥

सत्पक्षा मधुरगिरः प्रसाधिताशा मदोद्धतारम्भाः ।
निपतन्ति धार्तराष्ट्राः कालवशान्मेदिनीपृष्ठे ।

अत्र दैववशादयमर्थं आयातः सत्पक्षे अमधुरा गीर्येषान्ते, तथा प्रकर्षेण साधिताः आधिसहिताः यैर्दिशः कृतः धृतराष्ट्रात्मजाः पतन्तीति । तत्रोत्तरं प्रतिहतममङ्गलम् । पुनः सूत्रधारः । ननु शरत्समयवर्णनया धार्तराष्ट्रा हंसा नभस्तलात्, इति व्यपदिशामीत्यादि अवस्पन्दितत्वमेव सूचयति "न खलु न जाने किन्त्वमङ्गलत्वात् शङ्कितमेव मे हृदय" मिति ॥११७॥

हास्येनोपगतार्थेति प्रहेलिका परवितारणकारि यदुत्तरं, अत एव हास्ययुक्ता सा नालिका प्रणालिका व्याजेत्यर्थः । प्रकर्षेण हेलिका नर्मादिक्रीडारूपं यस्याः सा प्रहेलिका यथा—सुसंगता "जस्य किदे तुमं आअदा सो एत्थ एव्व चिठ्ठदि ।" सागरिका "सहि ! कस्स किदे ।" सुसङ्गता (सहासम्) "अइ अप्पसङ्किदे ! णं चित्तफलअस्स ।" अनयां भङ्ग्या आच्छादितं च गर्भगतं चास्य वस्त्विति ॥११८॥

मूर्खजनसन्निकर्ष इति यदुत्तरं मूर्खं प्रति वस्तुतो हितमपि शब्दच्छलाद्यथा प्रियं तादृशं च मूर्खैः प्रियांशेन गृह्यते न तु हितांशेन । तथाभूतभङ्गीद्वयाश्रयणं च सिद्धत्वात्करोति । एवं हि तात्कालिकः कोपोऽपि रक्षितो भवति प्रियाभिधायित्वात् । यथा व्यसनिना राजपुत्रेण किं सुखमिति पृष्टे तेनोत्तरं दीयते—

सर्वथा योऽक्षविजयी सुरासेवनतत्परः ।
तस्यार्थानां सुखानां च समृद्धिः करगामिनि ॥

असतोऽसाधुभूतस्य वस्तुनः प्रलपनमस्मिन्नित्यसत्प्रलाप इति ॥११९॥

---

१. KSS. आक्षिप्य कंचिदर्थं शुभाशुभसमुत्थितम् ।
२. KSS. यत्सृजेत्बुद्धिवैशद्यात् ।
३. इतोऽग्रे ग्रन्थान्तरेषु पद्यत्रयी अधिका ।
४. KSS. वचनं न गृह्यतेऽस्य संज्ञेयोऽसत्प्रलापस्तु ।

एकद्वि[1]प्रतिवचना वाक्केली स्यात्प्रयोगेऽस्मिन् ।
यदसद्भूतं वचनं संस्तवयुक्तं द्वयोः परस्परं यत्तु ॥१२०॥

एकस्य चार्थहेतोः स हास्यजननः प्रपञ्च स्यात् ।
यत्कारणाद् गुणानां दोषीकरणं भवेद्विवादकृतम् ॥१२१॥

दोषगुणीकरणं वा तन्मृदवं [2]नाम विज्ञेयम् ।
परवचनमात्मनश्चोत्तरोत्तरसमुद्भवं द्वयोर्यत्र ॥१२२॥

एकद्विप्रतिवचनेति । एकं द्वयोः प्रतिवचनमस्याम् । द्विग्रहणमनेकोपलक्षणम् । तदमुना सर्वप्रश्नोत्तरवर्गः स्वीकृतः । यथा—

नदीनां मेघविगमे का शोभा प्रतिभासते ।
बाह्यान्तरा विजेतव्याः के नाम कृतिनोऽरयः ॥

यदसद्भूतमिति यथा रत्नावल्याम् "सुसङ्गते' कथमहमिहस्थो भवत्या ज्ञात" इति राजन्युक्तवति सुसङ्गतयोच्यते "ण केवलं भट्ट चित्तपलहेण, ता देवीए णिवेदइस्सं" इत्यादौ आभरणदानपर्यन्ते प्रपञ्चः । तथाहि—द्वयोः सागरिकासुसङ्गतयोः परस्परसंबन्धमाश्रित्यासद्भूतमसत्यं देव्यै निवेदयामीत्युक्तम् । संस्तवश्च तत्रास्ति "भट्टिणो पसादेण किमिदं मए" इति हास्यमपि परिहासरूपं विद्यते । एकस्य च राज्ञोऽर्थे प्रयोजने सागरिकासङ्गमे हेतुर्भवत्येवेति अन्यथाऽभिधानात्प्रपञ्चः ॥१२०॥

यत्कारणादिति गुणानां दोषत्वं दोषाणां वा गुणत्वं यत्र क्रियते तन्मृदवम् । विवादकृतमित्यनेन लक्षणाद्विशेषमाह, इदं वृत्यन्तरं स्वभावमित्यर्थः यथा "शिरः श्वा काको वा द्रुपदतनयो वा परिमृशेत्" (वेणी ३) इत्यत्र दोषस्य गुणीकरणं, विवादाकर्णनेन सह "यदि शस्त्रमुज्झितमशस्त्रपाणयः" (वेणी-३) इत्यत्र कर्णवचनेन प्रतिज्ञातपरिपालनस्य गुणस्यापि दोषीकरणं विवादकृतमेव । मृदवमिति मर्दनं मृत् । परपक्षमर्दनेन स्वपक्षमवति रक्षतीति ॥१२१॥

परवचनमात्मनश्चेति परस्य वचनमात्मनश्च वचनं परस्परमर्थविशेषलाभो यत्र भवतीत्युत्तरोत्तरस्याधिकाधिकस्यार्थस्य समुद्भवो यत्र तदधिबलम् । एतदुक्तं भवति—यत्रोक्तिप्रत्युक्तिक्रमे क्रियमाणे परस्परप्रज्ञानोपजीवनबलात्स्वपक्षसुघटितादधिबलसंबन्धादधिबलम् । यथा नागानन्दे "रागस्यास्पदमित्यवैमी"त्यादित आरभ्य विदूषकेण सहोक्तिक्रमेण स्वपक्षो द्रढिमानमानीतो यावदाह "ननु शरीरतः प्रभृतिसर्वमेव मया परार्थं प्रतिपाल्यते (अ-१) इति ॥१२२॥

---

१. प्रतिवचनात् वाक्केलिका नाम तामाह ।
२. KSS., NS. नामापि ।

अन्योन्यार्थविशेषकमधिबलमिति तद् बुधैर्ज्ञेयम् ।
अन्यार्थमेव वाक्यं छलमभिसन्धानहास्यरोषकरम् ॥१२३॥
[1]श्रुतिसारूप्याद्यस्मिन् बहवोऽर्था युक्तिभिर्नियुज्यन्ते ।
यद्धास्यमहास्यं वा [2]तस्त्रिगतं नाम विज्ञेयम् ॥१२४॥
प्रत्यक्षवृत्तिरुक्तो व्याहारो हास्यलेशार्थः ।
संरम्भसंभ्रमयुतं विवादयुक्तं तथापवादकृतम् ॥१२५॥

अन्यार्थमेव वाक्यमिति यद्वाक्यं प्रयोजनान्तरमुद्दिश्य वचनमुच्यमानं कस्यचिद्वचनमन्यस्य हास्यमपरस्य रोषं जनयति त**च्छलम्** । यथा—

कस्स व ण होई रोसो दट्ठूण पिआए सव्वणं अहरम् ।
सब्भमरपदुमग्घाइणि वारिअवामे सहसु एह्लिम् ॥

एतद्वचनं सखीसंबन्धि भर्तृप्रत्यायनं प्रयोजनमुद्दिश्य प्रयुक्तं तस्य पत्न्या अपि संबन्धिनां **छलं**, विदग्धजनस्य **हास्यं**, सपत्न्या **रोषं** जनयति ।

श्रुतिसारूप्यादिति शब्दसारूप्याद् **बहव** इति प्रश्नप्रतिवचनस्य स्वभावा यत्र **नियुज्यन्ते युक्तिभि**रिति काक्वादीनां तथैवोपपत्तिभिः । **त्रि**शब्दोऽनेकोपलक्षणम्, अनेकमर्थं गतमिति त्रिगतं वाक्ये मुख्यमुत्तरमनेकप्रश्नसाधारणम् । इह तु य एव प्रश्नस्तदेव प्रतिवचनमिति विशेषः । यथा—

सर्वक्षितिभृतां नाथ ! दृष्टा सर्वाङ्गसुन्दरी ।
रामा रम्ये वनान्तेऽस्मिन् त्वया विरहिता मया ॥ (विक्रमो)

अत्रैतदेवोत्तरं साकांक्षाकाकुप्रयोगेऽपि प्रतिबिम्बे वामदक्षिणवैपरीत्यवन्निराकांक्षकाकुः संवृत्ता यत एतद्धास्यम् । एवमहास्य उदाहार्यम् ।

प्रत्यक्षवृत्तिरिति प्रत्यक्षशब्देन भावी प्रत्यक्ष उच्यते । तदयमर्थः—भाविनि प्रत्यक्षेऽर्थे दैववशाद् वृत्तिर्यस्य स व्याहारः विविधोऽर्थोऽभिनीयते येन । यथा "उद्दामोत्कलिकां" (रत्ना-२) इत्यादि ।

संरम्भसंभ्रमयुतमिति संरम्भेणाकृतिविशेषेण यः **संभ्रम** आवेगः तद्युक्तं यद्विरुद्धं वस्तु यदनेन कृत पूर्वोक्तवस्त्वपवदनमेव च तद्वचनं दृष्टार्थगर्भत्वात् । **गण्ड** इव गण्डः । ईषदसमाप्तं वचनं बहुवचनं तत्कृतेनाक्षेपेण कृतं स्वयं प्रतिवचननां पूर्ववचनस्य गतमित्यर्थः । तथा च कोहलः—

वचसां सम्बद्धानामन्ते यत्स्यात्पदे त्वसंबन्धः ।
संबद्धमिवाभाति हि तद्गण्डो नाम वीथ्यङ्गम् ॥

---

१. KSS., NS. श्रुतिसारूप्यार्थात्मनि ।
२. KSS., NS. त्रिगतं नामापि विज्ञेयम् ।

बहुवचनाक्षेपकृतं गण्डं प्रवदन्ति तत्त्वज्ञाः[1] ।
इति दशरूपविधानं सर्वं प्रोक्तं मया हि लक्षणतः ॥
[2]पुनरस्य शरीरगतं संन्धिविधौ लक्षणं वक्ष्ये ॥१२६॥

इति भरतीये नाट्यशास्त्रे दशरूपनिरूपणं नामाध्यायोऽष्टादशः समाप्तः[3] ।

अनेनेषदसमाप्तिरेव दर्शिता । यथा दुर्योधनेन भानुमतीं प्रत्युच्यते—

अध्यासितुं एव चिराज्जघनस्थलस्य
पर्याप्तमेव करभोरु ! ममोरुयुग्मम् ॥ इति (वेणी)

तत्र प्रविश्य कञ्चुकी

भग्नं भीमेन मरुता भवतो रथकेतनम् ॥ इति ।

तत्रोरुग्ममितियुपूर्वविश्रान्तमपि भग्नमित्यत्र संबन्धयोग्यं जातम् ।

एतैः त्रयोदशभिरङ्गैर्युक्ता वीथी, तस्याश्च सर्वरसत्वस्याभिधानात् पर्यायेण रसानां प्राधान्यादुत्तमो मध्यमोऽधमो वा नायको भवत्येव । तथा च कोहलः—

उत्तमाधममध्याभिर्युक्ता प्रकृतिभिस्तथा ।
एकहार्या द्विहार्या वा सा वीथीत्यभिसंज्ञिता ॥इति॥

अधमप्रकृतेस्तु न नायकत्वमिति ध्रुवं, तर्हि प्रहसनकभाणकादौ किं ब्रूयाः हास्यादिरसप्रधानत्वे ह्यधम एव नायकः । कथाशरीरफलेन प्रधानतया संबध्यमानो नायक उच्यते । अनायकत्वेऽहि चास्याधमत्वं नानुपादेयं स्यात् । परिवारतया तस्यानुप्रवेशो ह्यनिवारित एव सर्वत्र ।

अध्यायार्थमुपसंहरन् भाविनमर्थमनुसन्धत्ते इति दशरूपविधानमिति लक्षणत इत्यनेनेदमाह दशैव तानि लक्षणानि उदाहरणानां तु का गणना एतच्च पूर्वमेव दर्शितम् । तत्रैषां पुमर्थोपयोगो निजनिजलक्षणावसरे दर्शित एवेति पौनरुक्त्यं नाश्रीयत इति शिवम् ।

इति विमलशिशिरदीधितिकलितशिरोमण्डनाङ्घ्रिदास्यचणः ।
अभिनवगुप्तो गुप्तं दशस्वरूपं सतत्त्वकं व्यवृणोत् ॥

इति श्रीमन्महामाहेश्वराभिनवगुप्ताचार्यविरचितायां नाट्यवेदविवृतावभिनवभारत्यां दशरूपकविधानं नामाष्टादशोऽध्यायः समाप्तः ॥

---

१. अत्र मुद्रितपुस्तिकानुसारेण पाठभेदः । तत्र षोडशपद्यान्यधिकानि सन्ति ।

२. KSS. इतिवृत्तद्विविधानसन्धिविलक्षणं वक्ष्ये NS. इतिवृत्तद्विविधानं सन्धिविधौ···।

३. KSS. इति भारतीये नाट्यशास्त्रे दशरूपविधानं नाम विंशोऽध्यायः ।

INDEX OF HALF VERSES OF THE NATYASASTRA